S0-CFT-468

HABELTS DISSERTATIONSDRUCKE
REIHE ÄGYPTOLOGIE

HEFT 4

DR. RUDOLF HABELT GMBH · BONN
1984

UNTERSUCHUNGEN
ZU DEN TEXTEN ÜBER PESYNTHEUS

Bischof von Koptos
(569 - 632)

von

GAWDAT GABRA ABDEL SAYED

DR. RUDOLF HABELT GMBH · BONN
1984

BR
1720
.P53
A65
1984

Gedruckt mit Unterstützung des Deutschen
Akademischen Austauschdienstes

Dekan: Professor Dr. Maria-Elisabeth Brockhoff
Referent: Professor Dr. Dr. Martin Krause
Korreferent: Professor Dr. Heinz Grotzfeld
Tag der mündlichen Prüfung: 20. Dezember 1983

CIP-Kurztitelaufnahme der Deutschen Bibliothek

Abdel Sayed, Gawdat Gabra:
Untersuchungen zu den Texten über Pesyntheus :
Bischof von Koptos (569 - 632) / von Gawdat
Gabra Abdel Sayed. - Bonn : Habelt, 1984.
    (Habelts Dissertationsdrucke: Reihe Ägyptologie :
    H. 4)
    ISBN 3-7749-2127-X

NE: Habelts Dissertationsdrucke / Reihe
Ägyptologie

D. 6
ISBN 3-7749-2127-X
Copyright 1984 by Dr. Rudolf Habelt GmbH, Bonn

Vorwort

Die Anregung zur vorliegenden Arbeit geht zurück auf meinen
verehrten Lehrer, Professor Dr. Dr. Martin Krause, der seit
seiner Arbeit über Bischof Abraham von Hermonthis einen
Studenten suchte, der auf Grund seiner Sprachkenntnisse
(Koptisch und Arabisch) nach einer weiteren Vertiefung in
beiden Sprachen, in die koptischen Dialekte und ins Mittel-
arabische, imstande war, sowohl die koptischen als auch
arabischen Quellen über Pesyntheus, Bischof von Koptos,
einen Zeitgenossen Bischof Abrahams' von Hermonthis, zu
bearbeiten.

Pesyntheus von Koptos stellt einen Sonderfall dar, insofern
als er sowohl Mönch und Bischof war, von ihm literarische
Werke und Teile seiner Korrespondenz erhalten geblieben sind,
und auch eine Vielzahl von literarischen Werken über ihn
geschrieben wurden. Er wurde als ein Heiliger angerufen, ins
Synaxar der koptischen und äthiopischen Kirche und ins
Difnar aufgenommen, wo man seiner noch heute am 13. Epep
gedenkt.

Als erster Ägypter, der im Fach Koptologie promoviert hat,
möchte ich folgenden Personen und Institutionen herzlich
danken: für die Ausbildung in den Fächern Koptologie,
Arabistik und Islamwissenschaft und die Weiterbildung in
der Ägyptologie, meinen Lehrern, den Professoren M. Krause,
H. Grotzfeld und J. v. Beckerath, für die Betreuung der
Arbeit M. Krause und für die Überprüfung der Übersetzungen
aus dem Arabischen ins Deutsche und Hinweise H. Grotzfeld.
Ohne die finanzielle Hilfe des DAAD in einem Zeitraum von
sechs Jahren wären meine Ausbildung und vorliegende Arbeit
nicht möglich gewesen. Der Studienmission der Arabischen
Republik Ägypten danke ich für die gewährten Zuschüsse

während meines Aufenthaltes in Münster, der Universität
Münster und ihren Einrichtungen, vor allem dem Seminar für
Ägyptologie und Koptologie für die Arbeitsmöglichkeiten.
Mein Dank gilt auch der Altertümerverwaltung bzw. dem
Koptischen Museum in Kairo für die Beurlaubung.

INHALTSVERZEICHNIS

Abkürzungsverzeichnis

A = Text A: Bibliothèque Nationale Paris, Arab. 4785,
    ff. 97r-215r.

AAA = Annals of Archaeology and Anthropology.

AB = Analecta Bollandiana.

ASAE = Annales du Service des Antiquités de l'Egypte.

B = Text B: Amélineau, Un évêque de Keft au VIIe
    siècle, MIE 2 (1889), 333-423 (siehe S. 5 , Anm. 3).

BdEC = Bibliothèque d'Etudes Coptes.

BIFAO = Bulletin de l'Institut Francais d'Archéologie
    Orientale.

BiOr = Bibliotheca Orientalis.

BSAC = Bulletin de la Société d'Archéologie Copte.

Budge, Coptic Apocryha = E. A. Wallis Budge, Coptic
    Apocrypha in the Dialect of Upper Egypt, London, 1913.

C = Text C: Bibliothèque Nationale Paris, Arab. 4794,
    ff. 122v-163v.

Cauwenbergh, Moines d'Egypte = P. van Cauwenbergh,
    Etude sur les moines d'Egypte depuis le concile de
    Chalcédoine (451) jusqu'à l'invasion arabe (640),
    Paris - Löwen, 1914.

CD = W. E. Crum, A Coptic Dictionary, Oxford, 1939.

CdE = Chronique d'Égypte.

CSCO = Corpus Scriptiorum Christianorum Orientalium.

DACL = Dictionnaire d'Archéologie chrétienne et de
Liturgie.

Ep. I. = H. E. Winlock - W. E. Crum, The Monastery of
Ephiphanius at Thebes, Bd. 1, New York, 1926.

Ep. II. = W. E. Crum - H. Ġ. Evelyn White, The Monastery
of Epiphanius at Thebes, Bd. 2, New York, 1926.

FIFAO = Fouilles de l'Institut Francais d'Archéologie
Orientale du Caire.

GCAL = G. Graf, Geschichte der christlichen-arabischen
Literatur, Bd. 1. Die Übersetzungen, Studi e Testi
118, Vatikanstadt, 1944; Bd. 2. Die Schriftsteller
bis zur Mitte des 15. Jahrhunderts, Studi e Testi
133, Vatikanstadt, 1947.

HdO = Handbuch der Orientalistik.

JA = Journal Asiatique.

JARCE = Journal of the American Research Center in Egypt.

JNES = Journal of Near Eastern Studies.

JThS = Journal of Theological Studies.

K = Text K: Koptisches Museum Kairo, MS. Hist. 470,
ff. 130v-137r.

LdÄ = Lexikon der Ägyptologie.

M = Codices coptici Bibliothecae Pierpont Morgan
photographice expressi, Rom, 1922: Wird nach Kodex-
nummer und Folio zitiert.

MDAIK = Mitteilungen des Deutschen Archäologischen
Instituts, Abteilung Kairo.

MIE = Mémoires de l'Institut d'Égypt; bis 1919:
Institut Égyptien.

MMAFC = Mémoire publiés par les Membres de la Mission
Archéologique Francaise au Caire.

MPS = Mitteilungen aus der Papyrussammlung der Nationalbibliothek in Wien.

O'Leary, The Arabic Life of S. Pisentius = De L. O'Leary,
The Arabic Life of S. Pisentius according to the Text
of the Two Manuscripts Paris Bib. Nat. Arabe 4785,
and Arabe 4794, PO 22 (1930), 317-487.

OLP = Orientalia Lovaniensia Periodica.

OLZ = Orientalische Literaturzeitung.

Orlandi, Elementi = T. Orlandi, Elementi di lingua e
    letteratura copta, Mailand, 1970.

P = Text P: Koptisches Patriarchat Kairo, MS. Hist. 26,
    ff. 9r-36r.

PO = Patrologia Orientalis.

Ps   Psalmen werden zitiert nach der hebräischen Bibel,
    nicht nach der Septuaginta.

PSBA = Proceedings fo the Society of Biblical Archaeology.

RAC = Reallexikon für Antike und Christentum.

RdE = Revue d'Egyptologie.

RE = E. Revillout, Textes coptes extraits de la correspon-
    dance de St. Pésunthius, évêque de Coptes, et de
    plusieurs documents analogues (juridiques ou
    économiques), Revue Egyptologique 9 (1900), 133-177;
    10 (1902), 34-47: wird nach den von Revillout ge-
    gebenen Nummern zitiert.

RHR = Revue de l'Histoire des Religions.

ROC = Revue de l'Orient Chrétien.

S = Text S: British Library London, MS. Oriental 7026,
    ff. 20r - 83r.

S^1 = Text S^1: British Library London, MS. Oriental 7561,
    Nr. 61, 62.

Simaika, Catalogue = M. Simaika - Y. 'Abd al-Masiḥ,
  Catalogue of the Coptic and Arabic Manuscripts in the
  Coptic Museum, the Patriarchate, the Principal
  Churches of Cairo and Alexandria and the Monasteries
  of Egypt, I = Catalogue of the MSS. of the Coptic
  Museum, Kairo 1939; II = Catalogue of the Manuscripts
  of the Library of the Coptic Patriarchate, Kairo, 1942.

SÖAW = Sitzungsberichte der Österreichischen Akademie
  der Wissenschaften, Phil.-hist. Kl.

SOC Collectanea = Studia Orientalia Christiana. Collectanea.

ThPh = Theologie und Phliosophie.

Till, Datierung und Prosopographie = W. C. Till, Datierung
  und Prosopographie der koptischen Urkunden aus Theben,
  SÖAW 240,1 (1962).

W = Text W: Nationalbibliothek Wien, K 9629 (177-178);
  K 9551 und K 9552 (199-202).

W. = Wunder

Wb = Wörterbuch der ägyptischen Sprache, hg. von Adolf
  Erman und Hermann Grapow, 5 Bände, Leipzig, 1926-1931.

WZKM = Wiener Zeitschrift für die Kunde des Morgenlandes.

ZÄS = Zeitschrift für Ägyptische Sprache und Altertums-
  kunde.

ZDMG = Zeitschrift der Deutschen Morgenländischen Gesellschaft.

ZKG = Zeitschrift für Kirchengeschichte.

Einleitung

Das Hauptziel der Arbeit besteht darin, die koptische und
arabische Überlieferung über Bischof Pesyntheus von Koptos[1]
zu untersuchen. Eine derartige Untersuchung fehlt bisher.
Bereits im Jahre 1914 hat P. Peeters[2] festgestellt, daß die
damals bekannten koptischen Versionen B und S so stark voneinander abweichen, daß sie eine Spezialuntersuchung ver-
dienen. Je nach Kenntnis der Quellen und Zweck der Arbeit
haben einige Wissenschaftler[3] sich relativ kurz über das
Verhältnis der Quellen zueinander geäußert und dabei widersprüchliche Aussagen gemacht, so daß eine Untersuchung auf
der Basis des gesamten Materials dringend erforderlich ist.
Parallele Arbeiten über einen koptischen Bischof fehlen bisher, vor allem aber vergleichende Untersuchungen zwischen
koptischen und arabischen Texten dieser Literaturgattung.

Für das koptische Mönchtum gibt es zwar eine Reihe von
Untersuchungen auch über Viten ihrer bekanntesten Vertreter
wie Pachom und Schenute. Das Verhältnis der verschiedenen
Versionen zueinander ist aber bisher immer noch umstritten
wie die Arbeiten zu Pachom von Vergote und Goehring und von
Leipoldt zu Schenute[4] zeigen.

Seitdem G. Zoega im Jahre 1810 einige Teile der bohairischen
Texte publiziert hat, sind bis 1934 fast alle koptischen Versionen und ein Teil der arabischen Rezension veröffentlicht
worden. Die bisher unveröffentlichten koptischen und arabischen Texte lagen mir in Mikrofilmen vor, ebenso die bereits
publizierten, so daß ich die Arbeit auf der Basis des gesamten
bekannten Materials durchführen konnte. Für die griechischen
Lehnwörter, Personen- und Ortsnamen des Textes B wurden die
Schreibungen Amélineaus beibehalten. In den arabischen Handschriften sind die diakritischen Punkte teils unter-

schiedlich gesetzt, teils fehlen sie. Zur Erleichterung
für den Leser habe ich fehlende diakritische Punkte
gesetzt und falsche berichtigt.

Die koptischen und arabischen Texte sind verschieden
lang. Das führt zu der Frage, ob ein ursprünglich kurzer
Text durch sekundäre Zusätze in einen langen verwandelt
wurde, oder umgekehrt ein ursprünglich langer Text gekürzt wurde. Auch die dritte Möglichkeit ist zu prüfen,
ob ein kurzer Text durch Zusätze erweitert und später
wieder gekürzt wurde.
Hinzukommen die vier verschiedenen Angaben über die Verfasser.

In der sahidischen Rezension S wird Johannes als Verfasser genannt, in der bohairischen Moses mit dem Zusatz:
"indem mit ihm (Moses) sein (des Pesyntheus') Jünger
Johannes übereinstimmte". Dagegen nennt die längste
arabische Rezension A Theodor aus Wadi al-Natrūn und mit
ihm Johannes und Moses als Verfasser. In anderen kurzen
arabischen Rezensionen begegnen wir nur Theodor als
Verfasser. Dagegen spricht in allen vollständig erhaltenen koptischen und arabischen Quellen Johannes in
der ersten Person!

Hinzukommen verschiedene Bezeichnungen für die einzelnen
Versionen. Während die bohairische als Enkomium bezeichnet
wird, lesen wir in der sahidischen drei Termini, Βίος,
πολιτεία und im weiteren Verlauf ἐγκώμιον.
Dieselben Termini kehren in den arabischen Übersetzungen
wieder. Handelt es sich also um Biographien und Enkomien,
die vielleicht auf verschiedene Verfasser zurückgehen?

Alle Quellen berichten über Taten des Pesyntheus ,
die meist in Form von Wundern geschildert und oft auch

als Wunder bezeichnet werden. Die längste arabische
Version hat diese Wunder durchnummeriert. Da sie alle
Wunder enthält, richten wir uns in der Zählung der
Wunder nach dieser Nummerierung.
Da die Arbeit in erster Linie literarkritische Ziele
verfolgt, verzichten wir auf eine Untersuchung der Wunder
hinsichtlich ihrer Herkunft und der in ihnen enthaltenen
Topoi. Dennoch werden wir in der Arbeit einige Beispiele
nennen, ebenso Beispiele für Verdoppelung bzw. Vermehrung
der Wunder.

Trotz des Schwergewichts der Arbeit auf literarkritischen
Untersuchungen ergeben sich in Kapitel III b) auch eine
Reihe von Ergebnissen auf dem historischen Gebiet: Daten
zu Geburt, Tod und Konsekration zum Bischof, sein Auf-
enthalt in der persischen Epoche, die die bisher unge-
nauen Daten präzisieren. Außerdem zeigen einige Vergleiche mit der Korrespondenz des Bischofs Einzelheiten
seiner Tätigkeit als Bischof auf.

Auf die ausführliche Anführung aller Quellen, ihrer Be-
schreibung und Nennung der Sekundärliteratur sowie die
Wiedergabe einer erarbeiteten Übersichtstabelle über
den Aufbau aller Quellen unter Angabe des Umfanges in
Kapitel I folgt der Hauptteil der Arbeit in Kapitel II.
Zunächst wird der Aufbau der Literaturwerke dargestellt,
die Untergliederung in Rahmenhandlungen, Korpus der Be-
richte und literarische Zusätze (Anreden an die Zuhörer,
Lobreden auf Pesyntheus, Einfügung von Bibelzitaten bzw.
Anklängen). Zum besseren Verständnis der folgenden
Untersuchungen dient ein Abschnitt, der das Verhältnis
zwischen den Texten mit Hilfe eines Stemmas veranschau-
licht. Darauf folgt eine Auswahl der für die Untersuchung wichtigsten Textteile, die in Synopsen nebenein-
ander gestellt werden. Diese werden in Einzelheiten und oft

Wort für Wort miteinander verglichen, weil nur Überein-
stimmungen miteinander bzw. Abweichungen voneinander
Aufschluß über das Verhältnis der verschiedenen Versionen
zueinander erkennen lassen. Diese oft langatmige Arbeit
ist aber die alleinige Voraussetzung für eine richtige
Bestimmung der Versionen. Bei diesen Vergleichen ergeben
sich fast immer Verbesserungen der alten Übersetzungen
von Budge und O'Leary, die gleichzeitig das Verständnis
des Verhältnisses zwischen den Texten fördert.
Wegen seiner Wichtigkeit für die Bestimmung der Texte
zueinander mußte ein gesonderter Abschnitt dem Text W
gewidmet werden, ebenso dem Proömium des Textes A. Die
Aussagen des Synaxars wurden mit anderen Rezensionen
verglichen, zumal darüber bisher noch keine gesonderte
Untersuchung vorgenommen wurde.
Weil die Wunder in den Synopsen zunächst unabhängig voneinander untersucht werden, lassen sich Wiederholungen
der Ergebnisse in der Darstellung nicht vermeiden.
In Kapitel III werden vergleichende und zusammenfassende
Untersuchungen durchgeführt. Nach der Prüfung der Verfasserangaben und den Bezeichnungen der Texte als Biographie oder Eukomium befassen wir uns mit der Bedeutung
des Gebel al-Asās für die Konzeption der Überlieferung,
die außerdem für die anschließende Erörterung der Redaktionsgeschichte wichtig ist. Anschließend untersuchen
wir die Beziehungen zwischen der Überlieferung über
Pesyntheus und dem ihm zugewiesenen arabischen Pastoralbrief. Nach den oben bereits genannten historischen
Ausführungen schließen Schlußbemerkungen über die weiter-
wirkende Erinnerung an Pesyntheus und den Nutzen der
Arbeit für weitere Untersuchungen anderer Literaturwerke
auf der Basis der erzielten Ergebnisse die Untersuchungen
ab.

I. Die Quellen

1. Die Quellen über Pesyntheus

A. Die Enkomien über ihn

1. Koptisch

a) Der Text B befindet sich im Vatikan und trägt die
Inv. Nr. copt. 66. Im Jahre 1715 hat Assemani diese
Hs. neben anderen aus dem Makarius-Kloster des Wadi
al-Natrun nach Rom gebracht[1]. Der Text über Pesyntheus
steht auf 36 Blättern, ff. 124r - 155r[2]; er endet auf
dem recto des 36. Blattes. Die neuzeitliche Seiten-
numerierung ist falsch[3]. Nach dem Kolophon[4] wurde der
Text im Jahre 634 A.M. = 29. August 917 - 28. Aug.
918 A.D.[5] geschrieben. Schreiber ist Jakobos, Sohn
des Schenute, Sohn des Priesters Johannes Chame[6].
Der Text wird Moses, Bischof von Koptos, zugeschrieben[7].
Die Handschrift zählt zu den Hss., die im Mittelalter
die Bibliothek eines der Klöster des Wadi al-Natrūn,
sehr wahrscheinlich des Makarius-Klosters, gebildet
haben[8]. Nachdem G. Zoega im Jahre 1810 einige Textaus-
züge veröffentlicht hat[9], hat Amélineau den Text vollständig publiziert und kommentiert[10]. Während seine
Übersetzung als gut bezeichnet werden kann, wurde sein
Kommentar kritisiert[11]. Auch E. Revillout hat den Text
unvollständig und ohne Änderungen wieder veröffentlicht[12].
Eine detaillierte Beschreibung der Hs. steht bei
Hebbelynck - van Lantschoot, a.O., 480-481. Eine Seite
ist abgebildet bei H. Hyvernat, Album de paléographie
copte pour servir à l'introduction paléographique des
Actes des Martyrs de l'Egypte, Paris (1888), Taf. 42,
Nr. 3.

b) Der Text S. Es handelt sich um eine Papierhandschrift[13],
die in der British Library London, unter der Inv. Nr.
MS. Oriental 7026, ff. 20r - 83r aufbewahrt wird. Nach
dem Kolophon wurde sie am 7.9.1005 geschrieben[14].
Schreiber ist der Diakon Viktor. Stifter sind der Erz-
diakon Chael und der Diakon Zacharias, beide Mönche des
Klosters des Merkurius Stratelates, im Gebirge von
Edfu[15]. Der Text wird dem Priester Johannes zugeschrieben[16]. Als Herkunftsort der Hs. gilt Edfu[17]. Crum
hatte daran gezweifelt, daß die Sammlung - zu der unsere
Hs. gehört - in Edfu gefunden wurde, weil nach Aussage
von Sir Herbert Thompson einer der Kodizes des Handschriftenfundes (Brit. Mus. Or. 6782) "aus paläographischen und anderen Gründen, von Prof. Hyvernat als
unstreitbar der großen Faijūmer Sammlung Pierpont Morgan's
angehörig erkannt wurde"[18]. Es ist aber sicher, daß die
Hs. über Pesyntheus einmal zur Bibliothek des Merkurius-
Klosters im Gebirge von Edfu gehörte. Nach ihrem Kolophon
wurde sie diesem Kloster gestiftet. Die Bezeichnung des
Ortes des Klosters als ⲡⲧⲟⲟⲩ ⲛ̄ⲧⲃ︤ⲱ "das Gebirge von
Edfu"[19] stimmt mit der Aussage des "Arabers" überein,
der unsere Hs. und andere dort gefunden haben will[20].
Das Gebirge von Edfu kann m.E. nichts anderes als
Haǧir Edfu sein[21]. Im Jahre 1913 publizierte Budge den
Text[22]. Budges' Publikation weist eine Reihe von Fehlern
auf, worauf schon in drei Besprechungen hingewiesen
wurde[23]: Sprachlich wurde der Text nur von Crum be-
handelt. In meinem Kommentar zu den Synopsen der Wunder
werden auf Grund einer Textkollationierung nach einem
Mikrofilm einige weitere Textverbesserungen und eine
Vielzahl weiterer Änderungen bzw. Verbesserungen von
Budges' Übersetzung vorgenommen, die zugleich dem Verständnis des Verhältnisses zwischen den Texten dienen.
Die Hs. ist abgebildet auf Taf. 52-55 der Veröffentlichung Budges.

c) Der Text S[1]. Unter der Gruppe von 148 Papyrusfragmenten, Brit. Library Or. 7561[24], sind Nr. 61, 62 die Reste eines Textes über Pesyntheus. Aus paläographischen Gründen neigte Crum dazu, den Text S[1] dem letzten Teil des 7. Jahrhunderts zuzuschreiben[25]. Auch W. Till bezeichnete ihn als älteste Lobrede auf Pesyntheus und setzte ihn ins 7. Jh.[26]. Theben gilt als wahrscheinlicher Herkunftsort des Textes[27]. Auf diesen noch nicht veröffentlichten Text bzw. auf Abschriften von ihm wurde verschiedentlich hingewiesen[28].

d) Der Text W. Es handelt sich um drei Blätter aus Pergament, die Reste eines Textes über Pesyntheus sind. Sie werden in der Nationalbibliothek zu Wien aufbewahrt und tragen die Inventarnummern K 9629, K 9551 und K 9552.
K 9629 ist auf dem Recto (=Fleischseite) mit der Seitenzahl 177 versehen; und auf dem Verso (=Haarseite) mit der Zahl 178. Das Doppelblatt K 9551 und 9552 ist mit 199-202 paginiert.
Die Blätter gehören demselben Kodex an und stammen aus dem 9. Jh. Die Herkunft ist unbekannt. Crum hat den Text in seinem Coptic Dictionary benutzt[29], Till den Text veröffentlicht[30]. In seiner Übersetzung hat er Angaben des Textes W mit den Parallelstellen des Textes B und des arabischen Textes A verglichen.

2. Arabisch

a) Der Text A beruht auf der Hs. Bibliothèque Nationale Paris, Arab. 4785, ff. 97r - 215r. Diese Rezension wurde für Amélineau von einer unbekannten Vorlage abgeschrieben. Der Text wird nach ff. 97b - 98a Theodor aus der Scetis "als Hauptverfasser", sowie Moses und

Johannes als Mitverfassern zugeschrieben[31]. Crum hat den
Text schon vor der Veröffentlichung ausgewertet[32],
van Cauwenbergh untersuchte ihn[33]. De Lacy O'Leary hat
den Text mit englischer Übersetzung publiziert[34].
Polotsky kritisierte die Übersetzung O'Learys scharf[35].
In meinem Kommentar zu den Synopsen der Wunder werden
weitere Änderungen bzw. Verbesserungen von O'Learys
Übersetzung vorgenommen, die zugleich dem Verständnis
des Verhältnisses zwischen den Texten dienen werden.
Auf der ersten Seite der Einleitung hat O'Leary den
Text S als "Brit. Mus., or. 7024 of date A.D. 985"
bezeichnet und ihn offensichtlich mit einer anderen
Hs. verwechselt. Seine Übersichtstabelle der Wunder und
seine Angaben über den Inhalt der Texte B und S mußten
von mir überprüft und vielfach verbessert werden[36].

b) Der Text C. Diese Rezension wird in der Bibliothèque
   Nationale in Paris aufbewahrt (Arab. 4794, ff. 122v -
   163v). Nach Graf ist die Hs. in das J. 1785 zu setzen[37].
   Crum hat sie ausgewertet[38]. In der Einleitung seiner
   Ausgabe des Textes A hat O'Leary den Inhalt des Textes C
   kurz behandelt[39]. In der Übersichtstabelle sind auch
   die Wunder des Textes C mitverzeichnet[40]. Im Apparat
   der Ausgabe des Textes A hat er Varianten bzw. Abweichungen
   dieses Textes vom Text A aufgeführt.

c) Der Text P befindet sich im Koptischen Patriarchat Kairo
   (MS. Hist. 26, ff. 9r - 36r)[41]. Er datiert vom J. 1719 -
   1720[42]. Der Text wird nach ff. 9 r Theodor aus der Scetis
   zugeschrieben. Er ist bisher noch unveröffentlicht.

d) Der Text K ist Teil einer Handschrift, die sich im
   Koptischen Museum in Kairo befindet (MS. Hist. 470,

ff. 130v- 137r)[43]. Folio 117r nennt als Datum der
Niederschrift des Textes das Jahr A.M. ⲁϫⲡⲁ : 1081 = A.D.
1364-1365[44]. Der Text wird Theodor aus der Scetis zugeschrieben (f. 130v). Auch er ist noch nicht veröffentlicht.

Neben den oben genannten Texten gibt es zwei weitere
arabische Texte, die in dieser Arbeit nicht behandelt
werden. Der erste (Bibliothèque Nationale Paris, Arab. 4878,
ff. 70v - 117v) wird von O'Leary als "second copy of A"[45]
bezeichnet. Nach Crum ist er eine "bloße Abschrift von
Nr. 4794" (= der Text C)[46]. Meine Untersuchung dieses
Textes bestätigt die Aussage Crums, der seine Angaben
benutzt hat[47]. Der zweite (Menas-Kloster in Kairo MS.
Theol. 29, ff. 1r - 151r) war im Menas-Kloster aufbewahrt[48].
Am 22.12.1978 wurde die Hs. u.a. in das neue Patriarchat
gebracht. Leider war sie mir unzugänglich.

B. Das Synaxar

Im arabischen Synaxar wird Pesyntheus von Koptos am
13. Epep genannt: Zu den Editionen siehe O. Meinardus,
A Comparative Study on the Sources of the Synaxarium of
the Coptic Church, in: BSAC 17 (1963-1964), 114 und Anm. 5.
Auch das äthiopische Synaxar behandelt Pesyntheus.
Die Quellen verzeichnet Till: Datierung und Prosopographie
168. Da ich nicht Äthiopisch kann, mußte ich mich auf die
englische Übersetzung von Budge, Coptic Apocrypha, 333-334,
verlassen.

2. Die Werke Pesyntheus'

Nach der Überlieferung war Pesyntheus auch literarisch
tätig. Erhalten geblieben sind

a) Ein Enkomium über Onnophrius, das in einer einzigen
   Hs., British Library London MS. Oriental 6800 erhalten
   geblieben ist[49]. Nach dem Kolophon wurde der Text im
   Jahre A.M. 748, A.H. 422 = 30.8.1031 - 18.12.1031
   abgeschrieben[50]. Koptos gilt als wahrscheinlicher Ort
   seiner Niederschrift[51]. Budge hat den Text beschrieben
   und einen Teil ohne Übersetzung veröffentlicht[52].
   Crum hat ihn vollständig mit französischer Übersetzung
   publiziert[53]. Auf dieses Enkomium wurde verschiedentlich hingewiesen[54]. Zwei Seiten sind abgebildet bei
   Rustafjaell, a.O., Taf. 41.

b) Das Papyrusfragment British Library London MS. Oriental
   7561, Nr. 60 enthält den Anfang einer älteren Homilie,
   die dem Bischof zugeschrieben wird. Es gehört zu derselben Handschrift, die auch den Text S^1 bietet[55].

c) Ein Pesyntheus zugeschriebener arabischer Pastoralbrief, der sicher unecht ist: Die Handschriften sind
   bei Graf, GCAL Bd. 1, 280, verzeichnet. Eine Ausgabe
   mit französischer Übersetzung von A. Périer basiert
   auf der Hs. 6147, ff. 39r - 56 v der Nationalbibliothek
   zu Paris, aus dem 16. Jh., und auf anderen späteren
   Texten[56].

3. Die Korrespondenz Pesyntheus'

Seine Korrespondenz ist in verschiedenen Museen verstreut.
Die Mehrzahl der Schreiben befindet sich im Louvre und ist
von E. Revillout z.T. fehlerhaft publiziert worden[57].
In vielen Zusammenhängen wird sie erwähnt[58]. Die Korrespondenz Pesyntheus' muß neu veröffentlicht werden.

Übersichtstabelle der Texte über Pesyntheus

De Lacy O'Leary hat erstmalig eine Übersichtstabelle der Texte über Pesyntheus veröffentlicht, die die Texte A, C, B und S umfaßte. Bei meinen Untersuchungen mußte ich leider feststellen, daß seine Tabelle oft falsch ist. Daher habe ich eine neue und ausführlichere erarbeitet, in die ich auch die Texte S[1], W, P und K eingearbeitet habe.

	B	S	S[1]	W	A	P	C	K
Titel und Einführung	333–334[1]	20a–22a			79a–104a	9a–10b	122b–123a	130b–131b
Wunder 1	334–335	32b–33b			104a–			
2					105b–			
3					106a–			
4		22a–24b			107b–			
5	352–358	24b–32b			110a–	15a–17a	129b–133a	132b–133a
6	358–359	33b–35b	Nr. 61		114b–			
7	359–360	35b–39a			116a–	24b–25a	144b–145a	133b
8	360–361	39a–39b			117b–	14b–15a	129a–129b	(132b)
9	335–343				118b–	10b–13b	123a–127a	131b–132a
10	343–344				123b–	13b	127a–127b	132a

[1] Siehe S. 5 Anm. 3

	B	S	S¹	W	A	P	C	K
Wunder 11	344–349				124a–	23a–24b	142a–144b	133b
12	349–351				127b–	13b–14b	127b–129a	132a
13	35a–352				129a–	14b	129a	
14	361–362				129b–	26b–27a	148a–149a	134a–134b
15	362–369	39b–43a			131a–	27a–28b	149a–151a	134b
16	378–380	34a–46a			134a–			
17	397–4O1	46a–57a			136b–	17a–18b	133a–135b	133a
18					14Ob–			
19					141b–			
20	380–386	57a–61b			142a–	29a–30a	152a–153b	
21		61b–63b	Nr. 62		145b–			
22	386–389	63b–65b			147b–			
23	389	65b–66b			148b–	28b–29a	151a–152a	
24	389–392	66b–69a			149b–			
25		69a–74b			151b–			
26								
27	392–395	74b–77a			155b–			
28					158a–			
29					159b–			
3O	369–374			177–178	161a–			
31	395–396	77a–78a			166a–			

Wunder	B	S	S¹	W	A	P	C	K
32	401–411				167b–	18b–22a	135b–141a	133a–133b
33	374–378				174b–			
34					178a–			
35	411–413				179a–			
36				199–202	180a–			
37					185b–	25a–25b	145a–146a	
38					186b–	22a–22b	141b	
39					187b–	22b–23a	141b–142a	133b
40					188a–	25b	146a	
41					188b–			
42					189b–			
43					190a–			
44					191a–			
45					192a–			
46					194a–			
47					196a–			
48	413–415				197a–	25b–26b	146a–147b	133b–134a
49					199b–			
50					201a–			
51					201b–			
52					202a–			
53	415–421	78a–82b			205a–	30b–35b	154a–161b	135a–136a

	B	S	S[1]	W	A	P	C	K
Wunder 54					211b–	35b	161b–162a	136a–136b
55					212b–	35b–36a	162a–162b	
56					213b–			
Anrede	422				214a–215a		163a–163b	136b–137a
Kolophon	423	82b–83a						

II. Untersuchung der Texte über Pesyntheus

Nachdem wir die Quellen behandelt haben, auf denen
unsere Untersuchung beruht, müssen nun im Detail die
einzelnen Versionen miteinander verglichen werden,
um das Verhältnis der verschiedenen Texte zueinander
zu erarbeiten. Wie wir schon in der Einleitung gesehen
haben und im 3. Kapitel der Arbeit weiter ausführen
werden, gibt es zwar wenige, aber widersprüchliche
Aussagen über das Verhältnis der Texte zueinander.
Dieses Kapitel stellt den Hauptteil der Untersuchung
dar. Die Quellen stimmen zwar im allgemeinen weithin
miteinander überein, weichen aber in Einzelheiten voneinander ab, wie wir im folgenden zeigen werden.

1. Die Eigenschaften der verschiedenen Rezensionen

Die meisten als Wunder bezeichneten Geschichten zerfallen
literarisch in einzelne Elemente, die wir im folgenden
für die in den beiden koptischen Versionen B und S enthaltenen Erzählungen im einzelnen aufführen wollen.
Wir können unterscheiden: Rahmenhandlung, Einleitungsformel, Anreden an die Zuhörer, Lobreden auf Pesyntheus
und Bibelzitate. Außerdem untersuchen wir die Reihenfolge
der Wunder und ihre Verteilung auf die einzelnen Lebensabschnitte des Pesyntheus.

Für die Version A wird keine Untersuchung des Aufbaus
der einzelnen Wunder durchgeführt, weil diese zuviel
Platz einnehmen würde, sondern die aus der Untersuchung
von B und S gewonnenen Elemente werden im Zusammenhang
behandelt. Außerdem werden wieder Anzahl und Reihenfolge

der Wunder sowie ihre Vermehrung besprochen. Während die
Texte C und P analog zu Text A behandelt werden, werden
vom Text K auch Teile übersetzt. Diese kürzeste Version
über Pesyntheus wurde bisher weder benutzt noch ausgewertet, obwohl sie für das Verhältnis der Versionen
sehr wichtig ist.

1.1 Die koptischen Texte

a) Der Aufbau des Textes B

Am Anfang (333)[1] steht der Titel, ihm folgt die Einleitung (333-334). Die erste Erzählung (= 1. Wunder,
334 f.) wird durch eine Rahmenhandlung eingeleitet. Sie
enthält außer der Einleitungsformel "man sagte über ihn"
die Angabe "als er klein war, hütete er die Schafe
seines Vaters".

Auch die zweite Erzählung (= 9. Wunder, 335-343) wird
durch die Einleitungsformel "man sagte auch über ihn"
und die Zeitangabe "am Anfang, als er Mönch war, geschah es" eingeleitet. Sie schließt (343) mit einer
Rahmenhandlung: "Er verließ ihn, indem er Gott pries
wegen jedes Wortes, das er von dem Gerechten, unserem
heiligen Vater Abba Pesyntheus, gehört hatte."

Die dritte Erzählung (= 10. Wunder, 343 f.) wird eingeleitet mit "es geschah aber wiederum, nachdem er den
Psalter auswendig gelernt hatte ... (bis: "nach Johannes")".

Die vierte Erzählung (= 11. Wunder, 344-349) enthält
als Rahmenhandlung die Aussage: "es geschah aber wiederum
eines Tages nach der Bestimmung Gottes."

Mit "es geschah aber wiederum eines Tages, als er in
den 12 kleinen Propheten meditierte" wird die fünfte
Erzählung (= 12. Wunder, 349-351) eingeleitet. Mit der
Aussage: "als der Bruder aber dieses sah" bis "du wirst
große Schauen sehen" (350-351) wird der Bericht unterbrochen und mit "man sagte wiederum über ihn" (351) fort-
gesetzt. Die Erzählung schließt (351) mit der Frage:
"Wer wird ihm gleichen ...?"

Die sechste Erzählung (= 13. Wunder, 351 f.) enthält
als Rahmenhandlung die Aussage: "als er eines Tages
meditierte ...", die siebente (= 5. Wunder, 352-358):
"er war aber auch einmal krank ..." Eine Anrede an die
Hörer schließt sich an: "wenn aber einer der Hörer ..."
(352 f.) bis "damit ich einige rette." In die Anrede
an die Hörer sind Bibelzitate aus dem AT und NT einge-
streut. Die Erzählung schließt (358) mit der Bemerkung:
"als der Bruder das von dem Greis hörte, freute er sich
sehr und offenbarte die Geschichte nicht bis zu dem Tag,
an dem der Herr ihn heimsuchte."

Die achte Erzählung (= 6. Wunder, 358 f.) wird eingeleitet
mit: "ein Bruder war aber krank im Gebirge der Stadt
Tsenti", die neunte Erzählung (= 7. Wunder, 359 f.) mit:
"es geschah aber wiederum, als er einmal Wasser holen
ging", die zehnte Erzählung (= 8. Wunder, 360 f.) beginnt
mit der Rahmenhandlung: "es geschah in einer Nacht".
Die elfte Erzählung (= 14. und 15. Wunder, 361 f.)
schließt an mit den Worten: "als er aber da stand und
betete, sah er eine große Vision". In die Erzählung ist
ein Zitat "aus dem Buch des Paradieses der Scetis" (362/4)
verwoben, dem (365) Bibelzitate folgen, vor allem des
AT, über die Beschaffenheit eines Priesters, hier auf den

Bischof übertragen. Die zwölfte Erzählung (= 30. Wunder,
369-373) beginnt mit der Rahmenhandlung: "Er schaute
eines Tages und sah einen Priester ..." In der Erzählung
wird (373 f.) auf eine Abhandlung Apa Schenutes verwiesen.
Die 13. Erzählung (= 33. Wunder, 374-378) beginnt mit:
"es geschah eines Tages, als ich bei meinem heiligen
Vater Abba Pesyntheus stand ..." In der Erzählung wird
(375) auf den Evangelisten Lukas verwiesen. In der
14. Erzählung (= 16. Wunder, 378-380) lesen wir die
Rahmenhandlung: "es geschah aber zu jener Zeit ..."
Die Ausführungen werden (380) durch Zitate aus dem NT
gestützt. Mit "danach, o meine geliebten Brüder" beginnt
die lange Rahmenhandlung der 15. Erzählung (= 20. Wunder,
380-386), die bis 381 reicht: "sie wurden von seinen
heiligen Händen gesegnet". Die Erzählung beginnt (381)
mit "es geschah aber an jenem Tage". Später (382-386)
spricht Johannes in der 1. Person.

Die Rahmenhandlung der 16. Erzählung (= 22. Wunder,
386-389) beginnt mit der Aussage: "es geschah aber eines
Tages" ebenso wie die der 17. (= 23. Wunder, 389). Letztere
enthält eine Anrede: "seht also die Kraft Gottes ..."

Auch die Rahmenhandlung der 18. Erzählung (= 24. Wunder,
389-392) beginnt mit "es geschah aber wieder eines Tages".
Später (ab 390) spricht Johannes in der 1. Person.

Auch die Rahmenhandlung der 19. Erzählung (= 27. Wunder,
392-395) beginnt mit: "es geschah aber wiederum eines
Tages", während die der 20. (= 31. Wunder, 395 f.) mit:
"es geschah aber wieder danach" beginnt. Ausführlicher
ist die der 21. Erzählung (= 17. Wunder, 397-401):
"es geschah aber wieder in der Zeit, als Gott die Völker
der Perser nach Ägypten wegen unserer Sünden brachte".

Johannes berichtet wieder in der 1. Person (397 ff.), er
spricht (400) auch die Leser bzw. Hörer in der 2. Person
Pluralis an: "Ich bekenne euch in der Furcht Gottes ..."
Die Rahmenhandlung der 22. Erzählung (= 32. Wunder, 401-
411) beginnt mit: "es geschah wiederum eines Tages, als
mein Vater mit mir im Gebirge Djeme war", Johannes berichtet wieder in der 1. Person. Er wendet sich (410) an
die Leser bzw. Hörer: "Gott ist Zeuge dieser Worte, o
meine Brüder ..."

Die Rahmenhandlung der 23. Erzählung (= 35. Wunder, 411-
413) beginnt mit: "ein Mann kam eines Tages, im Monat
Mesore, zu ihm", die der 24. (= 48. Wunder, 413-415) mit:
"man sagte wiederum über ihn, den seligen Abba Pesyntheus".
Die Rahmenhandlung der abschließenden 25. Erzählung
(= 53. Wunder, 415-421) beginnt mit den Worten: "es geschah,
als Gott ihn aus diesem Wohnort fortnehmen wollte, um ihn
in das Land der Lebenden, den Aufenthaltsort der Patriarchen,
Propheten und Apostel, zu bringen". Wieder erzählt Johannes
in der 1. Person. Es sind noch Moses und Elisaios zugegen
(415). Moses wird (417) von Pesyntheus angesprochen, ebenso der Priester Elisaios und zuletzt Johannes (417 f.),
mit dem er auch am folgenden Tage (419) spricht.

Das Werk schließt (422) mit einer Anrede an "meine Geliebten", dem Segen (423) und dem Kolophon (423).

Die Reihenfolge der Wunder nach der Zählung der arabischen
Version A ist: 1, 9, 10, 11, 12, 13, 5, 6, 7, 8, 14, 15, 30,
33, 16, 20, 22, 23, 24, 27, 31, 17, 32, 35, 48, 53,
Die kurzen Einleitungen zu den Erzählungen, die vor allem
Angaben über den Zeitpunkt enthalten, zeigen, daß die
Erzählungen im allgemeinen chronologisch geordnet sind.

Sie betreffen die folgenden Lebensabschnitte Pesyntheus':

1. Seine Kindheit: W. 1.
2. Sein Leben als Mönch: W. 9, 10, 11, 12, 13, 5, 6, 7, 8.
3. Wie er zum Bischofsamt kam und seine Ordination zum Bischof von Koptos: W. 14, 15.
4. Seine Tätigkeit als Bischof: W. 30, 33, 16, 20, 22, 23, 24, 27.
5. Die Zeit der persischen Eroberung: W. 31, 17, 32.
6. Nach dem Ende der persischen Eroberung bzw. am Ende seines Lebens (?): W. 35, 48.
7. Sein Sterben: W. 53.

Anreden an die Zuhörer kommen - wie wir bereits sahen - nur an wenigen Stellen im Text B vor:

B 352   : ⲁⲣⲉⲩⲁⲛ ⲟⲩⲁⲓ ⲇⲉ ϧⲉⲛ ⲛⲓⲁⲕⲣⲟⲁⲧⲏⲥ ⲟⲩⲱϣ ⲉϫⲟⲧϫⲉⲧ ϫⲉ…

B 376   : ⲁⲣⲓⲡⲓⲥⲧⲉⲩⲉⲓⲛ ⲛⲏⲓ

B 380 f. : ⲙⲉⲛⲉⲛⲥⲁ ⲛⲁⲓ ⲇⲉ ⲱ ⲛⲁⲙⲉⲛⲣⲁϯ ⲛⲉⲛⲏⲟⲩ ⲧⲉⲧⲉⲛⲉⲙⲓ ϫⲉ…

B 389   : ⲁⲛⲁⲩ ⲟⲩⲛ ⲉⲧϫⲟⲙ ⲙ̄ⲫϯ…

B 400   : ϯⲉⲣϩⲟⲙⲟⲗⲟⲅⲉⲓⲛ ⲛⲱⲧⲉⲛ…

B 410   : ⲫ̄ϯ ⲡⲉ ⲫⲙⲉⲑⲣⲉ ⲛⲛⲁⲓⲥⲁϫⲓ ⲱ ⲛⲁⲥⲛⲏⲟⲩ ϫⲉ…

B 422   : ⲁⲛⲟⲛ ⲇⲉ ϩⲱⲛ ⲛⲁⲙⲉⲛⲣⲁϯ ⲙⲁⲣⲉⲛⲭⲟϩ ⲉⲛⲓⲁⲣⲉⲧⲏ ⲛⲧⲉ ⲡⲉⲛⲓⲱⲧ…

Auch Lobreden auf Pesyntheus begegnen selten:

B 351   : ⲛⲓⲙ ⲡⲉⲑⲛⲁⲩⲱⲡⲓ ⲉⲩⲧⲉⲛⲑⲱⲛⲧ ⲉⲣⲟⲩ ϧⲉⲛ ⲛⲓⲡⲟⲗⲓⲧⲉⲓⲁ ⲉⲧϭⲟⲥⲕ
             ⲛⲁⲓ ⲉⲧⲁⲩⲁⲓⲧⲟⲩ ϧⲉⲛ ⲟⲩⲙⲉⲧϫⲱⲣⲓ

B 368 f. : ⲛⲓⲙ ⲅⲁⲣ ⲡⲉ ⲉⲑⲛⲁⲩⲥⲁϫⲓ ⲛⲛⲓⲙⲉⲧⲛⲁⲏϯ ⲉⲧⲁⲡⲓⲁⲅⲓⲟⲥ ⲛⲧⲉ
             ⲫ̄ϯ ⲁⲓⲧⲟⲩ ⲛⲉⲙ ⲛⲓϩⲏⲕⲓ…

Die Erzählungen enthalten Bibelzitate bzw. Anklänge[2]. Amélineau hat sie in seiner Textausgabe nicht kenntlich gemacht. Im folgenden nenne ich daher einige Beispiele[3]:

1. B 395: ϥⲏ ⲉⲑⲛⲁϥⲱⲛ ⲛⲟⲩⲥⲛⲟϥ ⲛⲁⲑⲛⲟⲃⲓ ⲉⲃⲟⲗ ⲥⲉⲛⲁϥⲱⲛ ⲙ̅ⲡⲉϥⲱϣ
   ⲉⲃⲟⲗ ⲙ̅ⲡⲉϥⲙⲁ ⲉⲑⲃⲉ ϫⲉ ⲉⲧⲁⲩⲑⲁⲙⲟⲓ ⲙ̅ⲡⲓⲣⲱⲙⲓ ⲕⲁⲧⲁ
   ⲧϩⲉⲓⲕⲱⲛ ⲙ̅ⲫ̅ϯ : 1. Mos. 9,6.

2. B 398: ⲙⲡⲓⲥⲛⲟϥ ⲉⲛⲁⲣⲉⲏⲗⲓⲁⲥ ⲡⲓⲑⲉⲥⲃⲩⲧⲏⲥ ⲭⲏ ϧⲉⲛ ⲡⲩⲗⲁϫⲉ... ϧⲉⲛ ⲧⲭⲟⲙ ⲛ̅ϯϩⲣⲉ ⲉⲧⲁⲩ-
   ⲟϩⲟⲙⲥ ⲛ̅ⲙ̅ ⲛⲉϩⲟⲟϥ ⲙⲙⲟϥⲓ : Vgl. 1. Kön. 17,6 u. 19,5-8.

3. B 411: ...ⲙ̅ⲫⲣⲏϯ ⲛ̅ⲅⲓⲉϩⲓ ⲉⲧⲁⲩϫⲉ ⲙⲉⲑⲛⲟϫϫ ⲉⲡⲓⲡⲣⲟⲫⲏⲧⲏⲥ ϫⲉ
   « ⲙ̅ⲡⲉⲡⲉⲕⲃⲱⲕ ϣⲉ ⲉϩⲗⲓ ⲙⲙⲁ" : Vgl. 2. Kön. 5,25.

4. B 373: ⲟⲩⲣⲱⲙⲓ ⲉϥϣⲉⲛ ⲟⲩⲧⲁⲓⲟ ⲛⲩⲉⲙⲓ ⲉⲣⲟϥ ⲁⲛ ⲁϥⲧⲉⲛⲑⲱⲛⲧ ⲉⲛⲓⲧⲉⲃⲛⲱⲟⲩⲓ
   ⲛⲁⲧⲉⲙⲓ ⲟⲩⲟϩ ⲁϥⲟⲛⲓ ⲙⲙⲱⲟⲩ : Ps. 49,21.

5. B 396: ⲁⲕϣⲁⲛϫⲁ ⲡⲟ̅ⲥ̅ ⲛⲁⲕ ⲙⲙⲁ ⲛ̅ϥⲱⲧ ⲙⲙⲟⲛ ⲡⲉⲧϩⲱⲟⲩ ⲛⲁⲩ ϣⲱⲛⲧ ⲉϧⲟⲩⲛ ⲉⲣⲟⲕ
   ⲟⲩⲇⲉ ⲟⲩⲙⲁⲥⲧⲓⲅⲝ ⲛⲛⲉⲥϣⲱⲛⲧ ⲉⲛⲉⲕⲙⲁ ⲛ̅ϣⲱⲡⲓ : Ps. 91,9 u. 10.

6. B 415: ⲡⲟ̅ⲥ̅ ϧⲉⲛⲧ ⲉⲟⲩⲟⲛ ⲛⲓⲃⲉⲛ ⲉⲧⲧⲱⲃϩ ⲙⲙⲟϥ ⲟⲩⲟϩ ϥⲛⲁⲓⲣⲓ ⲙ̅ⲫⲟⲩⲱϣ
   ⲛⲛⲏ ⲉⲧⲉⲣϩⲟϯ ϧⲁ ⲧⲉϥϩⲏ ϥⲛⲁⲥⲱⲧⲉⲙ ⲉⲡⲟⲩⲧⲱⲃϩ ⲟⲩⲟϩ
   ϥⲛⲁⲛⲁϩⲙⲟⲩ : Ps. 145,18 u. 19.

7. B 398: ⲙ̅ⲡⲉⲣϥⲓ ⲣⲱⲟⲩϣ ϧⲁ ⲣⲁⲥϯ ⲣⲁⲥϯ ⲅⲁⲣ ⲉϥⲉϥⲓ ⲣⲱⲟⲩϣ ϧⲁⲣⲟϥ ⲙⲙⲁⲩⲁⲧϥ :
   Matth. 6,34a.

8. B 375: ...ⲥⲁⲃⲟⲗ ⲙⲉⲛ ⲡⲉϫⲁⲩ ⲧⲉⲧⲉⲛⲟⲩⲟⲛϩ ⲉⲃⲟⲗ ϩⲱⲥ ⲣⲱⲙⲓ ⲛ̅ⲇⲓⲕⲁⲓⲟⲥ
   ⲥⲁϧⲟⲩⲛ ⲇⲉ ⲙⲙⲱⲧⲉⲛ ⲩⲙⲉϩ ⲛⲁⲕⲁⲑⲁⲣⲥⲓⲁ ϧⲏ ϭⲱϫⲉⲙ :
   Vgl. Matth. 23,28.

9. B 342: ⲁⲙⲏⲛ ϯϫⲱ ⲙⲙⲟⲥ ⲛⲱⲧⲉⲛ ϫⲉ ϯⲥⲱⲟⲩⲛ ⲙⲙⲱⲧⲉⲛ ⲁⲛ ⲣⲱⲓⲥ ⲟⲩⲛ ϫⲉ ⲧⲉⲧⲉⲛ-
   ⲥⲱⲟⲩⲛ ⲁⲛ ⲙ̅ⲡⲓⲉϩⲟⲟⲩ ⲟⲩⲇⲉ ϯⲟⲩⲛⲟⲩ : Matth. 25,12 u. 13.

10. B 400: ⲟⲩϩⲟϯ ⲡⲉ ⲉⲥⲙⲉϩ ⲛⲉⲛϩⲟⲩⲣ ⲉⲣⲁⲟⲩⲱ ⲉϩⲣⲏⲓ ⲉⲛⲉⲛϫⲓϫ
    ⲙ̅ⲫ̅ϯ ⲉⲧⲟⲛϧ : Heb. 10,31.

11. B 380: ⲡⲓⲛⲁⲓ ϣⲁϥϣⲟⲩϣⲟⲩ ⲙⲙⲟϥ ⲉϫⲉⲛ ⲡⲓϩⲁⲡ : Jak. 2,13b.

12. B 382: ⲟⲩⲱⲛϩ ⲛⲛⲉⲧⲉⲛⲛⲟⲃⲓ ⲉⲃⲟⲗ ⲛⲛⲉⲧⲉⲛⲉⲣⲏⲟⲩ ⲟⲩⲟϩ ⲧⲱⲃϩ
    ⲉϫⲉⲛ ⲛⲉⲧⲉⲛⲉⲣⲏⲟⲩ ϩⲟⲡⲱⲥ ⲛⲧⲉⲧⲉⲛⲟⲩϫⲁⲓ : Jak. 5,16a.

Die Bibelzitate entsprechen in der Mehrzahl dem in den
Bibelausgaben veröffentlichten Text.

b) Der Aufbau des Textes S

Er beginnt nach dem Titel (f. 20a) mit einer längeren
Einleitung (ff. 20b-22a), die zahlreiche Bibelzitate
bzw. -anklänge enthält und mit der Aufforderung "hört
also aufmerksam zu" schließt. Das 1. Wunder (= 4. Wunder,
22a-24b) wird eingeleitet mit der Rahmenhandlung: "Es
geschah aber eines Tages, als er noch Mönch war, bevor
Gott ihn zum Bischof berufen hatte, als er allein im
Gebirge Tsenti ruhte" (22a-b). Die Erzählung endet (24b)
mit einer Anrede an die Zuhörer: "Ihr habt also, meine
Geliebten, erkannt, daß der Heilige den Ruhm Gottes allein
begehrt, wenn nicht, hört den heiligen Psalmisten David"
(es folgen Zitate aus dem Psalter und dem NT).

Das 2. Wunder (= 5. Wunder, 24b-29a) wird eingeleitet
durch "hört aber auch dieses große Wunder, daß durch ihn
geschah, als er noch Mönch war, als er in seiner Zelle
ruhte, bevor er Bischof wurde." (24b-25a). Sie schließt
(28b-32b) mit dem Hinweis, daß der Bruder sein Erlebnis
erst nach der Ernennung des Pesyntheus zum Bischof auf
seine Bitte erzählt hat, und der Anrede an die Zuhörer
(28b-29a): "Ihr habt also, meine Geliebten erkannt ...
wenn nicht, hört auf die Schriften Gottes ..." (es folgen
viele Bibelzitate bis 32b). Die Rahmenhandlung des
3. Wunders (= 1. Wunder, 32b-33a) lautet: "Man erzählte
aber wiederum über ihn, den heiligen Apa Pesyntheus.
Es geschah zu der Zeit, als er klein war und die Schafe
seines Vaters weidete." (32b). Nach der Erzählung werden
die Zuhörer angesprochen: "Ihr, meine Geliebten, habt
gesehen ..." Pesyntheus wird im folgenden mit Moses und
Samuel verglichen und ein Zitat aus dem Psalter angeführt
(33a-b).

Das 4. Wunder (= 6. Wunder, 33b-35b) wird eingeleitet:
"Es war aber wieder ein Bruder im Gebirge Tsenti sehr
krank. Sein Körper war schwach durch die Dauer der Krankheit. Er begehrte eines Tages einen kleinen Fisch. Er
sprach zum heiligen Apa Pesyntheus, als er zu jener Zeit
noch Mönch war, bevor er Bischof geworden war" (33b).
Es wird (34b-35a) mit Bibelzitaten abgeschlossen und
enthält (35a-b) eine Anrede an die Zuhörer: "Ihr, meine
Geliebten, habt also erkannt, daß die Bitte des Gerechten
viel vermag und bewirkt wie geschrieben steht..." (es
folgen Beispiele aus dem AT).

Die Rahmenhandlung des 5. Wunders (= 7. Wunder, 35b-36b)
lautet: "Hört aber wieder auch das große Wunder, das durch
den heiligen Apa Pesyntheus geschehen ist, als er Mönch
war, bevor er Bischof wurde". An das Wunder schließen
eine Reihe von Vergleichen mit biblischen Personen und
Mönchen an. Sie beginnen mit: "mit wem soll ich dich,
seliger Apa Pesyntheus vergleichen? Du gleichst wahrhaftig dem Gesetzgeber Moses, der ..." (36b-39a).

Das 6. Wunder (= 8. Wunder, 39a-b) beginnt mit den Worten:
"Kommt also wieder jetzt her durch die Gnade Gottes; und
wir wollen euch ein weiteres Wunder erzählen, das wir von
denen gehört haben, deren ganze Hoffnung die Wahrheit ist.
Ein Mann aus unserer Diözese sprach mit uns über ihn,
den heiligen Apa Pesyntheus" (39a).

Die 7. Erzählung (15. Wunder, 39b-42a) beginnt mit der
Rahmenhandlung: "Als Gott ihn aber zu dieser heiligen
Handauflegung berief, der er würdig war, weil er die
Ruhe liebte, ging er und versteckte sich" (39b-40a).
Auf die Erzählung folgten zwei Anreden an die Zu-
hörer: "Ihr, meine Geliebten, habt also erkannt,
daß diese Worte des weisen Paulus wahr sind ...",

(42a-b) und "Ihr kennt aber auch die kleine Gabe, die ihm gegeben wurde ..." (42b-43a).

Die 8. Erzählung (= 16. Wunder, 43a-45b) beginnt mit der Rahmenhandlung: "Nach einiger Zeit, in der unser heiliger Vater Apa Pesyntheus seine Herde in großer Fürsorge weidete, sandte er einen Brief an alle Völker der Diözese Koptos, in dem er sie zurechtwies." Im Anschluß an den Brief lesen wir den Zusatz (45b-46a): "Wie werde ich das Enkomium des Heiligen schmücken können, außer durch seinen eigenen Ausspruch ..." bis "wohlan, laßt uns einiges über den Heiligen zur Ehre Gottes sagen."

Die Rahmenhandlung der 9. Erzählung (= 17. Wunder, 46a-b) lautet: "Es geschah aber zu der Zeit, als Gott das Volk der Perser über uns wegen unserer Sünden brachte. Apa Pesyntheus ging ins Gebirge von Djeme und versteckte sich dort wegen der Perser; denn sie hatten zu jener Zeit noch nicht die Stadt Koptos eingenommen, sondern es war ihr Anfang. Ich ging aber mit ihm, ich Johannes, zu jener Zeit, da ich sein Diener war. Ich nahm aber Wassergefäße und stellte sie an den Ort, an dem wir uns versteckt hatten, damit wir sie fänden, wenn wir sie brauchen, alle Tage, in denen wir verborgen waren" (46a-b) Daran schließt sich eine Anrede an: "Achtet aber gut auf die Rede und wundert euch und preist Gott, der diese großen Wunder durch seine Heiligen tut, so wie Gott es den Kindern Israels zur Zeit durch Moses getan hat, als er ihm sagte: 'Nimm deinen Stab und schlage auf den Fels, damit er Wasser hervorbringe und das Volk trinkt'. So war es auch hier" (46b). Im Anschluß an die Erzählung lesen wir eine Anrede an die Zuhörer (49b): "Ihr, meine Geliebten, habt erkannt, daß an jedem Ort, zu dem er gehen wird, seine

ganze Hoffnung, Jesus ist, indem er an das denkt, was
beim Propheten Jeremias geschrieben steht" (folgt Zitat).
Danach folgen Fragen und Vergleiche des Pesyntheus mit
verschiedenen Menschen des AT und NT und des Mönchtums,
von Abel (50a), über Athanasius (52a) bis zu Pachom (52a),
Moses, David (53a), Noah (53b), Elias, Elisaios (54a),
Jakob, David, Salomon (54b), Zerobbabel, Jakob, Joseph
(55a), Samuel, den Kindern Jonathabs, Petrus, Paulus,
Zacharias (55b), Salomon, Moses, Ozias, Moses (56a),
Moses, Palamon, Pachom, Petronius, Horsiese, Theodor,
Basilius und Gregorius (56b).

Die 10. Erzählung (= 20. Wunder, 57a-61b) wird durch
eine längere historische Rahmenhandlung eingeleitet:
"Ihr frommen Kinder wißt, daß, wenn die Tage des Passahs
der 40 Tage, sich nähern, der hl. Erzbischof von
Alexandria eine Botschaft nach Süden in das ganze Ägypten
sendet, in der er den Bischöfen, Klerikern und dem ganzen
orthodoxen Volk ankündigt: 'bereitet euch vor, denn die
Tage des Passahs sind nahe gekommen' und 'wann ihr die
40 hl. Tage beginnt, in welchem Monat, und wann ihr (ihn)
beendet.' Der Patriarch, Erzbischof Apa Damian von
Alexandria, sandte gottliebende Kleriker mit seiner hl.
Botschaft nach Süden, die sie jeder Stadt gaben. Der hl.
Apa Damian war es, der den hl. Apa Pesyntheus zum Bischof
für die Stadt Koptos ordinierte. Als aber die frommen
Kleriker unseren hl. Vater, Apa Pesyntheus, besuchten,
wurden sie von seinen hl. Händen gesegnet, sie saßen da.
Es geschah aber an jenem Tag nach der Bestimmung Gottes,
als einige große Männer bei ihm waren." (57a-b). Auf die
Erzählung (57b-61b) folgt (61b) eine Anrede an die Zuhörer:
"Ihr habt also erkannt, daß unser gerechter Vater Apa
Pesyntheus ein Geistträger und gerecht ist." Mit den Worten:

'Wenn nicht, so hört den Bericht und wundert euch" wird
zur 11. Erzählung (= 21. Wunder, 61b-63a) übergeleitet,
die mit der Rahmenhandlung beginnt: "Es geschah wieder
eines Tages, daß mein Herr mich mit einer dringenden
Botschaft in die Gegend von Djeme sandte. Die Zeit
schritt sehr fort. Bevor ich zurückkehrte, wurde es
Nacht" (61b). An die Erzählung (62b-63a) schließt sich
die Anrede an die Zuhörer an: "Ihr, meine Geliebten,
habt also gesehen, daß er alles, was geschieht, weiß,
auch wenn es an irgendeinem Ort geschah, wußte er es,
aber er verbarg es in seiner Lebensweise. Er wollte nicht,
daß ihm ein menschlicher Ruhm zuteil wurde, wie der weise
Paulus gesagt hat: 'Ich suche nicht Ruhm von Menschen,
weder von euch, noch von einem anderen.' (1. Thess. 2,6).
Wenn ich euch alle Dinge sagen wollte, die wir von dem
seligen Apa Pesyntheus gesehen haben, würde die Rede
noch weitergehen. Aber in dem Maße, in dem die Schrift
uns geschrieben hat: 'Die Dinge Gottes sind gut. Offenbart
sie jedermann' (Tobit 12,7), will ich euch einige kleine
aus vielen über die Tugenden dieses vollkommenen Menschen
erzählen." (63a-b). Mit den Worten "danach beenden wir
die Rede" wird zur 12. Erzählung (= 22. Wunder, 63b-65b)
übergeleitet, die nur eine sehr kurze Rahmenhandlung
enthält: "Es geschah aber wiederum eines Tages".

Auch die 13. Erzählung (= 23. Wunder, 65b-66a) besitzt
nur eine kurze Rahmenhandlung: "Es geschah aber wiederum
eines Tages, als unser heiliger Vater, der Bischof Apa
Pesyntheus, durch die Dörfer ging, um ihre Kirchen zu
visitieren" (65b). Die Erzählung wird durch die Aufforderung
"Seht die Kraft Gottes!" unterbrochen. An die Erzählung
schließt sich eine längere Anrede (66a-b) an die Zuhörer
an, eingeleitet durch: "Kommt also, wessen Herz zu Gott

und dem Heiligen erhoben ist, und bittet ihn mit Tränen
und Buße, damit er Christus bittet und er sich unser er-
barmt bei der Begegnung mit ihm; denn furchtbar ist es,
in die Hände des lebendigen Gottes zu fallen." Die Anrede
endet (66b) mit der Aussage: "Ihr, meine Geliebten, habt
also erkannt, daß der, der den Willen Gottes tun wird,
sein Freund und sein Bruder ist, wie er im hl. Evangelium
gesagt hat: 'Wer den Willen meines Vaters, der im Himmel
ist, tun wird, dieser ist mein Bruder und meine Schwester
und meine Mutter' (Matth. 12,50)".

Die 14. Erzählung (= 24. Wunder, 66b-69a) wird mit der
kurzen Angabe: "Es geschah eines Tages" eingeleitet, ebenso wie die 15. Erzählung (= 25. Wunder, 69a-74a), die
eingeleitet wird mit den Worten: "Es geschah aber
wiederum eines Tages". In der Erzählung findet sich (70b)
die kurze Zeitangabe: "Es war nämlich am Anfang, als
mein Vater Bischof war". Die Erzählung wird abgeschlossen
durch einen längeren Zusatz (70a-b): "Wahrhaft sehr
groß ist dein wunderbares Leben, o Engel des Herrn der
Kräfte! Denn wer wird alle Wunder erzählen können, die
durch dich geschehen sind, die in deiner Kindheit und
die in deiner Mönchszeit geschehen sind. Die aber durch
deine Hände geschehen sind, nachdem du Bischof geworden
bist, die du befohlen hast und von denen zu willst,
daß kein Mensch sie erfährt, kann niemand vollständig
finden. Wohlan laßt nicht zu, daß die Seele jenes Seligen
mich tadelt, weil ich diese geringen Enkomiumsworte über
ihn erzählt habe! Und ich glaube, daß wir das Übermaß
vermieden haben. Wir haben diese kleinen, geringsten
Worte erzählt. Aber laßt uns hören auf die Gesetz-
gebung des Apostels, der uns befiehlt, wenn er spricht
(es folgt Rö 13,7). Du bist wahrhaftig würdig jeder Ehrung

und Ehre wie der Psalmist David gesagt hat (es folgt
Ps. 29,1b-2a)". Mit den Worten: "Hört aber auch dieses
große Wunder und preist den Herrn!" wird zur 16. Erzählung (= 27. Wunder, 74b-77a) übergeleitet, die mit
der kurzen Rahmenhandlung "Es geschah aber wiederum"
beginnt. Der Erzählung folgt die Anrede (76b-77a):
"Ihr habt erkannt, daß ich nicht geirrt habe am Anfang
dieses Enkomiums, als ich sagte: Der selige Apa
Pesyntheus ist auch ein Geistträger, denn bei jedermann,
der zu ihm gehen wird, erkennt er wegen welcher Sache er
zu ihm gegangen ist, sofort, wenn er in sein Gesicht
blicken wird. Aber da er die vergängliche Ehre der
Menschen haßte, verbarg er seine Lebensweise vor uns,
so daß kein Mensch ihre Vollkommenheit finden wird."

Die 17. Erzählung (= 31. Wunder, 77a-78a) beginnt wieder
mit einer kurzen Rahmenhandlung: "Es geschah aber
wiederum zur Zeit als er vor den Persern floh, als er
im Gebirge von Djeme ausruhte", ebenso die 18. und
letzte Erzählung (= 53. Wunder, 78a-82b): "Es geschah
aber, als Gott ihn wegbringen wollte zum Aufenthaltsort
derer, die sich freuen" bis "er ist ein wahrhaftiger Erz-
priester wie Moses und Aaron und die nach ihnen" (78a-b).

Auf die letzte Erzählung folgt (82b-83a) das Kolophon.

Die Reihenfolge der Wunder nach der Zählung der arabischen
Version A ist: 4, 5, 1, 6, 7, 8, 15, 16, 17, 20, 21, 22,
23, 24, 25, 27, 31, 53.
Wenn man das 1. Wunder und das 17. Wunder in der Reihenfolge vertauscht, wie wir es in der folgenden Aufstellung
durch Klammern kenntlich gemacht haben, entsprächen die
Wunder in ihrer Abfolge den Lebensabschnitten des Bischofs:

1. In seiner Kindheit spielte W. (1).

2. Aus der Zeit als Mönch stammen W. 4, 5, 6, 7, 8.

3. Wie er zum Bischofsamt kam und seine Ordinaten zum Bischof von Koptos behandelt W. 15.

4. Seine Tätigkeit als Bischof schildern W. 16, 20, 21, 22, 23, 24, 25, 27.

5. In die persische Epoche fallen W. 31, (17).

6. Sein Sterben schildert W. 53.

Angaben zum Zeitpunkt der Wunder enthalten die oben S. 22 ff. gebotenen Rahmenhandlungen der Wunder, die wesentlich länger als die des Textes B (vgl. oben S. 16 ff.) sind.
Die Anrede an die Zuhörer kommt am häufigsten in diesem Text vor. Sie kann verschiedenartig sein und an verschiedenen Stellen stehen:

1. Am Anfang eines Wunders (vgl. die Wunder 5, 7, 8, 20, 27).

2. Im Text des Wunders:
   z.B. W. 5: ⲁⲛⲁⲩ ⲉⲛⲉⲩⲡⲏⲣⲉ ⲛ̄ⲧⲉ ⲡⲛⲟⲩⲧⲉ (25b); W. 17: ⲧ̄ⲍ̄ⲧⲏⲧⲛ̄ ⲇⲉ ⲉⲧⲩⲁⲝⲉ ⲕⲁⲗⲱⲥ ... (46b); W. 23: ⲁⲛⲁⲩ ⲉⲧⲟⲟⲙ ⲙ̄ⲡⲛⲟⲩⲧⲉ (65b).

3. Nach der Erzählung eines Wunders: Sie dient zur Bekräftigung des Wunders bzw. zur Überzeugung der Zuhörer, auch der Ausdeutung. Die Anrede wird weitergeführt durch Vergleiche, die aus der Bibel bekannt sind.
   Die beiden Stichworte "Kind" und "Feuersäule" im 1. Wunder führen z.B. zu einem Vergleich des Pesyntheus mit Moses und Samuel (33a-b).

Nach dem 5. Wunder: Der Prophet Elias besuchte bzw.
betreute Pesyntheus während seiner Krankheit.

Stichworte:

a) Ein richtiger Mönch wie Pesyntheus verdient es, nicht
   nur "mit den Heiligen zu sprechen", sondern auch "Gott
   zu sehen"; in diesem Zusammenhang wird Jakob, der Gott
   sah, erwähnt (28b-31a).

b) Die Zuhörer sollen daran glauben, daß Pesyntheus Elias
   sah. Beispiele aus den Evangelien zur Auswirkung "des
   Glaubens" werden gegeben (31a-32b).

Nach dem 21. Wunder: Böse Tiere attackierten Johannes,
und er wurde durch den Ausruf des Namens Pesyntheus gerettet. Ohne zu sehen erfuhr Pesyntheus, was Johannes
widerfahren war. In der Anrede betonte der Erzähler dies
durch eine Ausdeutung bzw. durch eine Verallgemeinerung,
indem er Pesyntheus lobte (63a-b). Eine ähnliche Anrede
folgt dem 27. Wunder (76b-77a). Dagegen schließt sich
eine Anrede an das 23. Wunder (66a-b), die nicht viel mit
dem Wunder zu tun hat. Sie kann daher zugleich als eine
Lobrede auf Pesyntheus betrachtet werden.

Im Gegensatz zum Text B, in dem nur selten Lobreden begegnen, kommen Lobreden auf Pesyntheus oft vor, z.B. im
Anschluß an das 7. Wunder (36b-39a). Eine Lobrede kann
auch durch eine Anrede unterbrochen werden, z.B. nach dem
25. Wunder (74a-b). Auch vor einer Lobrede kann eine Anrede stehen, z.B. nach dem 17. Wunder (49b-56b). Es sei
darauf hingewiesen, daß Anreden und Lobreden oft miteinander verbunden sind.

Bibelstellen kommen in diesem Text am häufigsten vor[4].
Bei den in den Texten S und B stehenden Wundern gibt
es kaum eine Bibelstelle, die nur im Text B steht, und
nicht umgekehrt[5]. Ein nicht unwesentlicher Teil der
Bibelstellen wird, wie oben gesagt, vom Verfasser bzw.
Erzähler im Rahmen der Anreden an die Zuhörer bzw. der
Lobreden auf Pesyntheus zitiert, z.B. S 33a-b: Ps.
99,6 und 7; S 36b-37a: Ps. 148,5; S 63b: Vgl. 1
Thess. 2,6; S 66b: Vgl. Joh. 15, 14, 15 und 16.

c) Der Text S[1]

Wie bereits Crum bemerkte[6], ist der Text S[1] eine
Parallele zu ff. 33a-34b und 62a-b des Textes S. Beide
Texte sind fast identisch, die Unterschiede zwischen
den Texten S[1] und S minimal. Einmal wird in S der Name
David als Nomen sacrum behandelt (S[1] Zl. 1: Ⲇⲁⲩⲉⲓⲇ -
S 33a Ⲇⲁ̄Ⲇ) und einmal wechseln ⲘⲚ̄ und ⲁⲩⲱ
(S[1] Zl. 11: ⲘⲚ̄ - S 33b ⲁⲩⲱ).

1. Nr. 61 (Doppelblatt) (= S 33a-34b) enthält den
   letzten Teil einer Anrede, die sich an das 1. Wunder
   im Text S anschließt, und das 6. Wunder. Der Teil
   der Anrede (= S 33a-b) lautet folgendermaßen:

1 Ⲇⲁⲩⲉⲓⲇ· ϫⲉ Ⲙⲱ[ⲩⲥⲏⲥ]

2 ⲟⲩⲁⲁⲃ· ⲘⲚ̄ ⲁⲁⲣ[ⲱⲛ ϩⲚ̄]

3 ⲛⲉⲩⲟⲩⲏⲏⲃ· ⲁ[ⲩⲱ ⲥⲁ]

4 ⲙⲟⲩⲏⲗ [ϩⲚ̄ ⲛⲉⲧⲉⲡⲓⲕⲁ]

5 ⲗⲉⲓ ⲙ̄ⲡⲉ[ϥⲣⲁⲛ ⲁⲩⲱ ⲉⲃⲟⲗ]

6 ⲉϩⲣⲁⲓ ⲉⲡ [ⲭⲟⲉⲓⲥ ⲁⲩⲱ]

7 ⲛ̄ⲧⲟⲩ [ⲁⲩⲥⲱⲧⲙ̄ ⲉⲣⲟ]

8 ⲟⲩ· ⲁⲩⲩ [ⲁⲝⲉ ⲛ̄ⲙⲙⲁⲩ ⲉⲃⲟⲗ]

9 ϩⲛ̄ ⲟⲩⲥⲧⲩⲗ [ⲗⲟⲥ ⲛ̄ⲕⲗⲟⲟ]

10 ⲗⲉ· ⲁⲩⲍⲁⲣⲉϩ ⲉⲛ [ⲩ]

11 ⲙ̄ⲛ̄ⲧⲙ̄ⲛ̄ⲧⲣⲉ ⲙ̄ⲛ̄ [ⲛⲉⲩ]

12 ⲡⲣⲟⲥⲧⲁⲅⲙⲁ ⲛ̄ⲧ [ⲁⲩⲧⲁ]

13 ⲁⲩ ⲛⲁⲩ·   ⲛⲉⲩⲛ̄

Auf Grund des fast identischen Wortlauts der Anrede,
die sich an das 1. Wunder anschließt, und des 6. Wunders
muß auch die Reihenfolge der Wunder 6 und 1 in den
Texten S[1] und S dieselbe gewesen sein. Dies gilt nur
für diese beiden Texte. Nur in ihnen befinden sich
eine Anrede nach dem 1. Wunder. Der Text S[1] des 6.
Wunders (= S ff. 33b-34b) ist in der Synopse (S. 82-86)
verzeichnet.

2. Nr. 62 (= S. ff. 62a-b) enthält mehr als die Hälfte
des 21. Wunders, das nur noch im Text A überliefert
ist. Anfang und Ende des Wunders sind im Text S[1] nicht
erhalten. Zum Text vgl. die Synopse des 21. Wunders
(S. 179-181)

d) Der Text W

K 9629 enthält einen Teil des 30. Wunders, K 9551 und
K 9552 einen Teil des 36. Wunders. Da die Blätter demselben Kodex angehören, ergibt sich die Reihenfolge
der Wunder 30, 36. Wenn die Hs. richtig paginiert ist,
müssen zwischen ihnen einige Wunder gestanden sein[7].
Beide Wunder zählen zu den Wundern aus der Zeit, als
Pesyntheus Bischof war. Das 36. Wunder ist koptisch
teilweise nur durch diesen Text erhalten.

1.2 Die arabischen Texte

a) Der Text A

Der Text A bietet hinsichtlich der Anzahl der Wunder den
längsten Text. Er enthält alle Wunder der anderen Rezensionen. Der Text wird in 55 Wunder geteilt. Zwar werden
nach der Hs. 56 Wunder gezählt, es fehlt aber das 26.
Wunder. Von diesen Wundern sind nur 30 im Koptischen
erhalten: 1, 4, 5, 6, 7, 8, 9, 10, 11, 12, 13, 14, 15,
16, 17, 20, 21, 22, 23, 24, 25, 27, 30, 31, 32, 33, 35,
36 (teilweise), 48, 53, in B: 1, 5, 6, 7, 8, 9, 10, 11,
12, 13, 14, 15, 16, 17, 20, 22, 23, 24, 27, 30, 31, 32,
33, 35, 48 und 53; in S: 1, 4, 5, 6, 7, 8, 15, 16, 17, 20,
21, 22, 23, 24, 25, 27, 31 und 53. 6 Wunder sind auch
in den Texten P und C enthalten: 37, 38, 39, 40, 54, 55,
davon 39, 54 in K. Nur im Text A sind 19 Wunder überliefert: 2, 3, 18, 19, 28, 29, 34, 41, 42, 43, 44, 45,
46, 47, 49, 50, 51, 52, 56.
Der Text A neigt zur Vermehrung der Wunder. Schon O'Leary
bemerkte, daß z.B. die Wunder 51 und 52 Varianten des
7. Wunders sind, das im Koptischen erhalten ist[8]. Das
2. Wunder gilt als Variante des 24. Wunders. Außerdem
wurde der Inhalt der Wunder 14 und 15 falsch unterteilt,
als man einen kontinuierlichen Text (eine dem Pesyntheus
zugeschriebene Aussage) in zwei Wunder unterteilte.[9]

Zur Reihenfolge der Wunder

Die 30 Wunder des Textes A, die im Koptischen erhalten
sind, lassen sich auf fünf Lebensabschnitte des Bischofs
verteilen:

1. Seine Kindheit: W. 1.
2. Sein Leben als Mönch: W. 4 - 13.

3. Wie er zum Bischofsamt kam und seine Ordination
   zum Bischof: W. 14, 15.
4. Seine Tätigkeit als Bischof: W. 16, 17, 20 - 25,
   27, 30 - 33, 35, 36, 48.
5. Sein Sterben: W. 53.

Die Wunder 54 und 55 sollen durch sein Grabtuch geschehen
sein, das letzte Wunder 56 durch sein Grab.

Die Aussage O'Learys zu den Wundern des Textes A:
"Probably the A. text has been arranged with an attempt
at a roughly chronological order, 1 - 14 giving incidents
for the period before Pisentius' episcopate, 15 - 53
those after his ordination as bishop, with some (e. g.
31, 32) which had been overtooked (sic) in the previous
group. The omission 9 - 26 suggests that the classi-
fication and numbering in A. was the work of the
copist."[10] ist in mehrfacher Hinsicht zu verbessern, denn
die Wunder 31 und 32 spielen in der Zeit nach seiner
Ordination zum Bischof, und zwar während der persischen
Eroberung und das 9. Wunder befindet sich im Text A.
Falsch ist auch seine Aussage "The omission of 9 - 26".
Es könnte sich dabei um einen Druckfehler handeln und
stattdessen zu lesen sein "The omission of 26". Das Fehlen
der Nummer 26 besagt jedoch an sich nicht, daß der Text
vom Kopisten unterteilt wurde. Wahrscheinlicher ist vielmehr, daß diese Unterteilung erst viel später erfolgt
ist, denn in den Rezensionen P, C und K läuft die Erzählung ohne Nummerierung der Wunder, wie auch bei anderen
arabischen Texten, Viten anderer Heiliger, Pachoms und
Schenutes[11]. Die Unterteilung des Textes in Wunder hängt
vielleicht mit der Neigung zur Vermehrung der Wunder zusammen.

Wie im Text S sind Anreden an die Zuhörer in verschiedenen Formen gestaltet und stehen an verschiedenen
Textstellen. Einige stehen am Anfang eines Wunders,
nämlich die Wunder 5, 7, 8, 13, 18, 19, 20, 21, 27
30, 32, 33, 35, 36, 44, 50, 53, 54 und 56.
Von den in den Texten B und S gleichzeitig gebotenen
Wundern steht nur im Text B eine Anrede in W. 20; im
Text S enthalten W. 5, 7, 8, 20, 27 eine Anrede. Auch
das 21. Wunder des Textes S hat eine Anrede. Das 36.
Wunder ist - wie bekannt - im Koptischen teilweise nur
im Text W erhalten. Sein Anfang ist nicht erhalten. Die
Wunder 13, 30, 32, 33, 35 des Textes B haben dagegen
keine Anrede.

Andere Anreden stehen im Text eines Wunders z.B. W.23
A 149a (= B 389, S 65b): "فاتظروا الان الى قوة الله تستعجبوا" 'Nun seht
die Kraft Gottes, dann werdet ihr euch wundern'
W. 5 A 110a-b (= B 352, S 25a): "... وان سال سائل وقال "
'und wenn jemand fragt ...'
A 110b = S 25b (nicht im Text B): "انظروا يا اخوة الى هذه الاعجوبة الالهية"
'Seht, Brüder, dieses göttliche Wunder!'
W. 17 A 136b = S 46b (nicht B): "... فانظروا وانصتوا لما اقول وتعجبوا "
'Nun betrachtet und hört auf das, was ich sage, und wundert
euch'

Nach der Erzählung eines Wunders: stehen z.B. die Anreden in
W.5 = A 114a-b; 21 = 147a-b; 23 = 149b; 27 = 157b. Von diesen
vier Wundern stehen drei (5, 23, 27) auch in den Texten
B und S. Im Text B fehlt eine Anrede. In den vier genannten Wundern ist die Anrede im Text S länger als die
des Textes A, mit Ausnahme des 27. Wunders, die in beiden
Texten gleich ist: Vgl. S 28b-32b zum 5. Wunder;
S 63a-b zum 21. Wunder; S 66a-b zum 23. Wunder; S76b-77a
zum 27. Wunder.

Die Lobreden auf Pesyntheus

Der Text A enthält fast alle Lobreden der koptischen
Texte B und S. Die Lobreden sind im Text S im allgemeinen

länger. Die folgenden Beispiele können dies zeigen.
Die oben genannten zwei Lobreden des Textes B (B 351,
368 f)[12] befinden sich auch im Text A (128b-129a, 133b-
134a). Bei der erstgenannten Lobrede sind die Texte B
und A gleich lang; bei der letztgenannten ist der Text
in B kürzer, wobei S (42b) und A gleich lang sind. Die
Lobrede, die dem 7. Wunder in S folgt (36b-39a), steht
auch an derselben Stelle im Text A (117a-b), sie ist
aber im Text S länger. Eine Lobrede folgt auch dem 17.
Wunder im Text S (49b-57a). Teile von ihr stehen im Text A
nach diesem Wunder (139b-140a) und nach dem 52. Wunder
(202b-205a). Nur im Text S steht eine Anrede vor dieser
Lobrede. Dem 25. Wunder folgt eine Lobrede in den beiden
Texten S und A (74a-b = 155b). Im Text S ist sie länger
und wird durch eine Anrede unterbrochen. Außerdem kommen
Lobreden nur im Text A vor. Diese Lobreden folgen Wundern,
die im Text B und nicht im Text S stehen: z.B. nach dem
9. Wunder (A 123a-b) und nach dem 48. Wunder (A 198b-
199a). Dies gilt auch für die Lobrede, die dem 36. Wunder
folgt (A 185a-b), das nur noch teilweise im Text W erhalten ist. Der Stil dieser Lobreden erinnert stark an
den anderer Lobreden des Textes S.

Bibelzitate bzw. Stellen, die auf die Bibel zurückgehen[13]

An sehr wenigen Stellen des Textes B kommen Bibelzitate
vor, die im Text A nicht wiedergegeben werden, z.B. B 353,
vgl. A 110b. Nur im Text B steht ein Zitat aus 1. Kor.
9,22; und nicht umgekehrt. Die oben genannten 12 Beispiele des Textes B[14] z.B. stehen alle in folgender
Reihenfolge im Text A: A 157a-b, 137a-b, 173b, 163b,
167a, 198a-b, 137a, 176a, 122b, 138b, 136a, 143b. Das in
der 5. Anmerkung genannte Beispiel "Nr. 5" ist - wie im
Text S - länger im Text A (167a) als im Text B. Die in
derselben Anmerkung genannten Beispiele der Bibelzitate,
die im Text S und nicht im Text B stehen, sind auch im

Text A erwähnt: Matth. 13,43 (A 112a); Ps. 55, 22 und
Matth. 6,8 (A137b). Es gibt viele Bibelstellen im Text S,
die in den Parallelstellen des Textes A nicht stehen,
z.B. A 148a = S 64b. Nur im Text S geht eine Stelle auf
5 Mos. 22, 28 und 29 zurück. Nur im Text S (A 109b-110a
= S 24b) wird aus 2. Kor. 5,2 und dem letzten Teil des
1. Verses zitiert. Mischungen   aus Zitaten und Anklängen
kommen auch in den nur im Text A stehenden Angaben vor,
z.B. Jes. 5,8 im Text des 18. Wunders (141a). Ps. 112,1
in der Lobrede nach dem 9. Wunder (123b). 1 Mos. 4,4
in der Lobrede nach dem 48. Wunder (198b) ist dagegen
ein Anklang.

b) Die Texte C und P

Da die Untersuchung gezeigt hat, daß die Texte C und P
- bis auf wenige unbedeutende Varianten - wörtlich übereinstimmen und einige Seiten am Anfang des Textes C verloren
sind, möchte ich beide Texte zusammen behandeln. Wie
O'Leary bemerkt hat, ist die Einführung des Textes C
(122b) von einer späteren Hand geschrieben worden[15].
Der untere Teil - etwa ein Drittel - dieses Folios ist
leer geblieben. Die Angaben dieses jüngeren Folios und
die des ersten erhaltenen Folios des Teiles der Hs. über
Pesyntheus sind künstlich miteinander verbunden worden:

C 122b: "ابيه تشرك ولما ..." '...Als seine Eltern ihn sahen'

C 123a: "ابايه وحرمثابر علي الصوم والصلاة وكان لا يفطر كل يوم الا الي الغروب"

'seine Eltern, indem er eifrig bemüht war zu fasten und zu
beten. Keinen Tag brach der das Fasten vor dem Sonnenuntergang ab'

P 10v: "وكان يرعا اغنام لابهاته وحرمثابر علي الصوم والصلاة وكان لا يفطر الا الي الغروب في كل يوم"

'Er hütete die Schafe seiner Eltern, indem er eifrig bemüht
war zu fasten und zu beten. Keinen Tag brach er das Fasten
vor dem Sonnenuntergang ab'

Da die beiden Texte außer der Anrede am Ende des Textes C
fast wörtlich übereinstimmen, ist anzunehmen, daß der

fehlende Teil des Textes Ċ uns auf den Folios 9r-10v
des Textes P erhalten ist. Dieser Teil enthält:

1. Die Zuschreibung des Textes: f. 9r = (A 102b)

"اخبرنا الاب انبا تاوضوروس هذا لان من برية شيهات بوادي هبيب وكان هذا قد طلع الي صعيد
مصر راغبا الي جبل شامه فسكن بدير قبلي ذلك الجبل يعرف بدير القديس ابو بغامر عند
ابا كاملا مصطفي يدعى اسمه انبا ايلياس "...

'Der Vater Anba Theodor berichtet uns - dieser (d.h.
Theodor) war aus der Scetis im Wādī Habīb; er hatte sich
nach Oberägypten begeben, bis er an das Gebirge von Djeme
gelangte; er wohnte in einem südlich von diesem Gebirge
gelegenen Kloster, das als das Kloster des Heiligen
Phoibammon bekannt ist, bei einem auserwählten vollkommenen Vater namens Anba Elias - ...'

2. Wie Pesyntheus zum Mönchtum kam: 9r-10r = (A 104b - 105b =
der an das 1. Wunder anschließende Teil; A 103a-103b).

3. Die Herkunft und die Kindheit Pesyntheus' 10 r = (A 103b).

"ان هذا الصبي ابواه من قرية تسمى بشمير من تخوم ارمنت وكانوا ابواه قد جعلا
في مكتب في مدينة ارمنت وهو ابن سبع سنين فتعلم بنشاط كبير جميع
علم الكتب ..."

'Die Eltern dieses Knaben stammten aus einem Dorf namens
Pshamer, das in der Umgebung von Hermonthis liegt. Seine
Eltern ließen ihn eine Schule in der Stadt Hermonthis be-
suchen, als er sieben Jahre war. Und er lernte mit großem
Eifer alle Wissenschaft der Bücher ...'

Daran anschließend folgen 22 Wunder, die tabellarisch
verzeichnet werden[16].

	Text P	Text C
1. (= 9. W.)	10v - 13v	123a - 127a
2. (= 10. W.)	13v	127a - 127b
3. (= 12. W.)	13v - 14v	127b - 129a
4. (= 13. W.)	14v	129a
5. (= 8. W.)	14v - 15r	129a - 129b
6. (= 5. W.)	15r - 17r	129b - 133a
7. (= 17. W.)	17r - 18v	133a - 135b
8. (= 32. W.)	18v - 22r	135b - 141a
9. (= 38. W.)	22r - 22v	141b
10. (= 39. W.)	22v - 23r	141b - 142a

11. (= 11. W.)	23r - 24v	142a - 144b
12. (= 7. W.)	24v - 25r	144b - 145a
13. (= 37. W.)	25r - 25v	145a - 146a
14. (= 40. W.)	25v	146a
15. (= 48. W.)	25v - 26 v	146a - 147b
16. (= 14. W.)	26v - 27r	148a - 149a
17. (= 15. W.)	27r - 28v	149a - 151a
18. (= 23. W.)	28v - 29r	151a - 152a
19. (= 20. W.)	29r - 30r	152a - 153b
20. (= 53. W.)	30v - 35v	154a - 161b

Innerhalb des Wunderberichtes steht eine Unterweisung,
die Pesyntheus vielleicht an seine Jünger gerichtet
hat: 33r - 35r   158a - 160b

21. (= 54. W.)	35v	161b - 162a
22. (= 55. W.)	35v - 36r	162a - 162b

eine Anrede steht nur im Text C   163a - 163b

Eine Überprüfung der Angaben O'Learys über den Text C
hat Fehler aufgezeigt, die im folgenden berichtigt werden
sollen.

a) zur Übersichtstabelle: S. 318:

Die Wunder: 7, 10, 37, 40, 55 wurden von ihm übersehen.
Das 32. Wunder steht auf f. 135b-141a statt auf f. 136 a
- 141a.
Das 48. Wunder steht auf f. 146a-147b statt auf f. 146a
- 148a.
Das 54. Wunder steht auf f. 161b-162a statt auf f. 162a
- 162b.

b) Zur Seite 319

O'Leary hat 21 Wunder des Textes A erwähnt, die er als
"peculiar to it" bezeichnete. Von diesen Wundern stehen
drei Wunder im Text C: 37, 40 und 55. Für das 37. Wunder
des Textes C siehe O'Leary a.O., S. 442 - 443 "Apparat";
für das 40. Wunder S. 443 "Apparat Nr. 19"; für das 55.
Wunder S. 479 "Apparat".
Die Zahl der Wunder des Textes C ist aber 22 und nicht
18. Zur Reihenfolge der Wunder schreibt O'Leary: "The
incidents, according to the numbering used in A., occur
in the following order: 1, 9, 12, 8, 5, 17, 32, 39, 11,
7, 38, 48, 14, 15, 23, 20, 53, 54". Das 1. Wunder steht
aber nicht im Text C. Die Wunder 10, 13, 37, 40, 55
wurden von ihm übersehen. Die Reihenfolge der Wunder
ist: 9, 10, 12, 13, 8, 5, 17, 32, 38, 39, 11, 7, 37,
40, 48, 14, 15, 23, 20, 53, 54, 55. Das ist dieselbe
Reihenfolge der Wunder wie die des Textes P.

c) Die Übersichtstabelle auf Seite 320 kann durch
die obige Übersichtstabelle der Texte P und C verbessert
werden: Es fehlen die Wunder 10, 13, 38, 40, 54 und 55.
Das 1. Wunder wird nochmal überflüssig erwähnt.

Bei den Texten P und C lassen sich fünf Lebensabschnitte
des Bischofs unterscheiden:

1. Seine Kindheit (P 10r): Dies dürfte in dem verlorenen
   Teil des Textes C gestanden haben.

2. Sein Leben als Mönch: W. 9, 10, 12, 13, 8, 5, 17, 32,
   38, 39, 11, 7, 37, 40, 48.

3. Wie er zum Bischofsamt kam und seine Ordination:
   W. 14, 15.

4. Seine Tätigkeit als Bischof: W. 23, 20.

5. Sein Sterben: W. 53.

Hinzu kommen zwei Wunder, die durch sein Grabtuch geschehen sein sollen (W. 54, 55). Die während der persischen Eroberung geschehenen Wunder 17 und 32 werden in
die Periode seines Mönchslebens verlegt. Diese Unterteilung der Angaben beider Texte wird durch zwei Stellen
bestätigt:

1. Nach dem Ende des 48. Wunders: P 26 v (= C 147b-148a)

"هوذا الان يا اخوة قد عرفتكم يسير من فضايل هذه القديس العظيم انبا بسنتيوس وكيف
كانت رهبنته ونسكه وعبادته ويسير من عجايبه فاريد ايضا ان اعرفكم كيف كانت اسقفيته
وجلوسه علي كرسي مدينة قفط وما استحقه من رياسة الكهنوت"

"Seht, nun habe ich euch, Brüder, einige der Tugenden
dieses großen Heiligen Anba Pesyntheus mitgeteilt,
wie sein Mönchsleben, seine Askese und seine Devotion
waren, sowie einige seiner Wundertaten. Auch möchte
ich euch mitteilen, wie sein Episkopat war und seine
Inthronisation in das·Bischofsamt der Stadt Koptos geschah, und in welchem Maße er des Hohenpriesteramtes
würdig war."

2. Nach dem Ende des 20. Wunders: P 30r-30v (= C 153b
   -154a)

"والان فهوذا قد عرفتكم كيف كان جلوسه علي كرسيه ... وهوذا يا اخوة
نعرفكم كيف كانت نياحته وانتقاله من هذا العالم"

"Und nun, seht, habe ich euch erzählt, wie seine
Inthronisation in sein Bischofsamt geschah ...
und seht , Brüder, erzählen wir euch, wie er ent-
schlafen und aus dieser Welt heimgegangen ist."

Die Anreden an die Zuhörer:

Neben den gerade genannten beiden Anreden sind die
folgenden Anreden belegt:

P 17r (= C 133a, A 114a):

"انظروا يا اخوة كم هي كرامة الذي يحفظ وصايا الرهبنة ..."

'Seht, Brüder, wie groß die Würde dessen ist, der die
Gebote des Mönchtums beachtet'

P 18r (= C 135a, A 139a): "... انا اعترف لكم يا احبابي"

'Ich bekenne euch, Brüder ...'

P 22r (= C 141a, A 173b): "والله حو الشاهد علي قولي يا اخوة"

'und Gott ist der Zeuge meiner Worte, Brüder ...'

P 30r (= C 153b): ' انظروا يا اخوة الى هذا الاب كيف يصنع الله مع اتقياء وحافظي وصاياه"

'Und seht, Brüder, diesen Vater; so handelt Gott mit seinen
Frommen und denjenigen, die seine Gebote beachten'

Hinzu kommt eine Anrede am Schluß des Textes C (163a-163b).

Die Lobrede auf Pesyntheus kommt selten vor:

P 14v (= C128b-129a, A 128b-129a):

" فمن ذا الذي يشبه ذلك في عبادته المتواترة الذي يصنعها علي الدوام بشجاعة عظيمة "

Wer gleicht diesem in seiner unablässigen Andacht, die er
ohne Unterlaß mit großem Mut verichtet?'

P 28v (= C 151a, A 133b):

" ومن حو الذي يحصي الصدقات الذي كان يمنعهم للمساكين وذوي الفاقة ..."

'Wer kann die Almosen zählen, die er den Elenden und den
Armen spendete?'

Bibelzitate bzw. Bibelanklänge:

Von den Parallelstellen des Textes B, aus denen Beispiele
aus der Bibel gegeben werden[17], stehen in den Texten P und
C die zu den Nummern 2, 3, 6, 7, 9, 10, 12. Von diesen befinden
sich in P und C die Beispiele Nr. 2 (P 17v = C 133b), Nr. 6
(P 26v = C 147b), Nr. 7 (P 17r-v = C 133b), Nr. 9 (P 13r =
C 127a) und Nr. 10 (P 18r = C 134b). Beim 6. Beispiel steht
-. wie im Text B[18] - vor der Bibelstelle (P 26v = C 147b):

" والان نقد كل علي هذه القديس ما تاله داوود النبي ... "

'Nun ist an diesem Heiligen in Erfüllung gegangen, was der
Prophet David gesagt hatte ...'

Die in der 5. Anmerkung u.a. erwähnten Beispiele aus Matth.
13,43, Ps. 55, 22 und Matth. 6,8 stehen auch in den Texten
P und C (P 15v = C 131a; P 17v = 134a). In P 18v (= C 135a-b)
geht eine Stelle auf Jer. 17,7 zurück. In der Parallelstelle
des Textes S (49b) geht die Stelle aber auf Jer. 17, 5, 7
und 8 zurück. In der Parallelstelle des Textes B (401) fehlt
ein Bibelzitat. Im Text A (139b) geht sie auf Jer. 17, 7
und 8 zurück.

c) Der Text K

Der Text K ist der kürzeste überlieferte Text eines
Enkomiums über Pesyntheus, sowohl was die Zahl der
Wunder als auch die Angaben der einzelnen Wunder anbe-
langt.

Inhalt des Textes:

1. Einführung 130v.

2. Wie Pesyntheus zum Mönchtum kam 130v-131v.

3. Die Herkunft des Bischofs und seine Kindheit 131v.

4. (= W. 9) 131v-132r.

5. (= W. 10) 132r.

6. (= W. 12) 132r.

7. (= W.(8)) 132v.

8. (= W. 5) 132v-133r.

9. (= W. 17) 133r.

10. (= W. 32) 133r-133v.

11. (= W. 39) 133v.

12. (= W. 7) 133v.

13. (= W. 11) 133v.

14. (= W. 48) 133v-134r.

15. (= W. 14) 134r-134v.

16. Die Ordination zum Bischof von Koptos 134v (= W. 15).

17. Die Tätigkeit des Bischofs 134v-135r.

18. (= W. 53) 135r-136r: Im Wunder steht eine Unterweisung
an die Gläubigen 135v-136r.

19. (= W. 54) 136r-136v.

20. Eine Anrede 136v-137r.

Im folgenden werden einige Angaben dieser Rezension,
deren Kriterien mehr oder weniger auf den ganzen Text
zutreffen, genannt[19].

Wunder 7 (133v):

"وبعد ذلك خرج من المغارة واتا الي البير ليلا الما ولم يكن معه حبل
لرباط الجرة فسـال الله وان الما صعد الي علو البير فـلا الجرة ومضي
شاكرا للسـيد المسـيح"

"Danach ging er aus seiner Zelle hinaus und kam zum
Brunnen, um Wasser zu schöpfen. Er hatte kein Seil bei
sich, um den Krug daran zu binden. Er bat Gott, und
das Wasser stieg bis zum Brunnenrand hinauf, und so
füllte er seinen Krug. Er ging fort, indem er den Herrn
Christus pries."

Wunder 11 (133v):

"وفيها هو ماشي واذا امراتين احدهما بها مرض الاستسقا والاخري بالشقيقة في
راسها وحولاي لما نظرا الي القديس بسنتيوس مشيا في اثره فلم يلحقاه وانهما
اخذا من التراب الذي مشي عليه بامانة قوية وشرباه بقليل ماء فشفيا من
وجعهما للوقت وبريا حتي كانهما لم يصيبهما الم البتة"

"Einmal als er ging, da zeigten sich zwei Frauen; die
eine litt an Wassersucht, die andere an Migräne. Als
diese den hl. Pesyntheus erblickten, gingen sie ihm
nach. Aber sie konnten ihn nicht einholen. Mit festem
Glauben nahmen sie etwas Staub auf, über den er gegangen war, und schluckten es mit ein wenig Wasser.
Sofort wurden sie von ihrer Krankheit geheilt und
sie genasen so, als ob sie überhaupt nie ein Schmerz
befallen hätte."

Wunder 17 (133r):

"وكان في بعض الايام وهو يتعبد لله مع اخوة قليل في ايام الصيف داخل الجبل
ففرغ من الاوعية الماء وجاور الاخوة يموتوا من العطش وان القديس بسنتيوس صلي
وقال للاخوة افتقدوا الاوعية وانهم وجدوهم مملوين ماء فوجدوا الرب صانع
العجايب في قديسيه ومانع ارادتهم"

"Es geschah an einem Tag im Sommer, daß er sich - in
Begleitung von einigen Brüdern - dem Dienste Gottes
im Gebirge widmete. Da waren die Wassergefäße leer,
und die Brüder wären beinahe vor Durst vergangen. Der
hl. Pesyntheus betete und sagte zu den Brüdern: ' Untersucht die Gefäße '. Sie fanden sie mit Wasser gefüllt.
So priesen sie den Herrn, der Wunder durch seine
Heiligen tut und ihren Wunsch erfüllt."

Wunder 32 (133r-133v):

"فلما كان في الاربعين المقدسة خرج ومضي داخل الجبل ليتعبد لله وكان صحبته اخ راهب
وانهم مشوا داخل الجبل الى حيث وصلوا الى مكان نير جدا متسع كثير فدخلوا اليه فدخلوا
اليه ورجدوا داخله رمم كثيرة فرميناهم على بعضهم وكان الميت الذي في جانب الباب الاول
مكفن بألفان ملوكية وانامل يديه ورجليه مكفنين واحد واحد وبعد ذلك خرجت من عنده
واتيت اليه يوم السبت كما اوصاني فلما اقتربت منه سمعته يتحدث مع اخر واراهو
ذلك الميت الذي اخبرنتكم به وكان كافرا وحدث اني كثيرا عن المعذبين والجحيم وان من
لا يخرج من هذه الدنيا وهو حومنا بالسيد المسيح لا ينال راحة وبعد ذلك قال اني الميت
انضجع كما كنت اولا الى يوم الدينونة لان الرب روؤف متحنن كثير الرحمة وهو يصنع
معك كرعته اما انا لما رايت هذه الاعجوبة العظيمة مجدت السيد المسيح بن الله
الذي يصنع حول مختاريه وبعد ذلك دخلت وقبلت يده فقال لي يايوحنا السلام
لك فتباركت منه وجلست"

"Es geschah während der heiligen vierzig (Tage)
(d.h. des vorösterlichen Fastens), daß er herausging
und sich ins Gebirge begab, um sich dem Dienste Gottes
zu widmen. In seiner Begleitung war ein weiterer
Mönch. Sie gingen ins Gebirge weiter, bis sie zu einem
lichterfüllten sehr geräumigen Ort kamen. Sie gingen
hinein und fanden viele Mumien (wörtlich Leichname) in
ihm. [Der andere Mönch sagte:] "Wir stapelten sie über-

einander. Die neben der ersten Tür liegende Mumie
(wörtlich der Tote) war mit königlichen Grabtüchern um-
hüllt, und ihre Finger und Zehen waren einzeln umwickelt.
Danach ging ich von ihm und kehrte zu ihm am Sabbat zurück, wie er mir befohlen hatte. Als ich mich ihm näherte,
hörte ich ihn, indem er mit einem anderen sprach. Es war
jener Tote, von dem ich euch oben erzählt habe. Er war
Heide (wörtlich Ungläubiger: kāfir) und er erzählte
meinem Vater viel über die Folterer und die Hölle und
daß, wer diese Welt verläßt, ohne an den Herrn Christus
zu glauben, keine Ruhe erlangen wird. Danach sagte mein
Vater zu den Verstorbenen: 'Lege dich wie zuvor nieder,
bis zum Tage des jüngsten Gerichts. Denn der Herr ist
barmherzig, mitleidig und gnadenvoll. Er wird dich
seiner Sanftmut entsprechend behandeln.' Als ich aber
dieses große Wunder sah, pries ich den Herrn Christus,
den Sohn Gottes, der den Wunsch seiner Auserwählten erfüllt. Danach ging ich herein und küßte seine Hand.
Da sagte er zu mir: 'Friede sei mit dir, o Johannes.'
Ich wurde von ihm gesegnet und setzte mich nieder."

Die Wunder 10, 12, (8) (132r-132v):

وكان هذا القديس بسنتيوس مثابرا على حفظ وصايا الله والعمل بها وحفظ مصحف المزامير
وكتاب الانبيا الصادقين بكمالهم وكان اذا تلا نبوة احدهم يحضر ذلك الي عنده الي حين فروغ
قراءة سفره وفي بعض الايام كان اخا راهب يطلع من كوة صغيرة الي قلاية هذا القديس بسنتيوس
وكان يتلوا في الانبيا وعندما يفرغ قراءة سفر ذلك النبي ياتي ويقبله في فيه ويصعد الي العلو
وهكذا الاخ تعجب عجبا جدا كثيرا وصار يغبط القديس انبا بسنتيوس لانه وقت ان كان ينتصب
في الصلاة ويرفع يداه تصير اصابعه كعشرة شمعات تقد

"Dieser hl. Pesyntheus war eifrig bemüht, die Gebote
Gottes zu bewahren und sich danach zu verhalten. Er
lernte das Psalmenbuch und das Buch der wahren Propheten
in ihrem vollen Umfang auswendig. Rezitierte er die

Prophezeiung (d.h. den Text) eines von ihnen, so erschien
dieser (d.h. der Prophet) bei ihm (und blieb,) bis er
die Rezitation seines Buches beendet hatte. Eines Tages
blickte ein Mönchsbruder durch eine Öffnung in die Zelle
dieses hl. Pesyntheus hinein, als er das Prophetenbuch
rezitierte. Als er das Buch jenes Propheten durchgelesen
hatte, kam er (d.h. der Prophet) und küßte ihn auf seinen
Mund und fuhr in die Höhe auf. Darüber war der Bruder
äußerst verwundert. Er begann, den heiligen Anba
Pesyntheus zu preisen; denn als er beim Beten sich auf-
richtet und seine Hände erhob, sahen seine Finger wie
zehn brennende Kerzen aus."

Im Anschluß an den Abschnitt über die Ordination
Pesyntheus' befindet sich eine Aussage über ihn als
Bischof (134v-135r):

وأعطى الله هذا القديس نعمة وخوف لكل من يراه يرهب من وجهه وطول مدة حياته لم يقدر احد
يتأمل وجهه جيدا وكان هذا القديس يمنع مراحم كثيرة وصدقات ولم يدخر درهما واحدا لطول
ايام اسقفيته بل ما كان يتحصل له من الديارية يصرفه للضعفا والمساكين والمحتاجين وذوي
الفاقه وكان الله يجري على يديه ايات وعجايب كثيرة من اشفا المرضي لانه كان اي من صلي على
زيت ودهنه به يشفا من ساير اوجاعه في كل الامكان وتعالمرت اليه الناس من
ساير البلدان يقصدوا بركته وشفاهم من امراضهم واعطى الله هذا القديس معرفة الغيب حتى
انه كان يعرف بالشي قبل كونه وينذر به وكان اذا صعد الي المذبح ليقدس القرابين يصير كله نارا
ويظهر الله له خطايا الشعب وينظر روح القدس حين يحل على الخبز ويصيره جسد المسيح
ودمه المجي وكان مداوما علي تعليم الشعب ووعظهم وتثبيتهم علي الايمان المستقيم بسيدنا
يسوع المسيح وكان باب قلايته مفتوح في وجه كل احد"

"Und Gott gab diesem Heiligen Gnade und allen, die ihn
sahen, gab er Ehrfurcht vor ihm ein, so daß sie sich vor
seinem Gesicht fürchteten. In seinem ganzen Leben konnte

niemand sein Gesicht näher beschauen. Und dieser Heilige
spendete viele Wohltaten und Almosen. In seinem ganzen
Episkopat ersparte er keinen Dirham. Ja, sogar was ihm
aus der Diyārīyah[20] zugekommen war, gab er aus für die
Kranken, Elenden, Bedürftigen und Armen. Gott ließ viele
Zeichen und Wunder von Krankenheilung durch seine Hände
geschehen. Denn jeder, den er mit von ihm geweihten Oel
salbte, wurde von allen seinen Schmerzen geheilt, so daß
sich sein Ruf überall verbreitete. Menschen strömten
zu ihm aus allen Ländern, um seinen (wunderwirkenden)
Segen zu erbitten und er heilte sie von ihren Krankheiten.
Gott gewährte diesem Heiligen die Kenntnis der verborgenen
Dinge, so daß er das Ereignis vor seinem Geschehen erfuhr
und vor ihm warnte. Wenn er zum Altar hinaufging, um
das hl. Opfer zu feiern, sah der ganze Altar feurig aus.
Dabei zeigte Gott ihm die Sünden der Gemeinde; und er
sah den Heiligen Geist, wie er auf das Brot (d.h. die
Oblate) herab kam und es in den Leib Christi und in sein
lebendig machendes Blut verwandelte. Er widmete sich mit
Ausdauer der Unterrichtung und der Ermahnung der Gemeinde,
sowie ihrer Festigung im wahren (d.h. orthodoxen) Glauben
an unseren Herrn Jesus Christus. Die Tür seiner Zelle
war für jeden geöffnet."

Auf Wunder, die nach dem Sterben des Pesyntheus,
und zwar durch sein Grabtuch geschehen sein sollen,
wird in 136r-136v hingewiesen (Wunder 54):

"وأظهر الله من جسده من الايات والاعاجيب ما لايحصي من ذلك ما انا اشرحه

لكم الحقير يوحنا وذلك انه لما كنا ابي القديس ابا بسنتيوس اخذت قطعة من الارجوان

الذي ادرجناه فيه وفي بعض الايام وانا ماضي من قلايتي الي البيعة لسعني عقرب

فحسست بنفسي كادت تخرج من جسدي وللوقت بادرت واخذت تلك القطعة الارجوان

ووضعتها علي مكان الوجع وللوقت صرت كأني لم يصبني الم البتة فمجدت الله وكثيرا

من العجايب صنعهم الله من تلك القطعة الارجوان"

"Durch seinen Leib offenbarte Gott unzählbare Zeichen
und Wunder. Dazu gehört, was ich, der Geringste,
Johannes, euch erzählen möchte: Als wir meinen heiligen
Vater, Anba Pesyntheus, (mit dem Grabtuch) umhüllten,
nahm ich ein Stück von dem Purpur, in den wir ihn ein-
hüllten. Als ich eines Tages aus meiner Zelle zur Kirche
ging, stach mich ein Skorpion. Ich fühlte, daß meine
Seele nahe daran war, meinen Leib zu verlassen. Da nahm
ich jenes Purpurstück und legte es an die Schmerzstelle.
Sofort war mir, als ob mich überhaupt kein Schmerz befallen hätte. Ich lobte Gott. Und viele Wunder tat Gott
durch dieses Purpurstück."

Die Reihenfolge der Wunder ist: 9, 10, 12, (8), 5, 17,
32, 39, 7, 11, 48, 14, 15, 53, 54.

Wir können aus der Reihenfolge der Angaben ableiten,
daß der Textkompilator fünf Lebensabschnitte Pesyntheus'
beschreiben wollte:

1. Die Kindheit des Bischofs (131v)

2. Sein Leben als Mönch (W. 9, 10, 12, (8), 5, 17, 32,
   39, 7, 11, 48).

3. Wie er zum Bischofsamt kam und seine Ordination
   (W. 14 und 15).

4. Seine Tätigkeit als Bischof (134v-135r).

5. Sein Sterben (W. 53).

Hinzu kommt ein Wunder, das durch sein Grabtuch ge-
schehen sein soll (W. 54). Die während der persischen
Eroberung geschehenen Wunder 17 und 32 werden in die
Periode seines Mönchslebens verlegt.

Die Anrede an die Zuhörer:

Nur wenige Anreden sind belegt: 130v, Zl. 13-14:

" ... ان اخبركم ايها الاخوة الاحباء بيسيرا من كثير من سيرة هذا القديس البار ..."

"... Ich möchte euch, geliebte Brüder, nur Weniges aus
der Fülle des Lebens dieses lauteren Heiligen mitteilen ..."

134 r, Zl. 5-6:   " فانظروا يا اخوتي الي محبة الله "

"Seht , meine Brüder, die Liebe Gottes!"
Hinzu kommt eine Anrede zum Abschluß des Textes
(136v-137r).

Die Lobrede auf Pesyntheus:

Dieses Element kommt im Text K nur einmal vor:
132r, Zl. 9-10:

" طوبى لهذا القديس الراهب الكامل الذي اختاره الله وسكن فيه "

"Selig ist dieser Heilige, der vollkommene Mönch, den
Gott auserwählte und in ihm wohnte."

Bibelzitate bzw. Stellen die auf die Bibel zurückgehen:

Im Gegensatz zu den anderen Texten sind die Bibelzitate seltener und kürzer (130v, Zl. 8; 131r, Zl. 10-12;
133v, Zl. 1; 134v, Zl. 5-6).

Alle vollständigen koptischen und arabischen Texte handeln
vom Heiligen Pesyntheus. Sie erzählen von seinen Wundertaten. Obwohl sie sich voneinander bezüglich der Anzahl
der Wunder unterscheiden, kann man feststellen, daß sie
sich in eine chronologische Reihenfolge untergliedern
lassen und zwar nach Lebensabschnitten des Bischofs.
Die Tatsache, daß man sich bei der Zählung der Wunder
in allen Texten nach dem längsten, arabischen Text A
richten kann, spricht für eine allgemeine Übereinstimmung
der Wunder, wenn auch eine Abweichung in den Einzelheiten
erkennbar ist, wie wir sehen werden.
Dagegen unterscheiden sich die Texte wesentlich in ihrer
Rahmenhandlung, den Anreden an die Zuhörer, Lobreden auf
Pesyntheus und den Bibelstellen, die der Text S am häufigsten bietet. Viel geringer nach Anzahl und Länge sind B
und P bzw. C. Obwohl die Rezension A zur Vermehrung der
Wunder neigt, sind sie in A oft nicht so lang wie in S,
in anderen sind sie in S und A gleichlautend. Die wenigen erhaltenen Blätter des Textes S[1] zeigen dieselben
Eigenschaften von S. Die Rezension K bietet, abgesehen vom
Synaxar, den kürzesten Text. Daher kommen in ihr die
Rahmenhandlung, Anrede, Lobrede und Bibelstellen nur
selten vor und sie sind dann sehr kurz.

2. Das Verhältnis zwischen den Texten

Zunächst möchte ich das Verhältnis zwischen den Texten
skizzieren, das dann in den folgenden vier Abschnitten
3 - 6 noch ausführlicher behandelt wird. Bemerkungen
zum Stemma sollen die Beziehungen zwischen den Texten
verdeutlichen:

a) Das Stemma

Das von mir erarbeitete Stemma will zwar nicht den Anspruch erheben, ein bis in alle Einzelheiten vollständiges
Bild des Verhältnisses der verschiedenen Rezensionen zueinander zu entwerfen. Die ermittelten Linien, die das
Verhältnis veranschaulichen, stehen aber mit großer
Sicherheit fest. Die Texte, die den erhaltenen vorange-
gangen sein müssen, werden mit X gekennzeichnet.

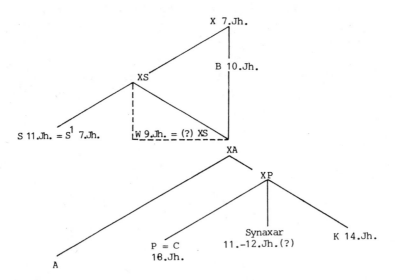

b) Die Wunder 1, 5, 6, 7, 8, 15, 16, 17, 20, 22, 23, 24,
27, 31 u. 53 sind in B, S und A enthalten; in B und A,
aber nicht in S, werden die Wunder 9, 10, 11, 12, 13, 14,
30, 32, 33, 35 u. 48 geboten. In S und A stehen die Wunder
4, 21 u. 25, die in B fehlen. Nur in W und A ist das 36.
Wunder belegt und nur in B, W und A begegnet das 30. Wunder. Die Wunder 9, 10, 11, 12, 13, 14, 32 u. 48 sind nur
in B, P und A belegt, aber nicht in S. Es gibt kein Wunder,
das sich in S, P und A und nicht in B befindet. Alle
Wunder des Textes K werden in P geboten und nicht umgekehrt. Die Wunder 5, 7, (8), 9, 10, 11, 12, 14, 15, 17,
32, 39, 48, 53 u. 54 sind in K, P und A bezeugt, die Wunder 37, 38, 40 u. 55 nur in P und A. Die Wunder 2, 3, 18,
19, 28, 29, 34, 41, 42, 43, 44, 45, 46, 47, 49, 50, 51,
52 u. 56 kommen nur im Text A vor.

c) In den meisten Fällen der in B und S stehenden Wunder
stimmen beide Texte miteinander überein, wobei berück-
sichtigt werden muß, daß es sich um zwei verschiedene
Dialekte handelt. Sie müssen ursprünglich keineswegs
auf zwei Quellen zurückgehen. Vielmehr muß ihnen ein
einziger Urtext vorgelegen haben, den wir X nennen.
Trotz aller Übereinstimmung weist der Text S gegenüber
dem Text B eine Entwicklung auf. Er enthält nämlich
- wie wir im einzelnen noch sehen werden - viele Einzelheiten, die im Paralleltext B fehlen. Diese ändern aber die
Bedeutung nur unwesentlich. Sie veranschaulichen nur die
Ausführungen, die in beiden Texten stehen, und schmücken
sie weiter aus. Hinzu kommt, daß der Text S sowohl viele
Anreden an die Zuhörer als auch Lobreden auf Pesyntheus
enthält, die im Text B fehlen. Anreden an die Zuhörer
und Lobreden enthält der Text B nur wenige. Sie sind
außerdem kürzer, stehen aber an den Parallelstellen des
Textes S. Die Bibelzitate bzw. Anklänge sind im Text S
oft länger oder stehen nur im Text S. In relativ wenigen

Fällen kommen Textteile im Text B vor, die im Text S
fehlen.Das trifft nicht zu auf die Anreden, die Lobreden,
die Bibelzitate, sowie die oben erwähnten Einzelheiten.
Daher muß der Text B dem Urtext X näher gestanden haben,
wenn er sich auch auf eine andere Weise, und zwar weniger
entwickelt hat. Beide Texte, B und S, enthalten Wunder,
die nur in einem Text belegt sind: Im 32. Wunder des Textes
B und in den Wundern 21 und 25 des Textes S erzählt Johannes in erster Person[21]. Diese Tatsache und die Übereinstimmung der in beiden Texten stehenden Wunder zeigt, daß
sie Auszüge aus einem nicht erhaltenen Text sind und auf
diesen Text zurückgehen.

Die Texte B und S können nicht allein als Quellen für den
Text A gelten, zumal der Text W einen Teil der beiden
Wunder 30 und 36 enthält und das 36. Wunder weder im Text
B noch im Text S vorkommt. Das 30. Wunder steht nur noch
in B. Bei den in den Texten B, S und A gebotenen Wundern
steht der Text A dem Text S näher. In den meisten Parallelen dieser Texte kann der Text A als eine wortgetreue
Übersetzung aus dem Text S bezeichnet werden. Die Mehrzahl
der oben genannten Einzelheiten des Textes S, die im Text B
fehlen, stehen auch im Text A. Man kann aber feststellen,
daß sich S gegenüber A weiter entwickelt hat: Die Anreden,
die Lobreden und die Bibelzitate bzw. die Stellen, die
auf die Bibel zurückgehen, sind in S länger als in A.
Sie sind zwar in vielen Fällen gleichlautend, der Text S
geht aber weiter oder enthält dort, wo er auch Parallelen
in A aufweist, zusätzliche Angaben. Das zeigt deutlich,
daß eine verlorene Rezension den beiden Texten S und A oder
zumindest der Angaben der in den Texten B, S und A stehenden Wunder vorgelegen haben muß. Diese verlorene Rezension
XS muß schon entwickelt gewesen sein. Die Art ihrer Entwicklung ist uns im Text A bewahrt und läßt sich durch
den Vergleich zwischen den Texten B, S und A, sowie den

Texten S und A, erkennen. Dabei erweist sich, daß der
Text S eine weitere Entwicklung aufweist. Sie stellt
eine Entwicklungsstufe zwischen den Texten B und S dar.
Sie dürfte auch die Wunder 30 und 36 enthalten haben, weil
sie im Text A Charakteristika des Textes S enthalten und
der Text des 30. Wunders in A dem saidischen Text W näher
steht als dem bohairischen Text B. Die im Text B fehlenden
Angaben der Texte S und A stimmen miteinander überein
und entsprechen auch dem oben genannten Verhältnis zwischen
den beiden Texten. Die Aussagen der Texte B und A, die
im Text S fehlen, stimmen auch miteinander überein, aber
einige von ihnen enthalten in A noch Text, der mit den
Eigenschaften des Textes S übereinstimmt. Andererseits
stehen einige der relativ wenigen Textteile des Textes B
im Text A, die im Text S fehlen, obwohl es sich dabei
um Wunder handelt, die in den drei Texten belegt sind.
Zumindestens in einem Fall, nämlich der Erzählung wie
Pesyntheus zum Bischofsamt kam und seiner Ordination,
geht die Erzählung in den beiden Texten B und S weit auseinander, wobei der Text B Angaben enthält, die auf die
Scetis hinweisen. Der Text S berichtet über die Flucht
Pesyntheus' nach Djeme und bietet eine andere chronologische
Abfolge. Im Text A werden die beiden Erzählungen der
Texte B und S nach Sinn und Inhalt und in der Reihenfolge
wiedergegeben. Daher muß der Text A aus Texten wie B und
S (d.h. XS) u.a. zusammengestellt worden sein. Die Untersuchung zeigt, daß man bei dieser Kompilation von saidischen Texten ausging. Angaben eines bohairischen Textes
wie B wurden offenbar nur sekundär beachtet, denn
sie werden nur dann übernommen, wenn sie in keinem saidischen Text vorhanden sind. Dabei handelt es sich wohl
um arabische Übersetzungen aus koptischen Texten.

d) Die Texte B, P und K haben gemeinsame Eigenschaften.
Die Wunder 5, 7, 8, 15, 17, 20, 23 u. 53 sind in den
Texten B, S und P vertreten. In P und B, aber nicht in S,

stehen die Wunder 9, 10, 11, 12, 13, 14, 32 u. 48.
Es gibt kein Wunder in P, das sich zwar in S, aber nicht
in B befindet. Die Wunder P 37, 38, 39, 40, 54 u. 55
kommen weder in B noch in S vor. Von der Gruppe der Wunder
11, 7, 37, 40 u. 48 des Textes P fehlen zwei (37 u. 40)
in B und S. In 7 u. 37 ist das Wasser die Hauptsache.
In der Einführung des 11. Wunders handelt es sich um das
Wasserholen. In 48 wird berichtet, daß das Wasser aus dem
Boden quoll, was ein Zeichen der Erfüllung des Gebetes
Pesyntheus' war. Das Wasser wird auch im 40. Wunder erwähnt. Die aufeinander folgenden und nicht in den koptischen Texten belegten Wunder 38 und 39 betreffen gefähr-
liche Wüstentiere, dabei ähnelt das 39. Wunder dem 31.
Wunder der Texte B und S. Die Wunder 54 und 55 sollen
durch das Grabtuch des Bischofs geschehen sein. Diese
zwei Wunder fehlen in den Texten B und S, die beide mit
dem 53. Wunder (dem Sterben Pesyntheus') abschließen.
Die Reihenfolge der Wunder des Textes P: 9, 10, 12 u. 13
entspricht - mit Ausnahme des 11. Wunders - der der Wunder
9, 10, 11, 12 u. 13 im Text B. Alle Wunder des Textes K
- mit Ausnahme der Wunder 39 und 54- stehen im Text B.
Von den Wundern, die sich auch in den Texten B und S befinden, werden nur die Wunder 5, 7, (8)[22], 15, 17, u. 53
in K erwähnt. Von den Wundern, die der Text B aber nicht
der Text S enthält, werden die Wunder 9, 10, 11, 12, 14,
32 u. 48 geboten. Die Wunder des Textes S, die im Text B
fehlen, nämlich 4, 21 u. 25 fehlen auch in diesem Text.
Läßt man die im Text K fehlenden Wunder des Textes P weg,
so ergibt sich dieselbe Reihenfolge der Wunder in beiden
Texten, mit Ausnahme der Gruppe 39, 11, 7 in P und 39,
7, 11 in K.
Der Abschnitt über die Tätigkeit des Bischofs steht
zwischen dem Bericht über seine Ordination und dem 53.
Wunder, seinem Sterben. Das gilt für den Text P, wo über
die Tätigkeit des Bischofs und zwei zusätzliche Wunder
(23 u. 20) berichtet wird. Beide Texte K und P enthalten

nach der Einführung eine Aussage "Wie Pesyntheus zum Mönchtum kam". In beiden Texten steht eine Unterweisung Pesyntheus' vor seinem Sterben. Die während der persischen
Eroberung geschehenen Wunder 17 und 32 der Texte K und P
werden in ihnen jedoch in die Periode seines Mönchslebens verlegt. Nur in den Texten B, P und K folgt das 32.
Wunder dem 17. Hinzu kommt, daß in den Texten B, P und K
die langen Anreden und Lobreden der Texte S und A fehlen.
Überdies werden die Texte P und K Theodor aus der Scetis
als Autor zugeschrieben. Dieser Theodor wird zwar in B
erwähnt, kommt aber in S nicht vor[23]. Das alles könnte als
Beleg dafür angesehen werden, daß die Texte P und K auf
einen Text wie B zurückgehen und sich aus ihm entwickelt
haben. Andererseits zeigt die Untersuchung, daß der Text
P ein Auszug aus einem Text wie A ist und er nicht zu den
Texten gehört, die den Text A gebildet haben können. Eine
Neigung zur Verkürzung läßt der Text P im Vergleich zum
Text A erkennen. Viele Angaben der Parallelen in den Texten B, S, A und P und den Texten B, A und P fehlen nur im
Text P. Das gilt auch für Angaben des Textes P, die im Text
A auf eine Kompilation aus Texten wie B und S hinweisen.
In nicht wenigen Fällen weicht nur der Text P von allen anderen Texten ab. Außerdem können die Texte A und P nicht
auf zwei arabische Übersetzungen aus dem Koptischen zurückgehen; an vielen Stellen stimmen sie fast wörtlich
überein. Der Text P ist überdies eine Auswahl von Wundern,
die in erster Linie Askese und Frömmigkeit betreffen und
die Fähigkeit des Pesyntheus zeigen, besonders auffallen-
de Wundertaten zu vollbringen.

Der Vergleich der Texte P und K zeigt, daß der letztere
eine Verkürzung einer Vorlage des erstgenannten Textes
gewesen sein muß. Diese Vorlage muß Angaben enthalten
haben, die im koptischen Text fehlen, z. B. Wunder, die
durch das Grabtuch Pesyntheus' geschehen sein sollen,

die Aussage "Wie er zum Mönchtum kam" und die Unterweisung an die Gläubigen. Der Vergleich der Aussagen des
Synaxars über Pesyntheus und der anderen koptischen und
arabischen Texte zeigt deutlich, daß sie auf einen arabischen Text wie K bzw. P, mit Ausnahme des 30. Wunders,
zurückgegangen sein müssen. Das 30. Wunder des Synaxars
fehlt in K und P. Daher muß es eine arabische Rezension
gegeben haben, die das 30. Wunder enthalten hat und gleichzeitig Angaben, die zwar im Synaxar und in den arabischen
Texten P und K, aber nicht in koptischen Texten stehen,
wie die Wunder des Grabtuches Pesyntheus'. Diese verlorene Rezension XP muß sowohl dem Text K bzw. P als auch dem
Synaxar als Vorlage gedient haben. Sie ist gleichzeitig
ein Auszug aus einer verlorenen arabischen Rezension XA,
die als Vorlage des Textes A gedient hat. Sie ist entstanden aus koptischen Texten wie B und S (d.h., XS) und anderen
nicht erhaltenen, bzw. aus arabischen Übersetzungen. Bei
der Kompilation des verlorenen arabischen Textes XA muß
es auch zu Zusätzen gekommen sein. Es läßt sich feststellen, daß es schon bei den koptischen Texten B und S zu
Zusätzen gekommen ist. Nicht alle Wunder, die nur im Text A
vorkommen, müssen aber unbedingt Zusätze sein.

3. Synopsen

Nach der Untersuchung der verschiedenen Rezensionen über
Pesyntheus sollen einige Synopsen der Wunder das Verhältnis
zwischen den Rezensionen zeigen. Ich nenne in folgendem die
Kriterien für die Auswahl der Synopsen.

Nur zweimal stehen in den Texten B, S und A drei Wunder in
derselben Reihenfolge: 6, 7, 8, und 22, 23, 24[24]. Das 6.
Wunder wird auch im Text S[1] geboten. Die Wunder 7, 8 und 23
stehen auch im Text P. In seiner Besprechung von Budges Ausgabe des Textes S wies Crum auf vier Wunder (17, 20, 24, 53)
des Textes B hin, in denen Johannes in erster Person erzählt.
Auf sie stützte er u.a. seine Meinung über das Verhältnis
zwischen den Texten B und S[25]. Von ihnen werden drei behandelt (17, 24, 53).

Die Wunder 14, 15 gehören zusammen und wurden ausgewählt,
weil sie ein klares Beispiel bieten für die Abweichung der
Texte B und S gegenüber dem verlorenen Urtext X. In diesen
zwei Erzählungen mit ihren Eigentümlichkeiten erfahren wir,
wie Pesyntheus zum Bischofsamt und zu seiner Ordination kam.
Es läßt sich dabei feststellen, daß der Text A eine Kompilation aus Texten wie B und S und anderen Texten ist. Die Art
dieser Kompilation schildern am besten die Wunder 31,
16 und 53.

Die drei Wunder 4, 21 und 25 des Textes S fehlen im Text B.
Eins von ihnen (21) steht auch im Text S[1]. Das 25. Wunder ist
wichtig für den Abschnitt über Gebel al-Asās. Die Wunder 4
und 5 sind wichtig für die Untersuchung der Reihenfolge der
Wunder des Textes S.

Die Gruppe der Wunder 9, 10, 11, 12, 13, 14 des Textes B
fehlt im Text S. Aus dieser Gruppe werden Synopsen der Wunder
12 und 14 angefertigt. Die Wunder 33 und 35 kommen nur in
den Texten B und A vor, von ihnen wird eine Synopse des 35.
Wunders angefertigt.

Das 48. Wunder enthält im Text A wichtige Zeitangaben ·für
die Erarbeitung der Chronologie Pesyntheus'.

Das 32. Wunder ist das längste Wunder. Der Text der ältes-
ten arabischen Rezension K, die gleichzeitig den kürzesten
Text bietet, kann wegen ihrer Kürze nicht in die Synopsen
aufgenommen werden. Eine Ausnahme bietet das 5. Wunder des
Textes K, das in der Synopse angeführt wird. Synopsen der
Wunder 30 und 36 stehen im Abschnitt über den Text W.

Aus der Gruppe der in den Texten B, S und A gebotenen
Wunder werden fast alle behandelt, nämlich die Wunder 5,
6, 7, 8, 15, 16, 17, 22, 23, 24, 31 und 53. Die Gruppe
der in den Texten S und A gebotenen Wunder 4, 21 und 25,
die im Text B fehlt, wird ohne Ausnahme behandelt, ebenso
beide Wunder des Textes W (30,36), sowie die Wunder des
Textes S[1] (6 und 21). Von den in den Texten B und A stehenden, aber in S fehlenden,Wundern werden die Wunder 12, 14,
30, 35 und 48 untersucht. Damit werden von den Wundern des
Textes P die Nummern 5, 7, 8, 12, 14, 15, 17, 32, 48 und 53
behandelt, von den Wundern des Textes K Nr. 5 in der Synopse und 7, 14, 15 und 32 beim Vergleich. Einige Angaben des
Textes K, nämlich die Wunder 7, 10, 11, 12, (8), die die
Tätigkeit des Bischofs beschreibenden Texte und die Nummern
17, 32 und 54 stehen im Abschnitt "die Eigenschaften der
verschiedenen Rezensionen".
Von den Wundern 4, 6, 7, 8, 12, 21, 23, 31 und 48, sowie
von 30, 36 des Textes W werden vollständige Synopsen gear-
beitet, von den Wundern 5, 14, 15, 17, 22, 24 und 32 dagegen nur Teile. Einesteils vermehren sie die Basis der Untersuchung, andererseits reichen bereits die untersuchten
Teile aus, das Verhältnis zwischen den Versionen zu bestimmen. Ohne Synopsen werden die Wunder 16, 25 und 53 behandelt; denn 16 und 53 werden bei Wunder 31 mitbehandelt.

Gliedert man nach den Lebensabschnitten, so betreffen
das Mönchsleben die Nr. 4, 5, 6, 7, 8 u. 12. Wie
Pesyntheus zum Bischofsamt kam und seine Ordination wird
im Wunder 14 und 15 beschrieben. Seine Tätigkeit als
Bischof wird beschrieben in 16, 17, 21, 22, 23, 24, 25,
30, 31, 32, 35, 36 u. 48. Während der persischen Epoche
spielen die Wunder 17, 31 u. 32. Die Wunder 35 u. 48
dürften am Ende seines Lebens geschehen sein. Sein Tod
wird in Wunder 53 beschrieben. Im Abschnitt "zur Kompilation des Proömiums des Textes A" wird eine Synopse
arabischer Texte angefertigt, in dem u.a. auch Angaben
über die Kindheit Pesyntheus' stehen[26].

Jedes Wunder wird unabhängig von den anderen behandelt.
Vergleiche mit anderen Wundern werden nur dann durchgeführt, wenn es sein muß. Berichtigungen und Verbesserungen
der Übersetzungen von Budge und O'Leary, die außerdem das
Verständnis des Verhältnisses zwischen den Texten fördern,
werden nur in den ausgewählten Synopsen mitbehandelt; denn
es würde zu weit führen, alle Fehler beider Übersetzungen
aufzuführen. Bei einem Beispiel (W. 6)[27] handelt es sich
um Bibelstellen. Durch die Verbesserungen von Budges Übersetzung ergab sich erst, ob es sich dabei um "Testimonia"
handelt. Sie können Aussagen über den Tatbestand der
Übersetzungen machen. Nicht zuletzt sind sie ein Beitrag
zur Berichtigung der Übersetzungen wichtiger Texte, nämlich der Wunder 4, 6, 7, 17, 21, 23, 24, 25, 30, 31 u. 36.

Beim Vergleich der Angaben der Wunder 5, 7, 16, 17, 21,
23, 32 u. 53 wird auch die Reihenfolge anderer Wunder
untersucht. Bei einigen Wundern handelt es sich nicht
um historische Begebenheiten, sondern um einen Topos: das
zeigt vor allem das 7. Wunder, das mit einer Vorlage,
den Apophthegmata Patrum, verglichen wird. Als Beispiel
für Wunder, die nur in arabischen Texten erwähnt werden,

aber auf Wunder koptischer Texte über Pesyntheus
zurückgehen, wird das 38. Wunder behandelt, das auf das
21. Wunder zurückgehen dürfte. Bei der Untersuchung muß auf
viele Einzelheiten eingegangen werden, weil das Verhältnis zwischen den Rezensionen nur dadurch aufgezeigt werden
kann. In vielen Fällen stimmen die Texte zwar weithin
miteinander überein, weichen aber in Einzelheiten voneinander ab.

Das 5. Wunder:

B	S	A	P	K

S:

ϭⲱⲧⲙ̄ ⲇⲉ ⲟⲛ ⲉⲧⲉⲓ ⲛⲟϭ
ⲛ̄ϣⲡⲏⲣⲉ ⲛ̄ⲧⲁⲥϣⲱⲡⲉ
ⲉⲃⲟⲗ ϩⲓⲧⲟⲟⲧϥ̄ ⲉⲧ ⲉϥ⳿ⲟ
ⲙ̄ⲙⲟⲛⲟⲭⲟⲥ ⲉϥⲉⲥⲭⲁⲍⲉ
ⲍⲛ̄ ⲧⲏⲓ̈ ⲙ̄ⲡⲁⲩϥⲉⲥⲧⲓⲥ-
ⲕⲟⲡⲟⲥ

ⲁϥϣⲱⲡⲉ ⲉⲡϥ̄ⲥⲡⲗⲏⲛ
ⲛⲟϭϭⲟⲧ ϩⲙ̄ ⲡϥⲩⲟⲙⲛ̄ⲧ ⲙ̄-
ⲡⲩⲁ ⲙ̄ⲡⲧⲃⲱⲗ ⲉⲃⲟⲗ

ⲙ̄ⲡⲉϥⲧⲁⲙⲉ ⲗⲁⲁϩ ⲇⲉ ⲉ-
ⲛⲉⲥⲛⲏϭ ⲇⲉ ⲉϥϣⲱⲡⲉ
ⲛⲉϥϭⲟⲟⲥ ⲅⲁⲣ ⲛⲁϥ
ⲡⲉϫⲉ ⲩⲗⲏⲗ ⲉϩⲟⲩⲓ ⲛ̄ⲧⲁ-
ⲃⲱⲕ ⲉⲑⲉⲛⲉⲉⲧⲉ ⲛ̄ⲁⲡⲁ
ⲁⲃⲣⲁⲁⲙ

B:

ⲁϥϣⲱⲡⲓ ⲇⲉ ⲟⲛ ⲛⲟϭϭⲟⲧ
ⲉⲡⲉϥⲥⲧⲗⲏⲛ ⲇⲉⲛ ⲡϯ ⲙ̄-
ⲡⲩⲁⲓ ⲙ̄ⲡⲧⲃⲱⲗ ⲛⲧⲉ
ⲡⲓⲡⲁⲥⲭⲁ

ⲙⲡⲉϥⲧⲁⲙⲉ ϩⲗⲓ ⲛⲛⲓⲥⲛ-
ⲏⲟⲩ ⲇⲉ ϣϣⲱⲛⲓ
ⲁϥϫⲟⲥ ⲅⲁⲣ ⲛⲱⲟⲩ ⲇⲉ
ⲩⲗⲏⲗ ⲉϩⲱⲓ ⲛⲧⲁⲩⲉ ⲛⲏⲓ
ϣⲁ ϯⲙⲟⲛⲏ ⲛⲧⲉ ⲁⲃⲃⲁ
ⲁⲃⲣⲁⲁⲙ

A:

اسمعوا ايها هذة الجرية
التى كنت
على يدية وهو
راهب من قبل ان يعيد
الرب الى درجة الاستقة
ايها شجدوا الله وبتفا هو
شفد باطة وحدة فى حز

ومما هو ذات يوم از
فراد فى ذلك يوم من
عيد الصج القدس

وهو يعلم احد من
الرهبان انه شجج
الله قال لهم
صلو على ليلى
اذهب الى دير انا
اوزاطم

P:

وقال هو ذات يوم از
فراد فى ذلك يوم من
عيد الصج

قال يعلم احد من
الرهبان انه شجج
الله قال لهم
صلو على ليلى
اذهب الى دير انا
اوزاطم

K:

قلا كان بعد

عبد المسج شتاه ادير

اخذ ملاة من الرهبان
الرهبان انه شجج
الله قال لهم
وابا الدير ملاة
اوزاطم

لمضى شجد

K	P	A	S	B

P

واقتصر احوال

واذا ما اعطاك الرب سبيل
واذا انا قال هذا الـ
تلبه يعلمو
انه شفى جح البنه

A

انا
صابك

واقتصر احوال الرب سبيل
واذا ما اعطاك الرب سبيل
واذا انا قال هذا الـ السبب الم
تلبه يعلمو
انه شفى جح البنه
وان سال
سالغي
‏110b شتى ادى اي
نوجح هذا
فلبلهرة
في كتاب ايوب
المؤمنين وقد يجد
الرب تقول له
اني لم اقعل بك
هذا الشيخ الاحر
سوى كان تنظهر مختار ومبتل
بار ان تظهر قاضي

S

ⲚⲦⲀϬⲘ ⲠϢⲒⲚⲒ ⲘⲠⲈⲒϨⲞⲤ
ⲈⲦϨⲘ ⲠⲘⲀ ⲈⲦⲘⲘⲀϨ
ⲢϢⲀⲚⲠⲀϬ Ϯ ⲐⲈ ⲚⲀⲒ ⲚⲦⲀ-
ⲔⲦⲞⲒ ϢⲀⲢⲰⲦⲚ
ⲚⲦⲀⲨϪⲈ ⲠⲀⲒ ϪⲈ ⲈⲨϨⲞϢϢ
ⲈⲦⲘⲦⲢⲈⲖⲀⲀⲨ ⲈⲒⲘⲈ ϪⲈ
ⲈⲨϢⲰⲚⲈ ϨⲞⲖⲰⲤ
ⲢϢⲀⲚⲞⲂⲀ ϪⲈ ϢⲒⲚⲈ ϨⲚ
ⲞⲂⲀⲔⲢⲒⲂⲈⲒⲀ
ϪⲈ ⲈⲦⲂⲈ ⲞⲨ ⲀⲠⲈⲒⲠⲈⲦⲞ-
ⲂⲀⲀⲂ ϪⲈ ⲠⲀⲒ
ⲘⲀⲢϤϢⲰⲡ
ϨⲘ ⲠϪⲰⲰⲘⲈ ⲚⲒⲰⲂ
ⲠⲘⲀⲔⲀⲢⲒⲞⲤ ϤⲚⲀϨⲈ
ⲈⲠⲀϤ ⲈϤϪⲰ ⲘⲘⲞϤ ⲚⲀϤ ϪⲈ
ⲈⲔⲘⲈⲈⲨⲈ ϪⲈ ⲚⲦⲀⲒⲢ ⲚⲀⲒ
ⲚⲀⲔ ⲈⲔⲈⲤⲘⲞⲦ
ⲀⲖⲖⲀ ϪⲈ ⲈⲔⲈⲞⲨⲰⲚϨ
ⲈⲂⲞⲖ ⲚⲆⲒⲔⲀⲒⲞⲤ

B

ⲚⲦⲀϪⲈⲘ ⲠϢⲒⲚⲒ ⲚⲚⲒⲤⲚⲎⲞⲨ
ⲚⲦⲈ ⲠⲒⲘⲀ ⲈⲦⲈⲘⲘⲀⲨ
ⲀⲢⲈϢⲀⲚϮ ⲞⲨⲰϢ ϮⲚⲀⲒ
ϢⲀⲢⲰⲦⲈⲚ ⲚϪⲰⲖⲈⲘ
ⲈⲦⲀⲨϪⲈ ⲪⲀⲒ ϪⲈ ϪⲈ ϨⲒⲚⲀ
ⲚⲦⲞⲨⲦⲈⲘⲈⲘⲒ ⲈⲢⲞⲨ ϪⲈ
ⲨϢⲰⲚⲒ
ⲀⲢⲈϢⲀⲚⲞⲂⲀⲒ ϪⲈ ⲂⲈⲚ ⲚⲒ-
ⲀⲔⲢⲞⲀⲦⲎⲤ ⲞⲨⲰϢ ⲈϨⲞⲦ-
ⲂⲈⲦ ϪⲈ ⲠⲰⲤ ⲤⲈϢⲰⲚⲒ
ⲚϪⲈ ⲚⲒⲈⲂⲒⲀⲒⲔ ⲚⲦⲈ ⲠⲬⲤ
ⲘⲀⲢⲈϤⲀⲒ ⲘⲠⲀⲒⲢⲎϮ ⲰⲨ
ⲂⲈⲚ ⲠⲒϪⲰⲘ ⲚⲒⲰⲂ
ⲠⲒⲆⲒⲔⲀⲒⲞⲤ ⲬⲚⲀϪⲒⲘⲒ
ⲘⲠⲞⲤ ⲈⲨϪⲰ ⲘⲘⲞϤ ϪⲈ
ⲈⲦⲀⲒⲒⲚⲒ |353 ⲚⲚⲀⲒ ⲈϨⲢⲎⲒ
ⲈϪⲰⲔ ⲀⲚ ⲚⲔⲈⲤⲘⲞⲦ
ⲀⲖⲖⲀ ϪⲈ ϨⲒⲚⲀ ⲚⲦⲈⲔ-
ⲞⲨⲰⲚϨ ⲈⲂⲞⲖ ⲚⲆⲞⲔⲒⲘⲞⲤ

	K	P	A		B	S

B / S (Coptic):

ⲠⲀⲖⲓⲛ ⲟⲛ ϥϫⲱ ⲘⲘⲟⲥ ⲛϫⲉ
ⲠⲀⲨⲖⲟⲥ ⲡⲓⲁⲡⲟⲥⲧⲟⲗⲟⲥ ϫⲉ

Ⲁⲓⲉⲣ ⲥⲙⲟⲧ ⲛⲓⲃⲉⲛ ⲛⲉⲙ
ⲟⲩⲟⲛ ⲛⲓⲃⲉⲛ ϫⲉ ϩⲓⲛⲁ ⲛⲧⲁ-
ⲛⲟϩⲉⲙ ⲛϩⲁⲛ ⲟⲩⲟⲛ
Ⲉⲧⲁϥϩⲉⲟⲩⲁⲃ ϫⲉ ⲉⲣ
ⲟⲩϨⲉⲂϫⲟⲙⲁⲥ ⲛⲉϩⲟⲟⲩ

Ⲡⲓⲉⲃⲁⲅⲅⲉⲗⲓⲟⲛ ϫⲉ ⲉⲓⲉϣⲱⲡⲉ
ⲛⲁϥ ⲚⲔⲓⲛⲱⲛⲟⲥ
ⲛⲧⲉⲣⲉⲡⲡⲉⲧⲟⲩⲁⲁⲃ | 25 b | ϫⲉ ⲀⲠⲀ
ⲡⲉⲥⲛⲑⲓⲟⲥ ⲣ̄ ⲟⲩϨⲉⲂϫⲟⲙⲁⲥ
ⲉϥϣⲱⲛⲓ ⲛⲁⲩϩⲟⲥⲓ ⲡⲉ ϧⲉⲛ
ⲡⲓϣⲱⲛⲓ

ⲘⲠⲧⲉⲛⲉⲥⲛⲏϩ ϣⲓⲛⲉ ⲛⲥⲱϥ
ⲚⲀⲢⲈⲚⲓⲤⲚⲎⲞⲨ ⲘⲈⲨⲓ ⲈⲢⲞϤ
ϫⲉ ϥⲭⲏ ⲁⲛ ϧⲉⲛ ⲡⲓⲂⲎⲂ
ⲉⲩϥ̄ ⲡⲃⲏⲃ
ⲀϥϭⲀϪⲓ ⲟⲩⲛ ⲛϫⲉ ⲛⲓⲚ-
ⲀϥϣⲀϪⲉ
ⲛⲟϥ ⲛⲉⲘⲚⲟⲩϨⲈⲢⲏⲟⲩ ⲉϫⲱ
ⲘⲚⲚⲈⲂⲈⲢⲎⲞⲨ
ⲘⲘⲟⲥ ϫⲉ ⲀⲠⲈⲤⲈⲚⲐⲒⲞⲤ ϣⲎⲘ
ⲁⲃⲃⲁ ⲡⲓⲥⲉⲛⲧⲓⲟⲥ ⲘⲀⲢⲠϣⲓⲛⲉ
ϣⲓⲛⲓ ⲛⲥⲱϥ
ⲱⲔ ⲘⲀⲢⲠϣⲓⲛⲉ
ⲛⲥⲱϥ ϫⲉ ⲘⲈⲨⲀⲔ ⲛⲧⲁϥ-
ϣⲱⲛⲓ ϫⲉ Ϩⲓ ⲦⲈϨⲒⲎ

A / P / K (Arabic):

فقال القديس من عندهم
فرجع القديس من عندهم
وأقام اسبوع كامل
وهو مريض

فقلب الرحمة
هٰلك في مغارته
تحدث بعزمهم
يبقن
قالين ان يسند
ايضا فتشنى
وتشتد كل يوم
قد وتجد في الطريق

فتقلب الرحمة
هٰلك في مغارته
تحدث بعزمهم
يبقن
قالين اذا يسند
ايضا فتشنى
كون وتشتد كل يوم
قد نجد في الطريق

وابدا خربه
قد ابقى فتشنى
وتشتد كل يوم
قد نجد في الطريق

K	P	A	S	B

K

فلما مضى منى
ليشتذ ٤
فارسلوا عليه اخ

P

فنقل عليه المرض
والارجل ولم يستطع القيام
ولم يقدر ذلك ارسلوا ٤ الى
جزابته ليطلبه
فلما مضى ذلك الاخ ٤
بتدبير الله

A

ونقل عليه المرض
والارجل ولم يستطع القيام
فلما قدر ذلك في عليه
بتدبير من الله

... من هذا
الصروف ٤ الى الحق الى اليها
اجع اليها

S

ⲏ̄ ⲙⲉⲩⲁⲕ ⲛ̄ⲧⲁⲡⲁϫⲓⲥⲉ
ⲑ̄ⲙ̄ⲕⲟϥ
ⲙⲡⲉϥϣⲉⲩ ⲧⲱⲟⲩⲛ
ⲁⲩϭⲟⲃⲟⲩ ⲇⲉ ⲛⲟⲩϭⲟⲛ ⲉⲡϥ̄-
ⲟⲩⲏⲏⲃ (ⲥⲓⲥ) ⲉⲩϣⲓⲛⲉ ⲛ̄ⲥⲱϥ
ⲛ̄ⲧⲉⲣⲉϥⲃⲱⲕ ⲇⲉ ⲕⲁⲧⲁ
ⲟⲃⲟⲓⲕⲟⲛⲟⲙⲓⲁ ⲛ̄ⲧⲉ ⲡⲛⲟⲩⲧⲉ
ⲁⲛⲁϭ ⲉⲛⲉⲩⲧⲏⲣⲉ ⲛ̄ⲧⲉ
ⲡⲛⲟⲩⲧⲉ

ⲛⲉϩⲟⲟⲩ ⲇⲉ ⲧⲏⲣⲟⲩ ⲛ̄ⲧⲁⲩϭⲁⲩ
ⲉⲩⲛ̄ⲕⲟⲧⲕ̄ ⲉⲩϣϣⲛⲉ ⲛⲉⲣⲉ-
ⲛⲉⲧⲟⲩⲁⲁⲃ ⲇⲓⲁⲕⲱⲛⲉⲓ
ⲉⲣⲟϥ ϣⲁ ⲡⲉϩⲟⲟⲩ ⲛ̄ⲧⲁ-
ⲡⲥⲟⲛ ⲃⲱⲕ ϣⲁⲣⲟϥ
ⲛ̄ⲧⲉⲣⲉⲡⲥⲟⲛ ⲃⲱⲕ ϣⲁⲣⲟϥ
ⲉϥϭⲉ ⲉⲧⲡⲟ ⲛ̄ⲧⲕⲟⲓ ⲛ̄ⲣⲓ
ⲉⲧⲛ̄ϩ̄ⲧⲥ̄ ⲉⲩⲟϭⲙ̄ⲏ̄ⲛ
ϩⲓⲧⲛ̄ ⲟⲩⲉⲩⲕⲁⲓⲣⲓⲁ ⲇⲉ ⲛ̄ⲧⲉ

B

ⲓⲉ ⲁⲣⲏⲟⲩ ⲡⲁⲛⲧⲱⲥ ⲉⲧⲁ-
ⲡⲓϭⲓϭⲓ ϩⲟⲣⲡ ⲉϩⲣⲏⲓ ⲉϫⲱϥ
ⲙⲡⲉϥϣ ⲧⲱⲟⲩⲛ
ⲁϥϭⲱⲃⲡⲣ̄ ⲇⲉ ⲛⲟⲩϭⲟⲛ
ⲉϥⲓⲛⲓ ⲛⲥⲱϥ

ⲙⲉⲛⲉⲛⲥⲁ ⲛⲁⲓ ⲇⲉ ⲓⲥϫⲉⲛ
ⲉⲧⲁϥϭⲉⲛ ⲛⲓϭⲛⲟⲩⲥ ⲉⲃⲟⲗ
ⲛⲁⲣⲉ ⲡⲟⲥ ⲟⲩⲱⲣⲡ ⲛⲛⲏⲉ
ⲑⲟⲩⲁⲃ ⲉϫϫⲓⲙⲓ ⲙⲡⲉϥϣⲓⲛⲓ
ⲉϣⲧ ⲛⲟⲙⲧ ⲛⲁϥ

ⲕⲁⲧⲁ ⲟⲩⲟⲓⲕⲟⲛⲟⲙⲓⲁ ⲇⲉ

B

ⲛⲧⲉ ⲫϯ

S

ⲡⲛⲟⲩⲧⲉ ⲛⲧⲉⲣⲉϥϭⲉⲕ ⲡⲙ—
ⲟⲟⲥ ⲇⲉ ⲙ̄ⲡⲣⲟ ⲁϥⲙⲟⲟϣⲧⲉ
ⲉⲃⲟⲗ ⲕⲁⲧⲁ ⲡⲕⲁⲛⲱⲛ
ⲛ̄ⲛⲉⲥⲛⲏⲩ ⲇⲉ ⲥⲙⲟⲩ ⲉⲣⲟⲓ

ⲙⲡⲓⲛⲁⲩ ⲉⲧⲁⲡⲓⲥⲟⲛ ⲙ̄ⲙⲟ—
ⲛⲁⲭⲟⲥ ⲓ ϣⲁⲣⲟϥ ⲛⲁϥⲭⲏ
ⲇⲁⲧⲟⲧϥ ⲡⲉ ⲛ̄ϫⲉ ϩⲏⲗⲓⲁⲥ
ⲡⲓⲡⲣⲟⲫⲏⲧⲏⲥ

ⲙⲡⲉϥϭⲟⲟⲃ ⲅⲁⲣ ⲉⲧⲙ̄ⲙⲁⲩ
ⲛⲉⲁϥⲥⲱⲛϩ̄ ⲉⲣⲉⲥⲡⲓⲉⲧ—
ⲟⲅⲁⲁⲃ ⲁⲡⲁ ϩⲏⲗⲓⲁⲥ
ⲡⲉϥⲉⲥⲃⲉⲑⲏⲥ ⲡⲁ ⲡⲧⲟⲟⲩ
ⲙ̄ⲡⲧⲕⲁⲣⲙⲏⲗⲟⲥ ϩⲁϩⲧⲏϥ
ⲉϥⲃⲓⲛⲉ ⲙ̄ⲡⲉϥϣⲓⲛⲉ ⲛ̄ⲧⲁⲕ—
ⲧⲛ̄ⲟⲟⲃϥ ⲅⲁⲣ ⲉⲃⲟⲗ ϩⲓⲧⲙ̄
ⲡⲛⲟⲩⲧⲉ ⲉϭⲥⲥⲱⲗⲁ̄ ⲛ̄
ⲛⲉⲩϣⲁϫⲉ

ⲉⲧⲁⲡⲓⲥⲟⲛ ⲇⲉ ⲙⲙⲟⲛⲁⲭⲟⲥ ⲛ̄ⲧⲉⲣⲉⲡⲥⲟⲛ ⲇⲉ ⲟⲩⲛⲟϭ
ⲟϩⲓ ⲉⲩⲕⲱⲗϩ̄ ⲉϩⲟⲩⲛ ⲟⲃⲟⲃ ⲛ̄ⲕⲱⲟⲩ ⲉϥⲁⲍⲉ ⲉⲣⲁⲧϥ̄ ⲉϥ—
ⲉⲩⲙⲟⲩϩ̄ ϩⲓ ⲧⲍⲏ ⲙ̄ⲙⲟϥ ⲇⲉ ⲙⲟⲃⲧⲉ ⲉϩⲟⲩⲛ ϫⲉ ⲥⲙⲟⲩ
ⲥⲙⲟⲩ ⲉⲣⲟⲓ ⲉⲧⲁⲩⲛⲁⲩ ⲇⲉ ⲁⲡⲉⲡⲣⲟⲫⲏⲧⲏⲥ ⲧⲱⲟⲩⲛ

A

فحين خبأ فرصة وجد الله
بغير يدخل ان الله مكنه
الاخرى قانون يوري ونادي
كحسب ؟ قانون الاخرى

وكان قد اتى في ذلك الوقت
حضور يستانوس انا العظيم
اربنا في القديس
الرجل من جهل
عند المتّبي القديس
ان الله احوال بيّنه
اسمه تبارك الله ارسله
من ليتحدث السبب بعد
انايه

داخل في العظيم
في وقف القديس
دخل اذا الابن
قام الابن اليه
15٧ قائلا وحر
خارج هو وقتا وهو

P

وقال يارب يا ابي
قلبه يحبه

ابا نون الاخرى
ؤخرى

على ان
بيخبيه

مسيح
يستنترون انا ايلنا
مخارته اخر مع يتحدث
اخر مع يتحدث من وهو

K

فقال يارب يا ابي
قووئت وسبح
يستنترون انا القديس

يتحدث مع اخر

K	P	A	B	S
	الانسان الذي كان يتحدث مع ابا اسيدور قام ليتعرف من عنده	كيما يعرف من عنده	ⲚⲬⲈ ⲎⲖⲒⲀⲤ ⲠⲒⲐⲈⲤⲂⲨⲦⲎⲤ ⲬⲈ ⲠⲒⲤⲞⲚ ⲔⲰⲖϨ ⲀϤⲞϨⲰϤ ⲈⲐⲢⲀⲖⲀⲚⲀⲬⲰⲠⲈⲒⲚ ⲚⲀϤ	ⲬⲈ ⲈϤⲚⲀⲖⲀⲚⲀⲬⲰⲢⲈⲒ ⲚⲀϤ
	فانه مسكه ابا 111b والاخ وطلب اليه قايلا	اما القديس ابا اسيدوري فانه مسكه 114b والاخ وطلب اليه قايلا	ⲪⲎⲈⲐⲞⲨⲀⲂ ⲆⲈ ⲀⲂⲂⲀ ⲠⲒⲤⲈⲚⲦⲒⲞⲤ ⲀϤϢⲀⲘⲞⲚⲒ ⲘⲘⲞϤ ⲈϤϪⲰ ⲘⲘⲞⲤ ⲬⲈ ϮϮⲞ ⲈⲢⲞⲔ ⲠⲀⲒⲰⲦ	Ⲁ ⲀⲠⲀ ⲠⲈⲤⲈⲚⲐⲒⲞⲤ ⲀⲘⲀϨⲦⲈ ⲘⲘⲞϤ ⲈϤϪⲰ ⲘⲘⲞⲤ ϪⲈ
	اني لا ادعك تمضي حتى اعرف قليل من مشاهمم	ان لا ادعك تمضي حتى اعرى قليل اخر	ⲘⲎ ⲈⲢ ϨⲰⲖ ⲚⲦⲈⲔⲬⲀⲦ ⲀⲖⲖⲀ ⲞϨⲒ ⲚⲈⲘⲎⲒ ⲚⲔⲈ- ⲔⲞϨϨⲒ ⲚⲦⲈⲔⲤⲈⲖⲤⲰⲖⲦ	ⲚϮⲚⲀⲔⲀⲀⲔ ⲈⲂⲞⲖ ⲀⲚ ϢⲀⲚⲦⲤⲞⲖⲤⲖ Ⲛ̄ⲔⲈⲔⲞⲨ
وان الح	ابا دلكا الح الذي كان قايما بالب ينادي	اما ذلك الح الذي كان قايما بالب ونادى	ⲠⲒⲤⲞⲚ ⲆⲈ ⲘⲘⲞⲚⲀⲬⲞⲤ	ⲠⲤⲞⲚ ⲆⲈ ϨⲰⲰϤ
	لا رايت ان احدا لا يسمح له فتح الباب من غير ان يستانذن احد	لا راي لم يسمح جواب من احد انه فتح الباب ودخل من غير ان يستاذن له احد	ⲈⲦⲀϤⲚⲀϨ ⲬⲈ ⲘⲠⲈϨⲖⲒ ⲈⲢ ⲞϢⲰ ⲚⲀϤϮ ⲘⲠⲈϤⲞϨⲞⲒ ⲈϧⲞⲨⲚ	ⲚⲦⲈⲢⲈϤⲦⲘ̄Ⲣ̄ ⲞϢⲰ ⲚⲀϤ ⲀϤϮ ⲠⲈϤⲞⲨⲞⲒ ⲈϨⲞⲨⲚ Ⲛ̄ⲤⲞⲞⲨⲦⲚ̄ ⲀⲚⲘ̄ ⲘⲎⲚⲈϨⲈ ⲘⲘⲞϤ ϨⲞⲖⲰⲤ
فتح الباب ودخل بغير اذن	فوجد القسيسين جالسين	فوجد القسيسين جالسين كلهم	ⲀϤⲬⲒⲘⲒ ⲚⲚⲎⲈⲐⲞⲨⲀⲂ ⲠⲒⲘⲀⲔⲀⲢⲒⲞⲤ ⲎⲖⲒⲀⲤ	ⲀϤϪⲈ ⲆⲈ ⲈⲠⲠⲈⲦⲞⲨⲀⲀⲂ ⲤⲚⲀϨ ⲈⲨϨⲘⲞⲞⲤ

K

وهو يتطلع الى
وجه ذلك القديس الذي
كان جالس عند ايليا
ورجعة شعاع النور

اما القديس ايليا بستاورس
فهو كان متحدث

P

فلا دخل الج
نبارك على قدسه

ورجعت على قدسه

وهو لا يستطيع ان ينظر
بالجلد الى وجه
ايليا س
لجل شعاع النور

اما القديس انا يستاورس
فهو كان متحدث

A

اما القديس انا يستاورس
فان قد اخذ والقديس
حاس
عند ليعزيه ويتفقد
انا ايليا س حالس عنده

ولا دخل الج
نبارك منها

كلاهل وكان اقنا على قدسه

المعلهم ان ينظر
بمعيطي غير

وهو لا يستطيع ان ينظر
بالجلد الى وجه
ايليا س
لجل شعاع النور

S

ⲀⲠⲀ ⲠⲈⲤϨⲚⲐⲒⲞⲤ ⲘⲈⲚ ⲚϤ-
ⲚⲔⲞⲦϨ ⲠⲠⲈⲦⲞⲦⲀⲀⲂ
ϨⲰⲰϤ ϨⲎⲖⲒⲀⲤ ⲚϤϨⲘⲞⲞⲤ
ϨⲀϨⲦⲎϤ ⲈϤϬⲒⲚⲈ ⲘⲠϤ-
ϬⲒⲚⲈ

ⲚⲦⲈⲢⲈⲠⲤⲞⲚ ⲆⲈ ⲂⲰⲔ
ⲈϨⲞⲨⲚ ⲀϤϪⲒ ⲤⲘⲞϨ ⲚⲦⲞⲞⲦ-
ⲞϨ ⲘⲠⲒⲤⲚⲀϨ ⲀϤϨϨⲈ ⲢⲀⲦϤ

ⲘⲠⲈϤϬⲘϬⲞⲘ ⲚϤϨⲀⲒ
ⲘⲠⲈϤϬⲘϬⲞⲘ ⲆⲈ
ⲈϨⲞϨⲚ ϨⲘ ⲠϨⲞ ⲘⲠⲈ-
ⲠⲢⲞⲪⲎⲦⲎⲤ ϨⲎⲖⲒⲀⲤ
26b
ⲈⲦⲂⲈ ⲚⲀⲔⲦⲒⲚ ⲚⲞϨⲞⲈⲒⲚ

B

ⲠⲒⲐⲈⲤⲂⲰⲦⲎⲤ ⲚⲈⲘ ⲠⲒⲘⲀ-
ⲔⲀⲢⲒⲞⲤ ⲀⲂⲂⲀ ⲠⲒⲤⲈⲦⲒⲞⲤ
ⲈⲚⲀϤⲚⲔⲞⲦ ⲠⲈ ⲈϤϢⲰⲚⲒ

ϧⲈⲚ ⲠϪⲒⲚⲐⲢⲈ ⲠⲒⲤⲞⲚ ⲈⲦⲈ-
ⲰⲈ ⲚⲀϤ ⲈϧⲞⲨⲚ ⲀϤ-
ϬⲒ ⲘⲠⲒⲤⲘⲞϨ ⲘⲠⲒⲂ ⲈⲦⲀϤ-
ⲞϨⲒ ⲈⲢⲀⲦϤ ϪⲈ ⲈϤⲚⲀϤϪⲎϪ
ⲘⲠⲈϤϪⲈⲘϪⲞⲘ ⲚϤⲀⲒ
ⲚⲚⲈϤⲂⲀⲖ ⲈⲠϢⲰⲒ ⲈⲤⲞⲘⲤ
ⲈⲠϨⲞ ⲘⲠⲒⲀⲄⲒⲞⲤ ⲎⲖⲒⲀⲤ
ⲈⲐⲂⲈ ⲠⲀϢⲀⲒ ⲚⲚⲒⲀⲔⲦⲒⲚ

K

فلا إن القديس
يستنير من
قال ذلك

يا أخي ليس هذا
قانون الرهبان
يقمر اذن

ان تدخل عليا
يقمر اذنه

P

وتظام الدرر التي ... منه
وصو يضوى كالبرق

لا صو مكتوب
ان المديثين يتمول
لاجل الشمس في
مثلوت ... بنهم

اما القديس انا ستنير
فانه تشير على
ذلك هو ارب الرهبنة وقال كذلك هو

دخل عليه يقمر اذن
ان ترى ذاذ الاخ قد

ان تدخل على احد
يقمر اذن قلو ان
الرب حو احد من الرهبان

ما انت تدخل
عليه يقمر اذنه

A

ملطشى من وجهه
وصو يضوى كالبرق

لا صو مكتوب ان
المديثون يتمول في
مثل الشمس في
[ا]لقديس انا بنستاوس
1124

فانه تشير على
ذلك هو ارب الرهبنة

ان تدخل على احد
يقمر دستور ولو ان
الرب احد من الرهبنة

ما انت تشطبع ان تدخل
الله يقمر اذنه

S

ETBOϥBOϥ ϨM ΠEЧϨO
NΘE NOϥϭEBΡHHϭE

KATA ΠETCHϨ ϪE
TOTE NϪIKAIOC CENAϭΠ
OϥOEIN NΘE MΠΡH ϨN
TMNTΡO MΠEЧEIWT

ΠΠETOΥAAB ϪE AΠA ΠEC-
ΘNΘIOC AЧAKANArTEI
EϨOYN ETCON ΠEϪAЧ NAЧ
ϪE MH TNTOλH NNECNHϥ
TE TAI

ETΡEKϮ ΠEKOϨOI EϨOYN
AϪN MOϥMϥ AΡA NEOϥ-
XWN NTE ΠAΡXWN ΠE ΠAI
KNAϥϢ BWK EϨOYN EϪЧϢ
AϪN ΤΡEϥMHNEϥE MMOK
NAЧ

B

NOBWINI EЧNHY EBOλ ϨEN
ΠEЧϨO MΦΡΗϮ NOϥϭϭETEB-
ΡHϪ

ΦΗEΘOΥAB ϪE ABBA ΠIC-
ENTIOC ΠEϪAЧ MΠICON
ϨEN OϨϨO EЧMEϨ NΡAϢI
ϪE ΠICON MH ΦAI ΠE
ΠIKWT

ETAKϮ MΠEKOϨOI EϨOYN
Ϫ55
AϭNE ϭOϭNI ENEOϨAΡ-
XWN NTE ΠAIKOCMOC ΠE
MH XNAЧ ϢE EϨOYN
AϭNE ϭOϭNI

K

قال الاخ

انت شرقي ا ايي

قد اجتهت

P

فاجاب ذلك الاخ

قايل شرقي | ايي

انا قد اجتهت

غير ان بهت والا قال

بالباب الذي وقت طول

فاقترت في نفسي قايلا

لعله تكون مرجحا لا تشر

على القيام

ولذلك جسرت على الدخول

لديك اقتراك

فاجاب ابن بيلامس الذي

A

فاجاب الاخ

قايل شرقي ا ان اني

القديس لاخ ان اجتهت

غير ان بهت وا قال

بالباب الذي وقت طول

فاقترت في نفسي قايلا

فانك تكون موجحا ولا تستطع

ولذلك تيسرت على الدخول

لديك اقتراك

فاجاب ابن بيلامس الذي

S

ⲁϥⲟⲩⲱϣⲃ ⲛϭⲓ ⲡⲓⲥⲟⲛ
ϫⲉ ⲕⲱ ⲛⲁⲓ ⲉⲃⲟⲗ ⲡⲁ-
ⲉⲓⲱⲧ ⲁⲓⲣ ⲛⲟⲃⲉ
ⲛⲧⲁⲓⲱⲥⲕ ϩⲓⲣⲙ ⲡⲣⲟ
ⲉⲓⲥ ⲟⲩⲛⲟϭ ⲛⲕⲱⲟⲩ ϯⲧⲱ-
2ⲙ

ⲁⲓⲙⲉⲉⲩⲉ ϫⲉ
ϩⲁⲡϩⲥ ⲉⲕⲩⲱⲛⲉ ⲙⲡⲉⲕⲩ
ⲧⲱⲟⲩⲛ

ⲉⲧⲃⲉ ⲡⲁⲓ ⲁⲓⲧ ⲡⲁⲟϫⲟⲓ
ⲉϩⲟⲩⲛ ⲉϭⲙ ⲡⲉⲕⲩⲓⲛⲉ

ⲁⲡⲉⲡⲣⲟⲫⲏⲧⲏⲥ ⲟⲩⲱϩⲃ
ϫⲉ

B

ⲁϥⲉⲣ ⲟⲩⲱ ⲛϫⲉ ⲡⲓⲥⲟⲛ
ⲙⲙⲟⲛⲁⲭⲟⲥ ϫⲉ ⲭⲱ ⲛⲏⲓ
ⲉⲃⲟⲗ ⲁⲓⲉⲣ ⲛⲟⲃⲓ
ⲉⲧⲁⲓⲱⲥⲕ ϩⲓⲧⲉⲛ ⲙⲡⲓⲣⲟ
ⲉⲓⲕⲱⲗϩ

ⲛⲁⲓⲙⲉϣⲓ ⲛⲏⲓ ⲡⲉ ϫⲉ
ⲉⲕⲟⲓ ⲛⲁⲥⲑⲉⲛⲏⲥ ⲙⲡⲉⲕⲩ
ϫⲉⲙϫⲱⲙ ⲛⲧⲱⲟⲩⲛ ⲉⲉⲣ
ⲟⲩⲱⲛ ⲛⲏⲓ

ⲉⲑⲃⲉ ⲫⲁⲓ ⲁⲓϯ ⲙⲡⲧⲁⲟϫⲟⲓ
ⲉϧⲟⲩⲛ ϫⲉ ⲛⲧⲁϫⲉⲙ
ⲡⲉⲕⲩⲙⲓ ϧⲉⲛ ⲡⲭⲓⲛⲑⲣⲉ
ⲡⲓⲥⲟⲛ ϫⲉ ⲙⲙⲟⲛⲁⲭⲟⲥ
ϫⲉ ⲛⲁⲓ ⲉⲩϯ ⲙⲉⲧⲁⲛⲟⲓⲁ
ⲡⲉϫⲉ ⲏⲗⲓⲁⲥ ⲡⲓⲫⲉⲕⲃⲩ
ⲧⲏⲥ ⲛⲁⲡⲁ ⲡⲓⲥⲉⲛⲧⲓⲟⲥ ϫⲉ

K	P	A	S	B
دعه لعل الرب يحفله مستثنا سلحنا	عنده ارقة الله و تبيرك لعل هذا الاخ يستثنى سلحنا	و تبيرك ارقة الله و تبيرك استثنى سلحنا	ⲡⲧⲱⲟⲩ ⲙ̄ⲡⲛⲟⲩϯⲉ ⲡⲉ ⲡⲁⲓ ⲡⲁⲛⲧⲱⲥ ⲉⲩⲙⲡϣⲁ ⲙ̄ⲡⲉⲛ- ⲁⲥⲡⲁⲥⲙⲟⲥ	ⲡⲑⲟϣ ⲙ̄ⲫ̄ⲧ̄ ⲡⲉ ⲫⲁⲓ ⲇⲉ ⲟⲩϩⲓ ϥⲉⲙⲡϣⲁ ⲛϫⲉ ⲡⲁⲓ- ⲥⲟⲛ ⲉⲑⲣⲉⲩⲉⲣⲁⲥⲡⲁⲍⲉⲥ- ⲑⲁⲓ ⲙ̄ⲙⲟⲛ ⲟⲩⲟϩ ⲛⲧⲉⲩϭⲓ ⲙ̄ⲡⲉⲛⲥⲙⲟⲩ ⲉⲟⲩϫⲟⲡ
لاجل اعماله العالية و لوقت انه الخ به دلك القديس و ثيلوا	لاجل اعماله العالحة	لاجل اعماله العالحة	ⲉⲧⲃⲉ ⲛⲓ̄ⲡⲣⲁϫⲓⲥ ⲉⲧⲛⲁⲛⲟⲩⲟⲩ	
وبعد دلك صعد الى السما	لما بعد الربا جرف هده العجة وهم يبعده انه هده الصجة	ⲙ̄ⲡⲉⲡⲛⲟⲩϯⲉ ⲍⲟⲩⲣⲱϣ ǀ27ᵃ ⲙ̄ⲙⲟⲩ	ⲉⲧⲁϥϫⲉ ⲛⲁⲓ ⲇⲉ ⲛϫⲉ ϩⲗⲓ- ⲁⲥ ⲡⲓⲡⲣⲟⲫⲏⲧⲏⲥ ⲁϥⲉⲣⲁⲛⲁ- ⲭⲱⲣⲉⲓⲛ ⲉⲃⲟⲗ ϩⲁⲣⲱⲟⲩ 358	
و سلامى 1332	قال قال القديس لما قال القديس التي لوقته و انصرف عند ... يسلم 16 ᵛ كلوا اسلامى	و انصرف كلوا اسلامى 113 ب	28ᵃ ... ϯⲥⲟⲡⲥⲡ ⲙ̄ⲙⲟⲕ ⲡⲉⲡⲣⲟⲫⲏⲧⲏⲥ ⲁⲩⲁⲛⲁⲭⲱ- ⲣⲉⲓ	... ⲁⲗⲗⲁ ⳨ ⲉⲣⲟⲕ
لا تظهر هذا السر لاحد من الناس	يا اخي الحبيب الله ᵗ 17 لا تظهر هذه السر لاحد من الناس	يا اخي الحبيب الله كلا تظهر هذا السر لاحد من الناس	ⲡⲁϭⲟⲛ ⲙ̄ⲙⲁⲓⲛⲟⲩϯⲉ ⲙ̄ⲡⲣⲟⲩⲉⲛϩ ǀ28ᵇ ⲡⲧⲙⲉ̄ⲥⲧⲏⲣⲓⲟⲛ ⲉⲃⲟⲗ ⲉⲗⲁⲁⲩ ⲛ̄ⲣⲱⲙⲉ	ⲡⲁϭⲟⲛ ⲙ̄ⲙⲁⲓⲛⲟⲩϯ ⲛⲧⲉⲕⲩⲧⲉⲙ ⲇⲉ ⲡⲁⲓⲥⲁϫⲓ ⲛϩⲗⲓ ⲛⲣⲱⲙⲓ
الى حين وفاتك	الى حين وفاتي بلل يحزن قلبي	في حيانى الكلبل يحزن قلبي	ϣⲁ ⲡⲉϩⲟⲟⲩ ⲙ̄ⲡⲁϭⲙ̄ ⲡⲩⲓⲛϭ ϫⲉ ⲛ̄ⲛⲉⲕϫⲃⲧⲏ ⲙ̄ⲙⲟⲓ	ϣⲁ ⲡⲉϩⲟⲟⲩ ⲙ̄ⲡⲁⲙⲟⲩ

K

P

A

B | S

ϧⲉⲛ ⲡϫⲓⲛⲑⲣⲉ ⲡⲓⲥⲟⲛ ⲇⲉ
ⲥⲱⲧⲉⲙ ⲉⲛⲁⲓ ⲛⲧⲟⲧϥ ⲙⲡⲓ-
ⲇⲉⲗⲗⲟ ⲁϥⲣⲁϣⲓ ⲉⲙⲁϣⲱ

ⲟϩⲟ ⲙⲡⲉϥϫⲟϣⲉⲛϩ ⲡⲓⲥⲁϫⲓ

ϣⲁ ⲡⲓⲉϩⲟⲟⲩ ⲉⲧⲁⲡⲟⲥ
ϧⲉⲙ ⲡⲉϥϣⲓⲛⲓ ⲛϩⲏⲧϥ

ⲛⲁⲓ ⲇⲉ ⲛⲧⲉⲣⲉϥⲥⲟⲧⲙⲟⲩ
ⲛϭⲓ ⲡⲥⲟⲛ ⲁⲃⲛⲟⲃ ⲛⲣⲁϣⲉ
ϣⲱⲡⲉ ⲛⲁϥ
ⲙⲛⲟⲩⲥⲟⲗⲥⲗ
ⲁⲩⲱ ⲙⲡⲉϥⲟⲩⲟⲛϩ ⲡⲙⲩⲥⲧⲏ-
ⲣⲓⲟⲛ ⲉⲃⲟⲗ ⲉⲗⲁⲁⲩ ⲛⲣⲱⲙⲉ
ϣⲁ ⲡⲉϩⲟⲟⲩ ⲛⲧⲁⲡⲉⲕⲗⲏⲣⲟⲥ
ⲙⲙⲁⲓⲛⲟⲩⲧⲉ ⲛⲧⲉ ⲧⲡⲟⲗⲓⲥ
ⲙⲙⲁⲓ ⲡⲉⲭⲥ ⲕⲃⲧ ⲁⲙⲁϩⲧⲉ
ⲙⲡⲉⲧⲙⲡϣⲁ ⲛⲁⲙⲉ ⲛⲧⲙ-
ⲛⲧⲉⲡⲓⲥⲕⲟⲡⲟⲥ

ϫⲉ ⲉϭⲛⲁϩⲓⲧϥ ⲙ ⲡⲡⲁⲧ-
ⲣⲓⲁⲣⲭⲏⲥ ⲉⲧⲟⲩⲁⲁⲃ ⲁⲡⲁ
ⲇⲁⲙⲓⲁⲛⲟⲥ ⲡⲁⲣⲭⲓⲉⲡⲟⲥⲕⲟ-
ⲡⲟⲥ ⲉⲧⲣⲩⲭⲉⲓⲣⲟⲇⲟⲛⲉⲓ
ⲙⲙⲟⲩ ⲛⲉⲡⲓⲥⲕⲟⲡⲟⲥ
ⲁⲧⲉⲧⲛⲉⲓⲙⲉ ϭⲉ ⲱ ⲛⲁⲙⲉⲣ-
ⲁⲧⲉ ϫⲉ ⲡⲉⲧⲛⲁϩⲁⲣⲉϩ

K

P

وصايا الرهبنة
وتكميلها

كنت يحد

وبرسله الله
امثاله وهريته

ولبس نظر القديسين كل
ويظهر الله يبقى قلبه مراجعة
نقر ما يستطيع
لاستحقاته

A

وصايا الرهبنة
وتكميلها بالإحسان
وبغير تقصير

يحبه المسيح فاحمل القريب والقلوب قديسيك
وبرسله اليه قديسيك
والمباهاة للعروف انها وهو وشدائده فقط كل يبشر

ولبس نظر القديسين
نقر ما يستطيع ان يرى
حسبما استحقاته

براءة هذا القديس وكل القديسين ١١٤ب الذين ازهر الرب بعالمهم كون معنا وخع بني المعمودية امين

S

ⲉⲛⲉⲛⲧⲟⲗⲏ ⲛ̄ⲧⲙⲛ̄ⲧⲙⲟⲛⲟⲭⲟⲥ
ⲛϥ̄ϫⲟⲕⲟⲩ ⲉⲃⲟⲗ
ⲁⲭⲛ̄ ⲙⲛ̄ⲧⲣⲉϥϫⲛⲁⲁⲩ
ϣⲁⲣⲉⲡⲉⲭ̄ⲥ̄ ⲙⲉⲣⲓⲧϥ̄
ⲛϥ̄ϫⲟⲟⲩ ϣⲁⲣⲟϥ ⲛ̄ⲛϥ̄ⲡⲉⲧ-
ⲟⲩⲁⲁⲃ
ⲙ̄ⲙⲁⲧⲉ ⲁⲗⲗⲁ ⲩⲁⲃⲛⲁⲩ
ⲉⲡⲛⲟⲩⲧⲉ
ⲕⲁⲧⲁ |ⲧϭⲓⲛⲛⲁⲩ ⲙ̄ⲡⲟⲩⲁ
ⲡⲟⲩⲁ ⲕⲁⲧⲁ ⲡⲉⲥⲙⲟⲧ
ⲉⲧⲉϥⲟⲩⲟⲛϩ̄ ⲉⲃⲟⲗ
ⲉⲣⲟⲟⲩ ⲛ̄ϩⲏⲧϥ̄

[ⲉϣϫⲉ ⲙ̄ⲙⲟⲛ... ϫⲉ ⲧⲉⲧⲛⲁ-
ϫⲟⲟⲥ ⲛ̄ⲧⲛⲟϫⲉ ϫⲉ ⲡⲓⲡⲕ̄
ⲛ̄ⲧⲉⲧⲟⲩϭⲉ ϩⲛ̄ ⲑⲁⲗⲗⲁⲥⲁ
ⲛⲥⲥⲱⲧⲙ̄ ⲛⲏⲧⲛ ꞊ 29ⲁ-
32ⲃ]

B

Das 5. Wunder ist in 6 Hss. überliefert (B, S, A, P, C
u. K). Der Vergleich der Versionen miteinander hat zu
folgenden Ergebnissen geführt.

Es gibt 1) Text, der nur in S und A steht:

S 25b: ⲛⲧⲉⲣⲉϥⲥⲉⲕ ⲡⲙⲟⲟⲥ ⲇⲉ ⲙ̅ⲡⲣⲟ

A 111a: فجذب المستقامة

S 26a: ⲡⲡⲉⲧⲟⲩⲁⲁⲃ ⳡⲱϥ ⳨ⲏⲗⲓⲁⲥ ⲛⳡⳅⲙⲟⲟⲥ ⳅⲁⳅⲧⲏⲩ ⲉϥϭⲓⲛⲉ ⲙ̅ⲡⲉϥϣⲓⲛⲉ

A 111b: والقديس انبا ايليس كان جالس عنده ليعزيه ويفتقد احواله ...

Hierzu zählen auch zwei Anreden:

a) S 24b-25a: ⲥⲱⲧⲙ̅ ⲇⲉ ⲟⲛ ⲉⲧⲉⲓⲛⲟϭ ⲛ̅ϣⲡⲏⲣⲉ ...

    A 110a: اسمعوا ايضا هذه الاعجوبة ...

b) S 25b: ⲁⲛⲁⲩ ⲉⲛⲉϥⲡⲏⲣⲉ ⲛ̅ⲧⲉ ⲡⲛⲟⲩⲧⲉ

    A 110b: انظروا يا اخوة الى هذه الاعجوبة الالهية ...

2) Text, der nur in S, A und P steht und in B fehlt:

S 25b: ⲇⲉ ⲙⲉϣⲁⲕ ⲛ̅ⲧⲁϥϣⲱⲛⲉ ⳅⲓ ⲧⲉⳅⲓⲏ

A 110b: لئلا يكون قد توجع فى الطريق

P 15r: ليلا يكون قد توجع فى الطريق

S 25b: ⲁⲩⳃⲟⲟⲩ ⲇⲉ ⲛ̅ⲟⲩⲥⲟⲛ ⲉⲡϥ̄ⲟⲩⲏⲏⲃ[28] ⲉϥϣⲓⲛⲉ ⲛ̅ⲥⲱϥ
     Derselbe Satz steht im Text B aber ohne ⲉⲡϥ̄ⲃⲏⲃ
     das in den arabischen Texten steht:

A 110b: وعند ذلك ارسلوا اخ الى خزانته فى طلبه

P 15r: وعند ذلك ارسلوا اخ الى خزانته ليطلبه

S 25b: ⲚⲦⲈⲢⲈⲠⲤⲞⲚ ⲆⲈ ⲂⲰⲔ ϢⲀⲢⲞϤ ⲈϤϪⲈ ⲈⲠⲢⲞ ⲚⲦⲔⲞϨⲒ ⲀϤⲒ
ⲈⲦϤ̄Ⲛ̄ϨⲎⲦⲈ̄ ⲈϤⲞⲨⲎⲚ

A 111a: فلما ان اليه الاخ وجد باب المغارة اللطيفة مفتوح الذى كان فيها

P 15r: ووصل الي مغارته الذي كان فيها فوجد الباب مفتوح

S 25b: ⲔⲀⲦⲀ ⲠⲔⲀⲚⲰⲚ Ⲛ̄ⲚⲈⲤⲚⲎⲨ

A 111a: كحسب قانون الاخوة الرهبان

P 15r: كقانون الاخوة الرهبان

S 26a; 26b: ⲞⲨⲚⲞϬ Ⲛ̄ⲔⲰⲞⲨ

A 111a; 112a: وقت طويل ز وقتا طويلا

P 15v; 16r: وقت طويل

S 26b: ⲔⲀⲦⲀ ⲠⲈⲦⲤⲎϨ ϪⲈ ⲦⲞⲦⲈ Ⲛ̄ⲆⲒⲔⲀⲒⲞⲤ ⲤⲈⲚⲀⲢⲞⲨⲞⲈⲒⲚ ⲚⲐⲈ
Ⲙ̄ⲠⲢⲎ ϨⲚ̄ ⲦⲘⲚ̄ⲦⲈⲢⲞ Ⲙ̄ⲠⲈⲨⲈⲒⲰⲦ

A 111b: كما هو مكتوب قايلا الصديقون يضوا مثل الشمس فى ملكوت ابيهم

P 15v: كما هو مكتوب ان الصديقين يضوا كمثل الشمس فى ملكوت ابيهم

S 26b: ⲈⲦⲂⲈ ⲚⲨ̄ⲠⲢⲀ̅ⲜⲒⲤ ⲈⲦⲚⲀⲚⲞⲨⲨ

A 112a: لاجل اعماله الصالحة

P 16r: لاجل اعماله الصالحة

S 28b: ϪⲈ Ⲛ̄ⲚⲈⲔⲖⲨⲠⲎ Ⲙ̄ⲘⲞⲒ

A 114a: كليلا يحزن قلبى

P 17r: ليلا يحزن قلبي

S 28b: ... ⲘⲚ̄ ⲞⲨⲤⲞⲖⲤⲗ̄

A 114a: وتعزى قلبه

P 17r: وتعزي قلبه

Hierzu zählt auch eine Anrede am Ende der Texte:

S 28b–29a: ⲀⲦⲈⲦⲚ̄ⲈⲓⲘⲈ ϬⲈ ⲱ̄ ⲚⲀⲘⲈⲢⲀⲦⲈ ϪⲈ...

A 114a: ... علموا الان يا احباى

P 17r: ... انظروا يا اخوة

3) Text, der in S, A, P gleichlautend ist und in B anders ausgedrückt wird:

B 352: ⲀⲢⲈϢⲀⲚϦ̄ϯ ⲟⲩⲱϣ ϯⲚⲀⲒ ϢⲀⲢⲱⲦⲈⲚ

S 25a: Ⲣ̄ϢⲀⲚⲠ͞Ⲥ̄ ϯⲐⲈ ⲚⲀⲒ Ⲛ̄ⲦⲀⲔⲦⲟⲒ ϢⲀⲢⲱⲦⲚ̄

A 110a: واذا ما اعطانى الرب سبيلا انا ارجع اليّكَ

P 15r: واذا ما اعطانى الرب سبيلا انا ارجع اليّكَ

B 354: ...ⲠⲒⲤⲟⲚ Ⲕⲱⲗϩ

S 26a: ... ⲈⲩⲘⲟϥⲦⲈ ⲈⲢⲟⲩⲚ

A 111a: ...وهو ينادى الى داخل

P 15v: ...وهو ينادى الى داخل

B 354: ϯϯϩⲟ ⲈⲢⲟⲔ ⲠⲀⲒⲱⲦ ⲘⲎ ⲈⲢϩⲱⲗ ⲚⲦⲈⲔⲭⲀⲦ ⲀⲗⲗⲀ ⲟϩⲒ ⲚⲈⲘⲎⲒ ⲚⲔⲈⲔⲟⲩϪⲒ ⲚⲦⲈⲔⲤⲈⲗⲤⲱⲦ

S 26a: Ⲛ̄ⲦⲚⲀⲔⲀⲀⲔ ⲈⲂⲟⲗ ⲀⲚ ϢⲀⲚϯⲤⲟⲗⲤⲖ̄ Ⲛ̄ⲔⲈⲔⲟⲩⲒ

A 111b: انى لا ادعك تفارقى حتى اتعزى قليلا احر

P 15v: انى لا ادعك تفارقى حتى اتعزي قليل من مشاهدتك

B 354: ⲈⲩⲚⲎⲩ ⲈⲂⲟⲗ ϦⲈⲚ ⲠⲈϥϩⲟ

S 26b: ⲈⲦⲂⲟⲩⲂⲟⲩ ϩⲘ̄ ⲠⲈϥϩⲟ

A 111b: المنبثق من وجهه

P 15v: المنبثق منه

B 354: ... ⲡⲓⲥⲟⲛ ⲙⲏ ⲫⲁⲓ ⲡⲉ ⲡⲓⲕⲱⲧ

S 26b: ... ⲙⲏ ⲧⲛ̄ⲧⲟⲗⲏ ⲛ̄ⲛⲉⲥⲛⲏⲩ ⲧⲉ ⲧⲁⲓ

A 112a: ... هذا ما صو ادب الرهبنة وقصية الاخوة

P 15v: ... هكذا صو ادب الرهبان ووصية الاخوة

B 358: ⲡⲁⲓⲥⲁϫⲓ

S 28a: ⲡⲙⲩⲥⲧⲏⲣⲓⲟⲛ

A 113b: هذا السر

P 16v: هذه السر

4) Text, der in S und A steht, in P fehlt und in B
anders ausgedrückt wird:

B 353: ⲙⲉⲛⲉⲛⲥⲁ ⲛⲁⲓ ⲇⲉ ⲓⲥϫⲉⲛ ⲉⲧⲁⲩⲥⲉⲛ ⲛⲓⲉⲛϩⲟⲩ ⲉⲃⲟⲗ ... ⲉⲩϯ ⲛⲟⲙϯ ⲛⲁⲩ

S 25b: ⲛⲉϩⲟⲟⲩ ⲇⲉ ⲧⲏⲣⲟⲩ ⲛ̄ⲧⲁⲩⲁⲁⲩ ⲉⲩⲛ̄ⲕⲟⲧⲕ̄ ⲉⲩϣⲱⲛⲉ ... ϣⲁⲣⲟⲩ

A 110b-111a: ان جميع الايام التى اقامها لازم الفراش مريضا ... اليه

5) Text, der in S und A gleich lautet und in B anders
ausgedrückt wird, in P und B nicht gleich lautet:

B 353: ⲙⲡⲓⲛⲁⲩ ⲉⲧⲁⲡⲓⲥⲟⲛ ⲙⲙⲟⲛⲁⲭⲟⲥ ⲓ ϣⲁⲣⲟⲩ ⲛⲁⲩϫⲏ ϧⲁⲧⲟⲧⲩ ⲡⲉ ⲛϫⲉ
ϩⲗⲓⲁⲥ ⲡⲓⲡⲣⲟⲫⲏⲧⲏⲥ

S 25b-26a: ⲙ̄ⲡⲉϩⲟⲟⲩ ⲅⲁⲣ ⲉⲧⲙ̄ⲙⲁⲩ ⲛⲉⲁⲥϫⲱⲛϥ ⲉⲣⲉⲡⲡⲉⲧⲟⲩⲁⲁⲃ ⲁⲡⲁ
ϩⲏⲗⲓⲁⲥ ⲡⲉⲑⲉⲥⲃⲩⲧⲏⲥ ⲡⲁ ⲡⲧⲟⲟⲩ ⲙ̄ⲡⲕⲁⲣⲙⲏⲗⲟⲥ
ϩⲁϩⲧⲏⲩ ⲉⲥⲗ̄ⲥⲱⲗϥ̄ ϩⲛ̄ ⲛⲉⲩϣⲁϫⲉ

A 111a: وكان قد اتفق فى ذلك الوقت لاينا انبا بيستاوس حضور العظيم فى الانبا
القديس انبا ايلياس التسبيتى الذى من جبل الكرمل الى عنده ... ليتجيه من
اتعابه

P 15r: وكان الاخ سمع اينا انبا بسنتيوس وهو من داخل مغارته وهو
يتحدث مع اخر

B 354: ⲙ̄ⲡⲉϥϫⲉⲙϫⲟⲙ ⲛ̄ϭⲁⲓ ⲛ̄ⲛⲉϥⲃⲁⲗ ⲉⲡϣⲱⲓ ⲉⲥⲟⲙⲥ ⲉⲡϩⲟ ⲙ̄ⲡⲓⲁⲅⲓⲟⲥ
ⲏⲗⲓⲁⲥ

S 26a: ⲙ̄ⲡⲉϥϭⲉϣ ⲉⲱϣⲧ̄ ϫⲉ ⲉϩⲟⲩⲛ ϩⲙ̄ ⲡϩⲟ ⲛ̄ⲡⲉⲡⲣⲟⲫⲏⲧⲏⲥ ϩⲏⲗⲓⲁⲥ

A 111b: وصورة لا يستطيع ان ينظر بالجملة الى وجه ايليا س

P 15v: وصورة يكثر الي وجه ذلك القديس الذي كان جالس عند ايبا

B 358: ϣⲁ ⲡⲓⲉϩⲟⲟⲩ ⲉⲧⲁⲡⲟϭ ϫⲉⲙ ⲡⲉϥϣⲓⲛⲓ ⲛ̄ϩⲏⲧϥ

S 28b: ϣⲁ ⲡⲉϩⲟⲟⲩ ⲛ̄ⲧⲁⲡⲉⲕⲗⲏⲣⲟⲥ ... ⲁⲙⲁϩⲧⲉ ... ⲉⲧⲣⲩ̄ϫⲭⲉⲓⲣⲟⲇⲟⲛⲉⲓ
ⲙ̄ⲙⲟϥ ⲛ̄ⲉⲡⲓⲥⲕⲟⲡⲟⲥ

A 114a: الى اليوم الذي حضرت فيه كهنة ... واخذوا ... كليما يجعلوك اسقنا
كرسي مدينتهم

P 17r: الي اليوم الذي ارادوا يقدموه فيه اسقنا

Bei den letztgenannten Parallelstellen weicht der Text
B ab, ebenso auch an folgender Stelle:

B 354: ⲫⲏ ⲉⲧⲟⲩⲁⲃ ϫⲉ ⲁⲃⲃⲁ ⲡⲓⲥⲉⲛⲧⲓⲟⲥ ⲡⲉϫⲁϥ ⲙ̄ⲡⲓⲥⲟⲛ ϫⲉⲛ ⲟⲩϩⲟ ⲉϥⲙⲉϩ
ⲛⲣⲁϣⲓ ϫⲉ

S 26b: ⲡⲡⲉⲧⲟⲩⲁⲁⲃ ϫⲉ ⲁⲡⲁ ⲡⲉⲥⲩⲛⲑⲓⲟⲥ ⲁⲩⲁⲕⲁⲛⲁⲅⲧⲉⲓ ⲉϩⲟⲩⲛ ⲉⲡⲥⲟⲛ
ⲡⲉϫⲁϥ ⲛⲁϥ ϫⲉ

A 112a: اما القديس انبا بيسنتاوس فانه تفمقر على الاخ قائلا له

P 15v: اما القديس انبا سنتيوس لما راي ذلك الاخ قد دخل عليهم بغير اذن
عظم عليه وقال

6) Wir stellen außerdem fest, daß der Text B einige Zusätze enthält, die in den anderen Texten fehlen:

354: ⲉϥⲛⲁⲩϩⲏⲗ .   355: ⲛⲧⲉ ⲡⲁⲓⲕⲟⲥⲙⲟⲥ ; ⲉⲉⲣⲟⲩⲱⲛ ⲛⲏⲓ ; ϫⲉⲛ
ⲡϫⲓⲛⲑⲣⲉⲡⲓⲥⲟⲛ ϫⲉ ⲙⲙⲟⲛⲁⲭⲟⲥ ϫⲉ ⲛⲁⲓ ⲉϥ† ⲙⲉⲧⲁⲛⲟⲓⲁ

Nur in den Texten B (353) und S (25a) steht ein Zusatz, ein
Zitat aus dem 1. Korintherbrief. Während in B 1. Kor. 9,22
zitiert wird, steht in S der nächste Vers, 1. Kor. 9,23.

Die Anrede des Textes S geht weiter und weist damit
auf die weitere Entwicklung dieses Textes hin:

29a-32b: ⲉⲩϫⲉ ⲙ̄ⲙⲟⲛ ... ϫⲉ ⲧⲉⲧⲛⲁϫⲟⲟⲥ ⲛ̄ⲧⲛⲱϩⲉ ϫⲉ ⲡⲱⲣⲕ̄
ⲛ̄ⲧⲉⲧⲱϩⲉ ϩⲛ̄ ⲑⲁⲗⲗⲁⲥⲁ ⲛⲉ̄ⲥⲱⲧⲙ̄ ⲛⲏⲧⲛ̄

7) Daß der kürzeste Text K von einem Text wie P abhängig ist, zeigen folgende Textstellen:

P 15 r: ‏... ووصل الي مغارته الذي كان فيها فوجد الباب مفتوح‏

K 132v: ‏فلما مضي اليه وجد بابه مفتوحا‏

Diese Aussage befindet sich nur in S, A und P, nicht im Text B.

P 15r: ‏وكان الاخ سمع اينا بسنتيوس وهو من داخل مغارته‏
‏وهو يتحدث مع اخر‏

K 132v: ‏فوقف وسمع القديس انبا بسـنتيوس يتحدث مع اخر‏

Dieser Text steht nur in P und K.

P 16r: ‏لاجل اعماله الصالحة‏

K 132v: ‏لاجل اعماله الصالحة‏

Diese Aussage steht nur in S, P, A, nicht im Text B.

Bei der Parallelstelle:

S 27a: ... ϫⲉ ⲛ̄ⲧⲉⲩⲛⲟⲩ ⲛ̄ⲧⲁⲓⲁⲙⲁϩⲧⲉ ⲛ̄ⲛⲉⲩϭⲓϫ ⲁⲓⲧ ⲡⲉⲓ ⲉⲣⲟⲟⲩ ⲁⲩⲛⲟϭ ⲛ̄ϭⲟⲙ
ⲱⲡⲉ ϩⲙ̄ ⲡⲁⲥⲱⲙⲁ ⲁⲓⲗⲟ ⲉⲓⲟ ⲛ̄ⲁⲧϭⲟⲙ ⲁⲓϭⲙ̄ϭⲟⲙ ⲛⲁⲙⲉ ⲁⲓⲉⲩⲫⲣⲁⲛⲉ
ⲛ̄ⲑⲉ ⲛ̄ⲟⲩⲁ ⲉⲁⲩϭⲱⲗ ϩⲛ̄ ⲟⲩⲙⲁ ⲛ̄ⲥⲱ

B 356: ... ϧⲉⲛ ⲧⲟⲩⲛⲟⲩ ⲉⲧⲁⲓⲁⲙⲟⲛⲓ ⲛⲛⲉⲩϫⲓϫ ⲁⲓⲟⲩⲱⲧ ⲙⲙⲱⲩ ⲁⲟⲩⲛⲓⲩϯ
ⲛ̄ϫⲟⲙ ⲱⲡⲓ ϧⲉⲛ ⲡⲁⲥⲱⲙⲁ ⲁⲓⲕⲏⲛ ⲉⲓⲟⲓ ⲛⲁⲑⲉⲛⲏⲥ ⲟⲩⲟϩ ⲁⲓⲟⲩⲛⲟⲩ
ⲙⲫⲣⲏϯ ⲛⲟⲩⲁⲓ ⲉⲧⲁⲩⲧⲱⲛⲩ ⲉⲃⲟⲗ ϧⲉⲛ ⲟⲩⲁⲣⲓⲥⲧⲟⲛ

A 112b: ‏... انني منذ مسكت يده ومسحت بها علي وجهي وقبلتها حلت فى‏
‏نفسى وجسدى قوة عظيمة ونعمة سمائية علي الحقيقة وعظم‏
‏فرحى وتزايدت بهجة قلبي وصرت كالثلى من الخر‏

P 16r: ‏... انني من وقت مسكت يده وقبلتها حلت في جسدي قوة عظيمة علي الحقيقة‏
‏عظم فرحي فتزايدت بهجة قلبي وصرت كالثل من الخر‏

K 132v: ‏... فاتي عندما مسكت يده وقبلتها ووضعتها علي وجهي حسست بقوة عظيمة‏
‏لبستني وبهجة وفرح دخلا قلبي وصرت كتلاثن هو ثلا من الخر‏

steht nur in S, A und P ⲛⲁⲙⲉ = ‏على الحقيقة‏

Nur in A und (K) lesen wir: ومسحت بهاعلى وجهى (ووضعتها على وجهي)

Beim Satzteil ⲚⲐⲈ ⲚⲞⲨⲀ ⲈⲀϤϢⲰⲖ ϨⲚ ⲞⲨⲘⲀ ⲚϹⲰ (S) = ⲘⲪⲢⲎⲦ ⲚⲞⲨⲀⲒ ⲈⲦⲀⲨⲦⲰⲚϤ ⲈⲂⲞⲖ ϨⲈⲚ ⲞⲨⲀⲢⲒϹⲦⲞⲚ (B) stehen
die arabischen Versionen dem Text S näher:

In einer Parallelstelle des 17. Wunders (S 48a = B 399
= A 138a = P 17v) kommt derselbe Satzteil in S, A, P und
nicht in B vor[29]. Das 17. Wunder steht auch im Text K, wo
nicht von diesen Einzelheiten die Rede ist[30]. Nur in den
Texten P und K folgt das 17. Wunder dem 5. Wunder.

Zusammenfassend läßt sich feststellen, daß diesen
5 Texten ein Urtext vorgelegen haben muß. Der Text S
weist eine Entwicklung auf. Der Text A stellt eine fast
wörtliche Übersetzung des Textes S dar. Die Texte P und A
können keineswegs auf zwei verschiedene Übersetzungen
zurückgehen. Die Texte S, A und P enthalten Aussagen, die
sich im Text B nicht befinden, wobei einige nur in den
Texten S und A vorkommen oder sie in ihnen länger als
im Text P sind. Hinzu kommt, daß der Text S eine weitere
Entwicklung aufweist. Dies alles zeigt, daß der Text P
auf eine Vorlage des Textes A - "XA" - zurückgeht und
nicht umgekehrt. Der Text P stellt also einen Auszug
aus dem Text XA dar. Einige Angaben werden im Text B
anders ausgedrückt.

Das 6. Wunder:

B	S¹	S	A

B:

ΝΕϤϢΟΝ ΟϪϤΩΝΙ Ϫε ϦΝ ΠΤⲰΟⲨ
ϦΕΝ ΠΤⲰΟⲨ ΝⲦϹΕΝⲦ ϮΒΑΚΙ
ΕΒΟⲗ ϦΕΝ ΠϪⲰⲞⲞ ΜΠϢⲰΝΙ

ΑϤΕΡΠΙϤϢΜΕΙΝ ΕⲞⲨⲔΟϪⲒ
ΝⲦΕΒⲦ

ΑϤϪⲞⲞ ΜΠΕΝΙⲰⲦ ΕⲐⲞⲨΑΒ ΑΒΒΑ
ΠΙϹΕΝⲦΙΟϹ ΝϪΕ ΠΙϹⲞΝ ΕⲦϢⲰΝΙ
Ϫε

ϮΕΡΕΠΙϤϢΜΕΙΝ ΕⲞⲨⲔΟϪⲒ
ΝⲦΕΒⲦ
ΠΕϪΕ ΑΒΒΑ ΠΙϹΕΝⲦΙΟϹ
ΜΠΙϹⲞΝ Ϫε
ϤϮ ΝΑⲔ ΝⲦΕⲔΕΠΙϤϢΜΙΑ
21 ΠΕⲔⲢⲰΟⲨϢ ΕΠⲦϹ

S¹:

ΝΕⲟⲨⲞⲚ ΟϪⲞⲞⲨ ϪΕ ϦⲘ ΠΤⲞⲞⲨ
ΝⲦϹΕΝⲦⲈ ΕϤϢⲰΝΕ ΕΜΑⲦΕ
ΕΑϤΕⲨϹⲰΜΑ ⲈⲂⲂⲈ ΕΒΟⲗ ΜΠ-
ⲰϹⲔ ΜΠϢⲰΝΕ
ΑϤΕΠΙϤϢΜΕΙ ⲚΟⲨⲔΟⲞⲨ ΕⲞⲨⲔΟϪⲒ
ΝⲦΒⲦ

ΕΑϤϪⲞⲞϹ ΜΠΠΕⲦⲞⲨⲞⲂⲁⲁⲂ ΑΠΑ
ΠΕϹⲚ̄ϮⲞϹ

ΕϤⲟ Μ̄ΜⲞⲢⲞⲭⲞ]ϲ
ΕⲘⲠⲀⲦⲨⲢⲠⲈⲠⲒϹⲔⲞⲦⲞϹ]
Ϫε ΕΙΕΠⲈⲨⲘⲈⲒ[ΕⲞⲨⲔΟϪⲒ
Ν̄Τ ΒⲦ] ΑⲨⲰ Μ̄[ⲘΕΙϪⲈ ΕⲢⲞⲨ]
ΑⲨⲞⲱⲱⲩ͂Β Ⲛ̄ϬⲒ ⲠⲠⲈ[ⲦⲞⲨⲞⲂⲀⲂ
[ΑΠΑ ΠΕϹⲚ̄ϮⲞϹ ϪΕ [ⲠⲀⲚⲦⲰⲔ]
Π̄ΝⲞⲨⲦⲈ ΝΑ[ⲦⲞⲨϪⲞ]...ⲈⲢⲞⲔ Μ̄ⲠⲞⲞⲨ
[ⲚⲈϪ] ⲠⲈⲔⲢⲞⲞⲨϢ ⲈⲠϪⲞⲈⲒϹ]

S:

ΝΕⲟⲨⲞⲚ ΟϪⲞⲚ ϪⲈ ΟⲚ ϦⲘ ΠⲦⲞⲞⲨ
ΝⲦϹΕⲚⲦⲎ ⲈϤϢⲰⲚⲈ ⲈⲘⲀⲦⲈ
ⲈⲀⲠⲒϤϹⲰⲘⲀ ⲈⲂⲂⲈ ⲈⲂⲞⲗ ⲘⲠ-
ⲰϹⲔ ⲘⲠϢⲰⲚⲈ
ⲀϤⲈⲠⲒϤϢⲘⲈⲒ ⲚⲞⲨⲔⲞⲞⲨ ⲈⲞⲨⲔⲞϪⲒ
Ⲛ̄Ⲧ Ⲃ̄Ⲧ
ⲀϤϪⲞⲞⲥ Ⲙ̄ⲠⲠⲈⲦⲞⲨⲞⲂⲀⲀⲂ ⲀⲠⲀ
ⲠⲈϹⲚ̄ϮⲞⲥ

ⲈⲦ ⲈϤⲟ Ⲛ̄ⲘⲞⲚⲞⲭⲞⲥ Ⲙ̄ⲠⲈⲞⲨⲞⲈⲒϢ
ⲈⲦⲘ̄ⲘⲀⲨ Ⲙ̄ⲠⲀⲦⲈϤⲢⲠⲈⲠⲒⲥⲔⲞⲠⲞⲥ
ϪⲈ ⲈⲒⲈⲠⲈⲨϢⲘⲈⲒ ⲈⲞⲨⲔⲞϪⲒ
Ⲛ̄Ⲧ Ⲃ̄Ⲧ Ⲙ̄ⲠⲈⲒϪⲈ ⲈⲢⲟϤ
ⲀⲨⲟⲩⲱ̄ϣⲃ Ⲛ̄ϬⲒ ⲠⲠⲈⲦⲞⲨⲞⲂⲀⲂ
ⲀⲠⲀ ⲠⲈϹⲚ̄ϮⲞⲥ ϪⲈ ⲠⲀⲚⲦⲰⲔ
Ⲡ̄ⲚⲞⲨⲦⲈ ⲚⲀⲦⲞⲨϪⲟ̄ ⲚⲀⲔ Ⲙ̄ⲠⲞⲞⲨ
ⲚⲈϪ ⲠⲈⲔⲢⲞⲞⲨϢ ⲈⲠϪⲥ̄

A (العربية):

كان ذا راهب يجبل الاسلس
قد اشتد وجعه وقال منه جدا
واستحل جسده من
طول المرض

واشتهى ذات يوم يسمر
من السمك

فقال ربنا القدس انا
يسمّر ومن

وصر راصى ذلك الزمان

من السمك دام احد ثتى

فقال له القدس
انا يسمّر ومن

الا البرم يعزل مسك للذ سلت

يا قال التي التي احتاحت

B	S¹	S	A

A (Arabic):

الرب وهو يقول انا

وترتفت لا تزيد

الى الرب وهم معه المدينة ينزل 115a

القديس انا يستأذنون

بغلظ حرّنه

هلا

وعيّنت الماء

زيادة النيل

وينادى القديس وهم يمشي

منتظرا الى الله تعالى قال هذا قلب رنح

الهم ان حرنت كتر

الرخ فاعطيه

انت ارادتك فاعطيه

شهوة قلبه

ولا صمد على

S:

ⲁⲩⲱ ⲩⲛⲁⲥⲁⲛⲟⲩⲕ̄

ⲡⲉϫⲁϥ ⲛ̄ϭⲓ ⲡⲉⲡⲣⲟⲫⲏⲧⲏⲥ

ⲛ̄ϯⲛⲁⲕⲁ ⲡⲇⲓⲕⲁⲓⲟⲥ ⲉⲕⲓⲙ ⲁⲛ

ⲩⲁ ⲉⲛⲉϩ ⲡⲡⲉⲧⲟⲩⲁⲁⲃ ⲇⲉ

ϩⲱⲱⲩ ⲁⲡⲁ ⲡⲉⲥⲁ̄ⲛⲑⲓⲟⲥ

ⲁⲩϫⲓ ⲙ̄ⲡⲉⲩⲕⲉⲗⲱⲗ ⲇⲉ

ⲉⲩⲛⲁⲙⲟⲟⲩϥ 34a |ⲙ̄ⲙⲟⲟⲩ

ⲛⲉⲡⲕⲁⲓⲣⲟⲥ ⲅⲁⲣ ⲙ̄ⲡⲙⲟⲟⲩ

ⲙ̄ⲡⲧⲙⲟⲟϩ (sic) ⲙ̄ⲡⲙⲟⲟⲩ ⲡⲉ

ⲛⲉⲩⲙⲟⲟⲩⲉ ⲇⲉ ⲛ̄ϭⲓ ⲡⲡⲉⲧⲟⲩⲁⲁⲃ

ⲁⲡⲁ ⲡⲉⲥⲁ̄ⲛⲑⲓⲟⲥ

ⲉⲩϣⲩ ⲉϩⲣⲁⲓ ⲉⲡϫⲥ̄ ϫⲉ

ⲡⲛⲟⲩⲧⲉ ⲙ̄ⲡⲣ̄ⲕⲱ ⲛ̄ϩⲏⲧ ⲙ̄ⲡⲉⲓ-

ⲥⲟⲛ ⲉⲩⲗⲩⲡⲏ ⲁⲗⲗⲁ ⲉⲩϣⲱⲡⲉ

ⲡⲉⲕⲟⲩⲱϣⲩ ⲡⲉ ⲧ ⲛⲁⲩ

ⲙ̄ⲡⲧⲩⲇⲁⲓⲧⲙⲁ

ⲙ̄ⲡⲣ̄ⲕⲁⲁϥ ⲉⲩⲗ̄ⲥⲡⲏ ⲡϫⲥ̄

ⲛ̄ⲧⲉⲣⲉϥⲃⲱⲕ ⲇⲉ ⲉⲃⲟⲗ ⲉϫⲙ̄

S¹:

ⲁⲩⲱ ⲩⲛⲁⲥⲁⲛⲟⲩⲕ̄

[ⲡⲉ]ϫⲁϥ ⲛ̄ϭⲓ ⲡⲉⲡⲣⲟⲫⲏⲧⲏⲥ

ⲛ̄ϯⲛⲁⲕⲁ ⲡⲇⲓⲕⲁⲓⲟⲥ ⲉⲕⲓⲙ ⲁⲛ

ⲩⲁ ⲉⲛⲉϩ ⲡⲡⲉⲧⲟⲩⲁⲁⲃ ⲇⲉ

ϩⲱⲱⲩ ⲁⲡⲁ ⲡⲉⲥⲁ̄ⲛⲑⲓⲟⲥ

ⲁⲩϫⲓ ⲙ̄ⲡⲉⲩⲕⲉⲗⲱⲗ ⲁⲩⲃⲱⲕ ϫⲉ

ⲉⲩⲛⲁⲙⲁⲩϩ ⲙ̄ⲙⲟⲟⲩ

ⲛⲉⲡⲕⲁⲓⲣⲟⲥ ⲅⲁⲣ ⲡⲉ

ⲛ̄ⲙⲙⲟⲟⲩ ⲙ̄ⲡⲙⲟⲟⲩ

ⲛⲉⲩⲙⲟⲟⲩⲉ ⲇⲉ ⲛ̄ϭⲓ ⲡⲡⲉⲧⲟⲩⲁⲁⲃ

ⲁⲡⲁ ⲡⲉⲥ[ⲁ̄ⲛⲑⲓⲟⲥ]

ⲉⲩϣⲩ ⲉϩⲣⲁⲓ ⲉ[ⲡϫⲟⲉⲓⲥ] ϫⲉ

ⲡⲛⲟⲩⲧⲉ [ⲙ̄ⲡⲣ̄ⲕⲱ] ⲛ̄ϩⲏⲧ ⲙ̄ⲡⲉⲓ-

ⲥⲟⲛ ⲉⲩⲗ[ⲩ]ⲡⲉⲓ ⲁⲗ[ⲗ]ⲁ ⲉⲩϣⲱⲡⲉ

ⲡⲉⲕ[ⲟⲩⲟ]ⲩⲱϣⲩ ⲡ[ⲉ ⲧ ⲛⲁⲩ

ⲙ̄ⲡⲉⲩ]ⲇⲁⲓⲧⲏⲙ[ⲁ

ⲙ̄ⲡⲣ̄ⲕⲁⲁϥ ⲉⲩ]ⲗ̄ⲥⲡⲉ ⲡϫⲟⲉⲓⲥ

[ⲛ̄ⲧⲉ]ⲣⲉϥⲃⲱⲕ ⲇⲉ ⲉⲃⲟⲗ ⲉϫⲛ̄

B:

ⲛ̄ⲑⲟϥ ⲉ̄ⲧⲛⲁⲩⲁⲛⲟⲩϣ̄ⲕ

ⲛ̄ⲛⲉϥϯ ⲛⲟϫⲕⲓⲙ ⲙ̄ⲡⲓⲑ̄ⲙⲏⲓ

ⲩⲁ ⲉⲛⲉϩ

ⲁⲩϭⲓ ⲟⲩⲛ ⲙ̄ⲡⲉⲩⲕⲉⲗⲱⲗ

ⲁⲩⲙⲁϩⲩ ⲙ̄ⲙⲟⲟⲩ

ⲙ̄ⲫⲛⲁⲃ

ⲙ̄ⲙⲉⲣⲓ

ⲛⲁⲩϣⲩ ⲉϩⲣⲏⲓ ϩⲁ ⲫϯ ⲡⲉϫⲉ

ⲙ̄ⲡⲉⲣⲭⲁ ⲙ̄ⲡⲁⲓⲥⲟⲛ ⲉϥⲟⲓ 359

|ⲛⲉⲙⲕⲁϩ ⲛ̄ϩⲏⲧ ⲉϥϣⲟⲡ

ⲡⲉⲕⲟⲩⲱϣⲩ ⲡⲉ ⲡϭ̄ⲥ ⲓⲉ ⲙⲟⲓ

ⲛ̄ⲧⲉϥⲉⲡⲓⲑ̄ⲙⲓⲁ

A	S	S¹	B

A

الجسد ... ان كانت الارض كلها ...
من الماء

بئر عميق
فخرج القديس ابا بيسنتيوس انا
فرأى سمكة كبيرة تعوم
فرح فوق وجه الماء
عائمة فوق وجه الماء

فقال لتلميذه الطوباني عونها
الابية عونها القديس
كان القديس
يريد ان ينزل الى الماء ويخرج
السمكة الى البر احتملها
القبار وخرجها الى الشاطى
يغرقها ولا عاية حتى

S

ⲡⲧ ϩⲏⲏⲛⲉ ⲉⲙⲉϩ ⲙⲟⲟⲩ

ⲁϫⲛⲟϭ ⲇⲉ ⲙ̄ⲙⲟⲟⲩ
ϣⲱⲡⲉ ⲉⲁⲡⲛⲟⲩⲧⲉ ϭⲙ̄ ⲡϣⲩⲛⲉ
ⲙ̄ⲡⲕⲁϩ ⲧⲉⲣⲟⲙⲡⲉ ⲉⲧⲙ̄ⲙⲁⲩ

ⲁⲩϭⲱⲛⲧ̄ ⲇⲉ ⲛ̄ϭⲓ
ⲁⲡⲁ ⲡⲉⲥⲩⲛⲑⲓⲟⲥ

ⲁⲩⲛⲁϩ ⲉϭⲛⲟϭ ⲛ̄ⲧⲃ̄ⲧ
ⲉϥⲧⲟⲥⲟ̄ ϩⲙ̄ ⲡⲙⲟⲟⲩ
ⲉϥϩⲗⲟⲓⲗⲉ

ⲱ̄ ⲧⲉⲓⲛⲟϭ ⲛ̄ϣⲡⲏⲣⲉ ⲛ̄ⲧⲉ
ⲡⲛⲟⲩⲧⲉ ⲉⲧⲣⲉ
ⲡⲙⲁⲕⲁⲣⲓⲟⲥ ⲁⲡⲁ ⲡⲉⲥⲩⲛⲑⲓⲟⲥ
ⲃⲱⲕ ⲉⲃⲟⲗ ϩⲙ̄ ⲡⲙⲟⲟⲩ ⲛ̄ϥⲥ̄ⲕ
ⲡ̄ⲃ̄ⲧ ⲛ̄ϥⲛ̄ⲧϥ̄ ⲉⲡⲉⲕⲣⲟ ⲁⲡⲙⲟⲟⲩ
ϩⲛ̄ⲇⲁⲧⲉ ⲛ̄ⲙ̄ⲙⲟⲟⲩ ⲛ̄ⲉⲓⲟⲟⲣⲉ
ⲥⲟⲕϥ ⲁⲩⲛ̄ⲧϥ̄ ⲉⲡⲙⲁ ⲉⲧⲙ̄ⲙⲁⲩ

S¹

ⲡⲧϩⲏⲛⲉ ⲉⲙⲉϩ ⲙⲟⲟⲩ
[ⲉ]ⲃⲟⲗ ϫⲉ ⲁⲡⲙⲁ ⲧⲏⲣϥ̄ ⲙⲉ[ϩ]
ⲙ̄ⲙⲟⲟⲩ

ⲁϫⲛⲟϭ ⲇⲉ ⲛ̄[ⲁ]ⲛⲁⲃⲁⲥⲓⲥ
ϣⲱⲡⲉ ⲉⲁⲡⲛ̄[ⲟ̄]ⲉⲓⲥ ϭⲙ̄ ⲡϣⲩⲛⲉ
ⲙ̄ⲡⲕⲁϩ ⲛ̄ⲧⲉⲣⲟⲙⲡⲉ ⲉⲧⲙ̄ⲙⲁⲩ
ⲁⲩϭⲱⲛⲧ̄ ⲇⲉ ⲛ̄ϭⲓ
ⲁⲡⲁ [ⲡ]ⲉⲥⲩⲛⲑⲓⲟⲥ
ⲁⲩⲛⲁϩ ⲛ̄ⲧⲉⲃⲧ
ⲉϥϩⲗⲟⲓⲗⲉ ϩⲙ̄ ⲡⲙⲟⲟⲩ'

ⲱ̄ ⲧⲉⲓⲛⲟϭ ⲛ̄ϣⲡⲏⲣⲉ ⲛ̄ⲧⲉ
ⲡⲛⲟⲩⲧⲉ ⲉⲧⲙ̄[ⲁ]ⲉⲧⲣⲉ ⲁⲡⲁ
ⲡⲉⲥⲩⲛⲑⲓⲟⲥ
[ⲃⲱⲕ ⲉⲃ]ⲟⲗ ϩⲙ̄ ⲡⲙⲟⲟⲩ ⲛ̄ϥⲥ̄[ⲕ
ⲡ̄]ⲃ̄ⲧ ⲛ̄ϥⲛ̄ⲧϥ̄ ⲉⲡⲉⲕ[ⲣⲟ ⲁ]
ϩ̄ⲧⲉ ⲛ̄ⲙ̄ⲙⲉϥ ⲉⲓ[...]ⲛ̄ⲧ̄ⲡ̄ⲉ

B

ⲁⲡⲟ̄ⲥ ⲇⲉ ϫⲉⲙ ⲡϣⲩⲛⲓ ⲙ̄ⲡⲓⲕⲁϩⲓ
ⲛ̄ⲧⲣⲟⲙⲡⲓ ⲉⲧⲉⲙⲙⲁⲩ ⲁⲟϧⲛⲓ ̄ϥⲧ̄
ⲙ̄ⲙⲱⲟⲩ ϣⲱⲡⲓ
ⲁϥϥⲁⲓ ⲛ̄ⲛⲉϥⲃⲁⲗ ⲉⲡϣⲱⲓ ⲛ̄ϫⲉ
ϥ̄ⲛⲉⲑⲟⲩⲁⲃ ⲁⲃⲃⲁ ⲡⲓⲥⲉⲛⲧⲓⲟⲥ
ⲁϥⲛⲁⲩ ⲉⲟⲩⲛⲓϣϯ ⲛ̄ⲧⲉⲃⲧ
ⲉϥⲟ̄ⲛ̄ⲓ ⲥⲁ ⲡϣⲱⲓ ⲛ̄ⲛⲓⲙⲱⲟⲩ
ⲉϥϭⲓ ϧⲟⲝⲥ

A

حلا هذا القديس حزنك

حسبما شئتم

115 b لا بذلك من شئتم المذنب

والوقت حلل وانه في
الذي الذي وانطلا د

فقال

هذا هذا 8 السكله وابشر
بالخير والمانية

فان الله قد اعاله شهرة قلبك
حسبما سألت

S

ЄT ЄYNAMOÈ ПЄYKЄЛWЛ
ММООÈ
КАТА ФЄ NTAYÈOMOЛOГЄI
NAN ÈN TЧТAПPO ЄЧPMNTPЄ
NAN

aÈ[Х]IТЧ ГЄ AYTAAЧ
МПCON

ПЄXAЧ NAЧ XЄ

AПNOÈTЄ XЄK ПЄKAITHMA
ЄBOЛ

S¹

[ЄTI ЄYNAMOÈ]È МПЄYKЄ[ЛWЛ
ММООÈ]NÈHTЧ
KA[TA ФЄ NTAYÈO]MOO
[N]AN ÈN TЄЧTAПPO [Є]ЧP-
МNTPЄ NAN

AY[Х]IТЧ ГЄ AYTAAЧ
МПCON

ПЄXAЧ NAЧ XЄ

AПNOÈTЄ XЄK ПЄKAITHMA
ЄBOЛ

B

ЄTAЧNAÈ OÈN ЄПITЄBT AЧPA-
YI AЧCWOÈTЄN NTЄЧXIX ЄBOЛ
AЧAMONI ММОЧ AЧOЛЧ
ЄПICON ЄЧONÈ
NЄ ФAI PW TЄ TЄЧKAÈC
ЄЧIPI NPWMI NIBEN MФPHT
МФТ NTOTЧ ЄЧOI NCTOÈXA-
IOC NAЧIPI ЄЧIHC ММОЧ ЄT
MTON NPWMI NIBEN
ПAЛIN ON ПЄXAЧ МПICON XЄ

МПTЄ ФТ ЧOXK МПЄKAITHMA

A

الذي ارسل
النذا لبنان التي
من غير ان ينظره

هو الذي هيا
ينه عند السكا

ليه

حتى ينم ناللهم
العمود في الارض ان داود
ف قربت من الرب
الذين يدعونه

هر هو
ينيته

منك

S

ⲡⲉⲛⲧⲁϥⲧⲛ̄ⲛⲟⲟⲩ
ⲙ̄ⲡⲁⲣⲓⲥⲧⲟⲛ ⲛ̄ⲇⲁⲛⲓⲏⲗ
ⲛ̄ϥϭⲱϣⲧ̄ ϩⲏⲧϥ ⲁⲛ

ⲡⲉϫⲁϥ ϫⲉ ⲛ̄ⲧⲟϥ ⲟⲛ ⲡⲉⲛⲧⲁϥ-
ⲥⲃⲧⲉ ⲡⲧⲃ̄ⲧ ⲛⲁⲕ ⲙ̄ⲡⲟⲟⲩ
ϩⲙ̄ ⲡⲉⲩϭⲟⲩϣⲱ

ⲉⲡⲉⲓⲇⲏ ⲙ̄ⲡⲉⲩⲕⲁⲁⲕ ⲉⲗⲩⲡⲏ
ϩⲙ̄ ⲡⲉⲛⲧⲁⲕⲁⲓⲧⲉⲓ ⲙ̄ⲙⲟⲩ
ⲛ̄ⲧⲟⲟⲧϥ̄

ⲁⲗⲏⲑⲟⲥ ⲕⲁⲗⲱⲥ ⲁϥϫⲟⲟⲥ
ⲛ̄ϭⲓ ⲡⲉⲡⲣⲟⲫⲏⲧⲏⲥ
ϫⲉ ⲡⲭ̄ⲥ̄ ϩⲏⲛ ⲉϩⲟⲩⲛ ⲉⲟⲩⲟⲛ
ⲛⲓⲙ ⲉⲧⲱϣ ⲉϩⲣⲁⲓ ⲉⲣⲟϥ
ϩⲛ̄ ⲟⲩⲙⲉ

S¹

ⲡⲉⲛⲧⲁϥⲧⲛ̄ⲛⲟⲟⲩ
ⲡⲁⲣⲓⲥⲧⲟⲛ ⲛ̄ⲇⲁⲛⲓⲏⲗ'
ⲉⲛϥϭⲱϣⲧ̄ ϩⲏⲧϥ ⲁⲛ
ϩⲓⲧⲛ̄ ⲁⲙ ⲃⲁⲕⲟϭ ⲙ̄ⲡⲉⲡⲣⲟ-
ⲫⲏⲧⲏⲥ
ⲛ̄ⲧⲟϥ ⲡ[ⲉⲛ]ⲧⲁϥⲥⲃ̄ⲧⲉ
ⲡⲉⲧ[ⲃ̄ⲧ ⲛⲁⲕ] ⲧⲉⲛⲟϭ'

ⲙ̄ⲡⲅ̄ⲕⲁⲁⲕ ⲉⲕⲗⲩⲡⲉⲓ
ϩⲙ̄ ⲡⲉⲛⲧⲁⲕⲁⲓⲧⲉⲓ ⲙ̄ⲙⲟϥ
ⲛ̄ⲧⲟⲟⲧϥ̄

B

ⲥⲥⲏⲟⲩⲧ ⲅⲁⲣ ϫⲉ ⲁϥϯ +
ⲛⲟⲩϩⲣ̄ⲣⲉ ⲛ̄ⲛⲏⲉⲧⲉⲣ ϩⲟⲧ ϫⲁ
ⲧⲉϥϩⲏ
ⲟⲩⲟϩ ⲟⲛ ⲁϥϯ ⲟⲩⲱⲣⲡ
ⲙ̄ⲡⲉϥⲁⲣⲓⲥⲧⲟⲛ ⲛ̄ⲇⲁⲛⲓⲏⲗ

S	A

S (Coptic):

ⲁⲩⲱ ϥⲛⲁⲥⲱⲧⲙ̄ ⲉⲡⲉⲩⲥⲟⲡⲥⲡ̄

ⲛ̄ϥⲧⲟⲩϫⲟⲟⲩ

ⲡⲭ̄ⲥ ⲛⲁϩⲁⲣⲉϩ ⲉⲟⲩⲟⲛ ⲉⲧⲙⲉ ⲙ̄ⲙⲟⲩ

[ⲛ̄ⲧⲉⲣⲉⲛ̄ϣⲏⲣⲉ ⲙ̄ⲡⲓⲏ̄ⲗ ⲧⲱⲟⲩⲛ ⲉϫⲙ̄

ⲙⲱⲩⲥⲏⲥ ⲙⲛ̄ ⲁⲁⲣⲱⲛ ⲡⲉϫⲁⲩ ⲛⲁⲩ

ϫⲉ... ϩⲛ̄ ⲑⲁⲗⲁⲥⲥⲁ ⲛ̄ⲁⲙⲁϩⲉ

ⲥⲛⲁⲩ ⲉϫⲙ̄ ⲡⲕⲁϩ = 34 b - 35 a]

ⲁⲧⲉⲧⲛ̄ⲉⲓⲙⲉ ϭⲉ ⲱ̄ ⲛⲁⲙⲉⲣⲁⲧⲉ ϫⲉ

ⲡⲥⲟⲡⲥⲡ̄ ⲙ̄ⲡⲇⲓⲕⲁⲓⲟⲥ ϭⲙ̄ϭⲟⲙ ⲉⲙⲁⲧⲉ

ⲁⲩⲱ ⲉⲩⲉⲛ̄ⲣ̄ⲅⲉⲓ ⲕⲁⲧⲁ ⲡⲉⲧⲥⲏϩ

ⲙⲱⲩⲥⲏⲥ | 35b ⲙⲉⲛ ⲡⲛⲟⲙⲟⲑⲉⲓⲧⲏⲥ ⲛ̄ⲡⲁⲗⲁⲓⲁ

ⲛ̄ⲧⲉⲩⲛⲟⲩ ⲛ̄ⲧⲁⲩⲉⲡⲉⲓⲕⲁⲗⲉⲓ ⲙ̄ⲡⲭ̄ⲥ

ⲉⲧⲃⲉ ⲡⲙⲏⲏϣⲉ ⲁϥⲉⲓⲣⲉ ⲕⲁⲧⲁ

ⲡⲉϥⲟⲩⲱϣ ⲡⲛⲟⲙⲟⲫⲉⲧⲏⲥ ⲇⲉ ϩⲱⲱϥ

ⲛ̄ⲧⲇⲓⲁⲑⲩⲕⲏ ⲛ̄ⲃⲣⲣⲉ ⲁⲡⲁ

ⲡⲉⲥⲩⲛⲑⲓⲟⲥ ⲛ̄ⲧⲉⲩⲛⲟⲩ ⲛ̄ⲧⲁⲩⲥⲡ̄ⲥⲡ̄ ⲡⲭ̄ⲥ

ⲉⲧⲃⲉ ⲡⲥⲟⲛ ⲙ̄ⲙⲟⲛⲟⲭⲟⲥ

ⲙ̄ⲡⲉⲩⲗⲩⲡⲏ ⲙ̄ⲙⲟⲩ ⲁⲗⲗⲁ ⲁⲩϫⲉⲕ

ⲡⲩ̄ⲁⲓⲧⲏⲙⲁ ⲉⲃⲟⲗ

ⲕⲁⲧⲁ ⲑⲉ ⲉⲧⲥⲏϩ ϩⲛ̄ ⲛⲉⲯⲁⲗⲙⲟⲥ ϫⲉ

ⲉⲣⲉⲡⲭ̄ⲥ ϫⲱⲕ ⲉⲃⲟⲗ ⲛ̄ⲛⲕⲁⲓⲧⲏⲙⲁ ⲧⲏⲣⲟⲩ

A (Arabic):

وهو يستجيب طلباتهم

ويخلصهم من جميع شدائد

[وذلك ان بني اسرائيل سالوه

لحما على يد موسى طلب الى

الله من اجلهم فاعطاهم شهوتهم]

لان طلبة البار قوية جدا

وهي تفعل بالعجائب كما هو مكتوب

فان كان موسى واضع الناموس العهد القديم

سال الله

لاجل قومه فصب لهم حسب

ارادته فواضع ناموس

العهد الجديد | 116a ايضا ابينا انبا

بيستاوس طلب الى الله

من اجل الاخ الراهب

فاستجاب له وقبل تضرعاته واعطاه

حسب ما شاء وتناه ولم يحزنه

كما هو مكتوب

ان الرب يكمل لك جميع مطلوباتك

ويعطيك سؤالك ويتم جميع مسرتك

الرب يرحمنا امين

Das 6. Wunder ist in 4 Hss. (B, S, S[1] und A) überliefert. Bevor wir die Versionen miteinander vergleichen, verzeichnen wir einige Verbesserungen der
Übersetzungen von O'Leary und Budge:

A 114b: " اتّى اشتهى يسير من السمك ولم اجد شىً..." " ...,
indeed I long for a little bit of fish, but there is
none". Die Anmerkung O'Learys: (S. 346, Apparat: 5-5
B. S. omit) beruht auf der englischen Übersetzung Budges,
da im saidischen Text steht: " ... ⲉⲓⲉⲡⲉⲓⲟⲩⲙⲉⲓ ⲉⲩⲕⲟⲩⲓ ⲛ̄ⲧⲃⲧ̄
ⲙ̄ⲡⲉⲓⲍⲉ ⲉⲣⲟⲩ ". Den letzten Satzteil " ⲙ̄ⲡⲉⲓⲍⲉ ⲉⲣⲟⲩ "
hat Budge nicht übersetzt (33b). Die Übersetzung O'Learys
"but there is none" ist zu verbessern in: "aber ich habe
nichts gefunden".

A 115a: " عوضاً مما ..." heißt nicht "just where ...",
sondern "statt daß ...". Polotsky hat die Übersetzung
O'Learys auf die falsche Übersetzung Budges: " ⲉⲡⲙⲁ ⲉⲧⲣⲉ
..." mit "at the very place where ..." (34a) zurückgeführt[31]. Folglich hat Budge den Satzteil "...ⲛ̄ϥ̄ⲥⲕ
ⲡⲧⲃⲧ̄ ⲉⲡⲉⲕⲣⲟ" mit "the fish came to the bank" wiedergegeben (34a), was zu verbessern ist in: " ..., um
den Fisch zum Ufer zu ziehen".

A 115b: "وهو الذى هيا لك هذه السمكة..." ", so it is he who
gives thee this fish". Die Übersetzung ist nur sinngemäß
richtig. Bei هيا handelt es sich um das Verb hayya'a
هيا 'zubereiten'. Die koptische Parallelstelle lautet:
" ... ⲛ̄ⲧⲟⲩ ⲟⲛ ⲡⲉⲛⲧⲁⲩⲥⲃⲧⲉ ⲡⲧⲃⲧ̄ ⲛⲁⲕ ", was Budge mit
"it is He moreover Who hath prepared the fish for thee"
wiedergab (34b). Das koptische Verb ⲥⲟⲃⲧⲉ wird also
mit dem arabischen Verb هيى präzise wiedergegeben.

Im Text S wird das Wunder mit der Aussage: " ... ⳍⲙ̄
ⲡⲉⲛⲧⲁⲕⲁⲓⲧⲉⲓ ⲙ̄ⲙⲟⲩ ⲛ̄ⲧⲟⲟⲧϥ̄ " beendet. Im Anschluß daran
beginnt eine Ausdeutung mit den zwei griechischen

Adverbien ⲁⲗⲏⲑⲟⲥ (ἀληθῶς) , ⲕⲁⲗⲱⲥ (καλῶς)   (34b).

Dies gilt auch für den arabischen Text: " فيما حمو

"قد تثنيته منه (A 115b). Dann beginnt die Ausdeutung mit

den zwei Worten " حق ونعم_ ", deren Bedeutung ⲁⲗⲏⲑⲟⲥ,

ⲕⲁⲗⲱⲥ entspricht. O'Leary meinte aber, daß sie zum

letzten Satz gehören und übersetzte: "on account of what

you asked truly (für حق = ⲁⲗⲏⲑⲟⲥ) and by grace (für

نعم_)". " نعم_ ni‹ma " bedeutet in diesem Zusammen-

hang etwa 'wie gut!' O'Leary scheint an " نعمـة ni‹ma :

Gnade" gedacht zu haben, obwohl der Satz " ... حق ونعم_

"...ما قاله المغبوط في الاثيا " dem Koptischen " ⲁⲗⲏⲑⲟⲥ ⲕⲁⲗⲱⲥ

ⲁϥϫⲟⲟⲥ ⲛ̄ϭⲓ ⲡⲉⲡⲣⲟⲫⲏⲧⲏⲥ..." entspricht, was Budge als : "Well

and truly doth the Prophet say, ..." (34b) übersetzte.

S 34a: Den Satz: "ⲛ̄ⲧⲉⲣⲉϥⲃⲱⲕ ⲇⲉ ⲉⲃⲟⲗ ⲉⲝⲙ̄ ⲡⲧⲏⲏⲛⲉ ⲉⲙⲉⲍ ⲙⲟⲟⲩ "

übersetzte Budge: "And when he had gone forth on the

bank near the river to fill his water-pot". Im koptischen

Text ist weder von einem Fluß noch von einem Gefäß die

Rede. "ⲡⲧⲏⲏⲛⲉ " bedeutet "bank" aber nicht "near the

river". Der Text S[1] und der arabische Text helfen uns,

die Bedeutung von ⲧⲏⲏⲛⲉ besser oder klarer abzu-

leiten: ⁴[ⲛ̄ⲧⲉ]ⲣⲉϥⲃⲱⲕ ⲇⲉ ⲉⲃⲟⲗ ⲉⲝⲛ̄ ⲡⲧⲏⲏⲛⲉ ⲉⲙⲉⲍ ⲙⲟⲟⲩ [ⲉ̣ⲃⲟⲗ ϫⲉ

ⲁⲡⲙⲁ ⲧⲏⲣϥ̄ ⲙⲉ[ⲍ] ⲙ̄ⲙⲟⲟⲩ" "ولما صعد على الجسر اذ كانت الارض كلها امتلأت من الماء

(A 115a). Das soll wohl heißen, daß " ⲧⲏⲏⲛⲉ " in diesem

Zusammenhang "ein Damm als Feldergrenze" zu verstehen

ist[32]. Es ist naheliegend, daß während der Überschwem-

mungszeit das Ackerland überschwemmt wird und man vom

Kloster oder vom Gebirge aus den Nil nur über die über-

schwemmten Felder erreichen kann, besonders bei einer

hohen Überschwemmung, wie es in unseren Texten voraus-

gesetzt wird. Ein Damm, der als Feldergrenze diente,

konnte auch als Weg benutzt werden. Vor der Errichtung

des modernen Staudammes geschah dies während einer

hohen Überschwemmung häufig.

S 34b: " ... ⲡⲉⲛⲧⲁⲩⲧⲛ̄ⲛⲟⲟⲩ ⲙ̄ⲡⲁⲣⲓⲥⲧⲟⲛ ⲛ̄ⲇⲁⲛⲓⲏⲗ ⲛ̄ϥϭⲱϣⲧ̄
ϩⲏⲧϥ̄ ⲁⲛ " Budge hat bei seiner Übersetzung des letzten
Satzteiles die Negierung übersehen: "...; it was He Who
sent the meal to Daniel, for which his heart waited".

34b-35a: " ... ⲁⲩⲱ ⲉⲛⲟⲩⲉⲙ ⲟⲉⲓⲕ ⲉϣϭⲉⲓ ⲧⲉⲛⲟⲩ ⲙⲁ ⲛⲁⲛ ⲛ̄ϩⲉⲛⲟⲉⲓⲕ
ⲙⲛ̄ ϩⲉⲛⲁⲁϥ ..." " ... and we ate bread, and now the
people have to be satisfied with manna instead of with
loaves of bread and pieces of flesh"

ⲉϣ in ⲉϣϭⲉⲓ   ist nicht 3. Person Pl. Präs. II des
Verbums ϭⲉⲓ (auf jeden Fall ist Qual. ϭⲏⲩ), sondern
die Präp. ⲉ vor dem unbestimmten Artikel ⲟⲩ des
Nomens ϭⲉⲓ   : ⲉ(ⲟ)ⲩϭⲉⲓ : Zur Sättigung[33]. ⲙⲁ ⲛⲁⲛ
ist nicht das Nomen "Manna", sondern der Imperativ von ϯ
geben und der Dativ (1. Person Pl.). Das im Koptischen
verwendete griechische Lehnwort wäre " ⲧⲟ' ⲙⲁⲛⲛⲁ   "[34].
Dementsprechend ist der Satz zu übersetzen: " ... und
wir aßen Brot zur Sättigung (oder zur Fülle); nun gib
uns Brot und Fleisch! ..."

35a: " ... ⲭⲉ ⲡⲭ̄ⲥ̄ ⲉⲓⲛⲁϩⲉ ⲉⲇⲁⲩⲧⲱⲛ ⲙ̄ⲡⲉⲓⲗⲁⲟⲥ ⲉⲧⲣⲉⲩⲟⲩⲱⲙ   "
"O God where shall I find the wherewithal to give unto
this people so that they may eat?"

ⲁⲩⲧⲱⲛ   ist zu trennen in: ⲁϥ undⲧⲱⲛ ; ⲁϥ = Fleisch. Der
Satz ist zu übersetzen: " ... O Gott, wo werde ich Fleisch
für dieses Volk finden, damit sie essen?"[35].

35a: " ⲁⲩⲱ ⲁϥⲭⲓⲟⲟⲣ ⲛ̄ⲟⲩϩⲩⲡⲡⲏⲣⲉ ϩⲛ̄ ⲑⲁⲗⲁⲥⲥⲁ ⲛ̄ⲁⲙⲁϩⲉ
ⲥⲛⲁⲩ ⲉⲭⲙ̄ ⲡⲕⲁϩ "

"And he brought over [quails] by a wind of the sea, two
cubits upon the ground."

Vom "Wind" ist im koptischen Text nicht die Rede.
ϩⲩⲡⲡⲏⲣⲉ dürfte Budge als ein griechisches Lehnwort angesehen haben[36]. Das ist aber nicht richtig, vielmehr
bedeutet ϩⲩⲙⲡⲏⲣⲉ "Wachteln" = Bohairisch: ⲙⲉϭⲓⲱⲧ
ⲙⲡⲏⲣⲉ   = Gr. ⲟⲣⲧⲩⲅⲟⲙⲏⲧⲣⲁ [37]. Dementsprechend muß

unser Text korrigiert werden in: " ⲁⲩⲱ ⲁ ⲭⲓⲟⲟⲣ ⲛ̄ⲟⲩ ⲍ ⲁⲩ
ⲙ̄ⲡ ⲏ ⲣ ⲉ ⲍ̄ⲛ̄ ⲑ ⲁ ⲗ ⲁ ⲥ ⲥ ⲁ ..."[38] "und er brachte Wachteln vom
Meer herüber ...".

Nach der Verbesserung der Übersetzung Budges geben wir
das Ergebnis des Vergleiches der Versionen miteinander.
Es gibt

1) Text, der sich nur in A und im ältesten koptischen
Text S[1] befindet:

a) Siehe oben: " ⲧⲏⲛ ⲉ "

b) ⲁⲩ ⲃⲱⲕ im Satz " ... ⲁ ⲩ ⲭ ⲓ ⲙ̄ ⲡ ⲉ ⲩ ⲕ ⲉ ⲗ ⲱ ⲗ ⲁ ⲩ ⲃⲱⲕ ⲭ ⲉ ⲉ ⲩ ⲛ ⲁ -
ⲙ ⲁ ⲍ̄ ⲩ ⲙ̄ⲙ ⲟ ⲟ ⲩ " (vgl. S 33b-34a).

= A 115a: ولما مضى القديس انبا بيسنتاوس ليملأ جرته ماء

2) Aussagen, die in S bzw. S[1] und A aber nicht im Text
   B stehen:

S 33b: ⲉ ⲧ ⲉ ⲩ ⲟ ⲙ̄ⲙ ⲟ ⲛ ⲟ ⲭ ⲟ ⲥ ⲙ̄ⲡ ⲉ ⲟ ⲩ ⲟ ⲉ ⲓ ⲩ ⲉ ⲧ ⲙ̄ⲙ ⲁ ⲩ ⲙ̄ⲡ ⲁ ⲧ ⲉ ⲩ ϥ ⲣ̄-
       ⲉ ⲡ ⲓ ⲥ ⲕ ⲟ ⲡ ⲟ ⲥ
A 114b: وهو راهب في ذلك الزمان

S 33b: ⲙ̄ⲡ ⲉ ⲓ ⲍ ⲉ ⲉ ⲣ ⲟ ⲩ
A 114b: ولم اجد شيئ

Der Satz: B 358 ϥ ⲧ̄ ⲛ ⲁ ⲧ ⲛ ⲁ ⲕ ⲛ̄ⲧ ⲉ ⲕ ⲉ ⲡ ⲓ ⲑ ⲩ ⲙ ⲓ ⲁ
          S 33b ⲡ ⲁ ⲛ ⲧ ⲱ ⲥ ⲡ ⲛ ⲟ ⲩ ⲧ ⲉ ⲛ ⲁ ⲧ ⲟ ⲩ ⲩ ⲛ ⲁ ⲕ ⲙ̄ⲡ ⲟ ⲟ ⲩ
          A 114b لعل الله اليوم يعطيك مسالتك

   ⲡ ⲁ ⲛ ⲧ ⲱ ⲥ (π ⲁ ⲩ ⲧ ⲱ ⲥ) wird mit   لعل wiedergegeben, ⲙ̄ⲡ ⲟ ⲟ ⲩ
mit اليوم
Beim Bibelzitat Ps 55,22 steht im Text S (33b) ⲡ ⲉ ⲭ ⲁ ⲩ
ⲛ̄ ϭ ⲓ ⲡ ⲉ ⲡ ⲣ ⲟ ⲫ ⲏ ⲧ ⲏ ⲥ : كما قال النبي (A 114b)

S 34a: ⲛ̄ⲧ ⲉ ⲣ ⲉ ⲩ ⲃⲱⲕ ⲭ ⲉ ⲉ ⲃ ⲟ ⲗ ⲉ ⲭ ⲙ̄ ⲡ ⲧ ⲏ ⲛ ⲉ
A 115a: ولما صعد على الجسر

S 34a: ⲱ̄ ⲧⲉⲓⲛⲟϭ ⲛ̄ϣⲡ̄ⲏⲣⲉ ⲛ̄ⲧⲉ ⲡⲛⲟⲩⲧⲉ ... ⲕⲁⲧⲁ ⲑⲉ
ⲛ̄ⲧⲁⲩϩⲟⲙⲟⲗⲟⲅⲉⲓ ⲛⲁⲛ ϩⲛ̄ ⲧϥ̄ⲧⲁⲡⲣⲟ ⲉⲩⲣ̄ⲙ̄ⲛ̄ⲧⲣⲉ ⲛⲁⲛ

A 115a-b: فيا لهذه الاعجوبة العظيمة الالهية ... حسب ما نشهد لنا بذلك من فمه الصادق

S 34b: ⲁⲡⲛⲟⲩⲧⲉ ⲭⲉⲕ ⲡⲉⲕⲁⲓⲧⲏⲙⲁ ⲉⲃⲟⲗ
A 115b: فان الله قد اعطاك شهوة قلبك حسب ما سالت

S 34b: ⲛ̄ϥϭⲱϣⲧ̄ ⲉⲏⲧϥ̄ ⲁⲛ
A 115b: من غيران ينظرك

S 34b: ⲛ̄ⲧⲟϥ ⲟⲛ ⲡⲉⲛⲧⲁϥⲥⲃ̄ⲧⲉ ⲡⲧⲃ̄ⲧ ⲛⲁⲕ
A 115b: هو الذى حيا لك هذه السمكة

S 34b-35b: ⲁⲗⲏⲑⲟⲥ ⲕⲁⲗⲱⲥ ⲁϥⲭⲟⲟⲥ ⲛ̄ϭⲓ ⲡⲉⲡⲣⲟⲫⲏⲧⲏⲥ ⲭⲉ... ⲕⲁⲧⲁ
ⲑⲉ ⲉⲧⲥⲏϩ ϩⲛ̄ ⲛⲉⲯⲁⲗⲙⲟⲥ ⲭⲉ ⲉⲣⲉⲡⲭ̄ⲥ̄ ⲭⲱⲕ ⲉⲃⲟⲗ
ⲛ̄ⲛⲉⲕⲁⲓⲧⲏⲙⲁ ⲧⲏⲣⲟⲩ

A 115b-116a: حق ونعم ما قاله المغبوط فى الانبيا مار داود ...كما هو
مكتوب ان الرب يكمل لك جميع مطلوباتك ويعطيك
سؤالك ويتم جميع مسرتك

In diesem Abschnitt stimmen die Texte S und A miteinander überein. Während im saidischen Text Psalm
145, Vers 18, 19 u. 20 zitiert wird, werden im
arabischen nur die Verse 18 u. 19 zitiert. Budge[39]
und O'Leary[40] geben als Zitat nur Ps 145,18 an. Auf
die im Text S über Moses und die Kinder Israel erwähnte Erzählung aus dem AT[41] wird im Arabischen nur
kurz verwiesen:

وذلك ان بنى اسرائيل سالوه لحما على يد موسى لطلب الحا الى الله من اجلهم
فاعطاهم شهوتهم

3) Aussagen, die nur in B stehen bzw. in ihm etwas anders ausgedrückt sind als in S, S[1] oder A:

Der Begriff ⲡⲧⲱⲟⲩ ⲛ̄ⲧⲥⲉⲛ︤ⲧ ︤ⲃⲁⲕⲓ (B 358): Die Er-wähnung dieser Stadt kommt m.W. nur noch in einer späteren Überlieferung vor[42]. An den Parallelstellen beider saidischer Texte steht nur " ⲡⲧⲟⲟⲩ ⲛ̄ⲧⲥⲉⲛⲧⲉ bzw. ⲧⲥⲉⲛⲧⲏ " (S 33b). Der arabische Text gibt diesen Orts-namen mit جبل الاساس (A 114b) "Gebel al-Asās = das Gebirge des Fundaments" wieder[43]. Amélineau konnte da-mals nur den Text B anführen und die zentrale Frage für ihn war, wo diese "Stadt" zu lokalisieren sei[44]. Daß der Name dieser "Stadt" im Synaxar am 13. Hathor ge-nannt wird, wie Amélineau behauptete, stimmt nicht. Bei der von Amélineau zitierten Aussage handelt es sich nur um das "Gebirge von al-Asās" und nicht um eine "Stadt" dieses Namens. Mehr als drei Jahrzehnte nach Amélineau hat sich Crum, der die drei saidischen Texte (S[1], S, W) und drei arabischen Rezensionen sowie die anderen Quellen über Pesyntheus kannte[45], vorsichtig geäußert: "Apparently there had been a town (ⲃⲁⲕⲓ) of Tsenti; it cannot now be located". Crum verwies nur auf dieselbe Stelle des bohairischen Textes[46]. Während in der längsten arabischen Rezension "A" der Begriff جبل الاساس "Gebel al-Asās" elfmal vorkommt[47], ist überhaupt nicht die Rede von dieser Stadt. Wenn es solch eine "Stadt" überhaupt gegeben hat, bleibt dabei eine Merkwürdigkeit, die festgestellt werden muß, näm-lich daß auf diese "Stadt" weder die verschiedenen Rezensionen über Pesyntheus noch seine zeitgenössischen Quellen hingewiesen haben, obwohl viele andere Städte und Orte genannt wurden. Ich konnte jedoch keinen anderen Beleg für sie finden. Es dürfte sich wohl um einen Zusatz des Übersetzers, der den Text aus dem Saidischen ins Bohairische übersetzt hat, handeln,

oder des Abschreibers der bohairischen Rezension, der
im Wadi al-Natrūn gewesen sein soll und die Städte und
Orte dieses Gebietes von Oberägypten nicht gut gekannt
haben dürfte. Anders verhält es sich mit der Erwähnung
"Moses"[48], denn in der Tat gibt es in Oberägypten viele
Gebirge, die nach dem Namen der unterhalb dieser Gebirge
gelegenen Städte benannt werden[49].

Während in den Texten S (33b) und A (114b) der Zustand
des kranken Bruders etwas ausführlicher beschrieben
wird, steht im Text B (358) nur: ⲉϥϣⲱⲛⲓ , ⲉⲃⲟⲗ ϧⲉⲛ ⲡϩⲟⲩⲟ
ⲙⲡⲓϣⲱⲛⲓ verlangte er ein bißchen Fisch. Es scheint,
daß nur kranke Eremiten Fisch essen durften[50].

B 359: ⲉⲧⲁϥⲛⲁⲩ ⲟⲩⲛ ⲉⲡⲓⲧⲉⲃⲧ ⲁϥⲣⲁϣⲓ ⲁϥⲥⲱⲟⲩⲧⲉⲛ ⲛⲧⲉϥϫⲓⲝ
ⲉⲃⲟⲗ. Nur im Text B (359) wird der Fisch als
"lebendig" ⲉϥⲟⲛϧ bezeichnet.

B 359: ⲛⲉ ϥⲁⲓ ⲣⲱ ⲧⲉ ⲧⲉϥⲕⲁϩⲥ ... ⲉϯ ⲙⲧⲟⲛ ⲛⲣⲱⲙⲓ ⲛⲓⲃⲉⲛ

B 359: ⲥⲥϧⲏⲟⲩⲧ ⲅⲁⲣ ϫⲉ ⲁϥⲧ ϯ ⲛⲟⲩϩⲣⲉ ⲛⲛⲏ ⲉⲧⲉⲣϩⲟⲧ ϩⲁ ⲧⲉϥϩⲏ
Neben der allgemeinen Übereinstimmung der Texte miteinander zeigen drei Beobachtungen deutlich, daß alle Texte
ursprünglich auf einen einzigen Text zurückgehen müssen:

1. ⲛⲉⲟⲩⲟⲛ bzw. ⲛⲉⲭⲛ = ⲟⲩ kommt am Anfang eines
   Wunders nur bei diesem Wunder vor. (Am häufigsten
   kommt ⲁⲥϣⲱⲡⲓ ϩⲉ ⲟⲛ ⲛⲟⲩⲉϩⲟⲟⲩ bzw. ⲁⲥϣⲱⲡⲉ ϩⲉ ⲟⲛ
   ⲛⲟⲩϩⲟⲟⲩ = كان ذات يوم vor.

2. Psalm 55,22 wird an derselben Stelle in allen vier
   Texten zitiert: B 358 = S 33b = A 114b.

3. Bei allen Texten ist an derselben Stelle und in demselben Zusammenhang die Rede von einer Mahlzeit
   ⲁⲣⲓⲥⲧⲟⲛ (ἄριστον) , die Gott Daniel geschickt
   hat: in A الغدا

Die synoptische Aufstellung zeigt, daß die Texte S[1]
und S fast wörtlich übereinstimmen. Die Unterschiede
zwischen S[1] und S lassen sich in folgende Gruppen
unterteilen:

Einmal ist ein offensichtlicher Schreibfehler festzustellen: ϥⲛⲁⲥⲁⲛⲟⲩ̄ⲕ̄ S statt ϥⲛⲁⲥⲁⲛⲟⲩⲩ̄ⲕ in S[1]; danach
Schreibvarianten , und zwar sowohl koptischer (ⲧⲥⲉⲛⲧⲉ
S[1] - ⲧⲥⲉⲛⲧⲏ S; ⲉⲙⲡⲁⲧϥ S[1] - ⲙ̄ⲡⲁⲧⲉϥ S; ⲡⲭⲟ[ⲉⲓⲥ] S[1]
- ⲡⲭ̄ⲥ̄ S; ⲡⲧⲏⲛⲉ S[1] - ⲡⲧⲏⲏⲛⲉ S) als auch griechischer
Wörter (ⲁϥⲉⲡⲓⲑⲩⲙⲉⲓ S[1] - ⲁϥⲉⲡⲉⲓⲑⲩⲙⲉⲓ S; [ⲉⲩⲗⲩ]ⲡⲉⲓ S[1] -
ⲉϥⲗⲩⲡⲏ S; [ⲡⲉϥ]ⲁⲓⲧⲏⲙ̣[ⲁ] S[1] - ⲡⲏ̣ⲁⲓⲧⲙⲁ S).

Echte Varianten sind: ⲟⲩⲣⲱⲙⲉ S[1] - ⲟⲩⲥⲟⲛ S; [ⲁ]ⲛⲁⲃⲁⲥⲓⲥ
S[1] - ⲙⲟⲟⲩ S; ⲡⲭ̄[ⲟ]ⲉⲓⲥ S[1] - ⲡⲛⲟⲩⲧⲉ S; ⲛⲉⲡⲕⲁⲓⲣⲟⲥ ⲅⲁⲣ ⲡⲉ
ⲛ̄ⲙ̄ⲙⲟⲟⲩⲑ̄ ⲙ̄ⲡⲙⲟⲟⲩ S[1] - ⲛⲉⲡⲕⲁⲓⲣⲟⲥ ⲅⲁⲣ ⲙ̄ⲡⲙⲟⲟⲩⲑ̄ ⲙ̄ⲡⲙⲟⲟⲩ ⲡⲉ S.
Variante und mehr Text: ⲧⲉⲛⲟⲩ S[1] - ⲙ̄ⲡⲟⲟⲩ ⲑ̄ⲙ̄ ⲡⲉϥⲟⲩⲱⲩ S;
ⲙ̄ⲡϥ̄ⲕⲁⲁⲕ ⲉⲕⲗⲩⲡⲉⲓ S[1] - ⲉⲡⲉⲓⲇⲏ ⲙ̄ⲡⲉϥⲕⲁⲁⲕ ⲉⲗⲩⲡⲏ S;
ⲉⲩⲛⲟϭ ⲛ̄ⲧⲃ̄ⲧ̄ ⲉϥϩⲗⲟⲓⲗⲉ ⲑ̄ⲙ̄ ⲡⲙⲟⲟⲩ S[1] - ⲉⲩⲛⲟϭ ⲛ̄ⲧⲃ̄ⲧ̄ ⲉϥⲡⲟⲥϥ̄ ⲑ̄ⲙ̄
ⲡⲙⲟⲟⲩ ⲉϥϩⲗⲟⲓⲗⲉ S.

Schließlich ist festzustellen, daß eine Rezension ein
Wort mehr im Text aufweist:
S: ⲇⲉ ⲟⲛ - S[1] ⲇⲉ; ⲉϯ ⲉϥⲟ ⲙ̄ⲙⲟⲛⲟⲭⲟⲥ ⲙ̄ⲡⲉⲟⲩⲟⲉⲓϣ ⲉⲧⲙ̄ⲙⲁⲩ - S[1]
ⲉϥⲟ ⲙ̄ⲙⲟ̣[ⲛⲟ ⲭⲟ]ⲥ ; ⲡⲙⲁⲕⲁⲣⲓⲟⲥ ⲁⲡⲁ ⲡⲉⲥⲩⲛⲑⲓⲟⲥ - S[1] ⲁⲡⲁ
ⲡⲉⲥⲩⲛⲑⲓⲟⲥ
S[1]: ⲁϥⲃⲱⲕ ⲭⲉ ⲉϥⲛⲁⲙⲁϩϥ - S ⲭⲉ ⲉϥⲛⲁⲙⲟϩϥ ; [ⲉ]ⲃⲟⲗ ⲭⲉ
ⲁⲡⲙⲁ ⲧⲏⲣϥ̄ ⲙⲉ[ϩ] ⲙ̄ⲙⲟⲟⲩ ; ⲛ̄ϥ̄ⲛ̄ⲧϥ̄ ; ϩⲓⲧⲛ̄ ⲁⲙ ⲃⲁⲕⲟⲩ (?)
ⲙ̄ⲡⲉⲡⲣⲟⲫⲏⲧⲏⲥ

Es ist offensichtlich, daß der Text A auf einen Text
wie S zurückgeht, denn sie stimmen völlig miteinander
überein und enthalten viele Elemente, die im Text B
fehlen. Der Text S ist aber etwas entwickelter, wie der
Vergleich der Aussagen beider Texte über Moses und die
Kinder Israel, sowie eine Anrede an die Zuhörer, die nur

im Text S (35a) steht, zeigt. Diese Kriterien wiederholen
sich auch in anderen Wundern. Im Hinblick auf diesen
Rahmen der Entwicklung dürfen wir wohl annehmen, daß
der Text B dem verlorenen Urtext (X) nähergestanden
haben muß, auch wenn er eigene Eigentümlichkeiten hat
bzw. auf eine andere Art der Entwicklung hinweist. Daß
der älteste Text S[1] im Vergleich zum Text B bereits
eine Entwicklung aufweist, zeigt, wie schnell sich der
Urtext entwickelt hat[51].

Das 7. Wunder:

B	S	A	P

S column:

ⲥⲱⲧⲙ̄ ⲇⲉ ⲟⲛ ⲉⲧⲕⲉⲛⲟϭ
ⲛ̄ϣⲡⲏⲣⲉ ⲛ̄ⲧⲁϥϣⲱⲡⲉ ⲉⲃⲟⲗ
ϩⲓⲧⲟⲟⲧϥ̄ ⲙ̄ⲡⲡⲉⲧⲟⲩⲁⲁⲃ
ⲁⲡⲁ ⲡⲉⲥⲁⲛⲑⲓⲟⲥ ⲉϥⲟ ⲙ̄ⲙⲟⲛⲟ-
ⲭⲟⲥ ⲙ̄ⲡⲁⲧϥ̄ⲣⲉⲡⲓⲥⲕⲟⲡⲟⲥ

ⲁⲩⲃⲱⲕ ⲇⲉ ⲟⲛ ⲛ̄ⲟⲩⲍⲟⲟⲩⲃ
ⲉⲛ̄ⲧⲩϣⲟⲩⲧⲉ ⲉⲧⲉⲣⲉⲛⲉⲥⲛⲏⲃ
ⲥⲉ ⲙⲟⲟⲩ ⲛ̄ϩⲏⲧⲥ̄

ⲇⲉ ⲉⲩⲛⲁⲙⲉϩ ⲡⲉⲩⲕⲉⲗⲱⲗ ⲙ̄ⲙⲟⲟⲩ
ⲛ̄ⲧⲉⲣⲉⲩⲃⲱⲕ ⲇⲉ ⲟⲛ ⲉϫⲛ̄ ⲧⲩ-
ϣⲧⲉ

ⲁϥⲣ̄ ⲡⲧⲱⲃ ⲙ̄ⲡⲛⲟⲩϩ ⲙⲛ̄
ⲧⲃⲏⲥⲉ ⲙ̄ⲡⲩⲣⲓⲧⲟⲩ ⲛ̄ⲙ̄ⲙⲁϥ

ⲛ̄ⲧⲉⲣϥ̄ⲁⲁϩ ⲇⲉ ⲉⲣⲁⲧϥ̄ ⲉϫⲛ̄ ⲧⲩ-
ϣⲱⲧⲉ

B column:

ⲁⲩϣⲱⲡⲓ ⲇⲉ ⲟⲛ ⲉⲩⲛⲁⲣⲱⲗⲓ

ⲉⲙⲁϩ ⲙⲱⲟⲩ ⲛⲟⲩϭⲟⲧ

ⲁϥⲉⲣ ⲉⲃⲩⲓ ⲙ̄ⲡⲉϥⲱⲗⲓ ⲛⲉⲙⲁϥ
ⲙⲡⲓⲛⲟϩ

A column (Arabic):

وسمع ايضا ايها الحوت واحلاى
ابنت الاعجوبة العظيمة التى كانت من
قبل القديس
ابا ابسنتاوس وهو ابو رهبنته
قبل الاسقفية

كان ذلك يوم قد مضى
ال البئر الذى حفر يستقى
احرق اللبن

ليملك حرث
ولا وصل الى البئر
يجرته ليملاها حسبما قالنا معه

فلم يجد بعد الدلو اذ ذاك كان
قد سقط عنه ان ياخذه
فوقت لا يدرى يتنجز حرث
الدلو والحبل

P column (Arabic):

بلد حرثة الدلو على الماء

ولا وصل الى البئر

اذ حتى دفعة من مغارته

وقيل لنا عنه

B	S	A	P
ⲀϤⲦⲰⲂϨ ⲘⲠϬ̅Ⲧ̅	ⲀϤϢⲖⲎⲖ ⲈϨⲢⲀⲒ ⲈⲠϪⲞⳠ ⲔⲀⲦⲀ | ⲠⲈⲐⲞⲤ ⲚⲚⲈⲤⲚⲎϨ [36a/360]	فوقفت يصلي الى سيدنا وتقال [115b] لمادة الحرف الرهبان	فوقفت في الصلوة وبسط يديه
ⲈϤϪⲰ ⲘⲘⲞⲤ ϪⲈ ⲠϬ̅Ⲥ̅ | Ⲫ̅Ϯ ⲚⲚⲈⲚⲒⲞϮ ⲈⲐⲞⲨⲀⲂ [360]	ⲀϤ ⲠⲈϪⲀϤ ϪⲈ ⲠϬ̅Ⲥ̅ ⲚⲦⲞⲔ ⲈⲦⲤⲞⲞⲨⲚ ϪⲈ	قال في قلبه انت عالم يا رب	قايلا يا رب ربي
ⲈⲔⲈⲈⲢ ⲠⲒⲚⲀⲒ ⲚⲈⲘⲎⲒ ⲠϬ̅Ⲥ̅	ⲘⲚ ϬϬⲞⲘ ⲘⲘⲞⲒ ⲈⲦⲢⲀⲔⲦⲞⲒ ⲚⲔⲈⲤⲞⲠ ⲈϨⲞⲨⲚ ⲈⲦϨⲈⲚⲈⲈⲦⲈ	ان لا اقدر ان اعود دفعة اخرى الى الدير	
		لاجل ضعف الجسد لاجل ضعف البسد (sic) لئلا اتعب الدير والجمل	
ⲚⲦⲈⲔⲒⲚⲒ	ⲈϪⲒ ⲘⲠⲒⲚⲞⲨϨ	امر النهر يا رب يا قادر على كل شي	
ⲘⲠⲒⲘⲰⲞⲨ ⲈⲠϢⲰⲒ	ⲈⲔⲈⲞⲨⲈϨⲤⲀϨⲚⲈ ϬⲈ	ان يصعد الماء من غمر البير الى فوق حتى يتفى الى فوق	
ⲚⲦⲀⲘⲞϨ ⲘⲠⲠⲀⲒⲰϨⲞϨ ⲘⲘⲰⲞⲨ	ⲘⲠⲒⲈⲒⲘⲞⲞⲨ ⲚϤⲎ ⲈϨⲢⲀⲒ ϨⲀⲢⲞⲒ	وافدر ك امل منه حرث واقدر على ذلك ان اتهد	
	ⲚⲦⲀϬⲚ ⲐⲈ ⲘⲘⲞϨϨ ⲘⲠⲦⲀⲔⲈ- ⲖⲰⲖ ⲘⲘⲞϨϨ ϪⲈⲔⲀⲤ ⲈⲒⲚⲀϤ̄- ϨⲘϨⲀⲖ ⲚⲀⲔ ⲘⲠⲤⲈⲈⲦⲈ ⲚⲚⲀϨⲞⲞⲨ	لكل حم ما بقى من ايام حياتي	
ϪⲈ ⲞϨⲎ ⳠⲞⲎ ⲚϪⲈ ⲠⲒⲘⲀ			وقد راى ان النيل قد اوفا في بعد الطريق

P	A
قد بزرك كحسن الرتاك	
وانا هو رماى هكذا امين	بردك انت امرت لبطرس رسلك بقرب قايلا اطهر الى هابنا على الماء فاذ قال امين
اذا البرق انتضمت وطاف الر [257] صلى الى رسولها الحدث وصل الى جرته تقدم على جرته	صعد الماء من نهر البر الى ان وصل الى شفتى وكذا كلام القديس جرى حتى من ذلك الماء نر قال له القديس الرب بسجاله هو الذى يأمرك ان تنحدر الى الاسفل الى حيث انت [117a] مستقرك وبينما ان الماء ينحدر الى الاسفل من نهر البر وراى راع من رعاه يرعى غنمه فى الحربة تقدم الى فم البر

S	B
	ⲛ̄ⲧⲟⲕ ⲅⲁⲣ ⲁⲕⲟⲩⲉϩⲥⲁϩⲛⲉ
	ⲙ̄ⲡⲉⲕⲁⲡⲟⲥⲧⲟⲗⲟⲥ ⲡⲉⲧⲣⲟⲥ ϫⲉ
	ⲙⲟⲟⲩⲉ ⲉϩⲣⲁⲓ ⲉϫⲙ̄ ⲡⲙⲟⲟⲩ
	ⲉⲧⲓ ⲟⲩⲛ ⲉϥⲧⲱⲃϩ ⲙ̄ⲡⲁⲧⲉϥϫⲱⲕ ⲛ̄ⲧⲉⲣⲉϥϫⲱⲕ ⲉⲃⲟⲗ
	ⲛ̄ⲧⲉϥϣⲗⲏⲗ ⲙ̄ⲡⲉⲩϣⲗⲏⲗ
	ⲁ.ⲡϭ̄ⲥ ⲟⲩⲉϩⲥⲁϩⲛⲓ ⲙ̄ⲡⲧⲓⲙⲙⲟⲟⲩ
ⲁⲡⲙⲟⲟϣ ⲙⲟⲟⲩⲉ ⲉⲡⲁϫⲓⲥⲉ	ⲁϥⲓ ⲉⲡϣⲱⲓ
ϣⲁⲛⲧϥⲉⲓ ⲉϩⲣⲁⲓ ⲉⲡⲥ ⲛ̄ⲧⲩϣⲧⲉ	
ⲛ̄ϥⲙⲉϩ ⲡⲉϥⲕⲉⲗⲱⲗ ⲙ̄ⲙⲟⲟⲩ	ⲁⲩⲙⲟⲟϣ ⲙ̄ⲡⲓⲩϩⲟⲩⲟⲥ ⲙ̄ⲙⲟⲟⲩ
ⲁⲝⲱ ⲡⲉϫⲁϥ ⲙ̄ⲡⲙⲟⲟⲩ ϫⲉ ⲡⲭ̄ⲥ	
ⲡⲉⲧⲟⲩⲉϩⲥⲁϩⲛⲉ ⲛⲁⲕ ϫⲉ ⲕⲧⲟⲕ	
ⲉⲡⲉⲥⲏⲧ ⲉⲧⲉⲕⲙⲁ	
ⲉⲧⲉⲓ ⲇⲉ ⲉⲣⲉⲡⲙⲟⲟⲩ ⲥⲉⲕ	ⲉⲧⲓ ⲟⲩⲛ ⲉϥⲛⲁⲩⲉ ⲛⲁϥ
ⲉⲡⲉⲥⲏⲧ	
ⲁⲩϣⲱⲥ ⲉϥⲙⲟⲟⲛⲉ ⲙ̄ⲡⲉϥ [368] ⲟ̄ⲍ̄ⲉ	ⲁϥⲓ ⲛϫⲉ ⲟⲩⲙⲁⲛⲉⲥⲱⲟⲩ
ⲛ̄ⲉⲥⲟⲟⲩ ϩⲙ̄ ⲡⲓⲟⲩⲟⲛⲧⲉ ϯ	ⲉϫⲉⲛ ⲧϥⲩⲧ
ⲡⲉⲩⲟϩⲟⲓ ⲉⲣ ⲛ̄ⲧⲧⲁⲡⲣⲟ ⲛ̄ⲧⲩϣⲧⲉ	

P

وهمى الى مغارته وحمو
فرحان مسرور يمجد الله

A

وشاهد ذلك الا
دار نازل الى الصغار البر
الذان على الجشا كان اول دفعة اخرى

وبعض الشيوخ ايها
المجرة الطريقين ابنا ابا يسلامون
الجرف لقد انك تشبه موسى
واخرج الناس ذلك الذى
اقلت الجبر
واحان بنى اسرائيل

S

ⲀϤϜⲈⲚⲢⲈⲒ ⲘⲠⲘⲞⲞⲨ
ⲈⲨⲔⲰⲦⲈ ⲈⲨⲔⲰⲦⲈ(sic) ϨⲚ ⲦⲘⲎⲦⲈ
ϢⲀⲚⲦϤⲂⲰⲔ ⲈⲠⲈⲤⲎⲦ ⲈⲠⲈϤⲘⲀ

ⲈⲒⲚⲀⲦⲚ̅ⲦⲰⲚⲄ̅ ⲈⲚⲒⲘ ⲟ̄
ⲠⲘⲀⲔⲀⲢⲒⲞⲤ ⲀⲠⲀ ⲠⲈⲋⲚ̅ⲐⲒⲞⲤ
ⲀⲖⲎⲐⲞⲤ ⲈⲔⲦⲚ̅ⲦⲰⲚ ⲈⲘⲰϢⲈⲎⲤ
ⲠⲄⲚⲞⲘⲞⲐⲈⲦⲎⲤ ⲠⲈⲚⲦⲀϤⲦⲢⲈ
ⲐⲀⲖⲖⲀⲤⲀ ⲠⲰⲢⲝ̅ ⲈⲠⲈⲒⲤⲀ ⲘⲚ̅
ⲠⲀⲒ ⲀⲨⲨⲎⲢⲈ ⲘⲠ̅ⲒⲎⲖ ⲘⲞⲞϢⲈ

B

ⲀϤⲤⲰⲘⲤ ⲀⲨⲚⲀϨ ⲈⲠⲒⲘⲰⲞⲨ
ⲈϤⲘⲞⲨⲒ ⲈⲠⲈⲤⲎⲦ

ⲀⲨϪⲞϪⲨⲦ ⲀⲨⲚⲀϨ ⲈⲠⲒϪⲈⲖⲖⲞ
ⲘⲘⲞⲚ ⲚⲞϨ ⲚⲦⲞⲦϤ ⲀⲨⲚⲀϨ ϪⲈ
ⲈⲢⲞϤ ⲈⲢⲈⲠⲈϤⲤⲘⲞⲦ ⲞⲚⲒ ⲘϤⲀ
ⲞⲨⲀⲄⲄⲈⲖⲞⲤ ⲚⲦⲈ ⲠϬ̅Ϲ ⲈⲐⲂⲈ
ⲠⲒⲰⲞϨ ⲈⲦⲔⲰϮ ⲈⲢⲞϤ ⲀϤⲈⲢ
ϢⲪⲎⲢⲒ ⲈⲘⲀϢⲰ ⲚϪⲈ ⲠⲒⲢⲰⲘⲒ
ⲘⲘⲀⲚⲈⲤⲰⲞϨ

S   A

ϩⲣⲁⲓ ⲛ̄ϩⲏⲧⲥ̄ ⲕⲁⲧⲁ ⲡⲡⲉⲧⲩⲟⲩⲱⲟ   فى وسطه لانهر يسقوا على الارض اليابسة

ⲉⲁⲡⲙⲟⲟⲩ ⲩⲱⲡⲉ ⲛⲁⲩ ⲛⲥⲟⲃⲧ̄ ϩⲙ̄

ⲡⲓ̈ⲥⲁ ⲙⲛ̄ ⲡⲁⲓ ⲛ̄ⲥⲁ ⲟⲩⲛⲁⲙ ⲁⲩⲱ

ⲛ̄ⲥⲁ ϩⲃⲟⲩⲣ ⲙ̄ⲙⲟⲟⲩ ⲡⲉⲛⲧⲁⲩⲩⲁⲭⲉ

ⲙⲛ̄ ⲧⲡⲉⲧⲣⲁ ⲁⲥⲧⲁⲩⲟ ⲉⲃⲟⲗ

ⲛ̄ϩⲉⲛⲟⲑⲉ ⲙ̄ⲙⲟⲟⲩ

ⲛ̄ⲧⲟⲕ ⲇⲉ ϩⲱⲱⲕ ⲱ̄ ⲡⲡⲉⲧⲟⲩⲁⲁⲃ   وكذلك انت ابينا ايها القديس البار ابينا

ⲁⲡⲉⲕⲩⲗⲏⲗ ⲃⲱⲕ ⲉϩⲣⲁⲓ ⲩⲁ ⲑⲁⲯⲓⲥ   ابنا بيسنتاوس بلغت صلواتك الى علو

ⲛ̄ⲧⲡⲉ ⲁⲥⲭⲱⲕ ⲉⲃⲟⲗ ⲛ̄ϭⲓ ⲧⲉⲅⲣⲁⲫⲏ   السموات وحل عليك بالحقيقة قول الكتاب

ⲉⲧⲭⲱ ⲙ̄ⲙⲟⲥ   القائل

                                     ان الصديق يكون له تذكارا مؤبدا

ⲭⲉ ⲛ̄ⲧⲟⲩ ⲡⲉ ⲛⲧⲁⲩ|ϫⲟⲟⲥ ⲁⲩⲩⲱⲡⲉ   37ᵃ

ⲁⲩⲱ ⲛ̄ⲧⲟⲩ ⲡⲉ ⲛⲧⲁⲩϩⲱⲛ ⲁⲩⲥⲱⲛⲧ̄

ⲁⲕⲩⲱⲡⲉ ⲛ̄ⲑⲉⲱⲣⲓⲕⲟⲥ ⲛ̄ⲑⲉ ⲛ̄ⲛⲉⲡⲣⲟⲫⲏⲧⲏⲥ

ⲁⲩⲱ ⲛ̄ⲛⲟⲉⲣⲟⲥ ⲛ̄ⲑⲉ ⲛ̄ⲁⲡⲟⲥⲧⲟⲗⲟⲥ

ⲁⲕⲩⲱⲡⲉ ⲛ̄ⲟⲓⲕⲟⲛⲟⲙⲟⲥ ⲙ̄ⲡⲓⲥⲧⲟⲥ ⲉⲧⲃⲉ

ⲡⲁⲓ ⲁⲕⲙ̄ⲡⲩⲁ ⲛ̄ⲧⲕ̄ⲕⲗⲏⲥⲓⲁ ⲛ̄ⲛⲉⲧⲟⲩⲁⲁⲃ

ⲁⲡⲛⲟⲩⲧⲉ ⲧⲁⲛϩⲟⲩⲧ̄ⲕ ⲉⲩⲙⲏⲏⲩⲉ

ⲙ̄ⲯⲩⲭⲏ ⲁⲕⲉⲩⲁⲅⲅⲉⲗⲓⲍⲉ ⲛ̄ⲑⲉ

ⲙ̄ⲡⲁⲗⲟⲥ ⲁⲩⲱ ⲛⲉⲕⲧⲁⲩⲉⲟⲉⲓⲩ ϩⲛ̄

ⲧⲉⲕⲥⲟⲫⲓⲁ ⲛ̄ⲧⲡⲓⲥⲧⲉ ⲛ̄ⲟⲣⲑⲟⲇⲟⲝⲟⲥ

ⲁⲩⲱ ⲛⲉⲕϫⲓ ⲩⲕⲁⲕ ⲉⲃⲟⲗ ϩⲛ̄ ⲛⲉⲕ-

ⲗⲟⲅⲟⲥ ⲛ̄ⲑⲉ ⲛ̄ⲟⲩⲕⲩⲣⲓⲝ ⲉⲕⲱⲩ ⲉⲃⲟⲗ

ϩⲛ̄ ⲧⲕⲥⲟⲫⲓⲁ ⲛ̄ⲑⲉ ⲛ̄ⲟⲩⲥⲁⲗⲡⲓⲅⲝ

	S	A

S — column

NIM ΠΕΤΝΑϢ ΤΑΙΟΚ ΚΑΤΑ ΠΚΜΠϢΑ

ⲱ̄ ΠⲆΙΚΑΙΟΣ ΕΤΟⲨΑΑΒ

ϢΑΚΕΙΜΕ ΓΑΡ ΕΝΕⲐⲎⲠ ⲌΑⲐⲎ ⲘΠΑΤΟⲨ-
ϢⲰΠΕ

ΝΕΚϢΑⲬΕ ⲘⲚ̄ Ⲛ̄ΚΟΣΜΙΚΟΝ ⲌⲚ̄

ⲌΕΝⲰⲆⲎ ⲘⲚ̄ ⲌΕΝΠΑΡΑΒΟⲖⲎ

ΑⲨⲰ ΝΕΚϢΑⲬΕ ⲘⲚ̄ Ⲙ̄ΜⲰΝΑⲬΟΣ

ⲌⲚ̄ ⲌΕΝΒⲰⲖ Ⲙ̄ⲠⲠ̄ⲚⲒΚΟΝ

ΝΕΚ|ϢΑⲬΕ ΠΕ ⲘⲚ̄ Ⲛ̄ΑΡⲬⲰΝ [37b]

ⲌⲚ̄ ⲌΕΝΠΑΡΑΒΟⲖⲎ

ΑⲨⲰ ⲌⲚ̄ ⲌΕΝΜⲨΣΤⲎΡΙΟΝ

ΕΜΕΚϢΙΠΕ ⲌⲎΤϤ̄ Ⲛ̄ⲖΑΑⲨ Ⲛ̄ΡⲰΜΕ

ΕΤⲘ̄ⲬΕ ⲦⲘⲎ ΝΑⲨ ΚΑΤΑ ΠΕⲦⲤⲎⳉ

ΝΕΙϢΑⲬΕ ΠΕ ⲌⲚ̄ ΝΕΚⲘⲚ̄ⲦⲘⲚ̄ⲦΡΕ

Ⲙ̄ΠⲘ̄ⲦΟ ΕΒΟⲖ Ⲛ̄Ρ̄ΡⲰΟⲨ Ⲛ̄ⲦϢΙΠΕ ΑΝ ·

[ΝΕΚΚΑⲐⲎΓΕΙ ΠΕ Ⲛ̄ΝΕⲦⲎⲎⲨ

ϢΑΡΟΚ... ⲘⲚ̄ ΑΠΑ ΠΑⲌΑΜ

ΝΕΙΝΟ6 Ⲙ̄ⲠΕⲦΟⲨΑΑΒ = 37b-39a]

A — column (Arabic)

ومن الذى يستطيع ان يُوَفِّيك كاستحقاقك

ايها القديس المجاهد|المجاهد (sic) [117b]

العظيم فى القديسين

الذى علم المغيبات قبل كونها

وكان يعلم العلمانيين

بالانشاد والامثال

والرهبان

بالتفاسير الروحانية

والتعاليم الربانية

والامثال المغيبة المقدسة

ويظاهرهم على معرفة الاسرار الغامضة الخفية

ويقول الحق لكل احد

بغير محاباة كما هو مكتوب

ان كنت اتكلم بشهاداتك

قدام الملوك ولا استحى

وتتمته ولربنا المجد دائما الى الابد امين

Das 7. Wunder ist in 6 Hss. (B, S, A, P, C und K) überliefert. Bevor wir die Versionen miteinander vergleichen,
wollen wir einige Berichtigungen bzw. Verbesserungen
der Übersetzungen von O'Leary und Budge verzeichnen.

A 116a: " التي كانت من قبل القديس " heißt nicht "of those
reported of the holy", sondern "das durch den Heiligen
geschah". min qibal (wörtl. "von der Seite") ist
Umsetzung von Kopt. ⲉⲃⲟⲗ ϩⲓⲧⲛ bzw. ⲉⲃⲟⲗ ϩⲓⲧⲟⲟⲧ⸲ [52].
Das nachklassische Arabisch benutzt من قبل als
stilistisch/syntaktischen "Trick", den Urheber der
Handlung beim Passiv zu nennen.

A 116b: " ان لا اقدر ان ارجع الى اثرى دفعة اخرى " heißt nicht "I cannot
go back on my footsteps again" sondern "ich kann nicht
mehr denselben Weg zurückgehen".

A 116b: " لانك انت امرت لعظيم رسلك بطرس قائلا "
heißt nicht "For thou didst command the great one, thy
apostle Peter, saying", sondern " ..., weil du dem
größten deiner Apostel, Petrus, befahlst, indem du
sagtest"

A 117a: " وبينما كان الماء ينحدر ... " heißt nicht "Then the
water began sinking ...", sondern "während das Wasser
sank ..."

A 117a: " بلغت صلواتك الى علوالسموات " heißt nicht "thou
didst raise thy fame to the hights of heaven", sondern
"Deine Gebete reichten bis zur Höhe des Himmels", wie
im Koptischen (36b): ⲁⲡⲉⲕϣⲗⲏⲗ ⲃⲱⲕ ⲉϩⲣⲁⲓ ϣⲁ ⲑⲁϭⲓⲥ ⲛ̅ⲧⲡⲉ

A 117b: "... وكان يعلم العلمانيين بالانشاد والامثال والرهبان بالتفاسير الروحانية والتعاليم الربانية والامثال المفيدة المقدسة ويظاهرهم على معرفة الاسرار الغامضة الخفية " heißt nicht " ..., and understood abstruse things by songs and parables, and (understood) monasticism by spiritual and divinely learned interpretations and lofty visions and useful holy allegories and explained them according to their inner secret meaning?", sondern "er lehrte die Laien durch Lieder und Parabeln, die Mönche durch spirituelle Erklärungen, göttliche Lehre und lehrreiche heilige Allegorien; und er half ihnen (d.h. den Mönchen), die schwer verständlichen Mysterien zu begreifen". In gewissem Maße erklären die beiden Texte sich gegenseitig, S 37a-b: "ⲛⲉⲕϣⲁϫⲉ ⲙⲛ̄ ⲛ̄ⲕⲟⲥⲙⲓⲕⲟⲛ ϩⲛ̄ ϩⲉⲛⲱⲇⲏ ⲙⲛ̄ ϩⲉⲛⲡⲁⲣⲁⲃⲟⲗⲏ ⲁⲩⲱ ⲛⲉⲕϣⲁϫⲉ ⲙⲛ̄ ⲙ̄ⲙⲟⲛⲁⲭⲟⲥ ϩⲛ̄ ϩⲉⲛⲃⲱⲗ ⲙ̄ⲡⲛ̄ⲓⲕⲟⲛ ⲛⲉⲕϣⲁϫⲉ ⲡⲉ ⲙⲛ̄ ⲛ̄ⲁⲣⲭⲱⲛ ϩⲛ̄ ϩⲉⲛⲡⲁⲣⲁⲃⲟⲗⲏ ⲁⲩⲱ ϩⲛ̄ ϩⲉⲛⲙⲩⲥⲧⲏⲣⲓⲟⲛ". ⲛ̄ⲕⲟⲥⲙⲓⲕⲟⲛ wird mit "العلمانيين" = "die Laien" als Gegensatz zu ⲙ̄ⲙⲟⲛⲁⲭⲟⲥ "الرهبان" = "die Mönche" wiedergegeben. Nach Budge ist ϣⲁϫⲉ ein Nomen und ⲛⲉⲕ in ⲛⲉⲕϣⲁϫⲉ ein Possessivartikel statt der 2. Person sing. des Imperfektes. Infolgedessen übersetzte er auch ⲡⲉ (in ⲛⲉⲕϣⲁϫⲉ ⲡⲉ ⲙⲛ̄ ⲛ̄ⲁⲣⲭⲱⲛ ...) als Kopula und nicht als das bedeutungslose ⲡⲉ, das beim Imperfekt verwendet wird. Der Abschnitt ist zu übersetzten: "Du sprachst mit den Laien in Liedern und in Parabeln, mit den Mönchen in spirituellen Erklärungen, mit den Herrschern in Parabeln und Mysterien". Dies gilt auch für den Psalmenvers 119,46 (S 37b).

S 37b: " ⲉⲙⲉⲕϣⲓⲡⲉ ϩⲏⲧϥ̄ ⲛ̄ⲗⲁⲁⲩ ⲛ̄ⲣⲱⲙⲉ ⲉⲧⲙ̄ϫⲉ ⲧⲙⲉ ⲛⲁⲩ " Den letzten Satzteil hat Budge nicht übersetzt: "..., die Wahrheit ihnen nicht zu sagen". Den ersten Satzteil übersetzte er "Thou didst never feel ashamed because of them before any man": ϩⲏⲧϥ̄ bezieht sich aber auf ⲗⲁⲁⲩ ⲛ̄ⲣⲱⲙⲉ [53] und nicht "because of them". Dies entspricht dem Arabischen: ويقول الحق لكل احد بغير محاباة (A 117b)

Nach den Verbesserungen der Übersetzungen von O'Leary
und Budge wollen wir die Versionen miteinander vergleichen. Es zeigt sich, daß es viele Einzelheiten gibt,
die sich in S und A befinden, aber in B fehlen, zum
Beispiel:

Eine Anrede und die Aussage, daß das Wunder in der Zeit
des Mönchsleben des Bischofs geschah (S 35b = A 116a).

S 35b = A 116a: ... ⲧⲩⲱⲱⲧⲉ ⲉⲧⲉⲣⲉⲛⲉⲥⲛⲏⲩ ⲥⲉ ⲙⲟⲟⲩ ⲛ̄ⲍⲏⲧⲉ̄ :
البير الذى منها يستقوا الاخوة الماء
; ⲛⲧⲉⲣⲉⲩⲃⲱⲕ ⲟⲛ ⲉⲕⲛ̄ ⲧⲩⲱⲱⲧⲉ : ولما وصل الى البير
S 35b-36a = A 116b: ⲕⲁⲧⲁ ⲡⲉⲑⲟⲥ ⲛ̄ⲛⲉⲥⲛⲏⲩ = كعادة الاخوة الرهبان

S 36a = 116b: ⲝⲉⲕⲁⲥ ⲉⲓⲛⲁⲣ̄ⲡⲍⲙ̄ⲍⲁⲗ ⲛⲁⲕ ... ⲉⲕⲙ̄ ⲡⲙⲟⲩ :
واقدر على ذلك ان اتعبد لك ... على الماء
S 36a = A 116b-117a: ⲁⲩⲱ ⲡⲉⲝⲁⲩ ⲙ̄ⲡⲙⲟⲟⲩ ⲝⲉ ... ⲉⲡⲉⲕⲙⲁ :
ثم قال له القديس ... الى حين مستقرك
S 36b = A 117a: ⲍⲙ̄ ⲡⲩⲟⲛⲧⲉ : فى الحرجة

Im Anschluß an das Wunder steht nur in S und A eine
Lobrede auf Pesyntheus, die in S länger ist als in A
(S 36b-39a, A 117a-b). Die Parallelstellen dieser Lobrede
zeigen, daß die beiden Texte auf dieselbe Vorlage zurückgehen müssen, ausgenommen daß diese Lobrede in S länger
ist und weitergeht. Andererseits steht am Ende von A
" وتسمته ", was O'Leary zu Recht mit "etc." wiedergab.
Dies könnte vielleicht darauf hinweisen, daß der Übersetzer ins Arabische bzw. der Kopist einen Teil dieser
Lobrede weggelassen hat. Dabei muß aber bedacht werden,
daß dieses " وتسمته " in dieser Bedeutung "usw." und an
einer Stelle am Ende eines Wunder bzw. einer Lobrede
nur hier an dieser Stelle und nicht an einer anderen
Stelle im Text A vorkommt. Dieses " وتسمته " kann sich mit
hoher Wahrscheinlichkeit auf das Psalmenzitat 119,46

beziehen, d.h., es auf weitere Verse dieser Psalmenstelle,
die vielleicht nicht in einem koptischen Text gestanden
haben. Hinzu kommt, daß nicht nur der letzte Teil der
Lobrede des Textes S länger ist, sondern auch andere
Teile wie die synoptische Aufstellung zeigt. Auf jeden
Fall darf man aus dieser einzigen Ausnahme nicht
schließen, daß die Lobrede des koptischen Textes, auf
den der Text A zurückgeht, ebenso lang wie im Text S
gewesen ist.

Die obigen Angaben zeigen, daß S und A im Vergleich zu
B sich entwickelt haben und dabei S am weitesten entwickelt ist. Teil der Lobrede, nämlich eine Zusammen-
setzung aus S 38b-39a, die sich nur in S befinden, sind
für unsere Untersuchung von Bedeutung, weil sie an eine
Stelle erinnern, die in B und A steht, aber nicht im 7.,
sondern im 10. Wunder, das in S fehlt: ⲁⲩⲛⲟϭ ⲛ̅ⲍⲓⲛⲟⲩϥⲉ
ⲍⲙ̅ ⲡⲉⲕⲥⲏⲩ (38b); ⲁⲕϣⲱⲡⲉ ⲛ̅ⲟⲩⲗⲁⲙⲡⲁⲥ ⲉⲥⲣⲟⲩⲟⲉⲓⲛ ⲍⲙ̅ ⲡⲉⲛⲧⲟⲩ
ⲧⲏⲣϥ̅ (38b-39a); ⲍⲛ̅ ⲛⲉⲕⲍⲟⲟⲩ ⲇⲉ ⲟⲛ ⲁⲧⲥⲉⲛ† ϣⲱⲡⲉ ⲛ̅ⲟⲩⲣⲉⲩⲣ̅-
ⲟⲩⲟⲉⲓⲛ ⲍⲓⲧⲛ̅ ⲛⲉⲕⲯⲩⲭⲏ ⲙⲛ̅ ⲙ̅ⲡⲉⲧⲟⲩⲁⲁⲃ ⲛ̅ⲧⲁⲩϣⲱⲡⲉ ⲛ̅ⲍⲏⲧⲉ̅ ⲉⲧⲉ ⲁⲡⲁ
ⲕⲟⲗⲗⲟⲑⲟⲥ ⲡⲉ ⲙⲛ̅ ⲁⲡⲁ ⲡⲁⲍⲁⲙ ⲛⲉⲓⲛⲟϭ ⲙ̅ⲡⲉⲧⲟⲩⲁⲁⲃ (39a).

B 344	A 124a
ⲙ̅ⲡⲓⲥⲛⲟⲩ ⲇⲉ ⲉⲧⲉⲙⲙⲁⲩ ⲛⲁⲣⲉ ⲟⲩⲟⲛ ⲟⲩⲛⲓϣ† ⲛⲍⲉⲛⲟⲩϥⲉ ϣⲟⲡ ⲡⲉ ⲍⲓⲭⲉⲛ ⲡⲕⲁⲍⲓ ⲉⲑⲃⲉ ⲡⲓⲥ†ⲓⲛⲟⲩϥⲓ ⲉⲧϣⲟⲡ ⲃⲉⲛ ⲛⲓⲙⲟⲛⲁⲥⲧⲏⲣⲓⲟⲛ ⲉⲑⲟⲩⲁⲃ ⲛⲍⲟⲩⲟ ⲇⲉ ⲡⲉⲛⲓⲱⲧ ⲉⲑⲟⲩⲁⲃ ⲁⲃⲃⲁ ⲡⲓⲥⲉⲛⲧⲓⲟⲥ ⲫⲁⲓ ⲉⲧⲁⲩⲉⲣⲟⲩⲱⲓⲛⲓ ⲃⲉⲛ ⲡⲉⲛ†ⲟⲩ ⲛϩⲏⲕⲓ	وكان فى ذلك الوقت رخا عظيم واطمئنان على الارض لاجل طيب عطره وصلوات الاخوة المجتمعين بالجبل المقدس فى تلك الايام وبالخاصة ابينا القديس انبا بيستاوس الذى به اضاءت ونارت بلادنا الفقيرة

Zur Erklärung des Zusammenhanges zwischen den Texten
muß die Übersetzung Budges verbessert werden. Der Satz:
" ⲍ̄ⲛ ⲚⲈⲔⳌⲞⲞⲨ ⳉⲈ ⲞⲚ ⲀⲦⲤⲈⲚⲦ ⳝⲱⲡⲈ ..." heißt nicht "Moreover, in thy days lived the two forerunners who sent
forth light through thy prayers, and through the prayers
of the saints who lived in this province, that is to say,
Apa Colluthus and Apa Paham, these [two] great saints!",
sondern "ferner, in deinen Tagen ist Tsenti (al- Asās)
ein Lichtpunkt (wörtl. ein Lichtmacher) geworden, durch
deine Gebete, sowie durch die Heiligen, die in ihm (d.h.
Tsenti) wohnten, nämlich Apa Kolluthus und Apa Paham,
diese großen Heiligen". Die Erwähnung von Apa Kolluthus
erinnert auch an das 9. Wunder, das in B, aber nicht in
S steht. Dieses Wunder handelt von der Askese Pesyntheus'[54]. Mit anderen Worten: ein Teil der Angaben des
9. und 10. Wunders, das zwar in S fehlt, hat dennoch
Spuren in S hinterlassen, ohne daß diese aus B übernommen
worden sind. Paham wird im Text S auf demselben folio
im 8. Wunder, das unmittelbar dem Ende dieser Lobrede
des 7. Wunders folgt, erwähnt. Paham steht auch im 8.
Wunder von A (ازهار für ⲡⲁⳌⲀⲘ)[55]an einer Parallelstelle
zum Text S, aber nicht in B. Im Text A folgen die Wunder
6, 7, 8, 9, und 10 aufeinander. Das zeigt, daß diese
Wunder, die u.a. aus dem Mönchsleben des Bischofs stammen,
auch im selben ersten Teil des Urtextes gestanden haben
dürften.

Der Text B (360) wird mit einer Aussage abgeschlossen,
die in den anderen drei Texten fehlt: ⲀⳝⲭⲞⲨⳝⲦ ⲀⳝⲚⲀⳛ
ⲈⲦⲓⳌⲈⳊⳊⲞ .... ⲚⳉⲈ ⲡⲓⲣⲱⲘⲓ ⲘⲘⲀⲚⲈⲤⲱⲟⳛ : Der Text B hat
sich auf eine andere Weise etwas entwickelt. Der Text
A kann nicht auf einen Text wie P zurückgehen, weil
es Aussagen in den Texten S und A gibt, die im Text P
fehlen. Der Text P enthält Elemente, die in den drei
anderen Texten nicht vorkommen, z.B. 24v:

وقد اري ان الليل قد اقبل ; وكانت عشية النهار ; فوقف لا يدري كيف يصلا جرته

Es gibt einen Satz, der in B und P ähnlich ist:

P 24v: في ... بعد الطريق ...; vgl. B 360: ϫⲉ ⲟϫϩⲓ ϥⲟϫϩⲟϫ ⲛϫⲉ ⲡⲓⲙⲁ
Dieses Wunder wird in K sehr kurz beschrieben[56]. Aus
den folgenden Gründen muß K auf einen Text wie P zurückgegangen sein:

1. Das Wunder steht in den drei Texten B, S und A
   zwischen dem 6. und dem 8. Wunder. Die Reihenfolge
   der Wunder des Textes K ist 39, 7, 11 und 48; im Text
   P ist sie 39, 11, 7, 37, 40 und 48: Die Wunder 37 und
   40 stehen nicht im Text K.

2. Das Wunder fängt im Text K mit: وبعد ذلك خرج من المغارة

   was nur noch für den Text P gilt. Das Wunder wird im
   Text K abgeschlossen mit   ز ومضي شـاكرّوا للسيد المسيح
   vgl. P 25r.

Die Untersuchung zeigt: Die Reihenfolge der Wunder 6, 7
und 8 muß dieselbe im Urtext gewesen sein. Der Text B
muß ihm nähergestanden haben. Die Einzelheiten der Texte
S und A stimmen überwiegend in fast allen Fällen miteinander überein. Beide Texte gehen auf eine Vorlage (XS)
zurück, die sich im Vergleich zum Text B schon entwickelt
hat. Der Text S hat sich im Vergleich zum Text A weiter
entwickelt. Der kürzeste Text K geht auf einen Text wie
P zurück. Offensichtlich beruht dieses Wunder auf Nr. 237
der Apophthegmata Patrum[57]. Jedoch weichen die Texte über
Pesyntheus davon in folgenden Punkten ab:

1. Bei den Texten von Pesyntheus ist die Rede von einem
   Zeugen, außer dem Text P bzw. K.

2. In den Apophthegmata wird die Zisterne, nicht Gott,
   angerufen, was man als eine Art Magie interpretieren
   kann: ⲁⲩⲉⲓⲣⲉ ⲛ̄ⲟⲩⲩⲗⲏⲗ ⲁⲩⲙⲟⲩⲧⲉ ⲉⲩϫⲱ ⲙ̄ⲙⲟⲥ ϫⲉ ⲡⲩϩⲓ ⲡⲁⲉⲓⲱⲧ
   ⲡⲉⲧϫⲱ ⲙ̄ⲙⲟⲥ ϫⲉ ⲙⲟⲩϩ ⲙ̄ⲡⲁⲅⲅⲓⲟⲛ ⲙ̄ⲙⲟⲟⲩ

P

A

S

B

Das 8. Wunder:

S (Coptic):

ⲁϥϫⲓⲥ ϭⲉ ⲟⲛ ⲧⲉⲛⲟⲩ ϩⲓⲧⲛ̄
ⲧⲉⲭⲁⲣⲓⲥ ⲙ̄ⲡⲛⲟⲩⲧⲉ ⲛ̄ⲧⲁⲙ̄ϣⲁ
ⲉⲣⲱⲧⲛ̄ ⲛ̄ⲕⲉⲩⲡⲧⲏⲣⲉ
ⲉⲁⲛⲥⲟⲧⲙⲉⲥ ⲛ̄ⲧⲟⲟⲧⲟⲩ
ⲛ̄ⲛⲉⲧⲉⲣⲉ ⲧⲉⲩϩⲁⲗⲡⲓⲥ ⲧⲏⲣⲥ̄
ⲧⲉ ⲧⲙⲉ
ⲁⲃⲣⲱⲙⲉ ⲇⲉ ⲉⲃⲟⲗ ϩⲙ̄ ⲡⲉⲛ-
ⲧⲟⲩ ⲩⲁϫⲉ ⲛ̄ⲙ̄ⲙⲁⲛ ⲉⲧⲃⲏⲏⲧϥ̄
ⲛ̄ⲧⲟϥ ⲡⲡⲉⲧⲟⲩⲁⲁⲃ ⲁⲡⲁ
ⲡⲉⲥⲩⲛⲑⲓⲟⲥ ϫⲉ
ⲁⲓⲃⲱⲕ ⲁⲓϫⲓ ⲥⲙⲟⲩ ⲛ̄ⲧⲟⲟⲧϥ̄
ⲛ̄ϩⲟⲟⲩ ⲛ̄ⲧⲉⲣⲉⲓⲉⲓ ⲇⲉ ⲉⲃⲟⲗ
ϩⲓⲧⲟⲟⲧϥ̄ ⲇⲓⲁⲡⲁⲛⲧⲁ ⲉⲡⲡⲉⲧ-
ⲟⲩⲁⲁⲃ ⲁⲡⲁ ⲡⲁϩⲁⲙ
ⲡⲉϫⲁϥ ⲛⲁⲓ ϫⲉ ⲁⲕϫⲓ ⲥⲙⲟⲩ
ⲛ̄ⲧⲟⲟⲧϥ̄ ⲙ̄ⲡⲉⲥⲩⲛⲑⲓⲟⲥ ϣⲏⲙ
ⲡⲉϫⲁⲓ̈ ⲛⲁϥ ϫⲉ ⲉϩⲉ ⲡⲁⲉⲓⲱⲧ

A (Arabic):

هاايزن ايها ينوبة
الذي انوب
والجاي بمعجزة اخرى
سمعناها من اقوال
الذين رجالهم لله
تاديب في الحق والصدق
وصحو ان رجل من
يلديا حتنا من اجل
ايا
118A
الذي مضيت ذات يوم وتباركت
الذي مضيت ذات يوم من
عند 8 القديس
عند ولا خرجت من
ان تكلمت تباركت
قال له ان تكلمت تباركت
من الصبي بسند 8
فقلت نعم يا ابتا 8

P (Arabic):

وقد قال لا علم دينة ايا اوراطم
من الصبي بسند 8
فقال لك ان تكلمت تباركت
فقلت نعم يا ابتا 8
البير

P · A · S · B

S

|39b
ⲁⲗⲗⲁ ⲛ̄ⲧⲟⲕ ⲡⲡⲉⲧⲟⲩⲁⲁⲃ
ⲁⲩⲟⲩⲱⲩⲃ ⲇⲉ ⲛⲁⲓ ⲇⲉ ⲛⲁⲙⲉ
ⲟⲩⲡⲉⲧⲟⲩⲁⲁⲃ ⲡⲉ ⲡⲉⲥⲛ̄ⲑⲓⲟⲥ
ⲩⲏⲙ ⲁⲩⲱ ⲁⲕ ⲇⲓ ⲟⲩⲛⲟ6
ⲛ̄ⲥⲙⲟⲩ ⲉⲩⲩ̄ⲡⲉ ⲁⲕⲁⲡⲁⲛⲧⲁ
ⲉⲣⲟⲩ ⲛ̄ⲉⲧⲁⲣⲭⲏ ⲅⲁⲣ ⲧⲉ
ⲛ̄ⲧⲁⲩⲩ̄ⲗⲏⲗ ⲁⲧⲩⲩⲧⲉ ⲙⲟⲃ2
ⲙⲙⲟⲟⲩ

ⲡⲉⲝⲁⲩ ⲛⲁⲛ ⲇⲉ
ⲁⲥⲩⲱⲡⲉ ⲛ̄ⲟⲩ2ⲟⲟⲩ
ⲁⲛⲛⲁⲃ ⲉⲟⲩⲭⲣⲱⲙ ⲉⲩⲙⲟ2 2ⲙ
ⲡⲉⲩⲏⲓ ⲁⲛⲥⲁⲝⲓ ⲛⲉⲙⲛⲉⲛⲉⲣⲏⲟⲩ
ⲛ̄ⲝⲱ ⲙⲙⲟⲥ ⲇⲉ 2ⲁⲣⲁ ⲉⲣⲉ-
ⲉⲣⲉ ⲡⲉⲥⲛ̄ⲑⲓⲟⲥ ⲩⲏⲙ ⲝⲉⲣⲉ
ⲕⲱ2ⲧ̄ ⲉⲟⲃ
ⲛ̄ⲛⲉⲓⲟⲃⲛⲟⲟⲃⲉ

ⲁⲩⲧⲁⲗⲟ ⲇⲉ ⲉ2ⲣⲁⲓ

B

ⲁⲥⲩⲱⲡⲉ ⲟⲩⲁⲓ ⲛⲛⲓⲉⲝⲱⲣ2
ⲁⲛⲛⲁⲃ ⲉⲟⲩⲭⲣⲱⲙ ⲉⲩⲙⲟ2 ϧⲉⲛ
ⲡⲉⲩⲏⲓ ⲁⲛⲥⲁⲝⲓ ⲛⲉⲙⲛⲉⲛⲉⲣⲏⲟⲩ
ⲛⲝⲱ ⲙⲙⲟⲥ ⲝⲉ 2ⲁⲣⲁ ⲉⲣⲉ-
ⲡⲉⲛⲥⲟⲛ ⲡⲓⲥⲉⲛⲧⲓⲟⲥ 6ⲉⲣⲟ
ⲭⲣⲱⲙ ⲉⲑⲃⲉ ⲟⲃ
ⲁⲛⲧ 2ⲁⲏⲛ ⲉⲡⲓ2ⲱⲃ ⲝⲉ
|361
ⲛⲉⲧⲉⲩϥⲃⲁⲛⲏⲑⲉⲓⲁ ⲁⲛ ⲧⲉ
ⲁⲛⲧⲟⲩⲟⲟⲃⲛ

A

لئن انت جوهر الدر النير والقديس العظيم
فاجاب وقال لي حتا
لقد انتست برة عظيمة
وحلبت بحبة تامة انتشت قد
اجتمعت به وكان زلط فيهاما
على وقف اللام من السير
الك فوق

ثم قال لي ايما
اتق ليلة
انا ابا ابار مروزوغ في
مقارنة تنحيلا وقلا ليمينا البعض
نرى ما جمر
السبب الذى الى يسىدك8 الصمتر
ان نبت هذا الرقت
في حرق هذا الرقت
فصعد احدا الى فوق

P

قال
اتق يا ذات ليلة
انتج يا ابار مروغوغ في
مقارنة تنحيجا وقلا بمينا ليبعض
نرى ما جمر
السبب الذى يسسدك8 الصمتر
ان نبت هذا الرقت
في حرق هذا الرقت
فصعد احدا الى فوق

P	**A**	**S**	**B**

P (Arabic):

اذ انهم الانبياء عند

من هذا ما حذرنا الرب الذي
15Ⳁ

ورق آخر قائلا

يمضي وبدا 8 يبصرون لبنان
نحو السماء

ويشرح ايديه
لكي يشرح محاريج نار
عينيه جدا

جاعط عالية تشرق في على
مسكنه

A (Arabic):

جاعط عالية تشرق في
مسكنه

ورق آخر قائلا

يمضي وبدا 8 يبصرون
الى نحو السماء
والحسن 118b صايح الذى له تبد

لكي يشرح مهما تح من نار
عينية جدا

S (Coptic):

ⲀⲨϬⲰϢⲦ ⲈϪⲰⲨ ϨⲚ ⲦⲬⲞ

ⲀⲨⲐⲈⲰⲢⲈⲒ ⲘⲘⲞⲨ ⲈϤⲀⲆⲈ ⲢⲀⲦϤ

ⲈϤϢⲨⲖⲎⲖ ⲈⲢⲈⲚⲈϤϬⲒⲬ ⲠⲞⲢϢ

ⲈⲂⲞⲖ ⲈϨⲢⲀⲒ ⲈⲦⲠⲈ

ⲈⲢⲈⲠⲈϤⲨⲘⲎⲦ ⲚⲦⲎⲂⲂⲈ ⲟ̄

ⲚⲐⲈ ⲘⲘⲎⲦⲈ ⲚⲖⲀⲘⲠⲀⲤ ⲚⲔⲰϩⲦ

ⲈⲨⲢⲞⲆⲞⲈⲒⲚ ⲈⲘⲀⲦⲈ

B (Coptic):

ⲀⲚϭⲞⲘⲤ ⲈϦⲞⲨⲚ ⲪⲈⲚ ⲞⲨⲞⲒ

ⲚⲚⲒⲨⲞⲆⲨⲦ ⲚⲦⲈ ⲠⲈϤⲎⲒ

ⲀⲚⲚⲀⲄ ⲈⲢⲞϤ

ⲈϤϢⲨⲖⲎⲖ ⲈⲢⲈⲚⲈϤϬⲒⲬ ϤⲞⲢϢ

ⲈⲂⲞⲖ ⲘⲠⲦⲨⲆⲦⲞⲤ ⲘⲠⲒⲤⲦⲀⲆⲢⲞⲤ

ⲈⲢⲈⲠⲈϤϪⲒ ⲚⲦⲎⲂ ⲘⲞⲆ

ⲘⲞⲢⲎϮ ⲚϨⲀⲚⲖⲀⲘⲠⲀⲤ ⲚⲬⲢⲰⲘ

بركات هذا القديس تكون معنا
النصر الاحين امين

Das 8. Wunder ist in 6 Hss. (B, S, A, P, C und K) überliefert. Der Vergleich der Versionen miteinander hat zu
folgenden Ergebnissen geführt. Es gibt

1) Text, der nur in S, P und A steht.

Im Text S wird Pesyntheus mit ϣΗΜ bezeichnet = A und P
الصغير . Im Text B steht nur ... ЄϥϤλΗλ , in S dagegen

ЄϥλϨЄρλΤϤ ЄϤϤλΗλ = A und (P): قائما (قايما) يصلى

S: ЄϢρОϤОЄΙΝ ЄΜλΤЄ = A und (P): مضيئة (مضية) جدا

2) Text, der in S, P und A gleich lautet, in B aber
anders ausgedrückt wird bzw. abweicht.

S: ... ΝΝЄΙОϤΝООϤЄ = A und P: فى مثل هذا الوقت

B: λΝΤϨΘΗΝ ЄΠΙϨϢΒ ϪЄ ΝЄΤЄϤϤϤΝΗΘЄΙλ λΝ ΤЄ

S: ϨΝ ΤϪО = A und (P): حائط (حايط) عالية

B: ϪЄΝ ОϤλΙ ΝΝΙϢОϤϤΤ

S: ... ЄρЄΝЄϤϭΙϪ ΠОρϢ ЄΒОλ ЄϨρλΙ ЄΤΠЄ

A: ويداه مبسوطة الى نحو السما

P: ويداه مبسوطتان نحو السما

B: ... ЄρЄΝЄϤϪΙϪ ϥОρϢ ЄΒОλ ΜΠΤϤΠОϹ ΜΠϹΤλϤρОϹ

3) Nur in einem Fall weicht S von den gleichlautenden
Texten B, A und P ab.

B: λϹϢϢΠΙ ϪЄΝ ОϤλΙ ΝΝΙЄϪϢρϨ = A   P = اتق ليلة   اتق لنا ذات ليلة

S: λϹϢϢΠЄ ΝОϤϨООϤ

Zusammenfassend kann gesagt werden, daß die Texte S und
A völlig miteinander übereinstimmen. A kann als eine
wortgetreue Übersetzung von S bezeichnet werden. Die
Texte P und A stimmen im Wunderbericht wörtlich überein;
sie können also nicht auf zwei Übersetzungen zurückgehen,
B weicht etwas ab. Der Text P muß auf eine Vorlage von
A zurückgehen und nicht umgekehrt; denn in den Texten
S und A steht dieselbe Anrede, die im Text B fehlt.
Es handelt sich dabei um den Zeugen des Wunders. P hat
daher nur einen kurzen Satz:

وقد قال لنا عنه دفعة ابا ابراهام الكبير.   هذا ما حدثوا الابا الشيوخ عن
هذه الاخ الراهب .

Die Wunder 14 und 15:

B	S	A	P

B

ⲉⲧⲓ ⲇⲉ ⲉϥⲟϩⲓ ⲉⲣⲁⲧϥ ⲉϥϣⲗⲏⲗ
ⲁϥⲛⲁϩ ⲉⲟⲩⲛⲓⲁϯ ⲛⲟⲩⲡⲣⲁⲥⲓⲁ

ⲓⲥ̄ ⲛ̄ ⲛⲁⲅⲅⲉⲗⲟⲥ ⲁⲭⲓ ϩⲁⲣⲟϥ
ⲙ̄ⲡⲥⲙⲟⲧ ⲛ̄ϩⲉⲛⲙⲟⲛⲁⲭⲟⲥ

ⲉⲭⲉⲣⲣⲟⲣⲉⲓⲛ ⲛ̄ϩⲁⲛⲥⲧⲟⲗⲏ ⲛ̄ⲟⲩⲱⲃϣ
ⲟⲩⲟϩ ⲉⲛⲉⲥⲱⲃ ⲉ̄ⲙⲁϣⲱ ⲛ̄ⲧⲟⲩⲧⲟⲩ
ⲉⲣⲉ ϩⲁⲛⲩⲩⲟⲩⲧ ⲛ̄ⲧⲟⲧⲟⲩ

ⲟⲩⲟϩ ⲡⲉϫⲱⲟⲩ ⲛⲁϥ ⲅ̄ ⲛ̄ⲥⲟⲡ
ϫⲉ ⲡⲓⲥⲉⲛⲧⲓⲟⲥ ⲡⲓⲥⲉⲛⲧⲓⲟⲥ

ⲡⲓⲥⲉⲛⲧⲓⲟⲥ ⲛⲑⲟϥ ⲇⲉ ⲡⲉϫⲁϥ ϫⲉ
ⲥⲙⲟⲩ ⲉ̄ⲣⲟⲓ ⲛ̄ⲁⲓⲟϯ

A

وكان بعد هذا قام
في نصف الليل ووسط إذا الهلا
وبينما هو قائم يصلي
شاهد منظر عجيب
من الملائكة النورانيين
وإذا بثيابه كلائكة قد تحلو عليه
في شكل رهبان
هشتشلين بحلل شد مسك بض نورانية
وظهر حسبان في ملابسهم
وبايديهم شاڌيح حارٌ
بيستاوس [بيستاوس] ١٣٥ة
بيستاوس هاجر فابايهر فاعلو
يا ابرا على
ولا شاهدهم ايضا وقال لهم
والمر قدوطلر الى ترى
محتملكم

P

وكان الله لها انتصب في بعض الليالي
في نصف الليل
وبينما هو قد شاهد منظر عجيب
من الملائكة النورانيين
وإذا بثيابه كلائكة قد تحلو عليه
في شكل الرهبان
بحلل قد مسك ششلين بيض
حسبان الظاهر
وبايديهم شاڌيح وقد اثر بهم الىشذ
وقالوا له تكرتعهرات
بيستاوس بيستاوس
باستمر من الماجر فاجاجهر تارلر
يا ابرا على يا سادتي
والمر قدوطلر الى ترى
محتملكم

	P	A

P

الى عبد الخير صالح هذا
الذي عن قليل يبيد
مدخل في القبر
ما هو نوال السلام لك لمستنيرين
اعلم ان الرب قد ارسلنا بهذا الرسالة
وبسط البيت نتائج البيت

والان فانسلموهم بيديك
ان تري اقتناها بيده
الذي الله ارتبط
والان ذلك تكون غير طالع
الاحمر الذي اجرت به
فان الذي امرك حوار الرب

ليبا تكون ربا للشعبه ٢٧٣. فانا امر
الاسقف فلا تمانع

A

ان عبد الخير صالح هذا
الذي عن قليل يبيس
مدخل في القبر
ما هو نوال لا من الرسالة
اعلم ان الرب قد ارسلنا لك بهذا
وبسط البيت نتائج البيت الارتكسية

والان فانسلموهم بيديك
رب الله تقسمه اسباور اقتيناك عفك بيعته
ان تري خزانة الباقية وتحفظ عفك بيعته
التي اقتناها بيده
الكنيسة عفها حاميه
والان ذلك تكون غير طالع
للاحمر الذي اؤمن به
رب الذي امرك بذلك هو الرب القدوس

ليبا تكون ربا للشعبه ١٣١٥. فانا امر
الاسقف ليست تمانع

S

B

ⲀⲚⲞⲔ ⲆⲈ ⲠⲒⲂⲰⲔ ⲚⲀⲦϢⲀⲨ ⲪⲀⲒ
ⲈⲦⲈ ⲘⲈⲚⲈⲚⲤⲀ ⲞⲨⲔⲞⲨϪⲒ ϤⲚⲀⲂⲰⲖ
ⲈⲂⲞⲖ ⲚⲦⲈϤⲦⲀⲔⲞ ϦⲈⲚ ⲠⲒⲘϨⲀⲨ
ⲚⲐⲰⲞⲨ ⲆⲈ ⲠⲈϪⲰⲞⲨ ⲚⲀⲨ ϪⲈ
ⲈⲦⲀⲠϬⲞⳞ ⲦⲀⲞⲨϢⲞⲨ ϢⲀⲢⲞⲔ
ⲈϮ ⲚⲀⲔ ⲚⲚⲒⲰⲨⲦ ⲚⲦⲈ ⲦⲈⲔⲔ-
ⲖⲎⲤⲒⲀ
ϮⲚⲞⲨ ⲆⲈ ϬⲒⲦⲞⲨ ⲚⲀⲔ ϦⲈⲚ ⲚⲈⲔ-
ϪⲒϪ ⲈⲦⲀⲠϬⲞⳞ ⲦⲈⲚϨⲞⲨⲦⲔ ⲈⲢⲰⲞⲨ
ⲈⲀⲘⲞⲚⲒ ⲚⲦⲈⲨⲈⲔⲔⲖⲎⲤⲒⲀ
ⲐⲀⲒ ⲈⲦⲀⲨϧⲠⲞⳞ ⲚⲀⲨ‖ϦⲈⲚ ⲠⲈⲨ- 362
ⲤⲚⲞϤ ⲘⲘⲒⲚ ⲘⲘⲞϤ
ϮⲚⲞⲨ ⲆⲈ ⲘⲠⲈⲢⲈⲢϬⲰⲦⲈⲘ
ⲚⲤⲀ ⲪⲎⲈⲐⲞⲨⲀϨⲤⲀϨⲚⲒ ⲚⲀⲔ
ϪⲈ ⲞⲨⲎⲒ ⲠϬⲞⳞ ⲠⲈ ⲈⲦⲞⲨⲰⲢⲠ ⲘⲘⲞⲔ
ⲈⲐⲢⲈⲔⲀⲘⲞⲚⲒ ⲘⲠⲈϤⲖⲀⲞⳞ
362. ⲘⲘⲞⲚ ⲠⲀⲒϨⲰⲂ Ϣ ⲆⲈ
ⲈⲠⲒⲤⲔⲞⲠⲞⳞ ϤⲦⲞⲘⲒ ⲀⲚ ϨⲞⲖⲰⳞ

P

لتجارب

27v

لا به تنزل إلى

بستان رجان برئ شبوات عن
الرب برحبا بمولاه ويفنر به
في القداس
ان كنت لا تخدم
الٮ ان كزوݛة شݞاسا
ان الاخرى غمرة
ٮٮ ٮٯ اسمه تاوردرو

واجعل الٮاسر تفل وقربنا
في القداس
ان كنت لا تخدم
الٮ ان كزوݛة شݞاسا
ان الاخرى غمرة
ٮٮ ٮٯ اسمه تاوردرو

فاجعل الٮاسر تفل وقربنا

فالا ذلك الشماس فاٮه قال
اذا لم ياذن في الرب ويطٮب
نفسي فاني لا افعل

A

لتجارب

الرب برحبا بمولاه ويفنر لا خلايا امن
الاميرية الٮٮسة عشر للقدس الٮطهر
ان ٮستاوى الرب برحا بمولاه
لا به ٮٮزل في خلايا امن

بستان الرجان الذي لرئ شبوات اجل
لا به تنزل في

اذا لم ياذن الرب يقول
نفسي فاني لا افعل
وٮطٮب

S

ⲉϥϫⲱ ⲙⲙⲟⲥ ϧⲉⲛ ⲡϫⲱⲙ
ⲙⲡⲓⲡⲁⲣⲁⲇⲉⲓⲥⲟⲥ ⲛⲧⲉ ϣⲓⲏⲧ ⲉⲑⲃⲉ
ⲟⲃⲟⲇⲝⲁ ϫⲉ ⲑⲉⲟⲇⲱⲝⲁⲥ
|ⲁⲛⲓⲥⲛⲏⲟⲩ ϭⲓⲧϥ ⲛⲝⲟⲛⲥ 363
ⲁϥⲉⲣⲭⲉⲓⲣⲟⲧⲟⲛⲉⲓⲛ ⲙⲙⲟⲩ ⲛⲇⲓⲁⲕⲱⲛ
ⲁⲛⲓⲥⲛⲏⲟⲩ †ⲍⲟ ⲉⲣⲟϥ ⲉϫⲝ ⲙⲙⲟⲥ
ϫⲉ ϫⲁⲥ ϫⲛⲁⲓⲣⲓ ⲙⲡⲓϣⲉⲙϣⲓ ⲁⲛ
ϩⲓϫⲉⲛ ⲡⲓⲙⲁ ⲛⲉⲣϣⲱⲟⲩϣⲓ
ⲕⲁⲛ ⲁⲙⲟⲛⲓ ⲙⲡⲓⲡⲟⲑⲏⲣⲓⲟⲛ ⲛⲉⲙ
ⲡⲓⲡⲣⲉⲥⲃⲓⲧⲉⲣⲟⲥ

ⲡⲉϫⲉ ⲡⲓⲇⲓⲁⲕⲱⲛ ⲛⲁⲟⲃ ϫⲉ
ⲁⲣⲉⲩⲧⲉⲙⲧⲟⲥ ⲉⲣⲡⲗⲁⲣⲟⲫⲟⲣⲉⲓⲛ
ⲙⲙⲟⲓ ⲙⲙⲟⲛ ⲩϫⲟⲙ ⲙⲙⲟⲓ ⲉⲓⲣⲓ

B

ⲉⲧⲁⲙⲉⲧⲉⲗⲁⲭⲓⲥⲧⲟⲥ

P	A	S	B

P:

ذلك من تلك نسبى وحدى
٢٨ ر ...
اخ من هذا الخ تادوروس
انه ليس يرجد فى وقته
فى اثم سيرتِه وحسن عادته
فاذا كان هذا العابد الذى هذا مقداره
ايّما من عدة السنة التى الرتبة السيرة
فمن هو احتر مزول البتة وبيسير
الى شان هذه الرتبة البيرة والرتبة العالية القابلة

A:

ذلك من تلك نسبى وحدى
١٣١٨ حنا ان ...
تربية شيهات حدثنا
من اجل هذا الشيس تادوروس
انه ليس يرجد فى وقته نسبه
فى اثم سيرته وحسن عادته
واذا كان هذا العابد الذى هذا مقداره
ايّهد من الشيخة فى هذه الرتبة السيرة
فمن هو الحشر المزول
بين العالم حتى تروّخ البتة
الى شان هذه الرتبة الجليلة العالية القابلة

S:

B:

ΜΠΑΪΑΩΒ ΕΒΟΛ ΖΙΤΟΤ ΜΜΑϢΑΤΤ
364...ϦΕΝ ΟϒΜΕΘΜΗΙ ΔΟΒϭΟΝ
ΝΤΕ ΨΙΗΤ ΕΡϨΟΜΟΛΟΓΕΙΝ ΝΗΙ
ΕΘΒΗΤϤ ΝΘΟϤ ΔΠΑ ΘΕΟΔΩΡΟϹ
ϪΕ ΜΠΕΡϢΩΠΙ ΕϤΤΕΝΘΩΝΤ
ΕΡΟϤ ϢΑ ΕΝΕϨ ϦΕΝ ΝΕϤϨΡΕΤΗ
ΙϹϪΕ ΟϨΝ ΑΠΟΛΙΤΕϒΤΗϹ ΜΠΑΪΡΗΤ
ϹΑϨΟϒ ϹΑΒΟΛ ΝΤΚΟϨϪΙ ΝΤΑϤϹ
ΙΕ ΝΙΜ ΠΕ ΠΑΙϨΗΚΙ ΕΤΕ
ΝϤϹΜΟΝΤ ΑΝ ϪΕ ΝϹΕΕΡ ΠΕϤΜΕϨΙ
ΕΟϒΤΑϨϹΙϹ ΝΤΑΙΜΑΙΗ
[ΠΙϹΓΓΡΑΦΕϒϹ ΓΑΡ ϤϹϦΑΙ ϦΕΝ
ΝϪΩΜ ΝΙΩΒ ϪΕ...ΠΕϪΕ ΝΗ
ΕΤϹΑϪΙ ΝΕΜΑϤ ϪΕ ΦΗ ΕΤΑΠΠϬ
ΘΑϤϤ ΝΑΚ ϤΝΑϤϢΠΙ ΜΜΟΚ ϦΕΝ
ΟϨϪΩΛΕΜ = 364-368]
ΝΑΙ ϪΕ ΕΤΑϤΧΟΤΟϒ ΝΑϤ ΑϤΕΡ-
ΑΝΑΧΩΡΕΙΝ ΝΙΩΟϨ ΕΒΟΛ ϨΑΡΟϤ

هذا ما خاطب به الرذيلة والرتبة

التمزول عنك

B

ⲀϢϢⲒⲚⲈ ⲆⲈ Ⲛ̄ⲤⲰϤ

ⲀⲨ2Ⲉ ⲈⲢⲞϤ 2Ⲛ̄ Ⲙ̄ⲠⲈⲢⲞⲤ Ⲛ̄ⲆⲎⲘⲈ ⲈϤ-
2ⲎⲦ

Ⲛ̄ⲦⲈⲢⲞⲨ2ⲈⲞⲠϤ̄ ⲆⲈ ⲀⲨϢⲰ ⲈⲂⲞⲖ
ⲈϤⲦⲀⲬⲞ Ⲙ̄ⲠⲨⲆⲀⲬⲈ Ⲙ̄ⲠⲚⲞϬ ⲒⲰⳞ
ⲠⲀⲢⲬⲎⲈⲠⲒⳞⲔⲞⲠⲞⳞ Ⲛ̄ⲔⲰⳞⲦⲀⲚ-
ⲦⲚⲞⲨⲠⲞⲖⲒⳞ ⲆⲈ Ⲱ̄ ⲠⲈⳞⳞⲂⲢⲀϨⲦ
ⲈⲦⲘⲈ Ⲙ̄ⲘⲞϤ Ⲛ̄ⳞⲈⲔⲰ ⲘⲘⲞϤ Ⲛ̄ϨⲎⲦϤ ⲀⲚ

S

Ⲛ̄ⲦⲈⲢⲈⲠⲚⲞⲨⲦⲈ ⲆⲈ ⲞⲚ ⲦⲀⲌⲘⲈϤ
ⲈⲦⲈⲒⲬⲈⲒⲢⲞⲆⲞⲚⲒⲀ Ⲛ̄ⲦⲘⲚ̄ⲦⲞⲨⲎⲎⲂ
ⲦⲀⲒ ⲈⲦⲈⲨⲘ̄ⲠϢⲀ ⲘⲘⲞⳞ ⲈⲂⲞⲖ ⲆⲈ
Ϥ̄ⲘⲈ Ⲙ̄ⲠⲈⳞⳞⲂⲢⲀϨⲦ ⲀϤϬⲰⲠϤ̄
Ⲛ̄ⲦⲈⲢⲈⲠⲈⲔⲖⲎⲢⲞⳞ ⲆⲈ Ⲙ̄ⲘⲀⲒⲚⲞⲨⲦⲈ
ⲨϢⲒⲚⲈ Ⲛ̄ⳞⲰϤ ⲈⲦⲢⲈⲨϤ̄Ⲙ̄ϬⲰⲞⲨ ⲈⲆⲘ̄
ⲠⲈϤⲢⲞⲚⲞⳞ Ⲛ̄ⲦⲀⲢⲬⲆⲈⲢⲞⳞ ⲨⲚⲎ
ⲦⲀⲒ ⲈⲦⲨ̄Ⲙ̄ⲠϢⲀ ⲘⲘⲞⳞ ⲚⲀⲘⲈ

A

ولما ثا الربسمجانه ان يعوف
اتيخيرودونيا العالية والرتبة الرسولية
ان يصب الرجة حا قوم واحى
ولما جدوا الآلهى اكحسين الله
فى عليد لياخذوة ويصيروة الستا
كرسى الاستنته والرياسة اللهوتية
حسب استحقاقه

وحدوة متحنى فى نوحى حبل شاله

١٣٢b
 وقال كلهم العطام برحا
بشربت مدبنة القسطنطبنية
هذا ما كان احنى فنبه ايها

الوحدة غرابهم يبعون ان الرلد ك

P

وقام آدر وهو متعجب مما رأى
فلم ينت الا اليسير من النهار

وااذا حتى كثرة رغبة قد اقبل
فى عليد لياخذوة ويصيروة استا
ويجلسوة على كرسى مدينة تنط

فلما عرن بعجفهم فار صرعا
لمعنى الذى نواحى شاشاله
لبتنى ساهر وان الاقبلته علمو خلبله
الى ذلك الحبل فوجدوة متحنى

فاسكرو6 فبعت اعلا صورت
تلاك

ما كان اجى فنبه ايها
الوحدة غرابهم يبعون ان الرلد ك

B	S	A	P

P:

غير انهم اخذوا واتوا به
الى مدينة قدس
وقال اردوا ان يقتلوه علي

كرسي الاسقفية

قال

لو لم احتج ان لا الزون طايبا
للذي حرى
ولو انكم اسمعتم28v

ولو انكم شريروا راسي من غير حسدي

A:

غير انهم اتوا الي القدس

بجلسوه 8 علي

كرسي الاسقفية

من غيران يكون صبر قليل
ولا صبى في قلب القرابة
لكن القرابة هي التي سمحت بقلبه
وقد شهدوا انا الذين قتموه
انه قال لنا هكذا
لو لم احتى ان لازون غير طايب
للذي امرت
لا كنت اسمع شكر في هذا الامر

ولو انكم شريروا راسي من غير حسدي

S:

λοιπον λδεινε μπποετοβααβ

λγθμcοογ εχμ

πποετογλλβ λγθμcοογ εχμ (sic)

πεθρονος ντεπιcκοπη

νταγπωτ δε αν νcα πταιο
αλλα νταπταιο πωτ νcωγ
εδανενταγ6οτγ 2ομολοΓει ναν
χε αγ2ομολοΓει ναν 2ν|τεγτατρο
χε νcαβηλ χε νneιρατcωτμ
νcα πεττννοογ μμοι επαι
ετετννψανψι νταaπε 2ι χωι
η ντετννοχτ εθαλλαcα
ντιναcωτμ αν νcα τηγτν
νταkω νcωι μπεccβρα2τ παι
ετερεπνογτε με μμογ η
μπετετνcωτμ ντωτν

B:

P

A

وقالت الرهبة لسائل القديس
انا قلته من هذا الامر
وتنزل له تزى من
حر الذى امر

فقال القديس انا قلته رابنا
القديس انا يستناءون

B

S

ⲉⲡⲉⲧⲥⲏϩ ϩⲛ ⲛⲉⲯⲁⲗⲙⲟⲥ ϫⲉ ⲥⲉϥⲩⲉ
ⲛ̄ⲧⲉⲧⲛⲉⲓⲙⲉ ϫⲉ ⲁⲛⲟⲕ ⲡⲉ ⲡⲛⲟⲩⲧⲉ
ⲁⲩⲙⲉⲕⲙⲟⲕⲟⲩ ϫⲉ ⲙ̄ⲛⲛⲉⲑⲉⲣⲏⲩ
ⲉⲩϫⲱ ⲙ̄ⲙⲟⲥ ϫⲉ ⲛⲓⲙ ⲁⲣⲁ
ⲡⲉⲧⲟϫⲉⲉϩⲥⲁϩⲛⲉ ⲛⲁϥ ⲙⲏ ⲟⲩⲣⲱⲙⲉ
ⲡⲉ

ⲁⲩϣⲟϫⲛⲉ ϫⲉ ⲙ̄ⲛⲛⲉⲭⲉⲣⲏⲩ ϫⲉ
ⲙⲁⲣⲛ̄ⲧⲁⲝⲉ ⲡϣⲁϫⲉ ⲉⲡⲡⲉⲧⲟⲩⲁⲁⲃ
ⲁⲡⲁ ⲕⲟⲗⲗⲟⲑⲟⲥ ⲟⲩⲛⲟϭⲛ̄ⲣⲱⲙⲉ
ϥⲛⲁϭⲉⲗⲡ̄ ⲡⲧⲩⲁϫⲉ ⲉⲣⲟϥ ⲁϩⲱ
ϥⲛⲁϩ2ⲡ ϥⲱⲃ ⲉⲣⲟϥ ⲁⲛ

[ⲗⲟⲓⲡⲟⲛ ⲁϥⲃⲱⲕ ϩⲁϩⲧⲙ̄ ⲡⲡⲉⲧⲟⲩⲁⲁⲃ ⲁⲡⲁ ⲕⲟⲗⲗⲟⲑⲟⲥ...ⲙ̄ⲙⲟⲛ
ⲟⲩϣⲡⲏⲣⲉ ⲡⲉ ⲡⲉⲓϩⲱⲃ = 40b – 41a]
ⲡⲡⲉⲧⲟⲩ|41bⲁⲁⲃ ϫⲉ ⲁⲡⲁ ⲕⲟⲗⲗⲟⲑⲟⲥ
ⲁϥϫⲛⲟⲩϥ ϫⲉ

ⲡⲉϫⲉ ⲛⲉⲕⲗⲏⲣⲓⲕⲟⲥ ⲙ̄ⲙⲁⲓⲛⲟⲩⲧⲉ
ϫⲉ ⲁⲧⲕ̄ⲙⲛ̄ⲧ̄ⲡⲉⲧⲟⲩⲁⲁⲃ ϫⲟⲟⲥ ϫⲉ

P

A

ⲛ̄ⲥⲁⲃⲏⲗ ⲇⲉ ⲛ̄ⲛⲉⲓⲡⲁⲧⲥⲱⲧⲙ̄ ⲛ̄ⲥⲁ
ⲡⲉⲧⲛ̄ⲛⲟⲟⲩ ⲙ̄ⲙⲟⲓ ⲉⲡⲉⲓ ⲡⲁⲟⲩⲱⲱ
ⲁⲛ ⲡⲉ ⲉⲁⲥ ⲉⲣⲁⲧ ⲉⲧⲉⲓⲧⲁϩⲓⲥ
ⲛ̄ⲧⲙⲉⲓⲛⲉ ⲁⲡⲁ ⲛⲓⲙ ⲡⲉ
ⲁⲩⲟⲩⲱⲩⲃ̄ ⲛ̄ϭⲓ ⲡⲡⲉⲧⲟⲩⲁⲁⲃ ⲁⲡⲁ
ⲡⲉⲥⲛ̄ⲑⲓⲟⲥ ⲇⲉ

ϩⲁⲑⲏ ⲉⲧⲣⲉⲡⲉⲕⲗⲏⲣⲟⲥ ⲉⲓ ⲉϩⲟⲩⲛ
ⲩⲁ ⲧⲁⲙⲛ̄ⲧⲉⲗⲁⲭⲉⲓⲥⲧⲟⲥ ⲁⲓ2ⲱⲣⲡ̄
ⲛ̄ⲟⲩⲕⲟⲩⲓ ⲁϩⲥⲙⲏ ⲩⲱⲡⲉ ϣⲁⲣⲟⲓ
ⲛ̄ⲩⲟⲙⲛ̄ⲧ ⲛ̄ⲥⲟⲡ ⲇⲉ ⲡⲉⲥⲛ̄ⲑⲓⲟⲥ
ⲡⲉⲥⲛ̄ⲑⲓⲟⲥ ⲡⲉⲥⲛ̄ⲑⲓⲟⲥ
ⲉⲓⲥ ⲧⲧⲁϫⲓⲥ ⲛ̄ⲧⲕⲕⲗⲏⲥⲓⲁ ⲁϩⲉⲓ
ⲛ̄ⲥⲱⲕ ⲙ̄ⲡⲣ̄ⲡⲁⲣⲁⲓⲧⲉⲓ ⲛ̄ⲧⲧⲁϫⲓⲥ
ⲛ̄ⲧⲁⲩⲧⲁⲛ2ⲟⲟⲧⲕ̄ ⲉⲣⲟⲥ ⲛ̄ⲧⲙ̄ⲡⲁϫⲱϩ
ⲛ̄ⲁⲡⲟⲥⲧⲟⲗⲟⲥ
ⲁⲗⲗⲁ ⲧⲱⲟϩⲛ̄ ⲛ̄ⲅⲟⲩⲁϩⲕ̄ ⲛ̄ⲥⲱⲟϩ
ⲙ̄ⲡⲣ̄ⲕⲱ ⲧⲕ̄ⲕⲗⲏⲥⲓⲁ ⲉⲥⲟ ⲛ̄ⲭⲏⲣⲁ
ⲛⲁⲓ ⲇⲉ ⲛ̄ⲧⲉⲣⲉⲓ|ⲥⲟⲧⲙⲟⲩ

S

B

وقال الـ

الرهبنة 133a
فبقيت الد موت يقول لد في الرؤيا
تلك تلة صرت بيستاوس
بيستاوس بيستاوس
هو اذا كلية البيعة ياتي
و طلبت ولا انت لا تستغن عن الرتبة
علوا يطرس راس
المركبة
لكن لا تتالهم في واتركهم
ولا تترك البيعة تكون ارملة 42a
فلما سمعت انا هذا منه

P   A   S   B

S / B

ⲀⲚⲈⲔⲔⲎⲢⲒⲔⲞⲤ ⲘⲞⲤⲦⲈ ⲈⲌⲞⲨⲚ ⲈⲢⲞⲒ
ⲀⲒⲈⲒ ⲈⲂⲞⲖ ⲆⲒⲞⲨⲂⲀⲌⲦ ⲚϹⲰⲞⲨ
ⲈⲀⲒⲔⲰ ⲘⲠⲀⲢⲞⲞⲨ ⲦⲎⲢϤ ⲌⲒ ⲦϹ
ⲈⲂⲞⲖ ϪⲈ ⲘⲚⲖⲀⲀⲂ ⲚϪⲰⲂ ⲚⲀ-
ϢⲰⲠⲈ ⲀϪⲘ ⲠⲚⲞⲨⲦⲈ
ⲀⲦⲈⲦⲚⲈⲒⲘⲈ ϬⲈ Ⲱ ⲚⲀⲘⲈⲢⲀⲦⲈ
ϪⲈ ⲌⲈⲚⲘⲈ ⲚⲈ ⲚⲈⲒϢⲀϪⲈ ⲚⲦⲈ
ⲠϹⲞⲫⲞⲤ ⲠⲀⲨⲖⲞⲤ ⲈⲦϢⲘⲘⲞⲤ ϪⲈ
ⲚⲈⲢⲈⲠⲞⲨⲀⲠⲞⲨⲀ ϪⲒ ⲚⲀⲨ ⲀⲚ
ⲘⲠⲦⲀⲒⲞ ⲀⲖⲖⲀ ⲈϤⲈⲒⲚⲈ ⲘⲘⲞϤ
ⲈⲂⲞⲖ ⲌⲒⲦⲘ ⲠⲚⲞⲨⲦⲈ
ⲔⲀⲦⲀ ⲐⲈ ⲚⲀⲀⲢⲰⲚ ⲦⲀⲒ ⲦⲈ ⲐⲈ
ⲘⲠⲈⲬϹ ⲚⲦⲀϤϮ ⲈⲞⲞⲨ ⲚⲀϤ ⲞⲨⲂⲀⲀϤ
ⲀⲚ ⲈⲦⲢϤϢⲰⲠⲈ ⲚⲀⲢⲬⲈⲒⲈⲢⲈϹ
ⲀⲖⲖⲀ ⲠⲈⲚⲦⲀϤϪⲀϪⲈ ⲚⲘⲘⲀϤ ⲠⲈ
ϪⲈ ⲀⲒϪⲠⲞⲔ ⲘⲠⲞⲞⲨ ⲀⲚⲞⲚ ϪⲈ
ⲚⲦⲞⲔ ⲠⲈ ⲠⲞⲨⲎⲎⲂ ϢⲀ ⲈⲚⲈⲌ
ⲔⲀⲦⲀ ⲦⲀϪⲒϹ ⲘⲘⲈⲖⲬⲒϹⲈⲆⲈⲔ

A

وإذا للخبيثة قد أوزالي وصون
فتحت وصرت محتفظم
والتقيت جميع احمالي الي رب يسوع
المسيح ولعلي انه لا يكون من
الخير الا بامر الله

وزعم ما قال القديس بولس لسان الجوهر
ان الانسان لا يستحق ان ينال
الكرامة من تلقا نسبة لكنها تاتي اليه
من عند الرب

P

لدى العلم يرضى يقول
ان الانسان لا ينال
كرامة من تلقا نسبة لكنها تاتي اليه
من قبل الرب

P

وقد اجلسوه على
الكرسي بالتمام والكمال

مدينة قفط

واعلم ان الله حبله ونعمة

A

وهكذا اجلسوه على
الكرسي بالتمام والكمال حسب استحقاقه

133 b

واعلم والسيد المسيح نعمة جزيلة
في وجهه

حتى لا يستطيع احد من الناس
ينظر الى

وجهه على بنان ورتد

S

ⲁⲩⲱ ⲛ̄ⲧⲉⲓϩⲉ ⲁⲩϩⲙⲟⲟⲥ ⲉϫⲙ̄
ⲡⲉⲑⲣⲟⲛⲟⲥ ⲛ̄ⲧⲉⲡⲓⲥⲕⲟⲡⲏ
ϩⲛ̄ ⲟⲩⲙⲛ̄ⲧⲧⲉⲗⲓⲟⲥ

ⲉⲁⲩⲧⲛ̄ⲛⲟⲟⲩⲧⲉ ϯ ⲛ̄ⲟⲩⲭⲁⲣⲓⲥ
ⲉⲡⲉⲩϩⲟ ⲛ̄ⲑⲉ ⲛ̄ⲓⲱⲥⲏⲫ

42 b

|ⲉⲙⲉⲣⲉⲗⲁⲁⲩ ⲛ̄ⲣⲱⲙⲉ ⲉⲩ-
ⲧⲟⲗⲙⲁ ⲉⲃϭⲱϣⲧ̄ ⲉ
ⲡⲉⲩϩⲟ ⲛ̄ϭⲉⲧⲙ̄ⲡ̄ⲣⲥⲟⲧⲉ

B

ϧⲉⲛ ϥⲟⲩⲁϩⲥⲁϩⲛⲓ ⲇⲉ ⲙⲫϯ
ⲙⲡⲁⲧⲉ ⲱⲥⲕ ϣⲱⲡⲓ ⲁⲩϫⲁⲙⲟⲛⲓ
ⲙⲫⲏ ⲉⲧⲉⲙⲡϣⲁ ⲛ̄ϯⲙⲉⲧⲟⲩⲏⲃ
ϧⲉⲛ ⲟⲩⲙⲉⲑⲙⲏⲓ ⲁⲩⲟⲗϥ ⲉⲣⲁⲕⲟⲧ
ⲉⲣⲁⲧϥ ⲙⲡⲓⲁⲣⲭⲓⲉⲡⲓⲥⲕⲟⲡⲟⲥ
ⲁⲃⲃⲁ ⲇⲁⲙⲓⲁⲛⲟⲥ ⲁⲩⲉⲣⲭⲉⲓ-
ⲣⲟⲧⲟⲛⲉⲓⲛ ⲙⲙⲟⲩ ⲛⲉⲡⲓⲥⲕⲟⲡⲟⲥ
ⲉϩⲣⲏⲓ ⲉϫⲉⲛ ⲡⲓⲑⲣⲟⲛⲟⲥ
ⲛ̄ϯⲡⲟⲗⲓⲥ ⲙⲙⲁⲓⲭⲥ ⲕⲉⲩϯ ⲟⲩⲟϩ
ⲁϥⲧⲏⲓϥ ⲛ̄ⲛⲉϥⲣⲱⲙⲓ ⲁⲩⲟⲗϥ

ⲁⲩϩⲉⲙⲥⲟⲩ ⲉϫⲉⲛ
ⲡⲓⲑⲣⲟⲛⲟⲥ ⲛ̄ⲧⲙⲉⲧⲉⲡⲓⲥⲕⲟⲡⲟⲥ

ⲁϥϯ ⲭⲱ ⲛⲟⲩϩⲙⲟⲧ ⲛ̄ϩⲙⲟⲧ
ϧⲉⲛ ⲡⲉϥϩⲟ

B	S	A	P
NIM ΓAP ΠE EΘNAϤCAϪI	EBOΛ ϨN ϮOTE MΠINOϨTE	من هبتك ونعمة الله	ومن هو الذي يحمي
369	ETϤϢOOΠ NMMAϤ	الصلاة في وجهه	المسكنات
NNIMETNAHT	NIM ΓAP ΠETNAϢϪI HHΠE		
	NMMNTNA	ومن ذا الذي يستطيع انيحمي كرلنا	
ETAΠIAΓIOC NTE ΦϮ ΔITOϤ	NTAϤAAΛ	انيحمي عدد لفقرا	الذي كان يعطيهم
NEM NIϨHKI	MN NϨHKE	المرضى والصدقات	للمساكين وزوي الناقة
OϨ MO|NON NA ΠEϤΘOϤ	OϨ MONON ϪE NA ΠEϤTOϤ	الذي كان يعطيها	وليس في كرستيه
MMAϨATOϤ AN	MMATE	مج المساكين وزوي الناقة	فقط
ΔΛΛΔ NEM OϨON NIBEN	ΔΛΛΔ NETNHϨ EΡATϤ	ليس في بلده فقط	
EΘNAϤERAITEIN MMOϤ OϨOϨ	ϢAϤϢOΠϤ EΡOϤ	بل انه يعمي باسباط لجميع المردين	بل كل المردين
EϤNHϨ ϨAPOϤ	NϤϮ NAϤ MΠETOϨNAAITEI	ويقطعهم عنك	اليه من أن البلاد يعطيهم اليه
	MMOϤ NTOOTϤ	اليه من ان البلاد ويعطيهم بصاحبون	ويجري لهم الصدقات
	TETNCOOϨN ϪE ON TKOϨI	اليه	اليه
	NEϨΛOΓIA	[وقد تعلم ايها مقدار البركة	[ولم يعطي احد مقدار البركة
	NTAϤϮAAϤ NAϤ ϨAΘH MΠϢOϨ	انه قد حاولوا قبل هذا الايام قبل الاه	الذي كنت تحمل اليه
	AϤΠAPXEICΘAI NϨHTC ET MNTNA	قد يعطي المسكنة حانية	

B	S	A	P
ⲟⲩⲟϩ ⲛⲏ ⲉⲧⲟⲩⲛⲁⲑⲟⲃⲟⲣⲡⲟⲩ ⲛⲁϥ	ⲕⲁⲧⲁ ⲡⲟⲗⲓⲥ ⲁϣⲱ ⲕⲁⲧⲁ ⲧⲙⲉ	وبعرض على سائر المدن والقرى على ذرى الناقة	كان يعرضها في سائر المدن والقرى التي
	ϣⲁ ϩⲣⲁⲓ ⲉⲥⲟⲩⲁⲛ	[حتى انتهى الى مدينة اسوان = 134a]	[الى حيث انتهى الى مدينة اسوان = 28v]
ⲛⲧⲁⲓⲟ	ⲛⲉⲧⲟⲩⲛⲁⲑⲛⲟⲩ ⲇⲉ ⲛⲁϥ ⲛ̄ⲧⲉⲣⲟⲙⲡⲉ	وكل ما ابق اليه من الديار	وكل ما ابق اليه
	ⲕⲁⲧⲁ ⲛ̄ⲕⲁⲛⲱⲛ ⲛ̄ⲛⲁⲡⲟⲥⲧⲟⲗⲟⲥ	في كل سنة	في كل سنة
ⲛⲉⲩⲁϥⲟⲩⲟⲃⲟⲣⲡⲟⲩ ⲛ̄ϫⲱⲡ	ⲩⲣⲁⲩⲧⲛ̄ⲛⲟⲟⲩⲥⲟⲩ ϩⲛ̄ ⲟⲩϣⲱⲡ	يحصل ما يأمر من رسوم النسخة	من شروط الرسامة
ϫⲉ ϩⲁⲛⲣⲱⲙⲓ	ϣⲁ ϩⲉⲛⲣⲱⲙⲓ ⲉⲃ̄ⲣⲟⲟⲧⲉ	وبرسل ذلك في خبية	فما كان يلبس شيء يرسله
ⲙⲙⲁⲓⲛⲟⲩϯ	ϩⲏⲧϥ ⲙ̄ⲡⲛⲟⲃⲧⲉ	الى الاساقفة خاتمين	به
ⲕⲁⲧⲁ ⲡⲟⲗⲓⲥ	ⲕⲁⲧⲁ ⲡⲟⲗⲓⲥ ⲁϣⲱ ⲕⲁⲧⲁ ⲧⲙⲉ	من الرب	
ϩⲓⲛⲁ ⲛⲥⲉⲑⲓⲧⲟⲩ ⲛⲁⲅⲁⲑⲏ ⲛⲛⲓ-	ⲛ̄ⲥⲉⲧⲁⲁⲩ ⲛ̄ϩⲏⲕⲉ	[حاجة السائلين = 133b - 134a]	[جميعه في حاجة السائلين = 28v]
ϩⲏⲕⲓ	43ⲁ 2ⲙ̄ ⲡⲕⲁⲓⲣⲟⲥ ⲛ̄ⲧⲉⲡⲣⲣⲱ ⲉⲧⲉ ⲩⲁⲣⲉⲛϩⲏⲕⲉ ϣⲱⲟⲧ ⲛ̄ⲟⲉⲕ	يعملو ذلك الضبط ايضا	والذكر في ازينة الضبط والطوائة
	ⲉⲙⲉⲩⲟⲃⲩ̄ ⲉⲗⲁⲁϩ ϩ̄ϩⲏⲕⲉ ⲕⲁⲧⲁ ⲑⲥ ⲉⲧⲉⲛ̄ϭⲟⲟ ⲅⲛ	حين يحضرون السائلين من البر ولايجري ... لا يزال منذ احد سفر الرسامين الى كاتبه مثل اعين ...	

Die Wunder 14 und 15:

Das 14. Wunder ist in 5 Hss. (B, A, P, C und K) überliefert, das 15. Wunder in 6 Hss. (B, S, A, P, C und K).

Die "zwei" Wunder 14 u. 15 des Textes A könnte man mit
der Überschrift versehen "Wie Pesyntheus zum Bischofsamt
kam und seine Ordination". Die in den Versionen B und P
fortlaufende Erzählung wird nur im Text A durch die Überschrift "das fünfzehnte Wunder ..." unterbrochen. Auf
kleine Abweichungen wird nicht eingegangen, weil diese
bei der Untersuchung anderer Wunder behandelt werden.

Der Text des 14. Wunders und der erste Teil des 15.
Wunders in A geht auf B zurück. Der zweite Teil des 15.
Wunders in A geht auf S zurück; denn in den meisten
Fällen der Parallelstellen handelt es sich um eine wortgetreue Übersetzung aus dem Koptischen ins Arabische.
Die Einzelheiten der Geschichten der Texte B und S zeigen
aber, daß sie so nicht in einem Urtext stehen konnten.
Das einzige gemeinsame Element in beiden Texten ist die
dreifache Namensnennung des Pesyntheus ... in einer Vision:
Der Text B erzählt von einer Vision ⲟⲡⲧⲁⲥⲓⲁ (ὀπτασία)
während des Gebets Pesyntheus'. Drei Engel erschienen ihm
in Gestalt von drei Mönchen und führten ein Gespräch mit
ihm. Beim Dialog werden Details erwähnt, die auf die
Scetis hinweisen: ⲡⲭⲱⲙ ⲙⲡⲓⲡⲁⲣⲁⲇⲉⲓⲥⲟⲥ ⲛⲧⲉ ⲯⲓⲏⲧ und
ⲟⲩⲟⲛ ⲛⲧⲉ ⲯⲓⲏⲧ sprach von ⲁⲡⲁ ⲑⲉⲟⲇⲱⲣⲟⲥ . Der Text S
erzählt von einer Vision während eines Schlummers Pesyntheus': ⲁⲓⲍⲱⲣⲡ ⲛ̄ⲟⲩⲕⲟⲩⲓ ⲁⲩⲥⲙⲏ ⲱⲱⲡⲉ ⲩⲁⲣⲟⲓ ... Die Flucht
Pesyntheus' nach Djeme und ein Gespräch zwischen ihm
und Apa Kolluthus und zwischen Kolluthus und dem Klerus
wird geschildert. Dieser Tatbestand zeigt, daß es sich bei
A um eine Kompilation der Texte B und S handelt.

A und P können nicht auf zwei verschiedene Übersetzungen
zurückgehen; denn sie stimmen größtenteils fast wörtlich
überein. Da an vielen Parallelstellen, an denen S und A

völlig miteinander übereinstimmen, der Paralleltext in P
fehlt, ergibt sich, daß P auf eine verkürzte Vorlage von
A nach der Kompilation einer langen Vorlage aus den
koptischen Texten zurückgeht. Einige Beispiele aus den
Angaben des kürzesten Textes K können zeigen, daß er von
einer Vorlage des Textes P bzw. des Textes A abhängig
ist:

K 134r: ··· وفيما صر بعض الليالي قايما يصلي واذا ملايكة نورانيين ظهروا له
بشكل الرهبان

P 26v: وذلك انه لما انتصب بعض الليالي في الصلاة نصف الليل واذا هو قد شاهد
منظر عجيب من الملايكة النورانيين واذا ثلاثة ملايكة قد حلوا عليه
في شكل الرهبان

K 134r: وقالوا له السلام لك يا بسنتيوس
P 27r: فقالوا له السلام لك يا سنتيوس

K 134r: لان الرب دعاك الي رعاية بيعته واغنامه الناطقة
A 130a: لان الله تقدست اسماؤه ائتمنك ان ترعى خرافه الناطقة

K 134r: لاتكن غير طايعا فان هذا الامر من الله
P 27r: والان فلا تكون غير طايع الامر الذي امرت به فان الذي امرك هو الرب

K 134v: وبعد ذلك صعدوا اوليك النورانيين الي السما
P 28r: وللوقت انصرفوا عنه

K 134v: واعطا الله هذا القديس نعمة وخوف لكن يراه يرعب من وجهه وطول مدة
حياته لم يقدر احد يتامل وجهه جيدا
A 133b: واعطاه السيد المسيح نعمة في وجهه حتى لا يستطيع احد من الناس
ينظر الى وجهه لئلا يخاف ويرتعد من هيبته ونعمة الله الحالة
في وجهه

Das 17. Wunder:

| B | S | A | P |

A

كان ايها في الزمان
الذي اتي الله علينا
بامة البرر
لاجل ذنوبنا وخطايانا

P

وكان في ذلك الوقت
قد بعمرم
البرر

B

|39?
aⳉϣⲱⲡⲉ ⲇⲉ ⲟⲛ ϧⲉⲛ ⲡⲓⲛⲟϭ
ⲉⲧⲁ ⲫϯ ⲓⲛⲓ ⲛⲓⲉⲑⲛⲟⲥ
ⲛⲧⲉ ⲛⲓⲧⲉⲣⲥⲏⲥ ⲉϫⲏⲙⲓ
ⲉⲑⲃⲉ ⲛⲉⲛⲛⲟⲃⲓ
ⲁⲡⲁⲓⲱⲧ ϯ ⲙⲡⲉⲑⲟⲩ ⲙⲡⲓⲉⲡⲓ-
ⲥⲕⲟⲡⲉⲓⲟⲛ ⲛⲭⲁⲓ ⲛⲓⲃⲉⲛ ⲉⲧⲉ
ⲛⲁⲏⲧϥ ⲁⲩⲑⲓⲧⲟⲩ ⲛⲛⲓϩⲏⲕⲓ
ⲟⲩⲟϩ ⲁⲛⲓ ⲉⲃⲟⲗ ⲁⲛⲙⲟⲩⲏⲓ
ⲡⲉϫⲁϥ ⲛⲏⲓ ⲇⲉ ⲓⲱⲁⲛⲛⲏⲥ
ⲡⲁϣⲏⲣⲓ ⲙⲡⲉⲣⲉⲣ ⲙⲕⲁϩ ⲛϩⲏⲧ
ϫⲉ ⲁⲛⲭⲱ ⲛⲥⲱⲛ ⲙⲡⲉⲛⲙⲁ
ⲛϣⲱⲡⲓ ⲡⲭ̅ⲥ̅ ⲡⲉⲛⲛⲟⲩϯ
ⲛⲁⲭⲁⲛ ⲛⲥⲱϥ ⲁⲛ ⲁⲗⲗⲁ
ⳉⲛⲁϥⲓ ⲡⲉⲛⲣⲱⲟⲩϣ ⲟⲩⲟϩ ⳉⲛⲁ-
ⲧⲁϭⲟ ⲉⲡⲉⲛⲙⲁ ⲛϣⲱⲡⲓ ⲟⲛ
ⲟⲩⲟϩ ⲛⲭⲁⲓ ⲛⲓⲃⲉⲛ ⲉⲧⲁⲛⲧϩⲓⲧⲟⲩ
ⲛⲁⲅⲁⲑⲏ ⲛⲛⲓϩⲏⲕⲓ ⲡⲭ̅ⲥ̅ ϯ

S

aⳉϣⲱⲡⲉ ⲇⲉ ⲙⲡⲉⲟⲩⲟⲉⲓϣ
ⲛⲧⲁⲡⲛⲟⲃⲧⲉ ⲉⲓⲛⲉ ⲙⲡϩⲉⲑⲛⲟⲥ
ⲛⲙⲡⲣⲥⲟⲥ ⲉϫⲱⲛ
ⲉⲧⲃⲉ ⲛⲉⲛⲛⲟⲃⲉ

vgl. W. 53 (80a-b)

B	S	A	P

B

ⲚⲀⲐⲎⲒⲦⲞϩ ⲚⲀⲚ ⲈⲐⲔⲎⲂ
ⲈⲦⲀⲚϥϩⲞϩ ⲆⲈ ⲈⲠⲦⲰⲞⲨ
ⲚϬⲎⲘⲒ ⲀⲚϢⲰⲢϥ ⲚϩⲎⲦϥ ⲠⲀⲒϢⲦ
ⲆⲈ ⲚⲀϥϮϩⲞ ⲈϥϮ ⲠⲈ ⲘⲠⲒⲈϩⲞⲞⲨ
ⲚⲈⲘ ⲠⲒⲈϪⲰⲢϩ ⲈⲐⲢⲈϥⲚⲀϩⲈⲘ
ⲚⲈⲘ ⲠⲒⲖⲀⲆⲞⲤ ⲈⲂⲞⲖ ϧⲈⲚ
ⲦⲀⲒⲬⲘⲀⲖⲰⲤⲒⲀ ⲘⲠⲒⲈⲐⲚⲞⲤ
ⲚⲀⲐⲚⲀⲒ ⲈⲦⲈⲘⲘⲀϩ

ⲚⲈⲐⲀⲒ ⲦⲈ ⲦⲞⲨⲀⲢⲬⲎ ⲈⲦⲀⲂⲒ
ⲈⲬⲎⲘⲒ ⲞⲨⲞϩ ⲚⲈⲘⲠⲀⲦⲞⲨϬⲒ
ⲠⲈ ⲚⲦ̄ⲠⲞⲖⲒⲤ ⲔⲈⲨⲦ

S

ⲀϥⲠⲀ ⲠⲈⳞⲒⲚⲐⲒⲞⲤ ⲂⲰⲔ ⲈⲠⲦⲞⲟⲨ
ⲚⲦϪⲎⲘⲈ ⲀϥϩⲞⲦϥ ϩ̄Ⲙ ⲠⲘⲀ
ⲈⲦⲘⲘⲀϩ ⲈⲦⲂⲈ ⲘⲠⳲⲢⲤⲞⲤ
ⲚⲈⲘⲠⲀⲦⲞⲨϪⲒ ⲦⲠⲞⲖⲒⲤ ⲄⲀⲢ
Ⲕ̄Ⲃ̄ ⲘⲠⲈⲞⲐⲈⲒⲨ ⲈⲦⲘ̄ⲘⲀϩ
ⲀⲖⲖⲀ ⲚⲈⲦⲂⲀⲢⲬⲎ ⲄⲀⲢⲦⲈ
ⲚⲈⲒⲘⲞⲞⲨⲈ ⲆⲈ Ⲛ̄ⲘⲘⲀⲨ
ⲀⲚⲞⲔ Ⲓ̄ⲰⲤ
ⲘⲠⲈⲞⲐⲈⲒⲨ ⲈⲦⲘ̄ⲘⲀϩ
ⲈⲒⲞ ⲚⲀⲨ Ⲛ̄ⲞⲨϩⲘ̄ⲠⲈⲢⲈⲦⲎⲤ

A

وكان ابا القديس ابا بيسنتاوس
قد اختفى في جبل شلله
من اجل القديس
وكان لم يكمل
فقط في ذلك الزمان

لما ابا الحضر برحا

قلت له يازبا ومشارا
في جبل انتيه

P

على جبل شلله

وكان ابا القديس ابا بيسنتاوس قد اتعب
ابا الحضر برحا

لاين كنت لازمه في الزمان الروقات
بحر ابي حنة تكون له من

B	**S**	**A**	**P**

B

ⲀⲚⲞⲚ ⲆⲈ ⲀⲚⲐⲰⲞⲨⲦ ⲈϪⲞϪⲚ
ⲚⲞϬⲘⲎⲨ ⲚⲀⲀⲔⲔⲞⲚ ⲈⲚⲘⲀϨⲞϬ
ⲘⲘⲰⲞⲨ
ⲀⲚⲞⲖⲞϬ ⲚⲈⲘⲀⲚ |ⲈⲠⲒⲦⲰⲞⲨ

ϪⲈ ⲚⲚⲀϪⲈⲘⲞϬ ⲈⲢⲞⲚ
ⲘⲠⲈⲚⲐⲞⲨ ⲚⲦⲈⲚⲀⲚⲀⲦⲔⲎ

S

ⲀⲨⲒ ⲆⲈ
|ⲚϨⲈⲚⲞⲨⲢⲄⲀⲚⲞⲚ
ⲘⲘⲞⲞⲨ
ⲀⲒⲔⲀⲀϤ ϨⲘ ⲠⲘⲀ ⲈⲦⲚϨⲎⲦϤ
ⲈⲚϨⲎⲦ

ϪⲈ ⲚⲚⲀϨⲈ ⲈⲢⲞⲞⲨ ⲈⲦⲚⲬⲢⲒⲀ
ⲚⲚⲈϨⲞⲞϬ ⲦⲎⲢⲟϬ ⲚⲚⲀⲀϬ ⲚϨⲎⲦ

ⲦϨⲦⲎⲦⲚ ⲆⲈ ⲈⲠϢⲀϪⲈ ⲔⲀⲖⲰⲤ
ⲚⲦⲈⲦⲚⲢ̄ⲨⲠⲎⲢⲈ ⲀϨⲰ ⲚⲦⲈⲦⲚ-
Ⲧ ϬⲞⲟϬ ⲘⲠⲚⲞⲨⲦⲈ ⲠⲈⲦⲈⲒⲢⲈ
ⲚⲚⲈⲒⲚⲞϬ ⲚϢⲠⲎⲢⲈ ϨⲒⲦⲚ
ⲚⲈϤⲠⲈⲦⲞⲨⲀⲀⲂ
ⲚϬⲈ ⲚⲦⲀⲠⲚⲞⲨⲦⲈ ⲀⲀⲤ
ⲚⲚϢⲎⲢⲈ ⲘⲠⲒⲎⲖ ⲘⲠⲈⲞⲨⲞⲈⲒϢ
ϨⲒⲦⲘ ⲘⲰⲨⲤⲎⲤ
ⲈⲀϤϪⲞⲞⲤ ⲚⲀϤ ϪⲈ ϤⲒ
ⲘⲠⲈⲔϬⲈⲢⲰⲂ ⲈϨⲢⲀⲒ

A

مليا ددار
وطلد
اوربنا
يا
وزّنا حيث طاقنا فيه
محتبين
لئلا نجدها لحاجتنا
حين استارنا

قاطرو الازن وانمتر لنا اقول
وتعبير ومحذور
الله صالح
العجائب والرائدة
قدّيسيه
لا قد صنع
بني اسرائيل في سلت من الزبان
بن موسى رئيس الزبان
اذ قال له يا خ
عمادك الذي يبرك

P

مليا اندرا
تلبل
يا
ما

واندرنا في جبل شلاه بتنار البرّ

B | S | A | P

B

ⲈⲦⲀⲚⲱⲤⲔ ⲆⲈ ϨⲈⲚ ⲠⲒⲘⲀ
ⲈⲦⲈⲘⲙⲀⲩ
ⲀⲚⲒⲙⲱⲟⲩ ⲔⲎⲚ ⲚⲦⲟⲦⲈⲚ

ⲠⲈϪⲎⲒ ⲘⲠⲀⲒⲱⲧ ϫⲈ
ⲀⲚⲒⲔⲟⲃϫⲒ ⲘⲘⲁⲃⲟⲃ ⲔⲎⲚ ⲈⲦⲟⲦⲈⲚ
ⲠⲈϪⲈ ⲠⲀⲒⲱⲧ ⲚⲎⲒ ϫⲈ
Ϥ̄ⲧ ⲚⲀⲭⲀⲚ ⲚⲤⲱϤ ⲀⲚ
ⲠⲀⲩϢⲎⲣⲒ
ⲀⲗⲗⲀ ϤⲚⲀϤ ⲣⲱⲟⲩϢ ϨⲀⲣⲟⲚ

S

ⲚϤ̄ⲣⲱϢⲦ Ⲛ̄ⲦⲠⲈⲦⲣⲀ ⲚⲈⲤⲦⲀϨⲈ
ⲘⲟⲟϨ ⲈⲂⲟⲗ Ⲛ̄ⲦⲉⲡⲗⲀⲟⲤ Ⲥⲱ
ⲦⲀⲒ ⲟⲚ ⲦⲈ ⲐⲈ Ⲙ̄ⲠⲈⲒⲘⲀ
Ⲛ̄ⲦⲉⲣⲉϤⲂⲰⲔ ⲆⲈ Ⲉ ⲟⲚ

ⲈⲦⲩⲘⲀ ⲚϨⲱⲦ ⲀⲚⲟⲔ Ϩⲱ
ⲚⲈⲒⲘⲟⲟⲩⲉ ⲚⲘ̄ⲘⲀⲩ ⲠⲈ ⲀⲚϬⲱ
ⲆⲈ ϨⲘ̄ ⲠⲘⲀ ⲈⲦⲚ̄ϨⲎⲦ Ⲛ̄ϢⲎⲦϤ̄
ⲀⲚϤ̄ ⲟⲩⲘ̄ⲎⲎⲩⲉ Ⲛ̄ϨⲟⲟϨ ϨⲘ̄ⲠⲘⲀ
ⲈⲦⲘ̄ⲙⲁⲩ

ⲀϢⲱ ⲀⲦⲔⲟⲃⲓ Ⲙ̄ⲙⲟⲟⲩ ⲱ̄ⲀⲚ ⲚⲈ
ⲟⲟⲧⲛ̄ |147a| ⲦⲎⲣ̄ϥ̄ ⲠⲀⲒ ⲈⲦⲩⲟ̄ϫⲠ̄ ⲚⲀⲚ
ⲀⲒⲭⲟⲟⲤ ⲆⲈ Ⲙ̄ⲠⲀⲈⲒⲱⲦ ϫⲈ
ⲘⲚ̄ ⲔⲈⲘⲟⲟϨ Ϣⲟⲟⲡ ⲚⲀⲚ
ⲀⲩⲟⲩⲱϢⲂ Ⲛ̄ϬⲒ ⲠⲀⲈⲒⲱⲦ ϫⲈ
ⲠⲚⲟⲨⲦⲈ ⲚⲀⲔⲀⲀⲚ ⲀⲚ Ⲛ̄Ⲥⲱⲩ
ⲱ̄ ⲠⲀⲩϢⲎⲣⲈ
ⲀⲗⲗⲀ ϤⲚⲀϤ ⲣⲱⲟⲩϢ ϨⲀⲣⲟⲚ

A

١٣٧a
واعرب بها المصرى ة تتفقن
الماء ة ليشرب منها الشوب
كذا ايضا كون اهنا
انى الى اى القديس
ة زنك الرمان

شغف الماء الذى كون عندنا
حتى لم يبق عندك منه شى
قلنا له يا ابنا
فاجاب ان وقال لى
ليس بنساللاف الله ولا يعطا منه
يا ابى
لكنى ارجو من الله ان يرزقنا

P

فاننا اله
شى عندا منه شى

شغف الماء الذى ...
ول بش عندا منه

فاجاب القديس وقال فى
يا ابى ليس بنساللاف الله زاد
يعطا عنه
لكن نرجو من الله ...رزقنا

	P	A
	ما تحتاج اليه	جميع ما تحتاج اليه
	لانه قد قال لا تهتمول	لانه قال لا تهتمول
	للغد فانه	للغد فانه 17b
	يهتم بنفسه	يهتم بنفسه
	وتقى ما يوم شرى	وتقى ما يوم شرى
	لست القديس في البرية	وعندما كان ايليا النبي الذي
	كانت العربان تاتون اليه بالخبز	التسبيتى ايضا في البرية
	فى اول النهار	كانت العربان تاتون اليه بالخبز
		فى اول النهار
		ثم يتمضى اليه العصرونت السا
		ولما انتصح ايضا
		تحت الشجرة
		المعروفة بر شان رحمه
		استيقظ فوجد

B	S
ⲁϥϫⲟⲥ ⲅⲁⲣ ϫⲉ ⲙⲡⲉⲣϥⲓ ⲣⲱⲟⲩϣ	ⲛ̄ⲧⲛ̄ⲭⲣⲓⲁ ⲧⲏⲣⲥ̄
ⲇⲉ ⲣⲁⲥⲧ ⲣⲁⲥⲧ ⲅⲁⲣ	ⲁϥϫⲟⲟⲥ ⲅⲁⲣ ϫⲉ ⲙ̄ⲡⲣ̄ϥⲓ ⲣⲟⲟⲩϣ̄
ⲉϥⲉϥⲓ ⲣⲱⲟⲩϣ ϩⲁⲣⲟⲩ ⲙⲙⲁϩⲁⲧϥ	ⲉⲡⲉϥⲣⲁⲥⲧⲉ ⲣⲁⲥⲧⲉ ⲅⲁⲣ
	ⲛⲁϥⲓ ⲣⲟⲟⲩϣ ϩⲁⲣⲟϥ
ⲙⲏ ⲛⲑⲟⲕ ⲙⲡⲉⲕⲥⲱⲧⲉⲙ ⲇⲉⲛ	
ϯⲅⲣⲁⲫⲏ ⲉⲧⲟⲩⲁⲃ ϫⲉ	
ⲙⲡⲓⲥⲛⲟϥ ⲉⲛⲁⲣⲉⲩⲗⲓⲁⲥ	ⲁϫⲱ ⲟⲛ ⲙ̄ⲡⲧⲛⲁϩ ⲉⲧⲉⲣⲉϩⲏⲗⲓⲁⲥ
ⲡⲓϩⲉⲃⲃⲧⲏⲥ ⲭⲏ ⲇⲉⲛ ⲡⲩⲁϭⲉ	ⲡⲉⲑⲉⲥⲃⲏⲧⲏⲥ ϩⲓ ⲧⲉⲣⲏⲙⲟⲥ
ⲛⲁⲣⲉ ⲛⲓⲁⲃⲱⲕ ϥⲉⲙϣⲓ ⲙⲙⲟϥ	ⲉⲣⲉⲛⲁⲃⲱⲕⲉ ⲉⲛ ⲟⲉⲓⲕ ⲛⲁϥ
	ⲙ̄ⲡⲧⲛⲁϩ ⲛ̄ϣⲱⲣⲡ̄ ⲙ̄ⲙⲏⲏⲛⲉ
	ⲁⲩⲱ ⲟⲛ ⲙ̄ⲡⲧⲛⲁϩ ⲛ̄ⲣⲟⲩϩⲉ
ϩⲓⲧⲉⲛ ⲡⲟϧⲁϧⲥⲁϩⲛⲓ ⲛⲧⲉ ⲫϯ	
ⲉⲧⲁⲫⲟϧϩⲓ ⲇⲉ ⲩϣⲱⲡⲓ	ⲛ̄ⲧⲉⲣⲉϥⲛ̄ⲕⲟⲧⲕ̄ ⲇⲉ ⲟⲛ
ⲁϥⲛⲕⲟⲧ	ϩⲁ ⲡϣⲏⲛ
ⲥⲁϧⲣⲏⲓ ⲛⲟⲩϣⲩϩⲛ	ⲉⲧⲟⲩⲙⲟⲩⲧⲉ ⲉⲣⲟϥ ϫⲉ ϩⲣⲁⲑⲙⲉⲛ
ⲁϥⲧⲱⲟⲩⲛ ⲁϥϣⲓⲙⲓ	ⲁϥⲧⲱⲟⲩⲛ ⲁϥϩⲉ ⲉⲣⲟⲥ

P   A   S   B

P

والذي رزق
ايليا في ذلك الريان

A

جزا ظهر حلوب موضع عند راسه
ماء وزربزرك صغير   137b
فقال له الملاك
قم كل
واشرب الماء
فقام ايليس واكل الخبز
وشرب الماء
ومضى

نترة ذلك الطعام
اربعين يوما
واربعين ليلة
من غير ان ياكل خبز
ولا يشرب ماء
فالذي رزق
ايليس الذي الطعام
الرحلين

S

ⲉⲟⲩⲛ ⲟⲩϭⲟⲉⲓⲕ ϩⲁϫⲱϥ
ⲙⲛ ⲟⲩⲛ̄ⲕⲁ ⲙ̄ⲙⲟⲟⲩ
ⲡⲉϫⲉ ⲡⲁⲅⲅⲉⲗⲟⲥ ⲛⲁϥ ϫⲉ
ⲧⲱⲟⲩⲛ ⲛ̄ⲅⲟⲩⲉⲙ ⲟ̄ⲉⲓⲕ
ⲛ̄ⲅⲥⲉ ⲙⲟⲟⲩ
ⲁϩⲏⲗⲓⲁⲥ ⲇⲉ ⲟⲩⲱⲙ ⲛ̄ⲧⲟⲟⲉⲓⲕ
ⲁϥⲥⲱ ⲙ̄ⲡⲙⲟⲟⲩ
ⲁϥⲙⲟⲟϣⲉ
ϩ̄ⲛ ⲧⲉϩⲓⲏ ⲉⲧⲙ̄ⲙⲁⲩ

    47b
ⲛ̄ⲙⲉ | ⲛ̄ϩⲟⲟⲩ
ⲛ̄ⲥⲙⲉ ⲙⲛ
ⲙ̄ⲡⲉϥⲟϣⲙ ⲛ̄ⲟⲟⲉⲓⲕ
ⲟⲩⲇⲉ ⲙ̄ⲡⲉϥⲥⲱ ⲛ̄ⲟⲟⲙⲟⲟⲩ
ⲡⲉⲛⲧⲁϥⲭⲱⲣⲏⲅⲉⲓ ⲟ̄ⲛ
ⲛ̄ϩⲏⲗⲓⲁⲥ ⲛ̄ⲟ̄ⲧⲟⲣϥⲏ
ⲙ̄ⲡⲛ̄ⲓⲕⲟⲛ

B

ⲛⲟⲩϭⲱⲓⲕ ⲛⲉⲙ ⲟⲩⲙⲱⲕⲓ
ⲙⲙⲱⲟⲩ ⲉϥⲭⲏ ϫⲁⲗϫⲟⲩⲩ
ⲡⲉϫⲉ ⲡⲓⲁⲅⲅⲉⲗⲟⲥ ⲛⲁϥ ϫⲉ
ⲧⲱⲛⲕ ⲟⲩⲱⲙ
ⲟⲩⲟϩ ⲥⲱ
ⲁϩⲏⲗⲓⲁⲥ ⲧⲱⲛϥ ⲁϥⲟⲩⲱⲙ
ⲟⲩⲟϩ ⲁϥⲥⲱ ⲙⲡⲓⲙⲱⲟⲩ
ⲁⲩⲧⲱⲛϥ ⲁϥⲙⲟϣⲓ
ϩⲓ ⲡⲓⲙⲱⲓⲧ ⲉⲧⲉⲙⲙⲁⲩ
ϧⲉⲛ ⲧϫⲟⲙ ⲛⲧϧⲣⲉ ⲉⲧⲁϥⲟⲩⲟⲙⲥ
ⲛ̄ϩⲙⲉ ⲛⲉϩⲟⲟⲩ ⲙⲙⲟⲩⲓ

| 399
ⲫⲏ ⲉⲧⲁϥⲉⲣⲥϭⲛϫⲱⲣⲉⲓⲛ ⲁϥϥⲁⲓ-
ⲛⲩ ⲛϩⲗⲓⲁⲥ ϧⲉⲛ ⲧϥⲣⲉ
ⲉⲧⲉⲙⲙⲁⲩ
ⲛⲙ̄ ⲛⲉϩⲟⲟⲩ

P

صر ثارت تزرتنا
ان اطلع الله
علي بانتا وضمانا
وبرد قلوبنا مستشهد
في محبته
فإن بعض يا
رب ذا الذى نقول
الى هملك الى الرب
وصر يعوق
وربنا يسوح المسيح نقول
في الاد نمزل القدس
ان ابوكم السادق عالم بما
نحتاجرك من قبل ان نسالوك

A

لشان انه انيه
بكل قلبك
واذلك نص ايضا
اذا ما اطلع الله
علي بنتا وضميرا
وارى قلوبنا مستشمه
في محبته
با قال
اني د۱رد
القا اجتباك الى الرب
فهو يعولك وبرزتك
وربنا يسوح المسيح له الحد يشزل
في انجله للقدس
ان ابوكم السادق عالم بما
نحتاجون اليه من قبل ان نسالوه

S

ⲉⲧⲃⲉ ϫⲉ ⲁϥⲟⲣϫ̄ⲛϫ̄ϭⲱⲙ
2ⲙ ⲡ̄ϩⲏⲧ ⲧⲏⲣϥ̄
ⲉϥ2ⲁⲛⲛⲁ2

ⲉⲧⲛ̄ⲡⲣⲟ2ⲁⲓⲣⲉⲥⲓⲥ
ⲙⲛ̄ ⲡⲛ̄2ⲏⲧ ⲉϥϭⲟϭⲧⲱⲛ
ⲉ2ⲟⲩⲛ ⲉⲣⲟϥ
ϥⲛⲁϥⲓ ⲡⲉⲛⲣⲟⲟⲩϣ
ⲁϥϫⲟⲟⲥ ⲅⲁⲣ 2ⲓⲧⲙ̄ ⲡⲉϣⲁⲗ-
ⲙⲱⲇⲟⲥ ⲉⲧⲟⲩⲁⲁⲃ ϫⲉ
ⲛⲉϫ ⲡⲉⲕⲣⲟⲟⲩϣ ⲉⲡϫⲟⲉⲓⲥ
ⲁⲩⲱ ϥⲛⲁⲥⲁⲛⲟⲩϣⲕ̄

ⲡⲛⲟⲩⲧⲉ ⲅⲁⲣ ⲥⲟⲟⲩⲛ ⲙ̄ⲡⲉⲧⲛ̄ⲣ̄-
ⲭⲣⲓⲁ ⲛⲁϥ ⲙ̄ⲡⲁⲧⲉⲧⲛ̄ⲁⲓⲧⲉⲓ
ⲙ̄ⲙⲟϥ ⲕⲁⲧⲁ ⲑⲉ ⲛ̄ⲧⲁϥϫⲟⲟⲥ
2ⲙ ⲡⲉⲩⲁⲅⲅⲉⲗⲓⲟⲛ ⲉⲧⲟⲩⲁⲁⲃ

B

ⲛⲑⲟϥ ⲟⲛ ⲉⲧⲛⲁϥⲓ ⲣⲱⲟⲩϣ ϩⲁⲣⲟⲛ
ⲁⲩϣⲁⲛⲛⲁϩ ⲛ̄ϫⲉ ⲫ̄ϯ
ⲉⲧⲉⲛ2ⲏⲧⲟⲙⲟⲛⲏ
ⲛⲉⲙ ⲧⲉⲛⲡⲣⲟ2ⲁⲓⲣⲉⲥⲓⲥ
ⲉϫⲟ2ⲛ ⲉⲣⲟϥ
ϥⲛⲁϥⲓ ⲡⲉⲛⲣⲱⲟⲩϣ

B	S	A	P
ⲚⲀⲒ ⲆⲈ ⲈⲦⲀⲨϪⲞⲦⲞⲨ ⲚⲎⲒ	ⲚⲀⲒ ⲆⲈ ⲚⲦⲈⲢⲓϪⲞⲞⲨⲞⲨ ⲚⲀⲒ	ولما قال لى ابى هذا	ولما قال لى هذا الكلام
ⲚϪⲈ ⲠⲀⲒⲰⲦ ⲈϤⲞⲨⲀⲂ	ⲚϬⲒ ⲠⲀⲈⲒⲰⲦ		
ⲀϤⲨⲈ ⲚⲀϤ ⲈⲠⲈϤⲘⲀ	ⲀⲨⲘⲞⲞⲨⲈ ⲈⲂⲞⲖ ϨⲒⲦⲞⲞⲦ	انصرف من عندى	انصرف من عندى
ⲀⲚⲞⲔ ⲀⲨϪⲀⲦ ⲘⲘⲀⲨⲀⲦ	ⲀⲚⲞⲔ ⲆⲈ ⲀⲒⲚⲞϪⲦ ⲈϪⲘ̄ ⲠⲔⲀϨ	ولما انا فاطرحت على الارض	انا فانطرحت على الارض
ⲈⲒⲢⲞϪⲠ ϨⲒϪⲈⲚ ⲠⲒⲔⲀϨ	ⲀⲒⲤⲰⲔ ⲘⲠⲀϨⲞ ⲈⲦⲔⲎⲂ ⲈϪⲘ̄	واجتذبت الرجل البارد على	واجتذبت الرجل البارد على
	ⲠⲀϨⲎⲦ ⲈⲒⲚⲎϪ ⲈⲂⲞⲖ ⲈⲒⲚ̄ⲔⲞⲦⲔ̄	ﻗﻠﺒﻰ وانا ﻣﻠﻘﻰ ﻋﻠﻰ الارض 138ᵃ	ﻗﻠﺒﻰ
	ⲈⲒⲢⲞⲔϨ ⲈⲘⲀⲦⲈ ϨⲀ ⲠⲔⲀϨϬⲞⲚ 48ᵃ	محترق بالعطش جدا	وانا محترق من شدة
ϨⲒⲦⲈⲚ ⲠⲒⲒⲂⲒ	ⲘⲚ̄ ⲠⲈⲒⲂⲈ ⲘⲘⲞⲞϨ	ومن حرارة الحر وشدته	العطش

Das 17. Wunder ist in 6 Hss. (B, S, A, P, C und K) überliefert. Zunächst seien einige falsche Übersetzungen
von Budge und O'Leary richtiggestellt.

S 47a: " ... ⲁ̅ϥϩⲉ ⲉⲣⲟⲥ ⲉⲟⲩⲛ̅ ⲟⲩⲟⲉⲓⲕ ϩⲁⲭⲱϥ " heißt nicht
" ... he found there upon it (d.h. den Baum) a loaf of
bread", sondern "er fand, daß es ein Brot zu seinen
Häupten gab": ⲉⲣⲟⲥ ist pleonastisch nach ϩⲉ [58]. Die
Anmerkung O'Learys dazu (Seite 380, Apparat: 10-10)
beruht nur auf der Übersetzung Budges.

S 47b: " ... ⲉϥϣⲁⲛⲛⲁⲩ ⲉⲧⲛ̅ⲡⲣⲟⲍⲁⲓⲣⲉⲥⲓⲥ " heißt nicht
" ... if we observe His dispensatins", sondern " ...
wenn er unser Vorhaben sieht ..."
O'Leary übersetzte die entsprechende Stelle (137b):
" ... ‏ازا ما اطلع الله على نيتنا وضميرنا‏ ..." mit " ... when God
visits our weakness and concealment ...", was zu übersetzen ist mit: " ..., wenn Gott unsere Intention und
unser Inneres anschaut/ untersucht ..."
Die Parallelstelle des Textes B (399): " ⲁϥϣⲁⲛⲛⲁⲩ
ⲛ̅ⲭⲉ ⲫ̅ϯ ⲉⲧⲉⲛϩⲩⲡⲟⲙⲟⲛⲏ ⲛⲉⲙ ⲧⲉⲛⲡⲣⲟⲍⲁⲓⲣⲉⲥⲓⲥ ⲉϫⲟⲩⲛ ⲉⲣⲟϥ ···"
übersetzte Amélineau mit "Si Dieu voit que nous sommes
patients et que nous avons placé notre choix en lui,
...", was zu verbessern ist in: "Wenn Gott sieht, daß
unsere Standhaftigkeit und unser Vorhaben in ihm sind,..."

Der Vergleich der Versionen miteinander hat zu folgenden
Ergebnissen geführt.

1) Es gibt Angaben, die nur von B geboten werden:

Eine Aussage des Johannes (B 397) " ⲁⲡⲁⲓⲱⲧ ϯ ⲙⲡ̅ϣⲱϣ
ⲙⲡⲓⲉⲡⲓⲥⲕⲟⲡⲉⲓⲟⲛ ... ⲡⲭ̅ⲥ̅ ⲫ̅ϯ ⲛⲁⲑⲏⲧⲟⲩ ⲛⲁⲛ ⲉⲩⲕⲏⲃ ". Diese, in S
und A des 17. Wunders fehlende Aussage Johannes' befindet
sich in einer ausführlichen Rahmenerzählung im 53. Wunder
von S und A. Im Text B des 53. Wunders fehlt eine

Parallele, S 80a-b: "ϯⲟⲙⲟⲗⲟⲅⲉⲓ ⲛⲏⲧⲛ̄ ⲙ̄ⲡⲙ̄ⲧⲟ ⲉⲃⲟⲗ ⲙ̄ⲡϭⲥ̄·
ϫⲉ ... ⲡϫ̄ⲥ̄ ⲛⲁⲧⲁⲁⲩ ⲛⲁⲛ ⲧⲏⲣⲟⲩ ⲉⲩⲕⲏⲃ" = A 208b-209a:

"واٮا اعترف كلر قدام الرب ... يعوضنااللهعنه اضعاف"

Das 17. Wunder des Textes B steht zwischen dem 31. und
32. Wunder. Beide sollen - wie das 17. Wunder - in der
Perserzeit in Ägypten geschehen sein. Es folgt aber in
den Texten S und A dem 16. Wunder. Die Reihenfolge der
Wunder 16 - 53 ist in den beiden Texten S und B dieselbe,
ausgenommen dieses 17. Wunder. Dabei muß bedacht werden,
daß die Wunder 21 und 25 nur im Text S und die Wunder
32, 35, 48 nur im Text B vorkommen. Das zeigt, daß die
Stellung des 17. Wunders im Text B der des verlorenen
Urtextes nähergestanden haben muß. Daß die oben genannten
Aussage des Johannes im Text S erst im 53. Wunder steht,
weist auf eine Neigung zur Umstellung der Angaben im
Text S hin. Das Vorkommen des 17. Wunders nach dem 16.
Wunder im Text kann darauf zurückgeführt werden, daß
das 16. Wunder von einem Brief Pesyntheus' handelt, in
dem er die Leute vor den Persern, "den Barbaren", wegen
ihrer Sünden gewarnt hat. Nach dem Text S wird die Vor-
aussage Pesyntheus' über die persische Eroberung Ägyptens
in W. 16 unmittelbar im folgenden W. 17 bestätigt. Diese
Reihenfolge der Wunder wird im Text A übernommen, ebenso
die Umstellung dieser Aussage des Johannes.

B 397: ⲉⲧⲁⲛϥⲟⲩ ⲇⲉ ⲉⲡⲧⲱⲟⲩ ⲛⲉⲏⲙⲓ ... ⲙⲡⲓⲉⲑⲛⲟⲥ ⲛⲁⲑⲛⲁⲓ
ⲉⲧⲉⲙⲙⲁⲩ

B 398: ⲙⲏ ⲛⲑⲟⲕ ⲙⲡⲉⲕⲥⲱⲧⲉⲙ ⲇⲉⲛ ϯⲅⲣⲁϥⲏ ⲉⲑⲟⲩⲁⲃ ϫⲉ ; ⳿ⲍⲓⲧⲉⲛ
ⲡⲟⲩⲁⲍⲥⲁⲍⲛⲓ ⲛⲧⲉ ⲫ̄ϯ̄

2) Text, der in S und A und nicht in B steht:

S 46a: ⲉⲓⲟ ⲛⲁⲩ ⲛ̄ⲍⲩⲡⲉⲣⲉⲧⲏⲥ [59] = A 136b: قلت له ملازما

S 46b = A 136b-137a (vgl. 4 Mose 20, 7 - 11);
S 47b = A 137b (Ps. 55, 22a; Matth. 6,8 b):

Zwei Stellen, die auf Bibelstellen zurückgehen. Eine von
ihnen wird mit einer Anrede an die Zuhörer eingeführt.

S 47a ... ⲉⲧⲟⲩⲙⲟⲩⲧⲉ ⲉⲣⲟϥ ϫⲉ ⳿ⲅⲣⲁⲑⲙⲉⲛ = A 137a ... المعروفة بهرثمان

S 47b ⲙⲛ̄ ⳿ⲥⲙⲉ ⳿ⲛⲟⲩⳅⲏ = A 137b واربعين ليلة

S 47b ⲉⲧⲃⲉ ϫⲉ ⲁⲩⲟⲩⲁϩϥ̄ ⳿ⲛⲥⲱⲩ ⳅⲛ̄ ⲡⲉϥⳅⲏⲧ = A 137b لشان انه تبعه بكل قلبه
ⲧⲏⲣϥ̄

S 47b ... ⲙⲛ̄ ⲡ̄ⳅⲏⲧ ⲉⲩⲥⲟⲩⲧⲱⲛ ... = A 137b ... قلوبنا مستقيمة ...

S 47b ⲁⲓⲥⲱⲕ ⳿ⲙⲡ̄ⲩⲟ ⲉⲧⲕⲏⳃ ⲉⳝⲙ̄ ⲡⲁⳅⲏⲧ = A 137b واجتذبت الرمل البارد
على فؤادى

3) Nur im Text A (137a) steht: هكذا ايضا كان هناك كاهنا اٮ
الى اى القديس فى ذلك الزمان Von diesem Priester, dessen Erwähnung nicht in den Zusammenhang paßt, ist im weiteren
Verlauf nicht mehr die Rede. Außerdem taucht danach
فرغ القليل الما الذى كان عندنا ohne Einführung auf - im Gegensatz zu den Parallelstellen der Texte S und B, was darauf
hindeuten kann, daß dabei etwas fehlt bzw. nicht richtig
abgeschrieben wurde.

Auch in den nicht auf der Aufstellung stehenden Angaben
dieses Wunders (S 48a-49b = B 399-401 = A 138a-139b)
fehlt Text nur in B, wie die folgenden Beispiele aufzeigen:

S 48a ⲛⲉⲓⲫⲱⲥⲧⲏⲣ ⳿ⲛⲧⲡⲉ = A 138a كواكب السما
B 399 nur ⲛⲓⲫⲱⲥⲧⲏⲣ

S 48a ⳿ⲛⲑⲉ ⳿ⲛⲟⲩⲁ ⲉⲁϥⲥⲱⲗ ϩⲛ̄ = A 138a كمثل الثمل من الخمر
ⲟⲩⲙⲁ ⳿ⲛⲥⲱ

S 48a ... ⲁⲩⲱ ⲙⲛ̄ ⲗⲁⲁⲩ ⳿ⲙⲙⲟⲟⲩ = A 138a وليس فيها شئ من الماء
ϩⲛ̄ ⲡⲉⲛⲙⲁ ⳿ⲛϣⲱⲡⲉ ولا عندنا شئ فى منزلنا بالجملة

S 48b ⳿ⲛⲧⲉⲣⲉⲕⲃⲱⲕ ⲉϩⲟⳅⲛ ⲉⲡϫⲁⲓⲥ = A 138b انك لما دخلت الى داخل البرية

S 48b ⲙⲛ̄ ⲡϥⲛ̄ⲧ ⳿ⲛⲁⲧⲛ̄ⲕⲟⲧⲕ̄ = A 138b والدود الذى لا ينام

S 48b ... ⲉⲧⲥⲱⲕ ⲍⲓⲑⲏ ⲙ̄ⲡⲉⲕⲣⲓⲥⲧⲏⲥ = A 138b ... ‏الذى يجرى قدام ديان‏

ⲙ̄ⲙⲉ ‏الحق‏

S 49a ⲁⲛⲟⲕ ⲇⲉ ⲡⲉⲓⲧⲁⲗⲁⲓⲡⲱⲣⲟⲥ = A 139a ‏اما انا يوحنا الشقى‏

ⲓⲱ̄ⲥ ... ⲉⲁⲓⲟⲡⲧ̄ ⲙⲁⲩⲁⲁⲧ ‏... اعدت نفسى حقيرا‏

ⲛ̄ⲉⲃⲓⲏⲛ ‏يا ناس‏

S 49b ⲟⲩⲇⲉ ⲛ̄ⲥⲉⲥⲱⲟⲩⲍ ⲁⲛ = A 139a ‏ولا يخزنون فى الاهراء‏

ⲉⲍⲟⲩⲛ ⲉⲁⲡⲟⲑⲏⲕⲏ

Der Text B wird mit einem Satz beendet, der sich in den
Texten S und A befindet:

B 401: ⲫⲏ ⲟⲩⲛ ⲉⲑⲛⲁⲟⲩⲁⲍ ... ⲉⲧⲁⲩⲛⲁⲩⲉ ⲛⲁⲩ ⲉⲣⲟⲩ

S 49b: ⲡⲉⲧⲛⲁⲕⲱ ... ⲉⲧⲩ̄ⲛⲁⲃⲱⲕ ⲉⲣⲟⲩ

A 139b: ‏وكل من يلقى ... حيث ما توجه‏

Im Gegensatz zu B gehen die Texte S und A weiter.
S fängt mit einer Anrede an die Zuhörer an. Er ist
gleichzeitig eine sehr lange Lobrede auf Pesyntheus
(S 49b-57a). Parallelen eines relativ kleinen Teiles
dieser Lobrede befinden sich in diesem 17. Wunder des
Textes A (139b-140b). Dies entspricht dem Anfang und
dem Ende dieser Lobrede des Textes S, deren Ende als
"Einführung" des Anfanges des nachfolgenden Wunders
des Textes S (W. 20) - nach dem Erzähler - bezeichnet
werden kann. Parallelstellen eines nicht unwesentlichen
Teiles dieser Lobrede an Pesyntheus lassen sich im Text
A verfolgen, u. zw. unter dem 52. Wunder (202b-205a),
das nur im Text A vorkommt.

Parallelstellen zum 17. Wunder des Textes A

S	A
49b-50b	139b-140a

ⲁⲧⲉⲧⲛ̄ⲉⲓⲙⲉ ϭⲉ ⲱ̄ ⲛⲁⲙⲉⲣⲁⲧⲉ ϫⲉ...
ⲉϥⲉⲓⲣⲙ̄ⲡⲙⲉⲉⲩⲉ ⲙ̄ⲡⲉⲧⲥⲏϩ ϩⲛ̄
ⲓⲉⲣⲉⲙⲓⲁⲥ ⲡⲉⲡⲣⲟⲫⲏⲧⲏⲥ ϫⲉ...
ⲛ̄ϩⲃ̄ⲥⲱ ⲛ̄ⲛⲉⲧⲕⲏⲕ ⲁϩⲏⲩ ⲁⲩⲱ
ⲛ̄ⲉⲛⲇⲩⲙⲁ ⲛ̄ⲛⲉⲧⲕⲏⲕ ⲁϩⲏⲩ

كما هو مكتوب فى
ارميا النبى اذ يقول ...
ولباسا للذين ليس لهم لباس

56; 56b-57a	140a-140b

ⲱ̄ ⲛⲁⲓⲁⲧⲕ̄ ⲛ̄ⲑⲏ ⲛ̄ⲧⲁⲥϭⲓ ϩⲁⲣⲟⲕ...

ϣⲁⲛⲧⲁⲟⲩⲱⲛϩ̄ ⲉⲃⲟⲗ ⲛ̄ⲧⲕⲙⲛ̄ⲧϫⲱⲱⲣⲉ;
ⲛⲉⲕⲙⲛ̄ⲧϫⲱⲱⲣⲉ ⲇⲉ ⲛ̄ϩⲩⲡⲏⲣⲉ... ⲧⲉ ⲧⲁⲓ
ⲉⲧⲛ̄ⲁⲧⲁⲩⲟⲟⲥ ⲧⲉⲛⲟⲩ

فطوبى للذين التى حملته ...

سوف تظهرها الى
مسامعكم يا محبين المسيح
ومحبين التعليم

Teile der Lobrede des Textes S befinden sich im Text A
nicht im 17., sondern im 52. Wunder. Die Reihenfolge
der Angaben ist wie im Text S. Nur in wenigen Fällen
haben die Parallelstellen von A nicht dieselbe Reihenfolge.

S	A
50b	203a

ⲁϥⲃⲱⲕ ⲉϩⲟⲩⲛ ⲉⲡⲡⲁⲣⲁⲇⲓⲥⲟⲥ...
ⲡϣⲏⲛ ⲛ̄ⲧⲁⲑⲁⲛⲁⲥⲓⲁ

لانك حللت فردوس النعيم ...
شجرة الحياة

50b-51a	203a-203b

ⲁⲕϣⲱⲡⲉ ⲛ̄ⲉⲩϣⲩⲏⲥ ϩⲛ̄ ⲧⲥⲟⲫⲓⲁ
ⲙ̄ⲡⲛⲟⲩⲧⲉ... ⲁⲩⲣ̄ϣⲡⲏⲣⲉ
ⲛ̄ⲧⲉⲕⲥⲟⲫⲓⲁ ⲛ̄ϭⲓ ⲛ̄ⲥⲟⲫⲓⲥⲧⲏⲥ
ⲧⲏⲣⲟⲩ ⲙ̄ⲡⲕⲁϩ

وصرت فارس فى حكمة
المسيح الله ... حتى تعجب
من حكمتك جميع سكان
الارض واشرافها

51a	203b

ⲁⲕϣⲱⲡⲉ ⲛ̄ⲇⲓⲕⲁⲓⲟⲥ ϩⲛ̄
ⲛⲉⲛϩⲟⲟⲩ ⲁⲩⲱ ⲛ̄ⲥⲕⲟⲡⲟⲥ
ϩⲛ̄ ⲧⲛ̄ⲅⲉⲛⲉⲁ

حقا لقد انك البار الذى اوجده
الله فى جيلنا والرقيب الذى
شرف به عصرنا وزماننا

51a-b

ⲁⲛⲁⲣⲭⲱⲛ ⲣ̅ⲙⲁⲓ ⲍⲏⲕⲉ
ⲍⲛ̅ ⲛⲉⲕⲍⲟⲟⲩ

203b

وصارت رؤسا محبين للمساكين
فى ايامك الزاهرة الغاصفة

52a

ⲛ̅ⲑⲉ ⲙ̅ⲡⲡⲉⲧⲟⲩⲁⲁⲃ ⲁⲡⲁ ⲡⲁⲍⲱⲙⲱ

203b

كلل ابينا انبا بخور

52a

ⲁⲡⲛⲟⲩⲧⲉ ⲉⲓⲛⲉ ⲉⲃⲟⲗ ⲛ̅ⲧⲉⲕⲇⲓⲕⲁⲓⲟⲥⲩⲛⲏ
ⲛ̅ⲑⲉ ⲙ̅ⲡⲟⲩⲟⲉⲓⲛ … ⲁⲕⲅⲁⲣⲉⲍ ⲉⲧⲛ̅ⲧⲟⲗⲏ
ⲙ̅ⲡⲛⲟⲩⲧⲉ

203b

واخرج الله برك
مثل النور … وحفظت وصايا
الله وعملت مرضاته

52b

ⲁⲩⲱ ⲛⲉⲕⲯⲏⲗ ⲍⲓⲭⲙ̅ ⲡⲕⲟⲥⲙⲟⲥ
ⲧⲏⲣϥ̅ … ⲉⲭⲛ̅ ⲛⲉⲧⲟ ⲛ̅ⲇⲓⲁⲙⲱⲛⲓⲟⲛ

203b

ورجرت عنده دالة
عظيمة … الشياطين الردية

53a

ⲁⲕⲭⲓⲥⲉ ⲛ̅ⲑⲉ ⲛ̅ⲟⲩⲃⲛ̅ⲛⲉ ⲍⲛ̅
ⲧⲇⲓⲕⲁⲓⲟⲥⲩⲛⲏ ⲙ̅ⲡⲛⲟⲩⲧⲉ … ⲛ̅ⲑⲉ
ⲙ̅ⲙⲱⲩⲥⲏⲥ

203b-204a

وتعاليت فى
بر الله … كلل
موسى رأس الانبيا

53b

ⲁⲕⲣⲉⲧ ⲧⲛ̅ⲍ ⲛ̅ⲑⲉ ⲛ̅ⲟⲩⲁⲓⲧⲟⲥ …

204a

يا من نبتت له اجنحة روحانية كالنسور …

53b

ⲁⲡⲛⲟⲩⲧⲉ ⲟⲩⲱⲛ ⲛ̅ⲛ̅ⲃⲁⲗ
ⲛ̅ⲧⲉⲕⲯⲩⲭⲏ

204a

وانار الله عينى
نفسك

54a

ⲁⲛⲧⲟⲩⲉⲓⲏ ⲍⲗⲟϭ ⲍⲛ̅ ⲛⲉⲕⲍⲟⲟⲩ

204b

ولطابت الاودية فى ايامك

54a

ⲛⲉⲕⲕⲱⲧ ⲅⲁⲣ ⲛ̅ⲛⲉⲕϣⲏⲣⲉ … ⲛ̅ⲁⲓⲱⲛⲓⲟⲛ

204b

لانك بنيت بنيك الى الابد

54a

ⲁⲕϣⲱⲡⲉ ⲛ̅ⲣϥ̅ϣⲡ̅ⲍⲓⲥⲉ ⲍⲛ̅
ⲧⲇⲓⲁⲕⲱⲛⲓⲁ ⲛ̅ⲛ̅ⲍⲏⲕⲉ

204b

بحسن اجتهادك فى
خدمة المساكين

54b

ⲁⲩⲱ ⲁⲕⲗⲏⲣⲟⲛⲟⲙⲉⲓ ⲙ̅ⲡⲉⲥⲙⲟⲩ
ⲍⲓⲧⲙ̅ ⲡⲛⲟⲩⲧⲉ

204b-205a

ولهذا وجدت البركة التامة
من الله تعالى

54b

ⲁⲕⲭⲉⲕ ⲡⲱⲧ ⲉⲃⲟⲗ … ⲍⲛ̅
ⲑⲓⲉⲗⲏ̅ⲙ ⲛ̅ⲧⲡⲉ

205a

واكملت السعى … فى
اورشليم

55a-55b   202b-203a

ⲉⲓⲛⲁⲧⲛ̄ⲧⲱⲛⲅ̄ ⲅ̄ⲉ ⲉⲛⲓⲙ ⲱ̄
ⲡⲣⲱⲙⲉ ⲙ̄ⲙⲁⲕⲁⲣⲓⲟⲥ ... ⲛ̄ⲧⲁⲩⲍⲁⲣⲉⲍ
ⲉⲧⲛ̄ⲧⲟⲗⲏ ⲙ̄ⲡⲉⲭⲉⲓⲱⲧ

ولئن اشبهك ايها
المغبوط ... الذين حفظوا
وصية ابيهم

Das Vorkommen vieler Parallelstellen der Lobrede des
17. Wunders des Textes S im 52. Wunder weist auf die
Neigung zur Vermehrung der Wunder im Text A hin, zumal
dieses 52. Wunder nur im Text A vorkommt und stark an
das 7. Wunder erinnert, das, ebenso wie dieses 17. Wunder,
vom Wasser handelt.

Die synoptische Aufstellung zeigt, daß alle diese Texte
auf einen einzigen Urtext zurückgehen. Der Text B muß
ihm nähergestanden haben. Der Text S hat sich entwickelt.
Der Text A geht auf einen Text wie S zurück. Die Texte
A und P können nicht auf zwei verschiedene Übersetzungen
aus dem Koptischen zurückgehen; denn der Text P ist ein
Auszug aus einer Vorlge des Textes A.

Das 23. Wunder:

B	S	A	P
389 ... ⲁϥϣⲱⲡⲓ ⲇⲉ ⲟⲛ ⲛ̄ⲟⲩⲉϩⲟⲟⲩ	ⲁⲥϣⲱⲡⲉ ⲇⲉ ⲟⲛ ⲛ̄ⲟⲩⲉϩⲟⲟⲩ	كان ذات يوم	وأتت دفعة
ⲁϥϭⲓⲛⲓ ⲛ̄ϫⲉ ⲡⲉⲛⲓⲱⲧ ⲉⲑⲟⲩⲁⲃ	ⲉϥⲡⲁⲣⲁⲅⲉ ϩⲛ̄ ⲟⲩⲧⲙⲉ ⲛ̄ϭⲓ	وابو القديس الابسطامون	انه خرج ليتفقد
ⲁⲃⲃⲁ ⲡⲓⲥⲉⲛⲧⲓⲟⲥ ⲉⲭⲉⲛ ⲛⲓⲉⲕⲕ-	ⲡⲉⲛⲡⲉⲧⲟⲩⲁⲁⲃ ⲛ̄ⲉⲓⲱⲧ ⲁⲡⲁ	وهو محتار في القرى	الرسمي
ⲗⲏⲥⲓⲁ	ⲡⲉⲥⲓⲛⲑⲓⲟⲥ ⲡⲉⲡⲓⲥⲕⲟⲡⲟⲥ		على العادة
ⲁϥϭⲓⲛⲓ ⲛ̄ϫⲉ ⲡⲉⲛⲓⲱⲧ ⲉⲑⲟⲩⲁⲃ	ⲉϥⲙⲟϣϥⲧ	ليتفقد	
ⲁⲃⲃⲁ ⲡⲓⲥⲉⲛⲧⲓⲟⲥ ⲉⲭⲉⲛ ⲛⲓⲉⲕⲕ-	ⲛ̄ⲛⲉϥⲉⲕⲕⲗⲏⲥⲓⲁ	يفتش	
ⲗⲏⲥⲓⲁ			
ϧⲉⲛ ⲡϫⲓⲛⲑⲣⲉϥϣⲉⲛϩ ⲇⲉ ⲉϥⲕⲱⲧ	ⲛ̄ⲧⲉⲣϥϭⲱϣⲧ ⲇⲉ ⲉϥⲙⲟϣϥⲧ	ولا بنشر	وبينا هو ماش
ⲉⲭⲉⲛ ⲛⲓⲉⲕⲕⲗⲏⲥⲓⲁ	ⲙ̄ⲙⲟⲟⲩ	حبجهم	اذ عبر على سانية
ⲁϥⲧⲁⲥⲑⲟ ⲉⲡⲓⲉⲡⲓⲥⲕⲟⲡⲉⲓⲟⲛ	ⲉϥⲛⲁⲕⲟⲧϥ ⲇⲉ ⲉϩⲟⲩⲛ ⲉⲑⲉⲛⲉⲉⲧⲉ	يح ال الدير	
	ⲁϥⲡⲁⲣⲁⲅⲉ ϩⲓ ⲧⲉϩⲓⲏ	وبينا هو سائر في المرن	
	ⲙ̄ⲡⲧⲣⲱⲧ ⲉⲃⲟⲗ ⲙ̄ⲡϩⲟⲓ		
ⲁϥⲓⲛⲓ	ⲁϥⲣⲱⲙⲉ ⲛ̄ⲟⲑⲟⲃⲓ ⲉⲓⲛⲉ	واما احد الفلاحين قد احضر	وإذا احد الفلاحين قد احضر
ⲛⲁϥ ⲛⲟⲩⲉϩⲉ ⲛⲧⲁϥ	ϣⲁⲣⲟϥ ⲛⲟⲩⲉϩⲉ ⲉⲧⲱϥ ⲧⲉ	اليه بقرة كانت له	اليه بقرة
ⲉⲥⲛⲁⲙⲓϭⲓ			
ϫⲉ ⲛ̄ⲧⲉϥⲥⲙⲟⲩ ⲉⲣⲟⲥ	ϫⲉ ⲉϥⲛⲁⲥϥⲣⲁⲅⲓⲍⲉ ⲙ̄ⲙⲟⲥ	لكي يرسمها بعلامة الصليب	لكي يبارك له عليها
ⲟⲩⲟϩ ⲛ̄ⲧⲉϥⲉⲣⲥϥⲣⲁⲅⲓⲍⲉⲓⲛ ⲙ̄ⲙⲟⲥ			

B	S	A	P
ⲀⲚⲀϨ ⲞⲨⲚ ⲈⲦϪⲞⲘ ⲘⲪ̄Ϯ	ⲀⲚⲀϨ ⲈⲦϬⲞⲘ ⲘⲠⲚⲞⲨⲦⲈ	١فاظهر الدين في الله تستجيرى	فرتسهو الدب
ⲀⲦϬⲞⲢⲀⲄⲒⲤ ⲈⲦⲀ ⲪⲎ ⲈⲀⲞϬⲀ B ⲩⲞⲗϨⲤ	ⲀⲦⲈϬⲢⲀⲄⲒⲤ ⲚⲦⲀⲠⲠⲈⲦⲞⲨⲀⲀB ⲩⲟⲗϨ	وذلك المليب الذى	التدبس
ⲘⲠⲈⲨⲦⲎⲂ ϦⲈⲚ ⲠⲤⲰⲘⲀ ⲚⲦⲈϨⲈ	ⲈⲦⲈϨⲈ ⲆⲠⲨⲦⲎⲎⲂⲈ	رسمه على بقن النقى من خل؟	علي خا مريح بالمليب
			وكانت بلاد النقى فى بلاد الروت حامل
ⲀⲤⲨⲈ ⲚⲀⲤ ⲤⲀϨⲞⲨⲚ ⲚⲦⲈϨⲈ	ϪⲰⲤⲦⲈ ⲈϨⲞⲨⲚ ⲈϨⲎⲦϹ	بلغ الى داخل جسد ولها	
ⲞϨⲞϨ ϦⲈⲚ ⲠϪⲒⲚⲐⲢⲈⲤⲘⲒⲤⲒ	ⲚⲦⲈⲢⲈⲤⲘⲒⲤⲈ ⲆⲈ	وذلك الها لا رلت	فلا رلت
ⲀϪϪⲒⲘⲒ ⲚⲦϬⲢⲀⲄⲒⲤ	ⲀⲨϪⲈ ⲈⲦⲈϬⲢⲀⲄⲒⲤ	فرجدرو المليب	وجد ا۱ المليب
	ⲚⲦⲀⲠⲠⲈⲦⲞⲨⲀⲀB ⲩⲩⲗϨ̄ ⲘⲘⲞⲤ	الذى قد رسمه التدبس	الذى رسمه الدب
	Ⲁⲩⲱ ⲀⲨϬⲢⲀⲄⲒⲌⲈ ⲘⲘⲞⲤ ⲈⲒBⲟⲗ	علىؤه من خل؟	علىؤ من خارؤ
ⲈⲥⲨⲟⲗϨ ⲈⲐⲚⲈⲀⲒ	ⲈϬⲞ ⲘⲘⲀⲈⲒⲚ ⲚⲎ ϨⲎⲦϤ	قد صار علامه فاصرؤ فى	قد صار علامة فاصرؤ فى
ⲘⲠⲒⲔⲞⲨϪⲒ ⲘⲘⲀⲤ	ⲘⲠⲒⲔⲞⲨϪⲒ ⲚⲔⲦⲎⲢ	ذلك	الحجر المصغر الذى ولدت
ⲘⲞⲢⲪⲎ ⲚⲞϨϬⲞⲢⲦ ⲚⲞϨBⲩ	ⲘⲠⲈⲤⲘⲞⲦ ⲚⲞϨϬⲞⲢⲦ ⲚⲞϨBⲩ	الحجر المصغر الذى ولدت	وجد ا۱ المليب
	66ⲁ	ايضا وكان صورت	ايضا كا وصرت
	ⲀϨⲨ ⲚϬⲈ ⲚⲞϨ|ⲬⲈⲓⲰⲚ	كل انسان يمد	في بطنه
ⲢⲰⲘⲒ ⲄⲀⲢ ⲚⲒBⲈⲚ ⲈⲢⲈ	ⲢⲰⲘⲈ ⲄⲀⲢ ⲚⲒⲘ ⲈⲦⲈⲢⲈⲠⲰⲘⲈ	الحجر المصغر الذى	ا۱ وجد من سار الرجاع
ⲪⲎ ⲈⲐⲞⲨⲀB	ⲘⲠⲈⲦⲞⲨⲀⲀB	يكن في بطنه	الختلف التدبس
	ⲚⲀⲤⲞⲟϪⲦⲚ ⲈBⲟⲗ ⲚⲦⲈϤϬⲒϪ		يد ؟ عليه
			او وجد من سار الرجاع الختلف التدبس

P

قرنشه

يرى لرقتا وبال الفثا

من مرقبا والرجاعه

A

وبريسما [يبال الفثا ‏149ب]

من عـ الرمض والاستر والرجال الخاتلا

صطر الرن ا جميع المستشهيت

وقلوبهم الى الله

وقديسك ابنا بيشانرون

وسلارو التربه

والمسح

تليا يسال

هلاك الحق يسوح المسيح

كا ذال سجحانه اتر ا احاى

ان منهم كلا ارحيلكم بـ

تليا يصيح منا رحمة

فى برر الريرنة

ارن الرقح فى يدى

الله هو حرف وريدة

طلبات جعنا القديس تشفيلا

جميعا الى الدبر امين

B

NAϥCϼϼⲀΓIZEIN ⲘⲘⲰⲟⲩ

KAN Eϥϣⲟⲡ ϦEN ⲭⲓⲛϣⲱⲛⲓ ⲚⲒⲂⲈⲚ

ϣⲁⲩϧⲟⲇϫⲁⲓ ϦⲈⲚ ⲧⲟⲩⲛⲟϥ ⲈⲦⲈⲘⲘⲀⲨ

S

Nϥ̄ⲤϼⲣⲀΓⲒⲌⲈ Ⲙ̄Ⲙⲟⲟⲩ

Eⲩϣⲟⲟⲡ ϨⲚ̄ ϣⲱⲚⲈ ⲚⲒⲘ

ⲀⲘⲎⲒⲦⲚ̄ ϬⲈ ⲚⲈⲦⲈⲢⲈⲦⲈϨⲎⲦ

ϬⲟⲩⲦⲱⲚ ⲈϨⲞⲨⲚ ⲈⲡⲚⲞⲨⲦⲈ

ⲘⲚ̄ ⲡⲠⲈⲦⲞⲨⲀⲀⲂ

Ⲛ̄ⲦⲈⲦⲚ̄Ϭ̄Ⲡ̄ⲦⲱⲡϨ̄ ϨⲚ̄ ϨⲈⲚⲠⲘ̄-

ⲈⲒⲞⲞϨⲈ ⲘⲚ̄ ϨⲈⲚⲘⲈⲦⲀⲚⲞⲒⲀ

ϫⲈⲕⲀⲤ ⲈϥⲚⲀⲠⲀⲢⲀⲔⲀⲖⲈⲒ

Ⲙ̄ⲠⲈⲭⲤ̄

ⲚϥⲠⲞⲢϨⲚⲀ ⲚⲘ̄ⲘⲀⲚ

ϨⲚ̄ ⲦⲚ̄ϬⲒⲚⲀⲠⲀⲚⲦⲀ ⲈⲢⲞϥ

ϫⲈ ⲞⲩϨⲞⲨⲦⲈ ⲠⲈ ϨⲈ ⲈϨⲢⲀⲒ

Ⲛ̄ϬⲒⲬ Ⲙ̄ⲠⲚⲞⲨⲦⲈ ⲈⲦⲞⲚϨ̄

B   S   A   P

[ⲡ̄ⲩⲁⲛⲟⲃⲁ ⲛ̄ⲍⲏⲧⲏⲧⲛ̄
ⲧⲟⲗⲙⲁ... ⲡⲁⲓ ⲡⲉ ⲡⲁⲥⲟⲛ
ⲁⲃⲱ ⲧⲁⲥⲱⲛⲉ ⲁⲃⲱ ⲧⲁⲙⲁⲁⲩ
= 66ɑ – 66b]

Das 23. Wunder ist in 5 Hss. (B, S, A, P und C) überliefert. Zunächst sollen einige Berichtigungen bzw. Verbesserungen der Übersetzungen von O'Leary und Budge genannt werden.

S 65b: "... ⲉϥⲡⲁⲣⲁⲅⲉ ⲍⲛ ⲛ̄ⲧⲙⲉ ": Den Plural "ⲛ̄ⲧⲙⲉ "
übersetzte Budge mit dem Singular "the village".

" ⲛ̄ⲧⲉⲣϥⲟⲩⲱ ⲇⲉ ⲉϥⲙⲟⲩϣⲧ̄ ⲙ̄ⲙⲟⲟⲩ ..." heißt nicht "Now when he
had finished he looked on them (i.e. the people)" sondern
"Nachdem er sie (d.h. die Kirchen) visitiert hatte, ..."
(Wörtlich: als er damit aufgehört hatte, sie [d.h. die
Kirchen] zu visitieren, ...)

A 149a: ʼكان ذات يوم وابونا القديس بيسنتاوس وهو مجتاز فى القرى ليفتقد بيعته
ولما باشر جميعهم رجع الى الديرʼ
übersetzte O'Leary mit: "One day our father the holy Anba
Pisentius went to the village to visit its church, and
after he had communicated the congregation he returned
to the monastery.":

وهو مجتاز فى القرى entspricht ⲉϥⲡⲁⲣⲁⲅⲉ ⲍⲛ ⲛ̄ⲧⲙⲉ .
القرى ist Plural wie ⲛ̄ⲧⲙⲉ . جاز : durchgehen, passieren
(durch). بيعته ist offensichtlich korrekturbedürftig بيعه
= seine Kirchen, wie im saidischen Text ⲛⲉϥⲉⲕⲕⲗⲏⲥⲓⲁ
und im bohairischen Text ⲛⲓⲉⲕⲕⲗⲏⲥⲓⲁ . Das wurde im
Text P (28v) ausgedrückt mit: ليفتقد الكرسي "um die
Diözese zu visitieren"; الكرسي in diesem Zusammenhang = ⲧⲱϣ als Diözese[60]. Der nächste Satzteil im Text
A lautet: ولما باشر جميعهم رجع الى الدير , was O'Leary im
Anschluß an Budge mit "and after he had communicated the
congregation he returned to the monastery" übersetzte.
جميعهم bezieht sich auf die "Kirchen". Der Satz ist aber
zu übersetzen: "Nachdem er sie alle (d.h. die Kirchen)
visitiert hatte, ging er zum Kloster zurück. Beide Texte
erklären sich somit gegenseitig[61].

S 65b: ⲉϩⲉ heißt Kuh und nicht "ewe"
ⲡⲕⲟⲩⲓ ⲛ̄ⲕⲧⲏⲣ heißt Kalb und nicht "lamb"

A 149b: انتر يا احباى ان صنعتم كلما اوصيتكر به

O'Leary übersetzte: "You, O beloved, do all that I have
enjoined you", يا احباى lies: احباى auf Grund
des saidischen Textes (66b): ⲛ̄ⲧⲱⲧⲛ̄ ⲛ̄ⲧⲛ̄ ⲛⲁⲩⲃⲏⲣ ⲉⲧⲉⲧⲛ̄ⲟⲩⲁⲛ-
ⲉⲓⲡⲉ ⲛ̄ⲛⲉⲧⲉⲓⲍⲱⲛ ⲙ̄ⲙⲟⲟⲩ ⲉⲧⲟⲟⲧⲧⲏⲩⲧⲛ̄ [62]

Der Vergleich der Versionen miteinander hat zu folgenden
Ergebnissen geführt. Es gibt

1) einige Einzelheiten, die sich in S, A und P aber nicht
in B befinden.

S 65b: ⲁⲩⲡⲁⲣⲁⲅⲉ ⲍⲓ ⲧⲉⲍⲓⲏ ⲙ̄ⲡⲍⲱⲧ ⲉⲃⲟⲗ ⲙ̄ⲡⲍⲟⲓ = A 149a: وفيما هو سائر فى
 وبينما هو ماض اذ عبر على ساقية = P 28v: الطريق عبر بساقية

S 65b: (ⲧⲉⲥⲫⲣⲁⲅⲓⲥ) ⲛ̄ⲧⲁⲡⲡⲉⲧⲟⲩⲁⲁⲃ ⲩⲱⲗⲍ̄ ⲙ̄ⲙⲟⲥ ⲁⲩⲱ ⲁⲩⲥⲫⲣⲁⲅⲓⲍⲉ ⲙ̄ⲙⲟⲥ ⲍⲓⲃⲟⲗ
A 149a: (الصليب) الذى قد رسمه القديس عليها من خارج
P 29r: (الصليب) الذي رشمه الاب عليها من خارج

S 65b-66a: ⲁⲩⲱ ⲛ̄ⲑⲉ ⲛ̄ⲟⲩⲭⲉⲓⲱⲛ = A 149a: وكالثلج فى بياضه
= P 29r: وجهر ابيض فى لونه كالثلج

2) Ein Satz kommt nur in den Texten S und A vor:

S 65b: ⲉⲩⲡⲁⲣⲁⲅⲉ ⲍⲛ̄ ⲛ̄ϯⲙⲉ = A 149a: وهو مجتاز فى القرى
ebenso eine lange Anrede an die Zuhörer (S 66a = A 149b;
S 66a-66b). Sie entspricht im ersten Teil des Textes S
dem Text A, geht aber im Text S weiter. Dabei werden
mehrere Bibelzitate hinzugefügt. Eins von ihnen (Joh.
15,14) steht auch im Text A. Die weitergehende Anrede des
Textes S baut auf diesem Zitat auf.

3) Text, der in S und A gleichlautend oder ähnlich ist,
in B aber geringfügig anders ausgedrückt wird, z.B.:

S 65b: ⲉⲑⲉⲛⲉⲉⲧⲉ   A 149a: الى الدير (nicht in P)
B 389: ⲉⲡⲓⲉⲡⲓⲥⲕⲟⲡⲉⲓⲟⲛ [63]

S 65b: ... ⲁⲩⲣⲱⲙⲉ ⲛ̄ⲟⲩⲟⲉⲓ ⲉⲓⲛⲉ ϣⲁⲣⲟϥ ⲛ̄ⲟⲩⲉⲍⲉ ⲉⲧⲱϥ ⲧⲉ

A 149a: ... احد الفلاحين قد اخرج اليه بقرة كانت له

P 28v-29r: ... احد الفلاحين قد اخرج اليه بقرة

B 389: ... ⲁϭⲓⲛⲓ ⲛⲁϥ ⲛⲟⲩⲉⲍⲉ ⲛⲧⲁϥ

S 65b: ... ⲉϭⲟ ⲙ̄ⲙⲁⲉⲓⲛ ⲍⲛ̄ ⲍⲏⲧϥ̄ ⲙ̄ⲡⲕⲟⲩⲓ ⲛ̄ⲕⲧⲏⲣ

A 149a: ... قد صار علامة ظاهرة فى العجل الصغير الذى ولدته

P 29r: ... قد صار علامة ظاهرة في العجل الصغير الذي ولدته

B 389: ... ⲉⲥϣⲟⲗⲍ ⲉⲑⲛⲉⲭⲓ ⲙ̄ⲡⲓⲕⲟⲩϫⲓ ⲙ̄ⲙⲁⲥ

4) Es gibt Text, der in B, S und A steht, aber im Text P
fehlt:

B 389: ⲁⲛⲁⲩ ⲟⲩⲛ ⲉⲧϫⲟⲙ ⲙ̄ⲫ︦ϯ   S 65b: ⲁⲛⲁⲩ ⲉⲧϭⲟⲙ ⲙ̄ⲡⲛⲟⲩⲧⲉ

A 149a: فانظروا الان الى قوة الله تستعجبوا

B 389: ϫⲉⲛ ⲡϫⲓⲛⲑⲣⲉⲩⲕⲏⲛ ⲇⲉ ⲉⲩⲕⲱⲧ ⲉϫⲉⲛ ⲛⲓⲉⲕⲕⲗⲏⲥⲓⲁ ⲁⲩⲧⲁⲑⲟ
ⲉⲡⲓⲉⲡⲓⲥⲕⲟⲡⲉⲓⲟⲛ· S 65b: ⲛ̄ⲧⲉⲣϥⲟⲩⲱ ⲇⲉ ⲉⲩⲙⲟⲩϣⲧ ⲙ̄ⲙⲟⲟⲩ ⲉⲩⲛⲁⲕⲧⲟⲩ
ⲇⲉ ⲉⲍⲟⲩⲛ ⲉⲑⲉⲛⲉⲉⲧⲉ

A 149a: ولما باشر جميعهم رجع الى الدير

5) Nur im Text B (389) steht ⲉⲛⲁⲙⲓⲥⲓ   , was vielleicht

" وكانت تلك البقرة في ذلك الوقت حامل " (P 29r) entspricht.

Der oben angeführte Vergleich führt zu folgendem Ergebnis:
Die Texte gehen auf einen einzigen Urtext zurück. B ist
am kürzesten und muß dem Urtext näher gestanden haben.
Kurze Formulierungen in B haben in S und A durch
erzählerisch ausschmückende Zusätze den Text erweitert.
Beide Texte, S und A, gehen auf eine entwickelte Vorlage
(XS) zurück. Diese Einzelheiten schildern die Art der Entwicklung der verlorenen Vorlage. Die Anrede des Textes S
weist im Vergleich zu der des Textes A auf eine weitere

Entwicklung hin. Der Text P ist ein Auszug aus einem
Text wie A; denn an nicht wenigen Stellen stimmen sie
fast wörtlich überein. In den drei Texten B, S und A
steht dieses Wunder zwischen dem 22. Wunder und dem
24. Wunder, was wohl auch der Stellung im Urtext entsprechen dürfte.

Das 24. Wunder:

A

150م

كان ذلك يوم احضرنا الله
سنا به شيطان

حبيبها ما قد شهيد يا والده
فلما اتى ابو الصبى قال
للقديس الطوباوى يا ابى رسمه بعلامة الصليب

لان الجن الذى به حين عمر

فسأل القديس ابوه و قال
لـ كم زمان صار اصابه هذا
الجن فقال ابو هو ان له سبعة سنين

وحق صلواتك التى يا ابى
انه طرحه على الارض مرارا كثيرة

ويتشخر فيه مثل الجمل
و يتحرك عينا و الدم من شبة يلتهب

ومرارا كثيرة يابيس ماء كل الناس ويتظر رجاء
من يخلصه و نقول انه سموه بتلك

S

ⲁⲥϣⲱⲡⲉ ⲛ̄ⲟⲩⲉϩⲟⲟⲩ ⲁϣⲉⲓⲛⲉ ⲙ̄ⲡⲁⲣⲟϥ
ⲛ̄ⲟⲩϣⲏⲣⲉ ϣⲏⲙ ⲉⲣⲉⲟⲩⲇⲁⲓⲙⲱⲛⲓⲟⲛ
ϩⲓⲱⲱϥ

ⲁⲩⲡⲁⲣⲁⲕⲁⲗⲉⲓ ⲙ̄ⲙⲟϥ ⲉⲩϫⲱ ⲙ̄ⲙⲟⲥ ϫⲉ
ⲁⲣⲓ ⲧⲁⲅⲁⲡⲏ ⲛⲅ̄ⲥⲫⲣⲁⲅⲓⲍⲉ ⲙ̄ⲙⲟⲩ
ϫⲉ ⲟⲩⲇⲁⲓⲙⲱⲛⲓⲟⲛ ⲉϥϩⲟⲟⲩ ⲡⲉ

ⲁⲩϣⲓⲛⲉ ⲡⲉϥⲉⲓⲱⲧ ⲇⲉ ⲛ̄ϭⲓ ⲡⲡⲉⲧⲟⲩⲁⲁⲃ ϫⲉ
ⲉⲓⲥ ⲟⲩⲏⲣ ⲛ̄ϩⲟⲟⲩ ϣⲓⲛ ⲛ̄ⲧⲁⲡⲁⲓ
ⲧⲁϩⲟⲩ ⲡⲉϫⲁϥ ϫⲉ ⲓⲥ ⲥⲁϣϥⲉ ⲛ̄ⲣⲟⲙⲡⲉ
ⲛ̄ⲣⲟⲙⲡⲉ (sic)

ϫⲉ ⲛⲉⲕⲩⲗⲏⲗ ⲱ̄ ⲡⲁⲉⲓⲱⲧ
ⲩⲁϥⲛⲟⲥⲕϥ̄ ⲉⲡⲕⲁϩ
ⲛϥ̄ϩⲓⲧⲉ ⲛ̄ϩⲏⲧϥ̄ ⲛ̄ⲑⲉ ⲙ̄ⲡⲕⲁⲙⲟⲩⲗ
ⲛ̄ⲧⲉⲛϥ̄ⲃⲁⲗ ⲙⲟϩϩ ⲛ̄ⲥⲛⲟϥ

ⲁⲩⲱ ϩⲁϩ ⲛ̄ⲥⲟⲡ ϣⲁⲛⲉⲓⲁ ⲧⲟⲟⲧⲛ̄ ⲛ̄ⲥⲱϥ
ϫⲉ ⲁⲩⲙⲟⲟⲩⲧϥ̄ ⲁⲩⲱ ⲛϥ̄ϣⲁϫⲉ ⲁⲛ ⲉⲡⲧⲏⲣϥ̄

B

ⲁⲥϣⲱⲡⲓ ⲇⲉ ⲟⲛ ⲛ̄ⲟⲩⲉϩⲟⲟⲃ ⲁϥⲓⲛⲓ ⲛⲁϥ
ⲛ̄ⲟⲩⲕⲟⲩϫⲓ ⲛⲁⲗⲟⲩ ⲉⲟⲩⲟⲛ ⲟⲩⲇⲁⲓⲙⲱⲛ
ⲛⲉⲙⲁϥ ⲉϥⲭⲏ ϧⲉⲛ ⲓⲈ̄ ⲛ̄ⲣⲟⲙⲡⲓ
ⲕⲁⲧⲁ ⲫⲣⲏϯ ⲉⲧⲁⲡⲉϥⲓⲱⲧ ϫⲟⲥ ⲛⲁⲛ

ⲁⲩϯϩⲟ ⲉϧⲏ ⲉⲑⲟⲩⲁⲃ
ⲉⲑⲣⲉϥⲉⲣⲥⲫⲣⲁⲅⲓⲍⲉⲓⲛ ⲙ̄ⲙⲟⲩ

ⲁⲫⲏ ⲉⲑⲟⲩⲁⲃ ϣⲉⲛ ⲡⲉϥⲓⲱⲧ ϫⲉ
ⲓⲥ ⲟⲩⲏⲣ ⲛ̄ϩⲟⲟⲩ ⲓⲥϫⲉⲛ ⲡⲁⲓⲇⲁⲓⲙⲱⲛ
ⲧⲁϩⲟⲩ ⲡⲉϫⲁϥ ϫⲉ ⲓⲥ ⲓⲍ̄ ⲛ̄ⲣⲟⲙⲡⲓ
ⲓⲥϫⲉⲛ ⲉⲧⲁϥⲧⲁϩⲟⲩ

ϫⲉ ⲡⲉⲕⲟⲩϫⲁⲓ ⲱ̄ ⲡⲁϭⲥ̄ ⲛⲓⲱⲧ ϫⲉ
ⲟⲩⲙⲏϣ ⲛ̄ⲥⲟⲡ ⲩⲁϥⲥⲁⲧϥ̄ ⲉⲡⲧⲓⲭⲣⲱⲙ

ϩⲱⲥⲧⲉ ⲛ̄ⲧⲉⲛϫⲟⲥ ⲛⲟⲩⲙⲏϣ ⲛ̄ⲥⲟⲡ
ϫⲉ ⲁϥⲙⲟⲩ

A

فاصبح الاب مبتهجا وصاية وزجاجه

ثم حل الي برحنا الا زلك دلان
وقال له ادخل الي
البيعة والتي
نقلل من عاد حوض اللبان حتي رسمه على
حتي الاعمي
ارني انا
الشيطان قد اتوية تم شمعـ
فدخلت الي البيعة
كا ارني الي
القديس

150b
الحوض الزي المدي
لطف ... من ماء

S

ΑΡΙ ΤΑΓΑΠΗ ΝΓΒΟΗΘΕΙ ΕΡΟΥ ΠΑΕΙШΤ

ΠΑΕΙШΤ ΔΕ ΑΥΜΟϨΤ ΕΡΟΙ ΑΝΟΚ ΙШC
ΠΕΧΑΥ ΝΑΙ ΧΕ ΒШΚ ΕΠΙΛΟϨΤΗΡ
ΜΠΙCШΟϨ ΝΓΕΙΝΕ ΝΑΙ
ΝΟΥϬΚΟϨΧΙ ΜΜΟΟϨ ΝΤΑΝΟΧΥ ΕΧΜ
ΠΕΙϢΗΡΕ ϢΗΜ

ΜΜΟΝ ΠΡΟCΥΦΕ ΕΤΕΙΝΑϨ ΕΡΟΥ
ΠΕΙΔΑΙΜШΝ Ϯ ϨΙCΕ ΝΑΥ ΕΜΑΤΕ
ΑΙΒШΚ ΓΕ ΕϨΟϨΝ ΕΠΙCШΟϨ
ΚΑΤΑ ΠΟϨΕϨCΑϨΝΕ ΜΠΑΧΓ ΝϢШΤ
ΜΜΑΚΑΡΙΟC ΑΠΑ ΠΕCΥΝΘΙΟC
ΑϢШ ΑΙΤΡΕ ΑΠΑ ΕΛΙCΑΙΟC ΠΕΠΡΕCΒϒ-
ΤΕΡΟC ΑϢШ ΠΕΠΡΟΕΙCΤΟC ΜΠΤΟΠΟC
ΒШΚ ΕϨΟϨΝ ΕΠΕϨϒCΙΑCΤΗΡΙΟΝ
ΑΥΜΕϨ ΠΚΟϨΧΙ ΜΜΟΟϨ ΝΑΙ

B

ΑΡΙ ΤΑΓΑΠΗ ΠΕΝΙШΤ ΝΤΕΚΕΡΒΟΗΘΕΙΝ
ΕΤΕΝΜΕΤΧШΒ

ΠΑΙШΤ ΔΕ ΑΥΜΟϨΤ ΕΡΟΙ ΑΝΟΚ ΙШΑΝΝΗC
ΠΕΧΑΥ ΝΗΙ ΧΕ ΜΑϢΕ ΝΑΚ ΕΠΙΛΟϨΤΗΡ
ΝΤΕ ΤΕΚΚΛΗCΙΑ ΝΤΕΚΙΝΙ ΝΗΙ ΕΜΝΑΙ
ΝΟΥϬΚΟϨΧΙ ΜΜШΟϨ ΝΤΑΝΟΧΥ ΕΧΕΝ
ΠΑΙΑΛΟϨ

ΜΜΟΝ ΠΙΡΗϮ ΕΤΝΑϨ ΕΡΟΥ ΜΜΟΥ
ΟϨΟϨ ΑΥϮ ϨΙΧΙ ΝΑΥ ΕΜΑΥϨΟ
ΑΝΟΚ ΔΕ ΑΙϨШΛ ΕΤΕΚΚΛΗCΙΑ

ΑΙϬΙ ΝΗΙ ΝΟΥϬΚΟϨΧΙΛШΛ ΑΙΜΑϨΥ ΜΜШΟϨ
ϨΕΝ ΠΙΛΟϨΤΗΡ ΕΤΧΗ ΜΠΕΜΘΟ ΜΠΙΜΑ
ΝΕΡϢШΟϨϢΙ

B	S	A

A (عربي)

وأتيت به الى القديس انا يسطاورس
فسمر عليه الصليب ... القدس
لسمر الرب والزين
والحرج القدس الاله الواحد

قر قال للرجل
امض الى بيتك بولدك
وقد وصولك استيك من هذا الالم القدس الذي يعطيك للذ من حرنن
البيعة

وأن بارب الباية الذي به ...
نورو يمشى من الارخ الروح الذي به ..
ولوقت 1512
برى العلم وتطهر
من حرمن الجين

S

ⲁⲓⲉⲓⲛⲉ ⲙ̄ⲙⲟϥ ⲙ̄ⲡⲉⲧⲟⲩⲁⲁⲃ
ⲁⲡⲡⲉⲧⲟⲩⲁⲁⲃ ⲥⲫⲣⲁⲅⲓⲍⲉ ⲙ̄ⲡⲙⲟⲟⲩ
ϩⲙ̄ ⲡⲉϥⲧⲏⲏⲃⲉ
ⲉⲧⲡⲣⲁⲛ ⲙ̄ⲡⲉⲓⲱⲧ ⲙⲛ̄ ⲡϣⲏⲣⲉ
ⲙⲛ̄ ⲡⲉⲡ̄ⲛ̄ⲁ̄ ⲉⲧⲟⲩⲁⲁⲃ
ⲁϥϯ ⲙ̄ⲡⲙⲟⲟⲩ ⲙ̄ⲡⲉϥⲉⲓⲱⲧ

ⲉϥϫⲱ ⲙ̄ⲙⲟⲥ ⲛⲁϥ ϫⲉ
ϫⲓ ⲙ̄ⲡⲉⲕϣⲏⲣⲉ ⲛ̄ⲅ̄ⲃⲱⲕ ⲉⲡⲉⲕⲏⲓ
ⲛ̄ⲅ̄ⲧⲥⲟⲟⲩ ϩⲛ̄ ⲛⲉⲓⲙⲟⲟⲩ ⲉⲧⲟⲩⲁⲁⲃ
ⲛ̄ⲧⲁⲓⲧⲁⲁϩ ⲛⲁⲕ ⲉⲃⲟⲗ ϩⲙ̄ ⲡⲗⲟⲩⲧⲏⲣ
ⲙ̄ⲡⲥⲱⲙⲟϩ

ⲛ̄ⲅ̄ⲡⲓⲥⲧⲉⲩⲉ ⲉⲡⲭ̅ⲥ̅
ⲁⲩⲱ ϥⲛⲁⲧⲁⲗϭⲟϥ
68ᵃ | ...ⲛ̄ⲧⲉⲩⲛⲟⲩ ⲇⲉ
ⲁⲡϣⲏⲣⲉ ϣϩⲙ ⲕⲁⲑⲁⲣⲓⲍⲉ

ⲁϥϫⲓⲧϥ̄ ⲉϩⲟⲩⲛ ⲉⲡⲁⲏⲓ ⲉⲛ̄ ⲟⲃ | 68ᵇ ⲟⲃⲣⲁ ϣⲉ
ⲁϣⲱ ⲙ̄ⲡⲉϥⲕⲧⲟⲩ ϣⲁ ⲡⲉϩⲟⲟⲃ

B

ⲁⲓⲉⲛϥ ⲙ̄ⲡⲁⲓⲱⲧ
ⲁϥⲉⲣⲥⲫⲣⲁⲅⲓⲍⲉⲓⲛ ⲙⲙⲟϥ
|391
ϧⲉⲛ ⲫⲣⲁⲛ ⲙ̄ⲫⲓⲱⲧ ⲛⲉⲙ ⲡϣⲏⲣⲓ
ⲛⲉⲙ ⲡⲓⲡ̄ⲛ̄ⲁ̄ ⲉⲑⲟⲩⲁⲃ

ⲡⲉϫⲁϥ ⲇⲉ ⲙ̄ⲡⲓⲣⲱⲙⲓ ϫⲉ
ϭⲓ ⲙ̄ⲡⲉⲕϣⲏⲣⲓ ⲉⲡⲉⲕⲏⲓ
ⲛ̄ⲧⲉⲕⲧⲥⲟⲩ ϧⲉⲛ ⲡⲁⲓⲙⲱⲟⲩ ⲉⲑⲟⲩⲁⲃ

ⲛ̄ⲧⲉⲕⲛⲁϩϯ ⲉⲡⲕ̄ⲥ̄
ⲟⲩⲟϩ ϥⲛⲁⲧⲁⲗϭⲟϥ
...ⲥⲁⲧⲟⲧϥ ϧⲉⲛ ⲧⲟⲩⲛⲟⲩ
ⲁⲡⲧⲓⲕⲟⲩⲝⲓ ⲛⲁⲗⲟϥ ⲗⲟϫϥ
ⲉⲃⲟⲗ ϧⲉⲛ ⲧⲙⲁ|ⲥⲧⲓⲅ̄ⲝ ⲛ̄ⲧⲉ ⲡⲓⲇⲁⲓⲙⲱⲛ

A

ⲙⲡⲉϥⲙⲟⲩ ⲁⲥϣⲱⲡⲉ ⲇⲉ ⲙⲛⲛⲥⲁ ⲍⲉⲛⲕⲟⲃⲓ
ⲛⲍⲟⲟⲩ ⲁϥⲃⲱⲕ ϣⲁ ⲡⲛⲟϭⲛ̄ⲣⲱⲙⲉ
ⲁⲩⲡⲣⲟⲥⲕⲓⲛⲏ ⲛⲁϥ ⲁϥⲁⲙⲁϩⲧⲉ ⲛ̄ⲧϥ̄ϭⲓϫ
ϫⲉ ϯϫⲱ ⲙ̄ⲙⲟⲥ ϫⲉ ⲁⲡϣⲏⲣⲉ ϣⲏⲙ
ⲕⲁⲑⲁⲣⲓⲍⲉ ⲉⲃⲟⲗ ϩⲙ̄ ⲡⲇⲁⲓⲙⲱⲛⲓⲟⲛ
ⲁⲡϥ̄ⲉⲓⲱⲧ ϩⲟⲙⲟⲗⲟⲅⲉⲓ ϫⲉ ϯϫⲱ ⲙ̄ⲙⲟⲥ
ⲛⲁⲕ ⲡⲁⲉⲓⲱⲧ ϫⲉ ⲛ̄ⲧⲉⲩⲛⲟⲩ ⲛ̄ⲧⲁⲓⲧⲥⲟⲟⲩ
ⲉⲃⲟⲗ ϩⲛ̄ ⲙⲙⲟⲟⲩ ⲛ̄ⲧⲁⲧⲕ̄ⲙⲛⲧⲉⲓⲱⲧ
ⲧⲁⲁⲥ ⲛⲁⲓ ⲁⲡⲁϫ̄ⲥ ⲛ̄ⲛⲁϩⲧ ⲭⲁⲣⲓⲍⲉ
ⲙ̄ⲡⲧⲁⲗϭⲟ ⲙ̄ⲡⲁϣⲏⲣⲉ ϩⲓⲧⲛ̄ ⲛⲉⲕϣⲗⲏⲗ
ⲉⲧⲟⲩⲁⲁⲃ

S

ⲁϥⲟⲩⲱϣⲃ̄ ϫⲉ
ⲟⲩⲛ̄ ϭⲟⲙ ⲛ̄ϩⲱⲃ ⲛⲓⲙ ⲙ̄ⲡⲉⲧⲡⲓⲥⲧⲉⲩⲉ
ⲙⲁⲗⲓⲥⲧⲁ ϣⲁⲣⲉⲙ̄ⲙⲟⲟⲩ ⲙ̄ⲡⲉⲑⲃ̄ⲥⲓⲁⲥⲧⲏ-
ⲣⲓⲟⲛ ⲧⲁⲗϭⲟ ⲛ̄ⲟⲩⲟⲛ ⲛⲓⲙ
ⲉⲧⲡⲓⲥⲧⲉⲩⲉ

B

ⲉⲧⲁϥⲥⲱⲧⲉⲙ ⲇⲉ ⲛϫⲉ ⲡⲁⲓⲱⲧ

ⲡⲉϫⲁϥ ⲙ̄ⲡⲓⲣⲱⲙⲓ ϫⲉ
ⲟⲩⲟⲛ ϣϫⲟⲙ ⲛ̄ϩⲱⲃ ⲛⲓⲃⲉⲛ ⲙ̄ⲫⲏ ⲉⲑⲛⲁϩϯ
ⲙⲁⲗⲓⲥⲧⲁ ϣⲁⲣⲉⲡⲓⲙⲱⲟⲩ ⲛ̄ⲧⲉ ⲡⲓⲙⲁ
ⲛⲉⲣϣⲱⲟⲩϣⲓ ⲧⲁⲗϭⲟ ⲛⲟⲩⲟⲛ ⲛⲓⲃⲉⲛ
ⲉⲑⲛⲁϩϯ

ما لم يكن لهذا الرجل
لا الى القدس انا بيت لحم لانها مسقط راس ا
من هذا الرجل

ن بيت لحم لانها مسقط راس المزمن
كابن عبد يشفى مستظلا للمزمن
لا ستها ان الماء الذي في حوض

ران لم يكن لابنة محصنة
امر لي يشفى لابنة محصنة

A

ان تشفى ايها الانسان ان موهبة

هى كل احد كبار الله

لكن قوة الاله العالم المجودة

فى بيعته المقدسة ڡوٯ ذلك الزمان

الذى تشفى فى الذى بزوريم بالاية

مستحقة وقلوب حازمة

عن خير هذا الامر حين

ولما قال هذا القول 151ᵇ

انصرف هذا الرجل من عند

وهو بمجد الله

وقديسه انا يستادوس

شفاعته تحفظنا امين

S

ⲁϣⲱ ⲙ̅ⲡ̅ⲣ̅ⲙⲉⲉⲩⲉ ⲉⲣⲟⲓ ϫⲉ ⲡⲉⲓⲭⲁⲣⲓⲥⲙⲁ
ⲛⲧⲁⲗϭⲟ ⲏⲧ ⲉⲣⲟⲓ ⲙ̅ⲙⲟⲛ ⲙⲏ ⲅⲉⲛⲟⲓⲧⲟ
ⲁⲗⲗⲁ ⲧϭⲟⲙ ⲙ̅ⲡⲛⲟⲩⲧⲉ ⲉⲧϣⲟⲟⲡ
|63ᵃ
|2ⲛ̅ ⲛ̅ϥⲧⲟⲡⲟⲥ ⲉⲑⲟⲩⲁⲁⲃ

ⲛ̅ⲛⲉⲧⲛⲁⲃⲱⲕ ⲉⲣⲁⲧⲟⲩ ϩⲛ̅ ⲟⲩⲡⲓⲥⲧⲉ
ⲉⲥϭⲟⲩⲧⲱⲛ ⲙⲛ̅ ⲟⲩϩⲏⲧ ⲙⲛ̅ ⲙⲛ̅ⲧⲁⲧⲛⲁϩⲧⲉ
ⲛ̅ϩⲏⲧϥ̅

ⲁⲛⲟⲕ ⲙⲉⲛ ⲱ̅ ⲡⲁϣⲏⲣⲉ ⲁⲛ̅ⲅ̅ ⲟⲩⲉⲗⲁⲭⲓⲥⲧⲟⲛ
ⲉϩⲱⲃ ⲛ̅ⲧⲙⲉⲓⲛⲉ

ⲛⲁⲓ ⲇⲉ ⲛⲧⲉⲣϥ̅ϫⲟⲟⲥ

ⲁϥϯ ⲉⲟⲟⲩ ⲙ̅ⲡⲛⲟⲩⲧⲉ

ⲁϣⲱ ⲉϥⲉⲩⲭⲁⲣⲓⲥⲧⲉⲓ ⲛ̅ⲧⲟⲟⲧϥ̅ ⲙ̅ⲡⲁⲉⲓⲱⲧ
ⲙ̅ⲙⲁⲕⲁⲣⲓⲟⲥ

B

ⲟⲩⲟϩ ⲙ̅ⲡⲉⲣⲙⲉⲩⲓ ⲉⲣⲟⲓ ϫⲉ ⲫⲱⲓ ⲡⲉ
ⲡⲁⲓϩⲙⲟⲧ ⲛⲧⲉ ⲡⲁⲓⲧⲁⲗϭⲟ
ⲁⲗⲗⲁ ⲧⲁϫⲟⲙ ⲩⲁⲥϣⲱⲡⲓ
ϧⲉⲛ ⲡⲓⲧⲟⲡⲟⲥ ⲉⲑⲟⲩⲁⲃ

ⲛⲁⲓ ⲇⲉ ϧⲉⲛ ⲡϫⲓⲛⲑⲣⲉϥϫⲟⲧⲟⲩ ⲛϫⲉ ⲫⲏ
ⲉⲑⲟⲩⲁⲃ ⲁⲡϣⲱⲙⲓ ϣⲉ ⲛⲁϥ ⲉⲃⲟⲗ ϩⲓⲧⲟⲧϥ
ϧⲉⲛ ⲟⲩϩⲓⲣⲏⲛⲏ ⲉϥϯ ⲱⲟⲩ ⲙ̅ⲫϯ

Das 24. Wunder ist in 3 Hss. (B, A und S) überliefert.
Zunächst sind die Übersetzungen von Budge und O'Leary
an einigen Stellen zu verbessern; z.B.: ϫⲉ ⲛⲉⲕⲩⲗⲏⲗ
ⲱ̄ ⲡⲁⲉⲓⲱⲧ (S 67a) " [since we have asked] thy prayers,
o my father", obwohl Amélineau die entsprechende Stelle
richtig übersetzte[64].

حوذا له سبعة سـنين (A 150a) "Since he was seven years
old" statt "... seit sieben Jahren". انه سوف يملكه (A 150a)
"that thou wilt master him" statt "er (d.h. der Dämon)
wird ihn (d.h. den Knaben) beherrschen.
Den Satz: " ⲙ̄ⲙⲟⲛ ⲡⲣⲟⲥ ⲑⲉ ⲉⲧⲉⲓⲛⲁⲩ ⲉⲣⲟϥ ⲡⲉⲓⲇⲁⲓⲙⲱⲛ ϯ ϩⲓⲥⲉ
ⲛⲁⲩ ⲉⲙⲁⲧⲉ " (S 67a-b) übersetzte Budge als "for I cannot
endure seeing this demon inflicting such severe suffering
upon him". Seine Übersetzung beruht offensichtlich auf
der von Amélineau: "il n'y a pas moyen que je le voie en
cet état, car ce démon le fait souffrir beaucoup". Der
arabische Text " لان ارى الشـيطان قد اتعبه تعبا عظيما " zeigt,
daß ⲙⲙⲟⲛ in diesem Zusammenhang keine "Negation" ist,
sondern als "denn" oder "wahrlich" zu verstehen ist.
Die synoptische Aufstellung zeigt, daß es kaum ein Element im Text A gibt, das nicht auf ein koptisches zurückgeht oder zumindestens auf einem koptischen beruht.
Der Vergleich der Versionen miteinander hat zu folgenden
Ergebnissen geführt:

1) Der Abschnitt B 389-390 " ⲁⲥϣⲱⲡⲓ ⲇⲉ ⲟⲛ ⲛⲟⲩⲉϩⲟⲟⲩ ... ⲁⲣⲓ
ⲧⲁⲅⲁⲡⲏ ⲡⲉⲛⲓⲱⲧ ⲛⲧⲉⲕⲉⲣⲃⲟⲏⲑⲉⲓⲛ ⲉⲧⲉⲛⲙⲉⲧⲭⲱⲃ " = S 66b-67a " ⲁⲥϣⲱⲡⲉ
ⲛⲟⲩϩⲟⲟⲩ ... ⲁⲣⲓ ⲧⲁⲅⲁⲡⲏ ⲛ̄ⲅ̄ⲃⲟⲏⲑⲉⲓ ⲉⲣⲟⲩ ⲡⲁⲉⲓⲱⲧ" = A 149b-150a: " كان ذات يوم... فاصنع
الان مودّة ومحبّة ورحمة "
Der Satzteil "... ⲉⲩⲭⲏ ϩⲉⲛ ⲓ̄ⲋ̄ ⲛⲣⲟⲙⲡⲓ ⲕⲁⲧⲁ ⲫⲣⲏϯ
ⲉⲧⲁⲡⲉⲩⲓⲱⲧ ϫⲟⲥ ⲛⲁⲛ" (B 390) = " عمرو التى عشر سنة... حسب ما
قد شهد لنا والدى " (A 149b) fehlt im Text S. Es könnte sein,
daß er weggelassen wurde, zumal " ⲁⲩⲡⲁⲣⲁⲕⲁⲗⲉⲓ ⲙ̄ⲙⲟϥ ⲉϥϫⲱ
ⲙ̄ⲙⲟⲥ ⲭⲉ" (S 67a) - was Budge falsch mit "and they (statt
er) besought the holyman, saying ..." wiedergab - dazu
nicht passen kann[65]. ⲓ̄ⲋ̄ ⲛⲣⲟⲙⲡⲓ "16 Jahre" übersetzte

Amélineau falsch mit "treize ans". Im Text A steht
12 Jahre. Der Abschreiber könnte Ɛ und Ƃ verwechselt
haben.

Manche Aussagen kommen nur in den Texten S und A vor:
S: "... ⲝⲉ ⲟⲩⲇⲁⲓⲙⲱⲛⲓⲟⲛ ⲉⲩ200ⲩ ⲡⲉ = A: لان الجن الذي به جن عسر

Während im Text B nur: " ⲟⲩⲙⲏϣ ⲛⲥⲟⲡ ϣⲁⲩⲥⲁⲧⲩ ⲉⲡⲓⲭⲣⲱⲙ ···
ⲝⲉ ⲁⲩⲙⲟⲩ " steht, wird in S und A ausführlicher beschrieben: "ϣⲁⲩⲛⲟⲝⲩ ⲉⲡⲕⲁ2.... ⲛⲩ̄ϣⲁⲝⲉ ⲁⲛ ⲉⲡⲧⲏ⳿ⲣⲩ̄ "
"انه طرحه على الارض ... انه سوف يهلكه"
2) Der Abschnitt " فعند ذلك دعاف انا يوحنا ... من ماء الحوض الذي للذبح "
(A 150a-b) kann als eine wortgetreue Übersetzung der
bohairischen Parallelstelle (B 390) bezeichnet werden:
"ⲡⲁⲓⲱⲧ ⲝⲉ ⲁⲩⲙⲟⲩ† ⲉⲣⲟⲓ ⲁⲛⲟⲕ ⲓⲱⲁⲛⲛⲏⲥ ···ⲙⲙⲱⲟⲩ ⳝⲉⲛ ⲡⲓⲗⲟⲩⲧⲏⲣ
ⲉⲧⲭⲏ ⲙⲡⲉⲙⲑⲟ ⲙⲡⲓⲙⲁ ⲛⲉⲣϣⲟⲟⲩϣⲓ. Ein einziger Satz fehlt im
Text B, der aber in S und A belegt ist: ⲕⲁⲧⲁ ⲡⲟⲩⲉⲍⲥⲁⲍⲛⲉ
ⲙ̄ⲡⲁⲍ̄ⲥ̄ ⲛ̄ⲉⲓⲱⲧ ⲙ̄ⲙⲁⲕⲁⲣⲓⲟⲥ ⲁⲡⲁ ⲡⲉⲥ8ⲛⲑ◌ⲓⲟⲥ (67 b); كما اعرف ابي القديس (150 a).
Nur im Text S ist die Rede von Elisaius (siehe unten).

3) Die Parallelstelle B 391: " ⲡⲉⲝⲁⲩ ⲝⲉ ⲙ̄ⲡⲓⲣⲱⲙⲓ ⲝⲉ ...
ⲩⲛⲁⲧⲁⲗ6ⲟⲩ "

S 67b: " ⲁⲩ† ⲙ̄ⲡⲙⲟⲟⲩ ⲙ̄ⲡⲉⲩⲉⲓⲱⲧ ⲉⲩⲝⲱ ⲙ̄ⲙⲟⲥ ⲛⲁⲩ ··· ⲩⲛⲁⲧⲁⲗ6ⲟⲩ "

A 150b: " ثم قال للرجل ··· فهوذيشفى من الالم الذي الذي به "
Nur im Text S steht ⲁⲩ† ⲙ̄ⲡⲙⲟⲟⲩ ⲙ̄ⲡⲉⲩⲉⲓⲱⲧ . Nur in den
Texten S und A steht ⲛ̄ⲧⲁⲓⲧⲁⲁⲩ ⲛⲁⲕ ⲉⲃⲟⲗ 2ⲙ̄ ⲡⲗⲟⲩⲧⲏⲣ ⲙ̄ⲡⲥⲱⲟ8
= الذي اعطيه لك من حوض البيعة

4) Der Abschnitt B 391-392: "ⲥⲁⲧⲟⲧⲩ ⳝⲉⲛ ⲧⲟⲩⲛⲟⲩ ⲁⲡⲓⲕⲟⲩⲝⲓ
ⲛⲁⲗⲟⲩ ⲗⲟⲝⲩ··· ⲉⲩ† ⲱⲟⲩ ⲙⲫ†̄ " = S 68a-69a "ⲛ̄ⲧⲉⲩⲛⲟⲩ ⲝⲉ ⲁⲡⲩϣⲏⲣⲉ
ⲩⲏⲙ ⲕⲁⲑⲁⲣⲓ2ⲉ ··· ⲉⲩ† ⲉⲟⲟⲩ ⲙ̄ⲡⲛⲟⲩⲧⲉ ⲁⲩⲱ ⲉⲩⲉⲩⲭⲁⲣⲓⲥⲧⲉⲓ ⲛ̄ⲧⲟⲟⲧⲩ ⲙ̄ⲡⲁⲉⲓⲱⲧ
ⲙ̄ⲙⲁⲕⲁⲣⲓⲟⲥ" = A 151a-b
"وللوقت برى الغلام وتطهر ... وهو يسجد الله وقديسه انبا بيسنتاوس"

Nur im Text S kommt eine lange Aussage vor: " ⲁⲓⲝⲓⲧⲩ̄ ⲉ2ⲟⲩⲛ
ⲉⲡⲁⲏⲓ 2ⲛ̄ ⲟⲩ (sic) ⲟⲩⲣⲁϣⲉ ··· 2ⲓⲧⲛ̄ ⲛⲉⲕϣⲗⲏⲗ ⲉⲧⲟⲩⲁⲁⲃ ".

Manche Aussagen befinden sich nur in den Texten S und
A:

"... ⲛ̄ⲛⲉⲧⲛⲁⲃⲱⲕ ⲉⲣⲁⲧⲟⲩ ... ⲉⲍⲱⲃ ⲛ̄ⲧⲙⲉⲓⲛⲉ ":

"... كل الذين يزورونهم ... مثل هذه الامور"

während im Text B nur " ⲉϥⲧ ⲱⲟⲩ ⲙϥ̄ⲧ " steht, wird in
S und A auch Pesyntheus gelobt.

Das Obengenannte zeigt deutlich, daß ein einziger Urtext
diesen drei Texten vorgelegen haben muß. Der Text B muß
ihm näher gestanden haben. Die Texte S und A gehen auf
einen Text (XS) zurück, der sich schon entwickelt haben
muß. Die in den drei Texten B, S und A - ohne irgendeine
Abweichung - stehenden Angaben dürften so im Urtext gestanden haben. Die nur in S und A gebotenen Aussagen
weisen auf eine Entwicklungsstufe (XS) hin. Die nur im
Text S bezeugten Lesungen stellen die am meisten entwickelte Form dar.

Schließlich soll nach die Erwähnung von Elisaius im Text S
kurz besprochen werden.

Die Erwähnung von Elisaius kommt in diesem Wunder nur
im Text S (67b) vor. Es handelt sich dabei um eine geschichtliche Person[66]. Seine Erwähnung und die hochent-
wickelte Form des Textes S kann darauf hinweisen, daß
sich die Vorlage des Textes S schon kurz nach dem Sterben
Pesyntheus' entwickelt hat. Das kann die Datierung der
Hs. Brit. Mus. Or. 7561, Nr. 60, 61 u. 62 durch Crum be-
kräftigen[67], da besonders der vor dem 6. Wunder dieses
Textes stehende Teil den letzten Teil einer Lobrede auf
Pesyntheus enthält, die sich an das 1. Wunder anschließt
(Brit. Mus. Or. 7561, 61 = S 33a-b)[68]. Im 1. Wunder des
Textes B steht keine Lobrede. Außerdem ist es gleichzeitig
im Gegensatz zum Text S das 1. Wunder des Textes B.
Diese Fakten ermöglichen es uns, eine Vorstellung davon zu
gewinnen, wieviel Jahrzehnte es brauchte, daß sich ein
Text - mit diesen Entwicklungsstufen - entwickelte.

Das 31. Wunder:

B	S	A
ⲁϥϣⲱⲡⲓ ⲇⲉ ⲟⲛ ⲙⲉⲛⲉⲛⲥⲁ ⲛⲁⲓ	ⲁⲥϣⲱⲡⲉ ⲇⲉ ⲟⲛ ⲙ̄ⲡⲉⲟⲩⲟⲉⲓϣ	كان في ذلك الزمان الرهبان
ⲁϥⲉⲣ ⲛⲟⲩⲙⲏϣ ⲛⲉϩⲟⲟⲃ		اذ كان ابانا القديس متنى
ⲉϥϩⲏⲧ	ⲉⲧⲙ̄ⲙⲏⲧ	و جبل شائله من القرب
	ϩⲁⲡⲣⲟ ⲛ̄ⲙⲡⲣⲉⲥⲟⲥ ⲉϥⲥⲣⲁϩⲧ	الحزن من القرب
ϧⲉⲛ ⲡⲧⲱⲟⲩ ⲛϭⲏⲙⲓ	ϩⲙ̄ ⲡⲧⲟⲟⲩ ⲛ̄ϫⲏⲙⲉ	متى يبط ا
ⲁϥϣⲉ ⲛⲁϥ ⲉϧⲟⲩⲉⲓ	ⲁϥⲃⲱⲕ ⲉⲡⲟⲟⲃ	نا قليل
	ⲙ̄ⲙⲟⲛ ⲛⲟⲩⲕⲟϥⲓ	
ⲛⲟⲩⲉϩⲟⲟⲃ	ϫⲉ ⲉϥⲛⲁⲩⲏⲗ	الليل يمكى منتردا
ⲉϥⲟϣⲱϣ ⲉⲩⲩⲏⲗ	ⲛ̄ⲧⲉⲣⲉϥϫⲡ ⲁⲩⲟⲙⲧⲉ ⲛⲟⲩⲛⲟⲩ	ولا القمر نحرى تلاثة سلسال
ⲉⲧⲁϥⲉⲣ ⲅ̄ ⲛⲟⲩⲛⲟⲃ	ⲉϥⲙⲟⲟϣⲉ	
ⲉϥⲙⲟϣⲓ	ⲏ ϥⲧⲟⲟⲩ	
ϧⲉⲛ ⲡⲓⲧⲱⲟⲩ	ⲉϥⲩⲏⲗ ⲕⲁⲧⲁ ⲙⲁ	او اربعة بيسير
ⲁϥⲩⲏⲗ ⲕⲁⲧⲁ ⲙⲱⲓⲧ	ⲁϣⲱ ⲛⲉⲙ̄ⲛ ⲗⲁⲁⲩ ⲛ̄ⲣⲱⲙⲉ	في الجبل
ⲙⲙⲟⲛ ϩⲗⲓ ⲅⲁⲣ ⲛⲣⲱⲙⲓ	ⲛⲁⲉϥ ϭⲙ̄ ⲡϫⲱⲕ ⲛ̄ⲛⲉϥⲩⲏⲗ	وكان مكان ١٦٦b ويصلى طول مدى ولم يكن احد
ⲛⲁⲩ ϭⲓ ⲏⲡⲓ ⲛⲛⲓⲥⲟⲡ ⲛϥⲩⲏⲗ	ⲉⲧⲉϥⲉⲓⲣⲉ ⲙ̄ⲙⲟⲟⲩ	يعلم كنان الصلوات
ⲉⲧⲉϥⲓⲣⲓ ⲙⲙⲱⲟⲃ		التي كان يصنعها

B	S	A

A (Arabic):

هارل ولد
سوى الله وحده
وكان يصبح اربعاش صلاة في الفجر
ولقيته صلاة في الليل
فالتفت وقال لي
يا يوحنا
احترس على نشاطك واحترز
لانه قد وجدت اليوم تنبأ كبير
ؤ هذا الجبل وليس هو بعيد منا البتة
لكن ان
الله ان لا يبعد بالقرب منا
ولا كان يبدأ احد البتة
تطلع الا في صلاة الغير البتة
يسهم فراى واذ قد كان غير البتة
ورحم
على رئن ذلك نازل القديس الجبل
وعند ذلك نازل القديس الجبل وقال لي

S (Coptic):

ⲙ̅ⲡⲉϩⲟⲟⲩ ⲙⲛ̅ ⲧⲉⲩϣⲏ

ϥⲁϥⲣ̅ ϥⲧⲟⲃⲩⲉ ⲛ̅ⲥⲟⲡ ⲛ̅ⲟⲩⲗⲏⲗ ⲛ̅ⲧⲉⲩϣⲏ |ⲧⲍⲃ
ⲩⲏ

ⲁϥⲕⲟⲟⲧϥ̅ ⲉϫⲱⲓ̈ ⲡⲉϫⲁϥ ⲛⲁⲓ
ⲁⲛⲟⲕ ⲓⲱⲥ
ⲡⲉϫⲁϥ ⲛⲁⲓ ϫⲉ
ϫⲓ ϩⲣⲁⲕ ⲉⲣⲟⲕ
ϫⲉ ⲁⲓϭⲉ ⲉⲃⲛⲟⲃ ⲛ̅ϩⲣⲁⲕⲱⲛ ⲙ̅ⲡⲧⲟⲟⲩ
ϩⲓⲡⲧⲟⲟⲩ ⲁϣⲱ ⲛϥ̅ⲟⲩⲏⲏϥ ⲁⲛ ⲧⲩⲛⲟⲩ
ⲁⲗⲗⲁ ⲧϩ̅ⲗ̅ⲡⲓⲥ ⲉ (sic)
ⲉⲡⲛⲟⲩⲧⲉ ϫⲉ ⲉϥⲛⲁⲕⲁⲁϥ ⲁⲛ ⲙ̅ⲡⲉⲛⲕⲱⲧⲉ
ϣⲩⲡⲣ̅ ϫⲉ ⲛ̅ⲧⲉⲣⲉϥϫⲱⲡⲉ
ⲁⲓϭⲱϣⲧ̅ ⲉⲡⲟϫⲉ ⲛ̅ⲁⲡⲛⲟⲩϫⲉ
ⲛ̅ⲟⲩϭⲟⲧⲉ ⲁⲓⲛⲁϩ ⲉϩⲙⲏⲏϥⲉ ⲛ̅ϩⲁⲗⲏⲧ
ⲙⲛ̅ ϩⲉⲛⲛⲟⲃⲣⲉ
ⲉϩⲟϧϩⲏϩ ϩⲓϫⲛ̅ ⲟⲩⲕⲱϩ ⲙ̅ⲡⲉⲧⲣⲁ
ⲁϥⲙⲟⲩⲧ̅ ⲉⲣⲟⲓ ⲡⲉϫⲁϥ ⲛⲁⲓ ϫⲉ

B (Coptic):

ⲁϥⲧⲁⲥⲑⲟ ϫⲉ ϩⲁⲣⲟⲓ ⲡⲉϫⲁϥ ⲛⲏⲓ ϫⲉ

ⲁⲓⲛⲁⲩ ⲉϩⲃ̅ⲛⲩϧ̅ |396 ⲛ̅ϩⲣⲁⲕⲱⲛ ⲙ̅ⲫⲟⲟⲩ
ϩⲉⲛ ⲡⲁⲓⲧⲱⲟⲩ ⲟⲩⲟϩ ϥⲟⲩⲏⲟⲩ ⲙ̅ⲙⲟⲛ ⲁⲛ
ⲁⲗⲗⲁ ⲧ̅ⲛⲁϩⲧ̅
ⲉⲡϫ̅ⲥ̅ ⲫϯ ϫⲉ ϥⲛⲁⲭⲁϥ ⲁⲛ ⲙ̅ⲡⲉⲛⲕⲱⲧ
ϣⲱⲡⲣ̅ ϫⲉ ⲙ̅ⲡⲉϥⲣⲁⲥⲧ
ⲁⲛϫⲟⲩϣⲧ̅ ⲥⲁⲧ̅ϩⲏ ⲙ̅ⲙⲟⲛ ϣⲁ ⲡⲓϧⲱϧⲓ ⲉⲃⲟⲗ
ⲛⲟⲩϭⲟⲟⲛⲉϥ ⲁⲩⲛⲁⲩ ⲉϩⲁⲛⲙⲏⲩ ⲛⲁⲗⲏⲧ
ⲉϩⲟϩⲉϩ ϩⲓϫⲉⲛ ⲟⲩⲡⲉⲧⲣⲁ
ⲁⲩⲙⲟⲩϯ ⲉⲣⲟⲓ ⲡⲉϫⲁⲩ ⲛⲏⲓ ϫⲉ

B   S   A

S

ⲧⲙⲉⲉⲩⲉ ϫⲉ ⲁⲡⲛⲟⲩⲧⲉ ⲡⲁⲧⲁⲥⲥⲉ
ⲙ̄ⲡⲉⲧⲁⲣⲁⲕⲱⲛ

ⲁⲩⲟⲩⲟϩⲙ̄ ⲟⲛ ⲡⲉϫⲁϥ ϫⲉ
ⲉⲧⲃⲉ ⲟⲩ ⲛ̄ⲧ ⲛ̄ⲑⲏⲕ ⲁⲛ
ⲉⲛⲉϩⲣⲏⲧⲟⲛ ⲟⲛ̄ⲛⲉⲅⲣⲁⲫⲏ
ⲛ̄ⲛⲟⲓ ⲙ̄ⲙⲟⲟⲃ
ⲕⲁⲧⲁ ⲑⲉ ⲛ̄ⲧⲁ ⲡⲥⲟⲫⲟⲥ ϫⲟⲟⲥ ϫⲉ
ⲁⲕⲕⲱ ⲡⲡⲉⲧⲁϫⲟⲥⲉ ⲛⲁⲕ ⲙ̄ⲙⲁ ⲙ̄ⲡⲱⲧ
ⲙ̄ⲙⲟⲛ ⲡⲉⲑⲟⲟⲩ ⲛⲁⲩ ϩⲱⲛ ⲉϩⲟⲩⲛ ⲉⲣⲟⲕ
ⲙ̄ⲛ̄ ⲡⲉⲑⲟⲟⲩ ⲛⲁⲩ ϩⲱⲛ ⲉⲣⲟⲕ |78ⲁ
ⲟⲩⲇⲉ ⲙ̄ⲛ̄ ⲙⲁⲥⲧⲓⲅⲝ |ⲛⲁⲩ ϩⲱⲛ ⲉϩⲟⲩⲛ

B

ⲧⲙⲉⲉⲓ ϫⲉ ⲁϥⲧ ϩⲱⲧⲉⲃ
ⲙ̄ⲡⲉⲧⲁⲣⲁⲕⲱⲛ
ϩⲱⲗ ⲟⲩⲟϩ ⲁⲛⲁϩ ϫⲉ ⲉⲣⲉⲛⲁⲓϩⲩⲁⲧ ⲑⲟϩⲙⲧ ⲉⲟϩ
ⲁⲛⲟⲕ ⲇⲉ ⲉⲧⲁⲓⲛⲁⲃ ⲉⲡⲓⲙⲱⲓⲧ ⲁⲓⲙⲟⲩⲓ
ϫⲉ ⲛ̄ⲧⲁⲉⲙⲓ ϫⲉ ⲟⲩ ⲡⲉ ⲉⲧⲩⲟⲡ
ⲉⲧⲁⲓϣⲉ ⲇⲉ ⲉⲙⲁϩ ⲁⲓϫⲓⲙⲓ ⲙ̄ⲡⲓⲇⲣⲁⲕⲱⲛ
ⲉⲩϭⲏⲧ ⲉⲃⲟⲗ ⲉϥⲙⲱⲟⲩⲧ
ⲟⲩⲟϩ ⲁⲓⲓ ⲁⲓⲧⲁⲙⲉ ⲡⲁⲓⲱⲧ ϫⲉ

ⲁϥⲧ ϩⲱⲧⲉⲃ ⲙ̄ⲡⲓⲇⲣⲁⲕⲱⲛ
ⲛ̄ⲑⲟⲩ ⲇⲉ ⲡⲉϫⲁⲩ ⲛⲏⲓ ϫⲉ
ⲉⲃⲃⲉ ⲟⲩ ⲕ̄ⲧ ϩⲣ̄ⲑⲏⲕ ⲁⲛ
ⲉⲛⲓⲥⲁϫⲓ ⲛⲧⲉ ⲛⲓⲅⲣⲁⲫⲏ
ⲛⲧⲉⲕⲉⲙⲓ ⲉⲧⲟⲩϫⲟⲙ
ⲕⲱⲥⲧⲉⲙ ⲁⲛ ⲉⲡⲓⲡⲣⲟⲫⲏⲧⲏⲥ ⲉϥϫⲱ ⲙ̄ⲙⲟⲥ ϫⲉ
ⲁⲕⲩⲁⲛϫⲁ ⲡⲟϭ ⲛⲁⲕ ⲙ̄ⲙⲁ ⲛϥⲱⲧ
ⲙ̄ⲙⲟⲛ ⲡⲉⲧϩⲱⲟⲃ ⲛⲁⲩ ϫⲱⲛⲧ ⲉϩⲟⲩⲛ ⲉⲣⲟⲕ
ⲟⲩⲇⲉ ⲟⲩⲙⲁⲥⲧⲓⲅⲝ ⲛⲛⲉⲥϧⲱⲛⲧ

A

الذين
ابرنا ان الله قد اهلك
امض وانظر الى شى حرام الطير مجتمعين عليه

وانا ذهبت روحت ذلك الذين |16ⲁ
مهرج هيت
قامت وعلمت اب به قائل
انظر يا ابنى
ان الله قد اهلك التنين
قائلين وقالك يا ابى
التنين

واشر ما نفع ونفع
كيف يقول داود الذى
القلب ان انت جلت من الدر مليل
فلا تقهر يمسح يقهر الذى
ولا تقهر ضربة

A

من مسكنك

لا نه يومى طرتك بك

وانك تنمى الارض والبحبة البرة

وتدوس الاسد والتنين

بنه نوژل على دا ا انبيه

والرب الاله التحن بنجبنا ويحلمنا من
الشرير ويصلط نه ينشر لا خلال امين

S

ⲈⲠⲈⲔⲘⲀ Ⲛ̄ϢⲰⲠⲈ

ⲔⲚⲀⲀⲖⲈ ⲈϨⲢⲀⲒ ⲈϪⲚ̄ ⲞⲨϨⲞⲨ ⲚⲘ̄ ⲞϨⲞ ⲚⲦⲈⲔϢⲰⲘ ⲈϨⲢⲀⲒ̈ ⲈϪⲚ̄ ⲞⲨⲘⲞⲩ ⲘⲚ̄ ⲞⲨ̑ⲇⲣⲁⲕⲱⲛ ϪⲈ ⲀⲨⲚⲀϨⲦⲈ ⲈⲢⲞⲒ ϮⲚⲀⲦⲞⲩϪⲞⲩ ϮⲚⲀⲢ̄ ϨⲀⲒⲃⲤ̄ ⲈⲢⲞⲩ ϪⲈ ⲀⲨⲤⲟⲩⲚ̄ ⲠⲀⲢⲀⲚ ϥⲚⲀⲱϢ ⲈⲢⲟⲒ ⲀϢⲱ ⲀⲚⲞⲔ ϮⲚⲀⲤⲰⲦⲘ̄ ⲈⲢⲟϥ

B

ⲈⲠⲈⲔⲘⲀ ⲚϢⲰⲡⲒ

Das 31. Wunder ist in 3 Hss. (B, S und A) überliefert.
Zunächst sollen einige Verbesserungen der Übersetzungen
von O'Leary und Budge vorgenommen werden.

S 77a: "ⲁⲩⲃⲱⲕ ⲉⲡⲟⲝⲉ ⲙ̄ⲙⲟⲛ ⲛ̄ⲟⲩⲕⲟⲩⲓ" heißt nicht "that he
departed into the mountain not a little way", sondern
"er entfernte sich etwas von uns". Die Parallele im
Text A (166a) lautet: " مضى بعيدا منا قليل "

A 166a: " ... وَلَمَّا اقام نحو من ثلاثة ساعات او اربعة يسير في الجبل "
heißt nicht "and when he stood three or four hours he
went into the mountain", sondern "als er ungefähr drei
oder vier Stunden damit verbrachte, daß er im Gebirge
weiterschritt ..." (d.h. nachdem er drei oder vier
Stunden im Gebirge weitergeschritten war). نحو من
ist eine Übersetzung von ⲁ- , das vor Zahlen "ungefähr"
bedeutet, was Budge bei ⲁⲩⲟⲙⲧⲉ ⲛ̄ⲟⲩⲛⲟⲩ (S 77a) nicht
übersetzte.

A 166b: "فالتفت الى وقال لى" heißt nicht "And he observed
me and said", sondern "und er wandte sich an mich und
sagte zu mir", was den beiden Texten B und S entspricht:
B 395: ⲁⲩⲧⲁⲥⲑⲟ ⲇⲉ ⳉⲁⲣⲟⲓ ⲡⲉⲝⲁⲩ ⲚⲎⲓ   S 77b: ⲁⲩⲕⲟⲟⲧⲩ̄ ⲉ⳽ⲱⲓ̈ ⲡⲉⲝⲁⲩ ⲚⲀⲓ

Der Vergleich der Versionen miteinander hat zu folgenden
Ergebnissen geführt.

1) Es gibt Text, der nur in S und A steht, bzw. in S
und A gleich lautet, während B etwas davon abweicht:

S 77a: ⲁⲥ⳽ⲱⲡⲉ ⲇⲉ ⲟⲛ ⲙ̄ⲡⲟⲩⲟⲉⲓ⳽   = A 166a : كان في ذلك الزمان
B 395: ⲁⲥ⳽ⲱⲡⲓ ⲇⲉ ⲟⲛ ⲘⲉⲚⲉⲚⲤⲀ ⲚⲀⲓ

S 77a: ⳉⲁ ⲡ⳽ⲟ ⲛ̄ⲙ̄ⲡ̄ⲣ̄ⲥ̄ⲟⲥ   = A 166a: من اجل الخوف من الفرس
S 77a: Ⲏ ⳽ⲧⲟⲟⲩ   = A 166a: او اربعة
S 77a: ⲕⲀⲧⲀ ⲘⲀ   = A 166b: بكل مكان
                         B 395 : ⲕⲀⲧⲀ Ⲙⲓⲱⲧ

S 77a-b : ⲁⲩⲱ ⲛⲉⲙⲛ̄ ⲗⲁⲁⲩ ⲛ̄ⲣⲱⲙⲉ ⲛⲁⲉⲩ ⲋⲙ̄ ... ⲩⲧⲟⲩⲩⲉ ⲛ̄ⲥⲟⲡ
        ⲛ̄ⲩⲗⲏⲗ ⲛ̄ⲧⲉⲩⲩⲏ

= A 166b : ولم يكن احد يعلم ... وثلثماية صلاة فى الليل

B 395 : ⲙⲙⲟⲛ ⲍⲗⲓ ⲅⲁⲣ ⲛⲣⲱⲙⲓ ⲛⲁⲩ ⲋ̄ⲓ ⲏⲡⲓ ⲛⲛⲓⲥⲟⲡ ⲛⲩⲗⲏⲗ ⲉⲧⲉⲩⲓⲣⲓ
    ⲙⲙⲱⲟⲩ :

Das 31. Wunder wird nicht in P bzw. C erwähnt. Ein
unmittelbar vor dem 32. Wunder stehender Satz des
Textes P (18v = C 135b) lautet:

ولم يكون احدا يعلم كمال الصلوات الذين يصنعهم سوى الله وحده فتد كنت
               69
اراه فى الاوقات يعمل فى النهار ثلثماية صلاة وفى الليل اربعماية صلاة

Das zeigt, daß P bzw. C aus einer Vorlage des Textes
A übernommen wurde und nicht umgekehrt. Außerdem kann
B nicht eine ursprüngliche Vorlage von P sein, zumal
Teile des Satzes in P, die in S und A oder nur in A
stehen, in B fehlen.

S 77b : ϫⲓ ⲍⲣⲁⲕ ⲉⲣⲟⲕ   = A 166b : احترس على نفسك واحترز

S 77b : ϫⲉ ⲁⲓⲍⲉ ⲉⲋⲛⲟϭ ⲛ̄ⲇⲣⲁⲕⲱⲛ ⲙⲡⲟⲟⲩ ⲍⲓ ⲡⲧⲟⲟⲩ

A 166b : لانى قد وجدت اليوم تنينا كبير فى هذا الجبل

B 395-396 : ⲁⲓⲛⲁⲩ ⲉⲟⲩⲛⲓⲩϯ ⲛ̄ⲇⲣⲁⲕⲱⲛ ⲙϥⲟⲟⲩ ⲃⲉⲛ ⲡⲁⲓⲧⲱⲟⲩ

S 77b : ⲙⲛ̄ ⲍⲉⲛⲛⲟⲩⲣⲉ   = A 166b : ورخم

S 77b : ⲟⲩⲕⲱⲍ   = A 166b : ركن

S 77b-78a, B 396, A 167a:
Im Text B wird auf Ps. 91, 9 u. 10 hingewiesen; im Text
S auf die Verse 9, 10, 13, 14 und den ersten Teil des
15. Verses; in A auf Vers 9, 10, den ersten Teil des
11. Verses, Vers 13 und den ersten Teil des 14. Verses.

2) Dagegen stehen folgende Sätze nur in B und A:

B 369 : ⲍⲱⲗ ⲟⲩⲟⲍ ⲁⲛⲁⲩ ϫⲉ ⲉⲣⲉⲛⲁⲓⲍⲁⲗⲁϯ ⲑⲟⲩⲏⲧ ⲉⲟⲩ

A 166b : امضى وانظر لاى شئ هولاء الطيور مجتمعين عليه

- 165 -

B 369: ⲉⲧⲁⲓϣⲉ ⲇⲉ ⲉⲙⲁⲥ ⲇⲓϫⲓⲙⲓ... ⲁⲓⲧⲁⲙⲉ ⲡⲁⲓⲱⲧ ϫⲉ

A 166b-167a: اما انا فحفبيت ووجدت ... واعلت به الى قايلا

B 369: ⲁϥϯ ϧⲱⲧⲉⲃ ⲙⲡⲓⲇⲣⲁⲕⲱⲛ   = A 167a: ان الله قد اهلك التنين

Die drei Texte stimmen miteinander überein. Trotz den
nur in B und A stehenden Sätzen muß man folgern, daß
der Text A ursprünglich auf einen Text wie S zurückgeht,
zumal u.a. Satzteile und Worte der Parallelstellen der
drei Texte nur in S und A stehen. Das gilt nicht für
die Texte B und A, obwohl vollständige Sätze nur in
ihnen vorkommen. Falls diese Sätze nicht in einem verlorenen saidischen Text gestanden haben und ein bohai-
rischer Text wie B als Vorlage für den Text A für diese
Sätze gedient hat, kann dies Licht auf die Art der
Kompilation des Textes A werfen: Das Kernstück des
Textes A geht auf einen saidischen Text zurück, der
sich schon entwickelt hat. B steht dem Urtext näher,
wenn er auch auf eine andere Art der Entwicklung hinweist. Diese Art der Kompilation läßt sich durch die
Parallelstellen des 16. Wunders (B 378-380, S 43a-45b,
A 134a-136a) deutlicher erkennen:

B 378-379: ⲁⲥϣⲱⲡⲓ ⲇⲉ ⲙⲡⲓⲥⲏⲟⲩ ⲉⲧⲉⲙⲙⲁⲩ ... ⲙⲫⲣⲏϯ ⲉⲧⲁⲩⲁⲓⲥ
               ⲙⲫⲁⲣⲁⲱ ⲙⲡⲓⲥⲏⲟⲩ

S 43a-b: ⲙⲛ̄ⲛ̄ⲥⲁ ⲟⲩⲟⲉⲓϣ ⲇⲉ   ... ϣⲁⲛⲧⲉⲩⲛⲟⲭⲟⲩ ⲛ̄ⲙⲧⲱ ⲥⲛ̄
            ϯⲁⲗⲗⲁϥⲁ ⲛ̄ⲧⲉ ⲡⲉⲩⲣ[ⲡ]ⲙⲉⲉⲩⲉ ⲧⲁⲕⲟ ⲥⲛ̄ ⲟⲩⲱⲛϩ ⲉⲃⲟⲗ

A 134a-b: كان من بعد زمان ... الى ان طرحه هو واخبارﻩ الى البحر واغرقهم
           واباد ذكرهم واهلكهم صلاك ظاهر وموتهم

Ein einziger Urtext muß den drei Texten vorgelegen
haben. Die Einzelheiten der Texte zeigen, daß A dem
Text S nähersteht[70]. Dies gilt auch für den Abschnitt

B 380: ϯⲛⲟⲩ ϫⲉ ⲙⲁⲣⲉϯⲙⲉϯⲛⲁⲏⲧ ⲛⲉⲙ ϯⲙⲉⲧⲁⲛⲟⲓⲁ ϣⲱⲡⲉ ϧⲉⲛ
         ⲑⲏⲛⲟⲩ... ⲛ̄ⲧⲉⲥⲟⲩⲟϯⲃⲉϥ ⲉⲃⲟⲗ ϧⲉⲛ ⲫⲙⲟⲩ ⲉϧⲟⲩⲛ ⲉⲡⲱⲛϧ

S 43b–44a: ⲙⲁⲣⲉⲧⲙⲉⲧⲁⲛⲟⲓⲁ ⲟⲩⲛ ⲥ̄ⲱ ⲉⲥⲙⲏⲛ ⲉⲃⲟⲗ ⲛ̄ⲁ̄ⲙⲏⲧⲛ̄… ⲁⲩⲱ
ⲝⲉ ⲡⲉⲧⲉⲟⲩⲛ̄ⲧⲁⲕϥ̄ ⲁⲣⲓ ⲙ̄ⲛ̄ⲧⲛⲁ ⲛ̄ϩⲏⲧϥ̄

A 135b–136a: فإنكم اذا لم تتوبوا وترجعوا عن خطاياكم … وبقدر ما يكون لك اعطى منه الصدقة
والرحمة

B 379–380: ⲙⲉⲛⲉⲛⲥⲁ ⲛⲁⲓ ⲝⲉ ϯⲧⲁⲙⲟ ⲙ̄ⲙⲱⲧⲉⲛ… ⲛⲓⲓⲟⲧ ⲥⲉⲉⲙⲓ
ⲉⲛⲟⲩϣⲏⲣⲓ ⲝⲉ ⲥⲉⲉⲣⲛⲟⲃⲓ ⲟⲩⲟϩ ⲥⲉϯ ⲥⲃⲱ ⲛⲱⲟⲩ ⲁⲛ

A 135a: وانا اعترف كفر … والابا منكر يعلموا بزنا اولادهم ويغفلون عنهم
ولا يلوموهم ولا يوعظوهم

Dieser Abschnitt fehlt in S, sowie der Satz ⲉⲧⲃⲉ ⲛⲉⲛⲛⲟⲃⲓ
ⲅⲁⲣ ⲁⲫ̄ϯ ⲟⲃϣϥ ⲉⲣⲟⲛ ⲁⲩⲑⲓⲧⲉⲛ ⲉⲧⲟⲧⲟⲩ ⲛ̄ⲛⲁⲓⲉⲑⲛⲟⲥ ⲛⲁϯⲛⲁⲓ   (B 380)

= A 135b: ولاجل هذه الخطايا بعينها عفل الله عنهم ونسيبهم واسلمهم الحمى سبى البرير

Die Aussagen der Texte S und A über den Brief Pesyntheus'
werden in beiden Texten abgeschlossen mit:

S 45a–b: ⲉⲓⲥ ⲛⲁⲓ ⲛⲉⲧⲉⲩⲥϩⲁⲓ ⲙ̄ⲙⲟⲟⲩ ⲛ̄ϩⲁϩ ⲛ̄ⲥⲟⲡ ϣⲁ ⲡⲗⲁⲟⲥ ⲧⲏⲣϥ̄
ⲛ̄ϭⲓ ⲡⲙⲁⲓⲛⲟⲩⲧⲉ ⲛ̄ⲉⲓⲱⲧ ⲁⲡⲁ ⲡⲉⲥⲩⲛⲑⲓⲟⲥ

A 136a: وهذا نص ما كان يكتب به للشعوب الذين بكرسيه

Auf eine weitere Entwicklung des Textes S weisen die
folgenden Abschnitte hin:

44a–45a: ⲙⲡⲣ̄ⲧⲣⲉ ⲡⲉⲕⲃⲁⲗ ⲫⲑⲟⲛⲉⲓ ⲉⲣⲟⲕ… ⲉⲓⲧⲉ ⲁⲅⲁⲑⲟⲛ ⲉⲓⲧⲉ ⲡⲉⲑⲟⲟⲩ

und 45b–46a: ⲛ̄ⲛⲁϭⲙ̄ ϭⲟⲙ ⲝⲉ ⲛ̄ⲕⲟⲥⲙⲉⲓ ⲙ̄ⲡⲉⲛⲕⲱⲙⲓⲟⲛ … ⲁⲗⲗⲁ
ⲙⲁⲣⲛ̄ⲝⲉ ϩⲉⲛⲕⲟⲩⲓ ⲉⲧⲃⲉ ⲡⲡⲉⲧⲟⲩⲁⲁⲃ ⲉⲃⲥⲟⲩ ⲙ̄ⲡⲛⲟⲩⲧⲉ. Beide Abschnitte
stehen nur im Text S. Der letztgenannte Abschnitt besteht aus einer Anrede an die Zuhörer und einer Lobrede
auf Pesyntheus und steht unmittelbar vor dem 17. Wunder.
Nur in den Texten S und A folgt das 17. Wunder dem 16.
Wunder.
In diesem Zusammenhang sollen die Angaben des 53.
Wunders kurz behandelt werden. Der erste Teil des
Wunders (B 415) ⲁⲥϣⲱⲡⲓ ⲝⲉ ϩⲉⲛ ⲡⲭⲓⲛⲑⲣⲉϯ ⲟⲩⲱϣ
ⲛ̄ϣⲱⲡⲓ ⲛ̄ⲛⲓⲡⲁⲧⲣⲓⲁⲣⲭⲏⲥ ⲛⲉⲙ ⲛⲓⲡⲣⲟⲫⲏⲧⲏⲥ ⲛⲉⲙ ⲛⲓⲁⲡⲟⲥⲧⲟⲗⲟⲥ … ϥⲙⲁ

S 78a-78b: ⲁⲥϣⲱⲡⲉ ⲇⲉ ⲛⲧⲉⲣⲉⲡⲛⲟⲩⲧⲉ ⲟⲩⲱϣ... ⲟⲩⲁⲣⲭⲓⲉⲣⲉⲩⲥ ⲡⲉ
      ⲉⲩⲛⲍⲟⲧ ⲛⲑⲉ ⲙⲙⲱⲩⲥⲏⲥ ⲙⲛ ⲁⲁⲣⲱⲛ ⲙⲛ ⲛⲉⲧⲙⲛⲛⲥⲱⲟⲩ

A 205a: اسمعوا الان ايها الابا القديسين ... مثل موسى النبى وهارون وملشيساداق
      كاهن العلا

ist in B der kürzeste, in S der längste. Der Text A
steht dem Text S näher.

Ein Satz des Textes A (206b) weist auf eine Kompilation
    aus Texten wie B und S hin:

ولما انتهى الى المرض الاخير الذى يكون فيه وفاته فانه لازم الفراش وتوجع كثيرا ولما
انتهى الى اول الشهر الذى هو ابيب من خمس ازداد مرضه واشتد وجعه

vgl. B 415: ⲉⲧⲁϥⲓ ⲇⲉ ⲉⲥⲟⲩⲁⲓ ⲙⲡⲓⲁⲃⲟⲧ ⲉⲡⲏⲡ   und S 78b (unmittelbar nach dem obengenannten ersten Teil des Wunders)
ⲛⲧⲉⲣⲉϥⲉⲓ ⲇⲉ ⲉⲡⲥⲁϩⲛ ⲛⲩϣⲱⲛⲉ ⲉⲧϥⲛⲁⲙⲧⲟⲛ ⲙⲙⲟϥ ⲛⲍⲏⲧϥ ⲉⲧⲉ ⲡⲉⲃⲟⲧ
ⲉⲡⲓⲫ ⲡⲉ ⲛⲧⲉⲣⲟⲙⲡⲉ ⲙⲡⲉⲛⲧⲏ

Der weitergehende Teil des Textes S bis zum Ende (78b-
82a) ⲁⲩⲙⲟⲩⲧⲉ ⲉⲣⲟⲓ ⲛⲧⲉⲩϣⲏ ⲛⲥⲟⲩ ⲩⲙⲟⲩⲛ ⲛⲉⲡⲓⲫ   ... ⲍⲛ
     ⲟⲩⲉⲓⲣⲏⲛⲏ ⲛⲧⲉ ⲡⲛⲟⲩⲧⲉ ⲍⲁⲙⲏⲛ ⳉⳉ und der Teil des Textes A
(207a bis zum Ende 211a)

ولما كان ليلة الثامن من شهر ابيب دعاني ايضا... واقبرناه هناك بكرا اليوم الرابع عشر
من شهر ابيب الرب برحمنا بصلواته ...

stimmen miteinander überein, vor allem bezüglich der
Reihenfolge der Angaben, und enthalten Text, der nicht
im Text B vorkommt. Man kann Parallelen im Text B finden,
die Teilen der Angaben der Texte S und A entsprechen.
Diese Angaben weichen in ihrer Reihenfolge etwas von
der der Texte S und A ab:

B 415: ⲡⲉϫⲁⲩ ⲛⲏⲓ ϫⲉ ⲓⲱⲁⲛⲛⲏⲥ ⲛⲓⲙ ⲡⲉ ⲉⲧⲭⲏ ⲙⲡⲁⲓⲙⲁ... ⲉⲧⲁϥⲓ
      ⲉⲭⲉⲙ ⲡⲉⲕϣⲓⲛⲉ

S 78b: ⲡⲉϫⲁⲩ ⲛⲁⲓ ϫⲉ ⲓ̅ⲥ̅ ⲟⲩⲛ ⲣⲱⲙⲉ ⲍⲁⲍⲧⲏⲕ ... ⲛⲧⲁⲩⲉⲓ
      ⲉⲉⲙ ⲡⲉⲕⲟⲩⲱ

A 207a-b: وقالت لى يا يوحنا هل عندك احد من الناس ... قد حفروا ليفتقدوا احوالك
      ويعلموا اخبارك

B 417: ⲛⲁⲓ ⲇⲉ ⲉⲧⲁⲩϫⲟⲧⲟⲩ ⲛⲁⲛ ⲁⲛϥⲁⲓ ⲛⲧⲉⲛⲥⲙⲏ... ⲛⲟⲩⲓⲱⲧ
      ⲛⲁⲓⲕⲁⲓⲟⲥ ⲛⲧⲁⲓⲙⲁⲓⲏ

S 79b-80a: ⲛⲧⲉⲣⲉϥϫⲉ ⲛⲁⲓ ⲛⲁⲛ ⲛϭⲓ ⲡⲁⲉⲓⲱⲧ ⲁⲛⲟϭ ⲛⲁⲩⲕⲁⲕ... ⲛϭ-
      ⲉⲓⲱⲧ ⲛⲁⲅⲁⲑⲟⲥ ⲛⲧⲉⲓⲍⲉ

A 208b:
      ولما قال لنا هذا ابى القديس فكان منا صراخ عظيم ... اب رحوم مشفق

B 417: ⲚⲐⲞⲔ ⲆⲈ ⲘⲰⲨⲤⲎⲤ ... ⲚⲤⲈϮ ⲈⲎⲞⲨ ⲚⲚⲞⲨⲮⲨⲬⲎ ⲈⲂⲞⲖ ⲈⲒⲦⲞⲦⲔ

S 78b-79a: ⲘⲰⲨⲤⲎⲤ ⲘⲰⲨⲤⲎⲤ ⲘⲰⲨⲤⲎⲤ ... ⲚⲤⲈϮ ⲈⲎⲨ ⲚⲚⲈⲨⲮⲨⲬⲎ
ⲈⲂⲞⲖ ⲈⲒⲦⲞⲞⲦⲔ̄

A 207b:

يا موساس ... كيما يربحوا نفوسهم واجتهد بحسن اهتمامك

B 417-418: ⲬⲈ ⲒⲰⲀⲚⲚⲎⲤ ⲠⲀϢⲎⲢⲒ ⲔⲤⲰⲞⲨⲚ ⲘⲠⲀⲂⲒⲞⲤ ⲦⲎⲢϤ...ⲚⲦⲈⲦⲈⲚ-
ⲔⲞⲤⲦ ⲚⲦⲈⲦⲈⲚϢⲰⲘⲤ ⲘⲘⲞⲒ

S 81b-82a: ⲬⲈ ⲒⲰ̄Ⲥ ⲔⲤⲟⲟⲨⲚ ⲘⲠⲀϪⲰⲔ ⲦⲎⲢϤ ... Ⲛ̄ⲦⲈⲦⲚ̄ⲔⲞⲤⲦ
Ⲛ̄ⲦⲈⲦⲚ̄ⲦⲞⲘⲤⲦ

A 210a-b:

يا اخوتـ كلكم تعلموا سيرتـ ... وكفنوتـ وادفنوتـ

B 419-420: ⲀϤⲈⲢ Ⳓ̄ ⲚⲈⲈⲞⲞⲨ ⲚⲈⲘ Ⳓ̄ ⲚⲈⲬⲰⲢⳜ ... ϪⲀⲦⲈⲚ
ⲠⳆ̄Ⲥ ⲒⲎ̄Ⲥ ⲠⲬ̄Ⲥ ⲠⲀⲞⲨⲢⲞ

S 80b-81a: ⲚⲈⲀϤⲢ̄ ϢⲞⲘⲚ̄Ⲧ ⲄⲀⲢ Ⲛ̄ⲈⲞⲨ ... ⳌⲀϪⲦⲚ̄ ⲠⲈⲬ̄Ⲥ

A 209b-210a:

واقام ثلاثة ايام ... قدام السيد المسيح له المجد

B 421: ⲀⲨⲞⲨⲰⲚ ⲚⲢⲰϤ ... ⲀⲚⲐⲞⲘⲤϤ ⲚⲤⲞⲨ ⲒⲆ̄ ⲚⲈⲠⲎⲠ ϪⲈⲚ
ⲠⲒⲘⲀ ⲈⲦⲀⲨⲞⲨⲈⳌⲤⲀⳌⲚⲒ ⲀⲚⲨⲞⲔϤ ⲒⲤϪⲈⲚ ⲚⲈⲨⲞⲚⳜ

S 82a-b: ⲀⲨⲞⲨⲰⲚ Ⲛ̄ⲢⲰϤ ... ⲀⲚⲦⲞⲘⲤϤ Ⲉ̄Ⲛ̄ ⲤⲞⲨ ⲘⲚ̄ⲦⲀϤⲦⲈ
ⲘⲠⲈⲒⲈⲂⲞⲦ Ⲛ̄ⲞⲨⲰⲦ ⲈⲠⲎϤ Ⲉ̄Ⲛ̄ ⲞⲨⲈⲒⲢⲎⲚⲎ Ⲛ̄ⲦⲈ ⲠⲚⲞⲨⲦⲈ
ⳌⲀⲘⲎⲚ ⳍ̄
A 211a:

وفتح فاه ... واقبرناه هناك بكار اليوم الرابع عشر من شهر ابيب

Einige Aussagen werden nur in den Texten B und A geboten:

B 415-416: ϪⲀⲦⲈⲚ ⲘⲠⲀⲦⲤⲀϪⲒ ⲚⲈⲘⲀⲔ ⲀⲞⲨⲈⲔⲤⲦⲀⲤⲒⲤ ⲦⲀⳌⲞⲒ ⲀⲒⲚⲀⳌ
ⲈⲞⲨⲘⲎϢ ⲚⲈⲠⲒⲤⲔⲞⲠⲞⲤ ⲚⲞⲢⲐⲞⲆⲞⲜⲞⲤ ... ϤⲒ ϤⲢⲰⲞⲨϢ ⲘⲠⲒⲘⲰⲒⲦ

A 205b-206a:

انى رأيتـ فى هذه الليلة كان جمع كبير من الاساقفة
الارثذكسيين ... وخذ معك ما يجب فى الزاد للطريق الصعب الهائل

Im Text S wird dies anders beschrieben, was auch im
Text A wiedergegeben wird:

S 79b: ⳌⲀⲐⲎ ⲈⲦⲢⲀⲨϢⲀϪⲈ ⲚⲘ̄ⲘⲀⲔ ⲀⲨⲈⲔⲤⲦⲀⲤⲒⲤ ⲦⲀⳌⲞⲒ ⲀⲨⲢⲰⲘⲈ Ⲛ̄ⲞⲨⲞⲈⲒⲚ
ⲈⲒ ⲀϤⲀⳌⲈⲢⲀⲦϤ ⲘⲠⲀⲘⲦⲞ ⲈⲂⲞⲖ ... Ⲛ̄ⲦⲈⲢϤ ϪⲈ ⲚⲀⲒ ⲚⲀⲒ ⲀϤⲀⲚⲀⲬⲰⲢⲈⲒ
ⲚⲀϤ

A 208a-b:

من قبل ان اتحدث معك انا وقع على سبات ورأيت انسان نوران
قد وقف امامى ... ولما قال لى مثل هذا انصرف عنى

Dieser Tatbestand erinnert an die Wunder 14 und 15, wobei
es sich um eine Vision Pesyntheus' handelt und die Geschichte der beiden Texte B und S im Text A erwähnt wird.

B 418: ⲟⲩⲟⲅ ⲙⲡⲉⲣⲭⲁ ⲅⲗⲓ ⲛⲣⲱⲙⲓ ⲉⲱⲗⲓ ⲙⲡⲁⲥⲱⲙⲁ ⲥⲁⲃⲟⲗ ⲙⲡⲁⲙⲁ
ⲛⲩⲱⲡⲓ ⲛⲥⲉϭⲓⲧϥ ⲉⲧⲡⲟⲗⲓⲥ ⲕⲉϥⲧ

A 206b:

فلا تدع احدا من الناس ان يذهب بجسدي الى مكان بعيد خارج من
القبر الذى انا امرت به يحفرونه لى فى هذا الجبل لئلا يذهبوا بى الى
مدينة قفط او غيرها

B 418-419: ⲉⲧⲁⲩϫⲉ ⲛⲁⲓ ⲇⲉ ⲁϥⲭⲁ ⲣⲱϥ ... ⲁⲩⲍⲱⲗⲉⲙ ⲙⲡⲉϥⲛⲟⲩⲥ
ⲉⲡϭⲓⲥⲓ

A 209b:

فلما رانا ابينا بأكيين لزم الصمت واقام تلك الليلة كلها غشيان

B 420: ⲙⲉⲛⲉⲛⲥⲁ ⲛⲁⲓ ⲇⲉ ⲡⲉϫⲁϥ ϫⲉ ⲡⲓⲙⲁⲣⲧⲩⲣⲟⲥ ⲉⲑⲟⲩⲁⲃ ⲛⲧⲉ ⲡⲭⲥ
ⲫϯ ⲓⲅⲛⲁⲧⲓⲟⲥ ... ⲛⲓⲙ ⲡⲉ ⲡⲓⲣⲱⲙⲓ ⲉϥⲛⲁⲉⲣ ⲉⲃⲟⲗ ⲉϥⲧⲉⲙϫⲉⲙ ϯⲡⲓ
ⲙⲡⲓⲁⲣⲟ ⲛⲭⲣⲱⲙ ⲉⲧⲉⲙⲙⲁⲩ

A 206b-207a:

وقال يا شهيد المسيح اغناطيوس ... ومن هوالذى يخلص من عبور
النهر النار

B 420-421: ⲉⲡϫⲁⲉ ⲇⲉ ⲁϥⲭⲱ ⲙⲡⲁⲓⲥⲁϫⲓ ϫⲉ ⲅⲏⲡⲡⲉ ⲁⲓⲣⲓ
ⲙⲡⲓⲟⲩⲁⲅⲥⲁⲅⲛⲓ ⲛⲧⲉ ⲡⲟⲥ ⲟⲩⲟⲅ ⲁⲓⲣⲓ ⲙⲡⲁⲥⲟⲃⲧ

etwa A 210b:

ثم قال اخيرا هو ذا قد اتيت كلما امرت يا رب

Text, der nur in B steht:

B 415: ⲉⲧⲁⲩⲓ ⲇⲉ ⲉⲥⲟⲩⲁⲓ ⲙⲡⲓⲁⲃⲟⲧ ⲉⲡⲏⲡ ⲁⲩⲛⲁⲩ ⲉⲟⲩⲅⲟⲣⲁⲙⲁ

B 416-417: ϫⲉ ⲁⲩϥⲁⲩⲧⲉⲛ ⲉⲓ ⲛⲥⲱⲕ ⲇⲉⲛ ⲟⲩⲭⲱⲗⲉⲙ ⲛⲥⲟⲩ ⲓⲩ
ⲙⲡⲁⲓⲁⲃⲟⲧ

B 417: ⲁⲩⲉⲣⲟⲩⲱ ⲡⲉϫⲁⲩ ⲛⲁⲛ ϫⲉ ⲉⲑⲃⲉ ⲟⲩ ... ⲛⲛⲁⲓⲟⲧ ⲉⲑⲟⲩⲁⲃ
ⲉⲧⲁⲩϫⲱⲕ ⲉⲃⲟⲗ ϧⲁϫⲱⲓ

B 420: ⲁⲩⲉⲣ ⲡⲓⲉⲅⲟⲟⲩ ⲧⲏⲣϥ ⲉⲧⲉⲙⲙⲁⲩ ⲙⲫⲣⲏϯ ⲛⲟⲩⲁⲓ ⲉⲩⲑⲱⲥⲥ
ⲙⲙⲟϥ ⲛⲛⲉⲅ

Aus den genannten Angaben über das 53. Wunder kann man
auch aufs ganze gesehen folgendes folgern:

a) Die Angaben des Textes S werden im Text A in derselben Reihenfolge wiedergegeben. Zu diesen Angaben gibt es Parallelen im Text B, wobei die Reihenfolge im Text B von der der Texte S und A etwas abweicht. Gleichzeitig weisen S und A auf eine Entwicklung hin, weil sie Aussagen enthalten, die im Text B nicht erwähnt werden.

b) B enthält Angaben, die nicht im Text S vorkommen. Diese Angaben werden im Text A nicht in derselben Reihenfolge wiedergegeben, während sonst der Text A Angaben aus S in derselben Reihenfolge wiedergibt. Ein Teil dieser Angaben (die Vision Pesyntheus') wird im Text S anders beschrieben. Dieser Tatbestand zeigt u.a., daß ein Urtext den beiden Texten B und S gedient haben muß. An den Parallelstellen der Texte B und S weist der Text S auf eine Entwicklung hin. Das bedeutet, daß der Text B - im allgemeinen - dieser Parallelstellen dem Urtext nähersteht. Andererseits hat sich der Text B entwickelt, da er Aussagen enthält, die nicht im Text S stehen. Bei der Kompilation der Vorlage von A (XA) ging man von einem Text wie S aus, wahrscheinlich von einem aus dem Saidischen ins Arabische übersetzten Text, und man hat die nur in einem bohairischen Text stehenden Angaben, wohl in einer arabischen Übersetzung aus dem Bohairischen in (XA) hinzugefügt.

c) Die Reihenfolge der Angaben des Textes B, die in S und A stehen, muß der des Urtextes näher gestanden haben. Das zeigt nicht nur die chronologische Ordnung des Textes B, sondern auch die Tatsache, daß hier in S und A auf die persische Eroberung hingewiesen wird (S 80a-b = A 208b-209a). Diese Aussage steht auch im Text B, aber im 17. Wunder (B 397), das in der Perserzeit geschehen sein soll[71].

d) Im Text S (78b, 82a = A 206b) ist von einer 5. (Indiktion) die Rede. Diese Zeitangabe unterstützt die
These Crums[72] über die Entstehungszeit der Vita des
Pesyntheus, da eine solche Aussage nur von einem Zeitgenossen des Pesyntheus stammen kann.

e) Der Vergleich der Texte A und P zeigt auch bei diesem
Wunder, daß der Text P ein Auszug aus einer Vorlage des
Textes A - nach der Kompilation aus den koptischen
Texten - darstellt.

Das 4. Wunder:

S   A

S	A
ⲁⲥϣⲱⲡⲉ ⲇⲉ ⲛ̄ⲟⲩⲍⲟⲟⲩ ⲉⲧ ⲉϥⲟ ⲙⲙⲟⲛⲟⲭⲟⲥ	وكان ذات يوم وهو راهب
ⲙ̄ⲡⲁⲧⲉⲡⲛⲟⲩⲧⲉ ⲧⲁⲍⲙ̄ϥ ⲉⲧⲙⲛ̄ⲧⲉⲡⲓⲥⲕⲟⲡⲟⲥ	من قبل ان يدعوه الى درجة الاسقفية
ⲛ̄ⲩⲥⲟⲣⲁⲍⲧ̄ ⲙⲁⲩⲁⲁϥ	منفردا وحده
	فى خزانته
22b ⲍⲙ̄ ⲡⲧⲟⲟⲩ ⲛ̄ⲧⲥⲉⲛⲧⲏ	بجبل الاساس
ⲁⲡⲉϥⲥⲟⲛ ⲉⲓ ⲩⲁⲣⲟϥ ⲉⲧⲣⲉϥϭⲙ̄ ⲡ̄ϥϣⲓⲛⲉ	حضر اليه يومئذ اخوة بالجسد ليفتقدوا احباره
ⲉϥⲙⲟⲟⲩⲉ ⲙⲛ̄ ⲟⲩⲥⲟⲛ ⲙ̄ⲡⲓⲥⲧⲟⲥ	وصحبتهم رجل اخر صالح مؤمن بالله
ⲁⲩⲁⲡⲁⲛⲧⲁ ⲉⲡⲡⲉⲧⲟⲩⲁⲁⲃ ⲛⲁⲥⲕⲏⲧⲏⲥ	فاجتمع به
	باكر فى ذلك المكان
	108a
ⲁⲩⲱ ⲁⲩⲭⲓ ⲥⲙⲟⲩ ⲍⲛ̄ ⲛⲩ̄ϭⲓⲭ ⲉⲧⲟⲩⲁⲁⲃ	اما هو فسالهم قائلا هل لكم
ⲁⲩⲭⲛⲟⲟⲩ ⲇⲉ ϫⲉ ⲟⲩⲛ̄ⲧⲉⲧⲛ ⲁⲡⲟⲕⲣⲏⲥⲓⲥ	حاجة فى هذه البلاد وهذا لما
ⲍⲛ̄ ⲛⲉⲓⲙⲉⲣⲟⲥ	تباركا من يديه الطاهرين
ⲁⲩⲟⲩϣⲃ̄ ϫⲉ	اجابه قائلين
ⲡⲣⲱⲧⲟⲛ ⲙⲉⲛ ⲛ̄ⲧⲁⲛⲕⲁⲣⲁⲧⲛ ⲉⲃⲟⲗ	اتا حضرنا
ⲉⲧⲣⲉⲛⲉⲓ ⲩⲁⲣⲟⲕ ⲛ̄ⲧⲛ̄ϭⲙ̄ ⲡⲉⲕϣⲓⲛⲉ	لزيارتك وافتقادنا احوالك
ⲁⲩⲱ ⲛ̄ⲧⲛ̄ϫⲓ ⲙⲡⲉⲕⲥⲙⲟⲩ	ونستلى بيركتك يا ابينا القديس
ϫⲉ ⲙ̄ⲡⲉⲛ̄ⲣⲟⲟⲩϣ ⲙ̄ⲡⲕⲟⲥⲙⲟⲥ ⲕⲁⲛ	لان اتعاب هذه الدنيا واشغالها ليست تدعنا
ⲉⲡⲁⲣⲁⲅⲉ ⲙ̄ⲙⲟⲕ ⲉⲓⲥ ⲟⲩⲙⲏⲏϣⲉ ⲛ̄ⲍⲟⲟⲩ	نتضرع بزيارتك حو ذا اياما كثيرة
	ونحن مشتاقين ان نراك
ⲙⲛ̄ⲛⲥⲱⲥ ⲟⲩⲛ̄ⲧⲁⲛ ⲙ̄ⲙⲁⲩ	ولنا ايضا
ⲛ̄ⲟⲩⲕⲟⲩⲓ ⲛ̄ⲁⲡⲟⲕⲣⲓⲥⲓⲥ ⲍⲙ̄ ⲡⲓⲧⲟⲩ	حاجة يسيرة فى تلك البلاد
ⲉⲛⲟⲩⲱϣ ⲉⲧⲟⲩϭ̄	
ⲁⲗⲗⲁ ϣⲗⲏⲗ ⲉϫⲱⲛ ⲡⲉⲛⲉⲓⲱⲧ	ولكن صلى علينا يا ابينا

S	A

S

ⲚⲦⲈⲠⲚⲞⲨⲦⲈ ⲘⲞⲞⲨⲈ ⲚⲘⲘⲀⲚ

ⲢⳋⲨⲀⲚⲠⲚⲞⲨⲦⲈ ϯ ⲐⲈ ⲚⲀⲚ

ⲦⲚ̄ⲚⲀⲔⲦⲞⲚ ⳋⲀⲢⲞⲔ Ⲛ̄ⲔⲈⲤⲞⲠ

Ⲛ̄ⲦⲚ̄ⲀⲤⲠⲀⲌⲈ Ⲙ̄ⲘⲞⲔ

Ⲛ̄ⲦⲚⲬⲒ | 23a
Ⲙ̄ⲠⲈⲔⲤⲘⲞⲨ

Ⲙ̄ⲠⲀⲦⲚ̄ⲔⲦⲞⲚ ⲈⲠⲈⲚⲎⲒ ⲈⳋⲰⲠⲈ ⲠⲞⲨⲰⳋ Ⲙ̄Ⲡ-
ⲚⲞⲨⲦⲈ

ⲀⲨⲞⲨⲰⳋⲂ̄ Ⲛ̄Ϭⲓ ⲠⲈⲦⲞⲨⲀⲀⲂ ⲬⲈ

ⲘⲞⲞⲨⲈ Ⲍ̄Ⲛ ⲞⲨⲢⲀⳋⲈ

ⲀⲗⲗⲀ ⲢⲞⲈⲒⲤ ⲈⲢⲰⲦⲚ̄ ⲚⲀⳋⲎⲢⲈ
Ⲙ̄ⲠⲢ̄ⲢⲚⲞⲂⲈ

ⲞⲨⲗⲀⲨ ⲅⲀⲢ ⲠⲈ ⲠⲔⲞⲤⲘⲞⲤ ⲈⲦⲚ̄Ⲛ̄ⲌⲎⲦϤ̄

ⲈⲂⲞⲗ ⲬⲈ ⲞⲨⲠⲢⲞⲤ ⲞⲨⲞⲈⲒⳋ ⲠⲈ

ϯⲌ̄ⲦⲎⲦⲚ̄ ⲆⲈ ⲈⲢⲰⲦⲚ̄ ⲚⲀⳋⲎⲢⲈ Ⲍ̄Ⲛ ⲚⲈⲒⲦⲘⲈ

Ⲙ̄ⲠⲢ̄ⲤⲨⲚⲦⲈⲬⲒ ⲘⲚ̄ ⲞⲨⲤⲌⲒⲘⲈ ⲈⲤⲌⲞⲞⲨ

Ⲙ̄ⲠⲢ̄ⲬⲒ ⲘⲀⲤⲈ Ⲛ̄ⲦⲚ̄ⳋⲎⲔⲈ

ⲈⳋⲰⲠⲈ ⲞⲨⲚ̄ⲦⲎⲦⲚ̄ ⲗⲀⲀⲨ ⲈⲢⲰⲘⲈ

Ⲍ̄Ⲛ ⲚⲈⲒⲘⲈⲢⲞⲤ

Ⲙ̄ⲠⲢ̄ⲀⲚⲀⳢⲔⲀⲌⲈ Ⲙ̄ⲘⲞϤ

ⲞⲨⲆⲈ Ⲙ̄ⲠⲢ̄Ⲍ̄Ⲁ̄ⲌⲰⲬϤ̄

ⲀⲗⲗⲀ ⲢⲞⲈⲒⲤ ⲈⲚⲈⲦⲘ̄ⲮⲨⲬⲎ

ⲬⲈⲔⲀⲤ ⲈⲢⲈⲠⲚⲞⲨⲦⲈ ⲚⲀⲢ̄ ⲠⲎ̄ⲚⲀ Ⲛ̄Ⲙ̄ⲘⲎⲎⲦⲚ̄

A

ان يرشدنا الله

ويسهل لطريقنا حتى نقضى حاجتنا

ونعود راجعين الى قدسك

ان اراد اللّه لنا بذلك ونتبارك من ابوتك الطاهرة
من قبل عودتنا الى مساكننا

اجابهم القديس وقال

انطلقتا بسلام الرب

ولكن تحرزوا لانفسكم ايها الاحبا الابنا الاخيار

108.b
لان هذه الدنيا التى نحن فيها غزارة بطالة
ومقامنا عليها يسير وليس يدعونا عليها مخلدين

واحفظوا نفوسكم فى القرى

ان تتحدثوا مع امرأة ردية

ولا تاخذوا اربا من مساكين

وان كان دين على احد

فى هذا الوقت

فلا تعسفوه

ولا تضيقوا عليه

الى ان يرزقه الله شيئا فيوفيكم

ولكن تحرزوا لنفوسكم

وتحفظو بقلوبكم

لكيما يرحمكم الله كعظيم رحمته

S	A

S   A

ⲁⲩⲟⲩⲱϣⲃ̄ ⲇⲉ ⲩⲭⲏⲗ ⲉϫⲱⲛ ⲡⲉⲛⲉⲓⲱⲧ   فاجابه قائلين صلى علينا يا ابينا انبا بيستاوس

ⲁⲩⲱ ⲁⲩⲉⲓ ⲉⲃⲟⲗ ϩⲓⲧⲟⲟⲧϥ̄ ⲁⲩⲧⲁⲗⲟ ⲉⲧⲉϩⲓⲏ   وللوقت خرجوا من عنده واستقبلنا الطريق

ⲉϥϯ ⲉⲟⲟⲩ ⲙ̄ⲡⲛⲟⲩⲧⲉ ⲉϫⲛ̄ ⲛ̄ϣⲁϫⲉ ⲛ̄ⲥⲃⲱ   وهما يمجدا الله لاجل كلام الادب والتعاليم الصالحة

ⲛ̄ⲧⲁⲩⲥⲱⲧⲙ ⲙ̄ⲙⲟⲟⲩ ⲉⲧⲟⲟⲧⲟⲩ   التي سمعوها من ابينا القديس انبا بيستاوس

23 b

ⲛ̄ⲧⲟⲩ ϩⲱⲟⲩ ⲟⲛ ⲡⲡⲉⲧⲟⲩⲁⲁⲃ ⲛ̄ⲁⲛⲁⲭⲱⲣⲓⲧⲏⲥ   ولما ذهبا نهض الاب السائح

ⲁⲡⲁ ⲡⲉⲥⲉⲛⲑⲓⲟⲥ ⲁⲩϫⲉⲣⲁⲧϥ̄   قائما على قدميه

109 a

ⲁⲩⲙⲉⲗⲏⲧⲁ ϩⲛ̄ ⲧⲁⲣⲭⲏ ⲙ̄ⲡϫⲱⲱⲙⲉ   وبدا يتلوا في سفر

ⲛ̄ⲓⲉⲣⲉⲙⲓⲁⲥ ⲡⲉⲡⲣⲟⲫⲏⲧⲏⲥ   اشعيا النبي من اوله

ⲁⲩⲃⲱⲕ ⲇⲉ ⲛ̄ϭⲓ ⲡⲉⲩⲥⲟⲛ   فمضى اخاه

ⲙ̄ⲛ̄ ⲡⲣⲱⲙⲉ ⲙ̄ⲡⲓⲥⲧⲟⲥ ⲉⲧⲙⲟⲟϣⲉ ⲛⲙ̄ⲙⲁⲩ   والرجل الاخر الذي كان معه

ⲁⲩⲧⲉⲩ ⲧⲉⲩⲁⲡⲟ ⲕⲣⲓⲥⲓⲥ   وقضوا حاجاتها

ⲕⲁⲧⲁ ⲡϣⲁϫⲉ ⲙ̄ⲡⲡⲉⲧⲟⲩⲁⲁⲃ   بكلام القديس

ⲡⲁⲓ ⲛ̄ⲧⲁⲩⲥⲡ̄ⲥ̄ⲡ ⲡϫ̄ⲥ̄ ⲉϫⲱⲟⲩ   الذي يسال الرب فيها

ⲁⲩⲥⲟⲟⲩⲧⲛ̄ ⲛ̄ⲧⲉⲩϩⲓⲏ   ان ينجح طريقهما

ⲁⲩⲕⲧⲟⲟⲩ ϣⲁⲣⲟϥ ⲉⲧⲏ̄ⲣⲓ   ورجعا اليه

ϩⲛ̄ ⲟⲩϭⲉⲡⲏ ϫⲓⲛ ⲛ̄ϣⲟⲣⲡ̄   بسرعة من اول النهار

ⲛ̄ⲧⲉⲣⲟⲩⲉⲓ ⲇⲉ ϣⲁⲣⲟϥ ⲁⲩⲥⲱⲧⲙ̄ ⲉⲣⲟⲩ

ⲉϥⲙⲉⲗⲏⲧⲁ   وهو قائم في خزانته يتلو

ϩⲛ̄ ⲛ̄ϣⲁϫⲉ ⲙ̄ⲡⲡⲉⲧⲟⲩⲁⲁⲃ ⲓⲉⲣⲙⲓⲁⲥ   في سفر ارميا النبي

ϩⲛ̄ ⲟⲩϩⲛⲟϭ ⲛ̄ⲥ̄ⲅⲣⲁϩⲧ ⲙ̄ⲛ̄ ⲟⲩⲧⲱⲃⲥ̄   بهدو وسكون ويقظة عظيمة

ⲁⲩϩⲙⲟⲟⲥ ⲙ̄ⲡⲃⲟⲗ ⲙ̄ⲡⲉϥⲙⲁ ⲛ̄ϣⲱⲡⲉ   لما سمعوه جلسا خارج قلايته

ⲛ̄ⲟⲩⲕⲟⲩⲓ

ⲉⲩϫⲱ ⲙ̄ⲙⲟⲥ ϫⲉ   وهما قائلين

ⲡⲇⲓⲕⲁⲓⲟⲛ ⲁⲛ ⲡⲉ ⲁⲩⲱ ⲡϩⲱⲃ ⲡⲣⲉⲡⲉⲓ ⲁⲛ ⲡⲉ   ليس ذلك من الواجب ان يبقى لنا بالجملة

S   A

Coptic	Arabic
ETPⲚⲘⲟⲟⲧⲉ ⲉ|²⁴ᵃⲌⲟⲩⲛ ⲉⲡⲡⲉⲧⲟⲩⲁⲁⲃ	ان ينادى هذا القديس
	وهو قائم يقرأ
⸱⁵⁰ϢⲀⲨⲧⲉⲩⲟⲃⲱ ⲉⲩⲙⲉⲗⲏⲧⲁ ⲀⲨⲱ ⲉⲩϢⲗⲏⲗ	الى حين يفرغ من تلاوة ويكمل صلاته
Ⲛⲧⲉⲣⲉⲩⲟⲃⲱ Ⲇⲉ Ⲙⲡⲉⲡⲣⲟⲫⲏⲧⲏⲥ ⲚϤϪⲟⲕϤ ⲉⲃⲟⲗ	ولما فرغ من سفر ارميا
ⲀⲨⲧⲱⲟⲩⲚ Ϫⲉ ⲉⲩⲚⲀⲕⲱⲗⲌ ⲉⲡⲣⲟ	قاما ليقرعا الباب
ⲀϤⲀⲣⲭⲉⲓⲥⲑⲉ ⲉⲡⲉⲡⲣⲟⲫⲏⲧⲏⲥ ⲓⲉⲌⲉⲕⲓⲏⲗ	فبدا ايضا بتلاوة سفر حزقيال النبى
ⲀⲨⲌⲘⲟⲟⲥ ⲉⲌⲣⲀⲓ ⲟⲚ	فجلسا ايضا ولزما الادب
ⲘⲡⲟⲩⲘⲟⲟⲧⲉ ⲉⲌⲟⲩⲚ	ولم يناديا ه
ⲗⲟⲓⲡⲟⲚ ⲀⲨϪⲉⲕ ⲡⲉⲡⲣⲟⲫⲏⲧⲏⲥ ⲉⲃⲟⲗ ⲦⲎⲣϤ	الى ان كمل سفر النبى وختمه
ⲀⲨⲕⲀ ⲣⲱⲩ ⲉⲚⲉⲀⲣⲟⲩϩⲉ ⲅⲀⲣ Ϣⲱⲡⲉ	وسكت لانه كان وقت المسا
ⲉⲀⲨⲕⲱⲗⲌ ⲉⲡⲣⲟ ⲀⲨⲣⲟⲩⲱ ⲚⲀⲩ Ϫⲉ	ᵇ¹⁰⁹ وعند ذلك ا قرعا الباب فجاوبهما وهو داخل قائلا
ⲥⲘⲟⲩ ⲉⲣⲟⲓ ⲀⲨϬⲱϢⲦ ⲉⲃⲟⲗ ⲉϪⲱⲟⲩ	باركوا على وتطلع اليهما
ϨⲚ ⲟⲩⲚⲟϬ ⲚⲩⲟⲩϢⲦ	من كوة لطينة
ⲀⲨϢⲀϪⲉ ⲚⲘⲘⲀⲩ ⲉϤϪⲱ ⲘⲘⲟⲥ Ϫⲉ	وقال لهما
ⲉⲧⲉⲧⲚⲉⲓ ⲉⲡⲉⲓⲙⲀ ⲉⲓⲥ Ⲇⲟⲩⲏⲣ ⲚⲚⲀⲩ	ومن اى وقت حضرتما الى هاهنا
ⲡⲉϪⲀⲩ Ϫⲉ ⲀⲚⲉⲓ ϪⲓⲚ ⲚϢⲱⲣⲡ	فقالا له من باكر اتينا
ⲘⲡⲉⲚⲧⲟⲗⲘⲀ ⲉⲘⲟⲩⲧⲉ ⲉⲌⲟⲩⲚ ⲉⲣⲟⲕ	وغير اننا لم نجسر ان نناديك
ϢⲀⲚⲧⲕⲟⲩⲃⲱ ⲉⲕⲙⲉⲗⲏⲧⲁ	الى ان تختم تلاوتك
ⲚⲧⲉⲩⲚⲟⲩ ⲀϤⲣⲓⲙⲉ Ⲁⲩϩⲓⲟⲩⲉ ⲉⲌⲟⲩⲚ ⲌⲘ ⲡⲉⲩϨⲎⲦ	اما هو فبكى للوقت وضرب على صدرا
ⲡⲉϪⲀϤ ⲚⲀⲩ Ϫⲉ ⲀⲓⲦ ⲚⲟⲩⲚⲟϬ Ⲛⲟⲥⲉ Ⲙⲡⲟⲟⲩ	وقال لهما صدقانى ان قد خسرت اليوم خسارة عظيمة
Ⲁⲩⲱ ⲚϨⲓⲥⲉ ⲦⲎⲣⲟⲩ ⲚⲧⲀⲓⲀⲁⲩ ⲌⲚ |²⁴ᵇⲡⲉⲧⲩⲟⲩⲉⲓⲦ	وخاب جميع تعبى الذى تعبته وصار مجانا
ⲚⲧⲀⲩϪⲉ ⲚⲀⲓ ⲚϬⲓ ⲡⲉⲧⲟⲩⲁⲁⲃ	وان ما قال ابينا بيستاوس هذا
ⲉⲩⲡⲏⲦ ⲉⲃⲟⲗ Ⲙⲡⲉⲟⲟⲩ ⲉⲦⲩⲟⲩⲉⲓⲦ ⲚⲚⲣⲱⲙⲉ	لاجل انه كان يبغض المجد الباطل
ⲚⲧⲀⲩⲘⲕⲀϩ Ⲇⲉ ⲉⲡⲩϨⲎⲦ Ϫⲉ ⲀⲩⲉⲓⲘⲉ Ⲍⲟⲗⲱⲥ	ولم يكن يريد ان يعلم احد البته

S

A

ⲭⲉ ⲁⲩⲙⲉⲗⲏⲧⲁ

ⲁⲧⲉⲧⲛ̄ⲉⲓⲙⲉ ϭⲉ ⲱ̄ ⲛⲁⲙⲉⲣⲁⲧⲉ ⲭⲉ ⲉⲣⲉ-

ⲛⲉⲧⲟⲩⲁⲁⲃ ⲉⲡⲉⲓⲑⲩⲙⲉⲓ ⲉⲡⲉⲟⲟⲩ ⲙ̄ⲡⲛⲟⲩⲧⲉ ⲙⲁⲩ-

ⲁⲁϥ

ⲉⲩⲭⲉ ⲙ̄ⲙⲟⲛ

ⲥⲱⲧⲙ̄ ⲉⲡⲙⲉⲗⲓⲟⲅⲣⲁⲫⲟⲥ ⲉⲧⲟⲁⲁⲃ ⲇⲁ̄ⲇ

ⲉⲩⲭⲱ ⲙ̄ⲙⲟⲥ ⲭⲉ

ⲇⲓⲉⲡⲉⲓ4[ⲇⲙ]ⲉⲓ ⲉⲛⲉⲕⲛ̄ⲧⲟⲗⲏ

ϭⲱϣⲧ̄ ⲉϩⲣⲁⲓ ⲉⲭⲱⲓ ⲛ̄ⲅ̄ⲛⲁ ⲛⲁⲓ

ⲡⲥⲟⲫⲟⲥ ϩⲱⲱϥ ⲉⲡⲉϩ̄ⲟⲟⲩ ⲡⲁⲩⲗⲟⲥ ⲭⲓ

ϣⲕⲁⲕ ⲉⲃⲟⲗ ⲉⲩⲭⲱ ⲙ̄ⲙⲟⲥ ⲭⲉ ⲕⲁⲓ ⲅⲁⲣ

ⲧⲛ̄ⲁⲩⲁϩⲟⲙ ... ⲛ̄ϣⲁ ⲉⲛⲉϩ ϩⲛ̄ ⲙ̄ⲡⲏⲩⲉ

ان يتلى او يصلى

علمتر الان يا احباى ان

القديسين ليس يطلبوا سوى مجد الرب

فى كل حين

كما قال المغبوط

فى الانبيا داود

ان هويت وصاياك
110 ۵
فانظر الى | وارحمنى

Das 4. Wunder ist in 2 Hss. (S und A) überliefert.
Zunächst seien einige Berichtigungen der Übersetzungen
von Budge und O'Leary genannt.

S 22b: " ... ⲝⲉ ⲙ̄ⲡⲉⲛ̄ⲣⲟⲟⲩⲩ ⲙ̄ⲡⲕⲟⲥⲙⲟⲥ ⲕⲁⲛ ⲉⲡⲁⲣⲁⲅⲉ ⲙ̄ⲙⲟⲕ
ⲉⲓⲥ ⲟⲩⲙⲏⲏⲩⲉ ⲛ̄ⳏⲟⲟⲩ ". Budge bezeichnet seine Übersetzung
als "only a suggestion"[73]. Sie lautet: "For had it not
been for the cares of the world which have occupied us
for several days past we should have passed thy way before
this". Die richtige Übersetzung lautet: " ... weil die
Sorgen der Welt uns nicht erlaubten, dich zu besuchen,
seit vielen Tagen" = A 108a:

"لان اتعاب هذه الدنيا واشغالها ليست تدعنا نتضرع بزيارتك حمو ذا ايما كثيرة"

S 23a: " ⲟⲩⲗⲁⲁⲩ ⲅⲁⲣ ⲡⲉ ⲡⲕⲟⲥⲙⲟⲥ ⲉⲧⲛ̄ⲛ̄ⳏⲏⲧⲅ̄ " "for neither the
world, nor that which is in it, is of any account" ist zu
verbessern in: "weil die Welt, in der wir sind, ein Nichts
ist" = A 108b:

"لان هذه الدنيا التي نحن فيها غرارة بطالة"

S 23a: " ⲙ̄ⲡⲣ̄ϫⲓ ⲙⲁⲥⲉ ⲛ̄ⲧⲛ̄ⳏⲏⲕⲉ " "Do not seize the ox of
the poor": "Nehmt nicht Zins von den Armen" = A 108b:
[74]

"ولا تاخذوا اربا من مساكين"

S 23a: " ... ⲁⲗⲗⲁ ⲣⲟⲉⲓⲥ ⲉⲛⲉⲧⲙ̄ⲯⲩⲭⲏ " "but watch what is
in [his] mind": "sondern achtet auf eure Seele" = A 108b:

"ولكن تحرزوا لنفوسكم"

S 23a: " ⲁⲩⲧⲁⲁⲩ ⲉⲧⲉϩⲓⲏ " "and they acted [according to]
his plan (or way)": "sie begaben sich auf den Weg" =
A 108b: "واستقبلنا الطريق"

24b: " ⲛ̄ⲧⲁⲩⲙ̄ⲕⲁϩ ⲗⲉ ⲉⲡⲩϩⲏⲧ ⲝⲉ ⲁⲩⲉⲓⲙⲉ ϩⲟⲗⲱⲥ ⲝⲉ ⲁⲩⲙⲉⲗⲏⲧⲁ"
"He was very sad at heart, but the two men knew that he
was reciting [the books of Jeremiah and Ezekiel]": "Er war
in seinem Herzen betrübt, daß sie überhaupt wußten, daß
er rezitiert hatte" = A 109b:

"ولم يكن يريد ان يعلم احد البتة ان يتلى او يصلى"

A 109a: "ليس ذلك من الواجب ان يبقى لنا بالجملة ان ننادى هذا القديس وهو قائم
يقراه الى حين ينفرغ من تلاوة ويكمل صلاته"

O'Leary: " 'It is unsuitable that he should lack com-
pleting on our account, as will be the case if we call
to this saint'. And he stood reading until he ceased
from his recitation, and finished his prayer". Die
Parallelstelle ist: " ⲡⲁⲓⲕⲁⲓⲟⲛ ⲁⲛ ⲡⲉ ⲁⲇⲱ ⲡⲍⲱⲃ ⲡⲣⲉⲡⲉⲓ ⲁⲛ ⲡⲉ
ⲉⲧⲣⲛ̄ⲙⲟⲩⲧⲉ ⲉⲍⲟⲩⲛ ⲉⲡⲡⲉⲧⲟⲩⲁⲃ ⲩⲁⲩ̄ⲧⲉⲩⲟⲩⲱ ⲉⲩⲙⲉⲗⲏⲧⲁ ⲁⲩⲱ ⲉⲩⲯⲩⲗⲏⲭ" (23b-24a),
was der Übersetzer ins Arabische sinngemäß wiedergab:
"Es ziemt sich überhaupt nicht für uns, daß wir diesen
Heiligen anrufen (d.h. "stören"), während er rezitiert,
(und es ziemt sich, daß wir warten,) bis er seine Rezitation und sein Gebet beendigt".

Die oben angeführten Beispiele zeigen deutlich, wie sich
die beiden Texte gegenseitig erklären. Beide Texte stimmen
miteinander überein. Im Anschluß an das Wunder steht eine
Anrede in beiden Texten (S 24b = A 109b). Während A mit
einem Zitat aus Ps 119, 131 und 132 endet, das sich auch
im Text S befindet (S 24b = A 109b-110a), schließt sich
daran in S (24b) ein Zitat aus 2. Kor. 5,2 und 1 an. Nur
im Text S (24b) kommt " ⲉⲩⲭⲉ ⲙⲙⲟⲛ " vor[75]. Dieses Wunder
ist das erste Wunder des Textes S und ist sehr eng mit
seiner Einführung verbunden[76].
In beiden Texten folgt das 5. Wunder auf das 4. Wunder
und fängt mit derselben Anrede an, die nicht in B steht[77].
Daher müssen die Texte S und A auf einen einzigen Text (XS)
zurückgehen. Der Text S hat sich aber entwickelt.

Das 21. Wunder:

A

S

ⲥⲱⲧⲙ̄ ⲉⲡⲉⲇⲓⲏⲅⲏⲙⲁ ⲛ̄ⲧⲉⲧⲛ̄ⲣ̄ϣⲡⲏⲣⲉ اسمعوا ايها هذا الخبر الاخر تصير وتجدرو الاله

ⲁⲥϣⲱⲡⲉ ⲇⲉ ⲟⲛ ⲛ̄ⲟⲩϩⲟⲟⲃ وكان ذات وقت ذات بوم

ⲁⲡⲁⲣⲭⲍ̄ ⲛ̄ϭⲱⲧ ⲧⲛ̄ⲛⲟⲟⲩⲧ ⲛ̄ⲟⲩⲁⲡⲟⲕⲣⲏⲥⲓⲥ ضرورية في ناحي جبل شانه ارسلي الى لحاجة

ⲉⲛⲁⲛⲁⲅⲕⲁⲓⲟⲛ ⲉⲙⲙⲉⲣⲟⲥ ⲛ̄ϫⲏⲙⲉ فانقضى الوقت جدا قبل رجوعى

ⲁⲡⲛⲁϩ ⲡⲣⲟⲕⲟⲡⲧⲣⲉⲓ (sic) ⲉⲡⲉϩⲟⲩⲟ ⲙ̄ⲡⲁⲧⲉⲓ- نقرب وقت السا

ⲕⲧⲟⲓ ⲉⲁⲧⲉⲃⲩⲛ ϣⲱⲧⲉ فلا سلطت الطرق الداخلة

ⲛ̄ⲧⲉⲣⲉⲓⲉⲓ ⲇⲉ ϩⲓⲧⲉϩⲓⲏ | 62a ⲉⲧϩⲓⲃⲟⲥⲛ واذا بغصين قد ترآلبين فى

ⲉⲓⲥ ϩⲟⲓⲧⲉ ϭⲛ̄ⲧⲉ ⲁⲥⲧ ⲡⲉϫⲟⲓ ⲉⲣⲟⲓ واذا بالب دابة واقترا من

ⲛⲉⲓⲧⲁⲗⲏϩ ⲉⲡⲉⲓⲟ ⲁϩϣ ⲁⲥⲧ ⲡⲉⲩϫⲟⲓ ⲉⲡⲉⲓⲟ وانا كادر يترسل من الدابة

ϩⲱⲥⲧⲉ ϫⲉ ⲉⲩⲛⲁⲧⲱϩ ⲙ̄ⲙⲟϥ حتى كادر يتريان

ⲛⲁⲙⲉ ⲁⲛⲉϩⲟⲃ2ⲉ ⲧⲁϩⲉ ⲛⲁⲟⲩⲣⲏⲏⲧⲉ ⲡⲁⲣⲁ ورحا ايها يريران
ⲟⲩⲕⲟⲃⲓ

ⲁⲓⲱϣ ⲇⲉ ⲉⲃⲟⲗ ⲉⲓϫⲱ ⲙ̄ⲙⲟⲥ ϫⲉ وقت فى قى من قليل تلحق ايناهم رجى

ⲛⲉⲩⲗⲏⲗ ⲙ̄ⲡⲁⲉⲓⲱⲧ ⲃⲟⲏⲑⲉⲓ ⲉⲣⲟⲓ فصرخت عند ذلك وانا قايل ارجى

ⲉⲧⲧⲁⲡ̄ⲣⲟ ⲛ̄ⲛⲉⲑⲏⲣⲓⲟⲛ من اقوا هذين الصبيعن الرر

ⲁϩϣ ⲙ̄ⲡⲁⲧⲉⲡⲩⲁϫⲉ ϫⲱⲗⲡ̄ ⲛ̄ ⲣⲱ ولا اكلت الملا فى بنى

S¹

ⲙⲉ ⲁⲛⲉϩⲟⲃ2ⲉ ⲧⲁϩⲉ[ⲛⲁ]ⲟ̄ϩⲉⲣⲏⲧⲉ ⲡⲁⲣⲁ
ⲟⲩⲕ[ⲟⲃⲓ]

ⲁⲓⲱϣ ⲉⲃⲟⲗ ⲉⲓϫⲱ ⲙ̄[ⲙⲟⲥ] ϫⲉ
ⲛⲉⲩⲗⲏⲗ ⲙ̄ⲡⲁⲉⲓ[ⲱⲧ] ⲃⲟⲏⲑⲉⲓ ⲉⲣⲟⲓ
ⲉⲧⲧⲁⲡ̄ⲣⲟ ⲛ̄ⲛⲉⲑⲏⲣⲓⲟⲛ
ⲁϩϣ ⲙ̄[ⲡⲁ]ⲧⲉⲡⲩⲁϫⲉ ⲟϩϣ ⲛ̄ ⲣ[ⲱⲓ]

A

من غير ان يعرف بشئ من المرت
فصارت اكراحه يلزحها
من يده حريتها ١٤٦
با يغر يلبهان
لا سمعا من الشيخ

ولا تتبست من عمله قليل
انقلت اذان
تبترو بنار عظيم حتى
انتم خارجم من فوق راسى ٦٢b
واذ الي باب الدبرة
فلجئى من ذلك خوف وريدة
وانهلت الى الله ربا ناير
الهم يا الله اله القديس انبا بسنتاوس ومن
رحمى بطول القبر الزاية الاخ
يا خلصتى من المجتمعين
ايضا نجنى

S¹

ⲁⲛⲉⲑⲏⲣⲓⲟⲛ ⲁⲛⲁⲭⲱ[ⲣⲉⲓ] ⲛⲁⲅ
ⲙ̄ⲡⲟⲩⲃⲗⲁⲡⲧⲉ[ⲙ̄]ⲙⲟⲓ ⲗⲁⲁⲅ
ⲁⲩ̈ⲡⲑⲉ ϩ[ⲱ]ⲥ ⲉϥϫⲉ ⲉⲃⲧ ⲟⲅⲟⲉⲓ ⲛ̄[ⲥⲱ]ⲟⲃ
ϩⲓⲧⲛ̄ ⲑⲉ ⲉⲧⲟⲩⲣ[ⲏⲧ] ⲙ̄ⲙⲟⲥ
ϩⲙ̄ ⲡⲁⲩⲁⲓ [ⲙ̄ⲡⲉϥ] ϫⲁϩⲏⲥ
ⲛ̄ⲧⲉⲣⲟⲩⲥ[ⲱⲧⲙ̄] ⲉⲧⲡⲁⲛ ⲙ̄ⲡⲛⲟϭ ⲛ̄ⲣ[ⲱⲙⲉ]

ⲛ̄ⲧⲉⲣⲉⲓⲙⲟⲟⲩⲉ [ⲇⲉ ⲟⲛ] ϭⲏ ⲛ̄ⲕⲉⲕⲟⲃⲓ
ⲁ̈[ⲥⲉⲛ]ⲟⲩⲱⲛⲩ̄ + ⲡⲉϫⲟ[ⲃⲟⲓ] ⲉⲣⲟⲓ̈
ⲉⲁⲩⲛⲉϫ ϩ[ⲉⲛⲁⲩⲏ ⲛⲉ]ⲓ̈ⲧⲛ̄ ⲉⲧⲇⲓⲥⲉ
[ⲉⲁⲩⲛⲟϭ ⲛ̄]ⲩⲟⲉⲓⲩ ⲧⲱϣⲛ ⲉ]ϫⲱ
ⲙ̄ ⲡⲕⲉⲧⲃ̄ⲛⲏ ⲉⲧ[ⲧⲁⲗⲏϩ] ⲉⲣⲟϥ
ⲉⲁⲩⲕⲁⲧⲟⲟⲧⲛ̄ ⲉⲃⲟⲗ
ⲁⲓⲱϣ [ⲇ]ⲉ ⲉⲃⲟⲗ̈ ϫⲉ
ⲡⲛⲟⲃⲧⲉ ⲙ̄ [ⲡⲁ]ⲉⲓⲱⲧ ⲙⲛ̄ ⲛⲉϥⲩⲗⲏⲗ
[ⲉ]ⲧⲟⲁⲁⲃ
ⲡⲉⲛⲧⲁⲩⲛⲁ[ϩ̈]ⲙⲉⲧ ⲉⲧⲧⲁⲡⲣⲟ ⲙ̄ⲛ̄[ϩ]ⲟⲉⲓⲧⲉ
ⲉⲕⲉⲃⲟⲏⲑⲉⲓ [ⲉ]ⲣⲟⲓ̈ ⲟⲛ ⲧⲉⲛⲟⲃ

S

ⲁⲛⲉⲑⲏⲣⲓⲟⲛ ⲁⲛⲁⲭⲱⲣⲉⲓ ⲛⲁⲅ
ⲙ̄ⲡⲟⲩⲃⲗⲁⲡⲧⲉⲓ ⲙ̄ⲙⲟⲓ ⲗⲁⲁⲅ
ⲁⲩ̈ⲡⲑⲉ ϩⲱⲥ ϫⲉ ⲉⲃⲇⲟⲙⲟⲛ ⲛ̄ⲥⲱⲟⲃ
ϩⲓⲧⲛ̄ ⲑⲉ ⲉⲧⲟⲩⲣⲏⲧ ⲙ̄ⲙⲟⲥ
ϩⲓⲧⲙ̄ ⲡⲁⲩ̈ⲁⲓ ⲙ̄ⲡⲉⲩⲭⲁϩⲏⲥ
ⲛ̄ⲧⲉⲣⲟⲩⲥⲱⲧⲙ̄ ⲉⲧⲡⲁⲛ ⲙ̄ⲡⲛⲟϭ ⲛ̄ϣⲱⲙⲉ
ⲁⲡⲁ ⲡⲉϭⲛ̄ⲑⲓⲟⲥ

ⲛ̄ⲧⲉⲣⲉⲓⲙⲟⲟⲩⲉ ⲇⲉ ⲟⲛ ⲛ̄ⲕⲉⲕⲟⲃⲓ
ⲁ̈ϩⲉⲛⲟⲩⲱⲛⲩ̄ + ⲡⲉⲩⲟⲃⲟⲓ ⲉⲣⲟⲓ
ⲁ̈ϩⲛⲉϫ ϩⲉⲛⲁⲩⲏ ⲛⲉⲓ̈ⲧⲛ̄ ⲉⲧⲇⲓⲥⲉ
ⲉⲁⲩⲛⲟϭ ⲛ̄ⲩⲟⲉⲓⲩ ⲧⲱϣⲛ ⲉϫⲱ
ⲁ̈ⲱ ⲡⲕⲉⲧⲃ̄ⲛⲏ ⲉⲧⲧⲁⲗⲏϩ ⲉⲣⲟϥ
ⲁ̈ⲕⲁⲧⲟⲟⲧ ⲉⲃⲟⲗ
ⲁ̈ⲱ̈ϣ ⲉⲃⲟⲗ ⲟⲛ ϫⲉ
ⲡⲛⲟⲃⲧⲉ ⲙ̄ ⲛⲉϥⲩⲗⲏⲗ ⲙ̄ⲡⲁⲉⲓⲱⲧ
ⲉⲧⲟⲩⲁⲁⲃ ⲁⲡⲁ ⲡⲉϭⲛ̄ⲑⲓⲟⲥ
ⲡⲉⲛⲧⲁⲩⲛⲁϩⲙⲉⲧ ⲉⲧⲧⲁⲡⲣⲟ ⲛ̄ⲛ̄ϩⲟⲉⲓⲧⲉ
ⲉⲕⲉⲛⲁϩⲙⲉⲧ ⲟⲛ ⲧⲉⲛⲟⲃ

S¹	S	A
ⲉⲧ̄ⲧ́ⲁ[ⲡ]ⲣ̣ⲟ ⲛ̄ⲛⲟⲩⲱⲛϣ̄	ⲉⲧⲧⲁⲡⲣⲟ ⲛ̄ⲛⲉⲓⲟⲩⲱⲛϣ̄	من فم هذه الدياب
ⲁⲩⲱ [ⲙ̄]ⲡⲁⲧⲉⲡϣⲁϫⲉ ⲟⲩⲱ ϩⲛ̄ [ⲣ]ⲱⲓ̈	ⲁⲩⲱ ⲙ̄ⲡⲁⲧⲉⲡϣⲁϫⲉ ⲥⲱⲗⲡ̄ ϩⲛ̄ ⲣⲱⲓ	ولم ينقطع الكلام من فمى
ⲁⲟⲩⲁ ϩⲛ̄ ⲛ̄ⲟⲩⲱⲛϣ [ⲉⲧ]ⲙ̄ⲙⲁⲩ ⲛⲉϫ'	ⲁⲟⲩⲁ ϩⲛ̄ ⲛ̄ⲱⲛϣ ⲉⲧⲙ̄ⲙⲁⲩ ⲛⲉϫ	حتى صرخ احد الدياب
ⲟⲩⲛⲟϭ [ⲛ̄ϩ]ⲣ̣ⲟⲟⲩ ⲁⲩⲁⲛⲁⲭⲱ́ⲣⲉⲓ [ⲛⲁⲩ]	ⲟⲩⲛⲟϭ ⲛ̄ϩⲣⲟⲟⲩ ⲁⲩⲁⲛⲁⲭⲱⲣⲉⲓ ⲛⲁⲩ	بصوت عظيم وانصرفوا
ⲧⲏⲣⲟⲩ ϩⲓⲧⲛ̄ ⲛⲉⲓ̈[ϣⲗ]ⲏ̣ⲗ ⲙ̄ⲡⲁⲉⲓⲱⲧ'	ⲧⲏⲣⲟⲩ ϩⲓⲧⲛ̄ ⲛⲉϣⲗⲏⲗ ⲙ̄ⲡⲁⲉⲓⲱⲧ	جميعهم بصلوات ابى
ⲉⲧ[ⲟⲩⲁ]ⲁⲃ	ⲉⲧⲟⲩⲁⲁⲃ ⲁⲡⲁ ⲡⲉⲥⲩⲛⲑⲓⲟⲥ	القديس انبا بيسنتاوس
ⲁⲛⲟⲕ ⲇⲉ ϩⲱ̄ [ⲁⲓ̈ⲃ]ⲱⲕ ⲉⲛϩⲏⲧ'	ⲁⲛⲟⲕ ⲇⲉ ϩⲱⲱⲧ ⲁⲓⲃⲱⲕ ⲉϩⲏⲧ	اما انا فانحدرت للوقت
ⲉⲡⲧⲟ[ⲟⲩ ⲛ̄]ⲧⲉⲥⲛⲧⲓ' ⲉⲓ̈ⲧ ⲉ̣ⲟ̣ⲟ̣ⲩ̣ [ⲙ̄ⲡⲛ]ⲟⲩⲧⲉ	ⲉⲡⲧⲟⲟⲩ ⲛ̄ⲧⲥⲛ̄ⲧⲏ ⲉⲓⲧ ⲉⲟⲟⲩ ⲙ̄ⲡⲛⲟⲩⲧⲉ	الى جبل الاساس وانا ممجد لله
ⲉϫⲛ̄ [ⲛⲉⲛⲧⲁⲩϣⲱⲡⲉ ⲙⲙⲟⲓ̈]	ⲉϫⲛ̄ ⲛⲉⲛ̄ⲧⲁⲩϣⲱⲡⲉ ⲙ̄ⲙⲟⲓ	على ما جرى لى
	ϫⲉ ⲁⲩⲛⲁϩⲙⲉⲧ ⲉⲧⲧⲁⲡⲣⲟ	لانه انقذنى من افواه
	ⲛ̄ⲛⲉⲑⲏⲣⲓⲟⲛ ⲉⲧϩⲟⲟⲩ	تلك السباع الخبيثة الضارية
	ⲛ̄ⲧⲉⲣⲉⲓⲃⲱⲕ ⲇⲉ | 63a | ⲉϩⲏⲧ ⲁⲓϩⲉ ⲉⲣⲟⲥ	ولما دخلت الدير فوجدت
	ⲉⲣⲉⲡⲡⲉⲧⲟⲩⲁⲁⲃ ⲙⲉⲗⲏⲧⲁ	ابى القديس قائما يتلو
	ϩⲛ̄ ⲛⲉⲡⲣⲟⲫⲏⲧⲏⲥ ϣⲏⲙ	147a | فى الاثنى عشر نبى الصغار
	ⲁⲩϫⲓ ⲇⲉ ⲙ̄ⲡⲧⲃ̄ⲛⲏ ⲉϩⲟⲩⲛ ⲉⲡⲉⲥⲧⲁⲩⲗⲟⲛ	وعند ذلك دخلت بالدابة الى الاصطبل
	ⲛ̄ⲛ̄ⲧⲃ̄ⲛⲟⲟⲩⲉ	لكى اربطها
	ⲁⲡⲁⲉⲓⲱⲧ ⲇⲉ ϭⲱϣⲧ̄ ⲉⲡⲥⲉⲏⲧ ⲉϫⲱⲓ	واذا ابى قد اشرف علىّ
	ⲉⲃⲟⲗ ϩⲛ̄ ϫⲟⲉ ⲙ̄ⲡⲡⲩⲣⲅⲟⲥ	من الجوسق

S	A

ⲡⲉϫⲁⲩ ⲛⲁⲓ ϫⲉ ⲱ ⲓⲱⲥ ⲁⲓⲣⲟⲩⲟⲩ[ ] ⲛⲁⲩ

ϫⲉ ⲥⲙⲟⲩ ⲉⲣⲟⲓ ⲡⲁⲉⲓⲱⲧ ⲡⲉϫⲁⲩ ⲛⲁⲓ ϫⲉ

ⲙ̄ⲡⲉⲓϫⲟⲟⲥ ⲛⲁⲕ ϫⲉ ⲣ̄ϣⲁⲛⲡⲛⲁⲩ ⲡⲣⲟⲕⲟ-

ⲡⲧⲉⲓ ⲙ̄ⲡ̄ⲣⲉⲓ ⲉϩⲏⲧ

ϣⲁⲛⲧⲉⲡⲛⲁⲩ ⲛ̄ϣⲱⲣⲡ̄ ϣⲱⲡⲉ

ⲡⲁⲣⲁ ⲕⲉⲕⲟⲩⲓ ⲁⲛⲉⲑⲏⲣⲓⲟⲛ ⲁⲛⲥⲁⲗⲁⲥⲕⲉ

ⲙ̄ⲙⲟⲕ ⲛ̄ⲥⲁⲃⲏⲗ ⲉⲧⲃⲉ ⲧⲙⲛ̄ⲧⲛⲁⲏⲧ

ⲙ̄ⲡⲛⲟⲩⲧⲉ

ⲁⲧⲉⲧⲛ̄ⲛⲁⲩ ϭⲉ ⲱ ⲛⲁⲙⲉⲣⲁⲧⲉ

ϫⲉ ϩⲱⲃ ⲛⲓⲙ ⲉⲩϣⲁϣⲱⲡⲉ

ϣⲁⲩⲉⲓⲙⲉ ⲉⲣⲟⲩ ⲕⲁⲛ ⲉⲩϩⲙ̄ ⲙⲁ ⲛⲓⲙ

ⲉⲩϣⲁϣⲱⲡⲉ ϣⲁⲩⲉⲓⲙⲉ ⲉⲣⲟⲩ

ⲁⲗⲗⲁ ⲉⲩϩⲱⲡ ⲙ̄ⲙⲟⲩ ϩⲛ̄ ⲛⲉⲩⲡⲟⲗⲩⲧⲁ

ⲛⲉⲩⲟⲩⲱϣ ⲁⲛ ⲉⲧⲣⲉⲉⲟⲟⲩ ⲉⲡⲁⲣⲱⲙⲉ ⲡⲉ

|636
ϣⲱ|ⲡⲉ ⲛⲁⲩ

ⲕⲁⲧⲁ ϭⲉ ⲛ̄ⲧⲁⲩϫⲟⲟⲥ ⲛ̄ϭⲓ ⲡⲥⲟⲫⲟⲥ

ⲡⲁⲩⲗⲟⲥ ϫⲉ ⲉⲓϣⲓⲛⲉ ⲁⲛ ⲛ̄ⲥⲁ ⲡⲉⲟⲟⲩ

ⲛ̄ⲧⲛ̄ⲣⲱⲙⲉ

ⲟⲩⲇⲉ ⲛ̄ⲧⲉⲧⲏⲩⲧⲛ̄ ⲟⲩⲇⲉ ⲛ̄ⲧⲛ̄ϭⲉ

ⲉⲓϣⲁⲛⲟⲩⲱϣ ⲉϫⲱ ⲉⲣⲱⲧⲛ̄ ⲛ̄ⲛⲉϩⲃⲏⲩⲉ ⲧⲏⲣⲟⲩ

ⲛ̄ⲧⲁⲛⲛⲁⲩ ⲉⲣⲟⲟⲩ ⲛ̄ϩⲓⲧⲙ̄ ⲡⲥⲁⲃⲗⲟ

ⲙ̄ⲙⲁⲕⲁⲣⲓⲟⲥ ⲁⲡⲁ ⲡⲉⲥⲩⲛⲑⲓⲟⲥ

ⲡϣⲁϫⲉ ⲛⲁⲁϣⲁⲓ ⲉⲡⲉⲩⲟⲩⲟ

ⲁⲗⲗⲁ ⲛ̄ϩⲟⲥⲟⲛ ⲁⲧⲉⲅⲣⲁⲫⲏ ⲥϩⲁⲓ ⲛⲁⲛ ϫⲉ

وقال لى يا يوحنا فاجبته

قائلا بارك على يا ابى وقال لى

المَ اقول لك انا انه اذا ما جا عليك وقت

العشية لا تنحدر

الى بكر اول النهار

عن قليل كانت الوحوش تفترسك

لولا ان الله يرحمك

انظروا يا احباى

ان كل شئ

يعلم به هذا القديس قبل كونه

لكنه يكتم ذلك حسن عبادته

ولا يقبل المجد من الناس

ولا منكر ولا من احد

والان ان اردت ان اخبركم جميع اعمال

هذا الشيخ

المغبوط السعيد

فقد يطول الشرح ويكثر الكلام جدا

لكن ما دام قد اعلمتنا الكتب المقدسة قائلة

S	A
ΝΕ2ΒΗΥΕ Μ̄ΠΝΟΥΤΕ ΝΑΝΟΥ ΟΥΟΝ2ΟΥ	ان اعمال الله جيد المهارها
ΕΒΟΛ Ν̄ΟΥΟΝ ΝΙΜ	فى المجد
ΕΙΝΑΧΕ 2ΕΝΚΟΥΙ ΔΕ ΝΗΤΝ̄	وكذلك فاخبركم يسيرا
ΕΒΟΛ 2Ν̄ 2Α2 ΕΤΒΕ ΝΑΡΕΤΗ	¹⁴⁷ᵇ من كثير لاجل فضائل
Μ̄ΠΕΙΡШΜΕ Ν̄ΤΕΛΙΟC	هذا الانسان الشجاع
ΜΝ̄ΝCШC Ν̄ΤΝ̄Τ Ν̄ΟΥΧШΚ Μ̄ΠШΑΧΕ	ثم نعطى فيما بعد منها الكلام

Das 21. Wunder ist in 3 Hss. (S[1], S und A) überliefert.
Zunächst seien einige Verbesserungen der Übersetzungen
von Budge und O'Leary genannt.

S 61b: " ⲁⲡⲛⲁⲩ ⲡⲣⲟⲕⲟⲡⲕⲉⲓ(sic)ⲉⲡⲉⲍⲟⲩⲟ ⲙ̄ⲡⲁⲧⲉⲓⲕⲧⲟⲓ ⲉⲁⲧⲉⲩϣⲏ ϣⲱⲡⲉ "
"Now it was very late in the day when I started to come
back, and before I could get back it was dark night." Der
Sinn ist zwar richtig wiedergegeben. Die genaue Übersetzung lautet aber: "Die Zeit war sehr vorgeschritten,
ehe ich umkehrte; es war Nacht geworden". Die Parallelstelle des Textes A (146a) lautet:

" فانقضى الوقت جدا قبل رجوى فتقرب وقت المسا "[78]

S 62a: " ... ⲍⲱⲥⲧⲉ ⲭⲉ ⲉⲩⲛⲁⲡⲱⲍ ⲙ̄ⲙⲟⲩ" statt " ... wishing
to seize her and to pull it down" ist zu übersetzen:
" ..., so daß sie im Begriff waren, ihn (d.h. den Esel)
zu zerreißen", was im Arabischen (A 146a) mit " حتى كادوا
يفترسوا من الدابة " wiedergegeben wird.

S 62a: " ⲁⲩⲣϩⲉ ⲍⲱⲥ ⲭⲉ ⲉⲩⲇⲓⲟⲩⲟⲓ ⲛ̄ⲥⲱⲟⲩ ϩⲓⲧⲛ̄ ⲑⲉ ⲉⲧⲟⲩⲡⲏⲧ ⲙ̄ⲙⲟⲥ ϩⲓⲧⲙ̄
ⲡⲁⲩⲁⲓ ⲙ̄ⲡⲉⲩⲭⲁϩⲏⲥ ⲛ̄ⲧⲉⲣⲟⲩⲥⲱⲧⲙ̄ ⲉⲡⲣⲁⲛ ⲙ̄ⲡⲛⲟϭ ⲛ̄ⲣⲱⲙⲉ ⲁⲡⲁ
ⲡⲉⲥⲩⲛⲑⲓⲟⲥ " statt "Now by reason of the loudness of
their panting it appeared to me as if they were fleeing
in great haste from some one who was pursuing them; and
they fled as soon as ever they heard the name of the
great man, Apa Pisentius" ist zu übersetzen "Bei ihrer
Flucht sahen sie durch die Heftigkeit ihres Keuchens aus,
als ob sie verfolgt würden, nachdem sie den Namen des
großen Mannes gehört hatten". Die arabische Parallelstelle
(A 146a-b) lautet:

" فصاروا كواحد يطردهما من بعد خزيهما من كثرة ما كانوا يلتهبان لما سمعا من الشيخ "

O'Leary übersetzte: "... and were as though some one
had driven them off after disappointing them greatly
when they were very fierce, as soon as they heard of the
elder". Dafür ist zu übersetzen: "Nachdem sie (diese
Anrufung) des Greises gehört hatten, war es nach ihrer

Beschämung so, als ob jemand sie verjagte, so sehr
keuchten sie". Die Übersetzung يلتهبان mit "very fierce"
ist an sich nicht falsch: يلتهبان ist sehr wahrscheinlich korrekturbedürftig: يلهثان bzw. يلهثان [79].

S 62a-b: " ... ⲀⲨⲚⲈⲬ ⲌⲈⲚⲀⲨⲎ ⲚⲈⲒⲦⲚ̄ ⲈⲠⲀⲒⲤⲈ ⲈⲀⲨⲚⲞϬ ⲚⲨⲞⲈⲒⲰ
Ⲧ ⲰⲟⲩⲚ ⲈⲬⲰⲒ ⲀⲒⲰ ⲠⲔⲈⲦ̄ⲂⲚⲎ ⲈⲦⲀⲖⲎⲨ ⲈⲢⲟⲩ ⲀⲒⲔⲀⲦⲞⲞⲦ ⲈⲂⲞⲖ". Wie der
Mikrofilm des Textes S zeigt, ist ⲌⲈⲚⲀⲨⲎ statt ⲖⲈ ⲚⲀⲨⲎ
zu lesen. Budge übersetzte: " ...; now they ejected a lot
of dung on my back, and threw up very much dust about me,
and I was obliged to abandon the beast whereon I was
riding". Es ist aber zu übersetzen: "Sie wirbelten Staubmengen auf, so daß große Staubmengen auf mich und auch
auf das Tier, das ich ritt, herabfielen und ich ver-
zweifelte". Im Text S[1] steht " ⲈⲀⲚⲔⲀⲦⲞⲞⲦⲚ̄ ⲈⲂⲞⲖ " statt
" ⲀⲒⲔⲀⲦⲞⲞⲦ ⲈⲂⲞⲖ ". Die entsprechende Stelle des Textes
A (146b) ist: " فلحقتني من ذلك خوف ورعدة"

S 62b: " ⲀⲚⲞⲔ ⲖⲈ ⲌⲰⲰⲦ ⲀⲒⲂⲰⲔ ⲈⲌⲎⲦ ⲈⲠⲦⲞⲞⲨ Ⲛ̄ⲦⲤⲚ̄ⲦⲎ " "Now
as for me, I entered into the plain of the mountain of
Tsentî". ⲂⲰⲔ ⲈⲌⲎⲦ bedeutet "nordwärts gehen oder
fahren", was im Arabischen (A 146b) mit "اما انا فانحدرت للوقت
الى جبل الاساس" wiedergegeben wird. O'Leary übersetzte:
"Then at once I reached mount el-Asas": (انحدر (الى) VII)
kann ja "kommen zu" bedeuten, aber nicht "to reach" im
Sinne von "ankommen" wie O'Leary meinte. An einer
anderen Parallelstelle (S 63a) steht: " ... ⲘⲠⲢⲈⲒ ⲈⲌⲎⲦ
ϢⲀⲚⲦⲈⲠⲚⲀⲨ Ⲛ̄ϢⲰⲢⲠ ϢⲰⲠⲈ" = A 147a: "...ل ا تنحدر الى باكر اول النهار"
حدر VII bedeutet hier terminologisch enger "nordwärts
fahren oder gehen"; das Gegenstück ist صعد "südwärts
fahren oder gehen"[80].

S 63a: " ... ⲀⲒⲌⲈ ⲈⲢⲞⲤ ⲈⲢⲈⲠⲠⲈⲦⲞⲨⲀⲀⲂ ⲘⲈⲖⲎⲦⲀ ⲌⲚ̄ ⲚⲈⲠⲢⲞⲪⲎⲦⲎⲤ
ϢⲎⲘ " " ... I found her (i.e. the beast he had
abandoned); and the holy man was engaged in studying
[the book of a] certain prophet". ⲈⲢⲞⲤ bezieht sich

nicht auf das Tier, das im Koptischen masculin ist:
ⲠⲦⲂⲚⲎ ebenso wie ⲡⲉⲓⲟ (S 62a). ⲉⲡⲟⲥ steht "pleonastisch"
nach Ⲍⲉ[81]. ⲚⲉⲠⲣⲟⲫⲎⲦⲎⲤ ϣⲎⲙ = "die kleinen Propheten".
Die arabische Parallelstelle (A 146b–147a) ist eine fast
wörtliche Übersetzung aus dem Koptischen:

"فوجدت اى القديس قائما يتلو فى الاثنى عشر بنى الصغار"

Die Anmerkungen 3 u. 4, Apparat, S. 393 O'Learys beruhen
nur auf der englischen Übersetzung des koptischen Textes
durch Budge. Dies gilt auch für die Anmerkungen 1 u. 2
auf derselben Seite.

S 63b: Das Bibelzitat (Tobit 12,7) " ⲚⲉⲌⲂⲎⲨⲉ ⲘⲠⲚⲟⲩⲦⲉ ⲚⲀⲚⲟⲩ
ⲟⲩⲟⲚⲌⲟⲩ ⲉⲂⲟⲗ ⲚⲟⲩⲟⲚ Ⲛⲓⲙ " übersetzte Budge mit: "The works
of God are good, make thou them manifest unto every one".
Dasselbe Zitat befindet sich auf f. 27b, wo es
von Budge anders übersetzt wurde = A 113a. Das gilt
auch für die Übersetzung O'Learys, der sich offensichtlich an Budge anschloß (A 147a, 113a).

A 146a: " وهما ايضا يزبران " heißt nicht " ..., and
they also scatterd dung", sondern " ..., indem sie
brüllten".

A 146a: " عن قليل تلحق انيابهم رجلى " " after a little
while they will come near my foot": "beinahe hätten ihre
Reißzähne meinen Fuß erreicht".

A 146b: Den Satzteil " ارحمنى بصلواته المقبولة الزكية امامك " hat
O'Leary bei seiner Übersetzung übersehen.

A 147a: " واذا اى قد اشرف على من الجوسق " statt "and my
father was high above me on the tower" ist zu übersetzen
"da blickte mein Vater auf mich aus dem Turm herab"[82].
" اشرف على " entspricht dem Koptischen " ... ⲥⲱϣⲦ
ⲉⲠⲉⲥⲎⲦ ⲉⲌⲱⲓ ".

A 147a: " ‫كلنه يلتم ذلك حسن عبارته‬ ... "   O'Leary übersetzt
"but he concealed the exellence of his devotion". Es
fehlt die Präposition ‫فى‬ , die ZN entspricht: " ...
Aber in seiner trefflichen Devotion verbirgt er dies".
Die Parallelstelle (63a) lautet: " ⲁⲗⲗⲁ ⲉϥϩⲱⲡ ⲙⲙⲟϥ
ⲍⲛ ⲛⲉϥⲡⲟⲗⲣⲧⲁ " ·

Die synoptische Aufstellung zeigt, daß beide Texte
- S und A - miteinander übereinstimmen. In den meisten
Fällen handelt es sich um eine wortgetreue Übersetzung.
Auch der erhaltene Text des Textes S[1] dieses Wunders
stimmt fast wörtlich mit S überein. Die Unterschiede
zwischen S[1] und S lassen sich in folgende Gruppen unterteilen:

Einmal ist ein offensichtlicher Schreibfehler festzustellen: ⲉⲛϩⲏⲧ S[1] statt ⲉⲍⲏⲧ S; danach Schreibvarianten:
ⲉⲣⲁⲓⲟⲩⲟⲓ S - ⲉⲣⲧ ⲟⲩⲟⲉⲓ S[1]; ⲛⲱⲛϣ S - ⲛⲟⲩⲱⲛϣ S[1]; ⲧⲉⲛⲧⲏ S
- ⲧⲥⲉⲛⲧⲓ S[1].
Kleine Varianten sind: ⲛⲉⲓⲟⲩⲱⲛϣ   S - ⲛⲟⲩⲱⲛϣ S[1]; ⲛⲉϥϩⲗⲏⲗ S
- ⲛⲉⲓ[ϣⲗ]ⲏⲗ S[1]. Echte Varianten sind: ⲥⲱⲗⲡ S - ⲟⲩⲱ S[1];
ϩⲱⲥ ⲭⲉ S - ϩ[ⲱⲥ] ⲉϥⲭⲉ S[1]; ⲁⲓⲕⲁⲧⲟⲟⲧ ⲉⲃⲟⲗ   S - ⲉⲁⲛⲕⲁⲧⲟⲟⲧⲛ
ⲉⲃⲟⲗ S[1]; ⲉⲕⲉⲛⲁϩⲙⲉⲧ S - ⲉⲕⲉⲃⲟⲏⲑⲉⲓ [ⲉ]ⲣⲟⲓ S[1].
Schließlich ist festzustellen, daß S mehr Text aufweist:
ⲁⲓⲱϣ ⲭⲉ ⲉⲃⲟⲗ - S[1] ⲁⲓⲱϣ ⲉⲃⲟⲗ ; ⲁⲡⲁ ⲡⲉⲥⲛⲑⲓⲟⲥ ; ⲟⲛ ⲭⲉ ⲡⲛⲟⲩⲧⲉ
ⲙⲛ ⲛⲉϥϩⲗⲏⲗ ⲙⲡⲁⲉⲓⲱⲧ ⲉⲧⲟⲩⲁⲁⲃ ⲁⲡⲁ ⲡⲉⲥⲛⲑⲓⲟⲥ - S[1] ⲭⲉ ⲡⲛⲟⲩⲧⲉ
ⲙ[ⲡⲁ]ⲉⲓⲱⲧ ⲙⲛ ⲛⲉϥϣⲗⲏⲗ [ⲉ]ⲧⲟⲩⲁⲁⲃ ; ⲁⲡⲁ ⲡⲉⲥⲛⲑⲓⲟⲥ

Wie in vielen Wundern der Texte S und A beginnt das
Wunder mit einer Anrede, die in beiden Texten sehr ähnlich ist. Im Anschluß an das Wunder steht - vor dem
Anfang des nächsten Wunders (22) - eine Aussage, die
ebenfalls in beiden Texten sehr ähnlich ist:

S 63a-b: " ⲁⲧⲉⲧⲛⲛⲁⲩ ⲟⲩⲉ ⲱ ⲛⲁⲙⲉⲣⲁⲧⲉ ⲭⲉ ϩⲱⲃ ⲛⲓⲙ ... " = A 147a-b
" ... ‫انظروا يا احباى ان كل شىٔ‬ "

Von Bedeutung ist dabei ein geringer Unterschied: Im
Text A steht: " ولا يقبل المجد من الناس ولا منكر ولا من احد"
Dasselbe wird im Text S ausgedrückt. Zusätzlich wird dort
1. Thess. 2,6 - auch mit der Erwähnung des Namens
Paulus' - zitiert.

Das Obengenannte zeigt, daß die Texte S und A auf einen
einzigen Text (XS) zurückgehen müssen.

Zur Reihenfolge der Wunder 20, 21 und 22

Das 21. Wunder, daß nur in S und A erwähnt wird, steht
in den beiden Texten zwischen dem 20. und 22. Wunder.
Im Text B folgt das 22. Wunder dem 20. Wunder. Daher
ist es sinnvoll, eine synoptische Aufstellung zu machen,
die den letzten Teil des 20. Wunders in den Texten B, S
und A, den Anfang des 21. Wunders in den Texten S und A
und den Anfang des 22. Wunders in den Texten B, S und A
darstellt, und einen Kommentar dazu zu geben.

A

... فاجاب قائل 145ب

ل اج بيت الحامي يرحن راسي

بن الحاكم وهب لسان العلم

للقريتين بين ان ... الكرمة هذا الرسالة

ر تتناظر زان

ول تراكوه الخبز الجبن

وابقوا الربا والتجار والسبعة

هر الدين يعاقبهم الرب وبذلك ...

S

61ⲁ ... ⲁⲩⲟϩⲟⲩϫⲃ ϫⲉ ⲉⲩϫⲱ ⲙⲙⲟⲥ ϫⲉ

ⲡⲁϩⲗⲟⲥ ϩⲱⲱϥ ϫⲗⲁⲥ ⲙⲡⲉⲥⲧ ⲛⲟⲃϥⲉ
ϫⲱ ⲙⲙⲟⲥ

ϩⲛ ⲧⲉϥⲉⲡⲓⲥⲧⲟⲗⲏ ⲉⲩⲥϩⲁⲓ ⲛ̄ⲛⲕⲟⲣⲓⲛⲑⲓⲟⲥ ϫⲉ
ⲙⲡⲣ̄ⲧⲱϩ ⲙ̄ⲛ̄ⲡⲟⲣⲛⲟⲥ

ⲁϣ ⲟⲛ ϫⲉ ⲡⲁⲓ ⲛⲧⲙⲉⲓⲛⲉ

ⲉϣⲱⲡⲉ ⲟⲩⲡⲟⲣⲛⲟⲥ ⲡⲉ

ⲙⲡⲣⲟⲩⲱⲙ ⲛ̄ⲙⲁϥ

ⲁϣ ⲟⲛ ϫⲉ ⲙ̄ⲡⲟⲣⲛⲟⲥ ⲙⲛ̄ ⲛ̄ⲛⲟⲉⲓⲕ

ⲛⲉⲧⲉⲣⲉ ⲡⲛⲟⲩⲧⲉ ⲛⲁⲕⲣⲓⲛⲉ ⲙ̄ⲙⲟⲟⲩ

ⲁϣ ⲟⲛ ϫⲉ ⲙⲏⲡⲱⲥ ⲟⲩⲛ ⲟⲩⲡⲟⲣⲛⲟⲥ

ⲉϥⲥⲱϣϥ ⲛ̄ⲑⲉ ⲛ̄ⲏⲥⲁⲩ

B

386 ⲡⲉϫⲁϥ ⲛⲏⲓ ⲛϫⲉ ⲡⲁⲓⲱⲧ ϫⲉ

ⲙⲡⲉⲕⲥⲱⲧⲉⲙ ⲉⲫⲏ ⲉⲧⲥϭⲏⲟⲩⲧ ϧⲉⲛ

ⲡⲓⲡⲣⲟⲫⲏⲧⲏⲥ ϫⲉ

ⲙⲡⲉⲛⲑⲣⲉ ⲫⲛⲉϩ ⲛⲧⲉ ⲛⲓⲣⲉϥⲉⲣⲛⲟⲃⲓ † ⲕⲉⲛⲓ ⲙⲡⲣⲧⲣⲉ ⲡⲛⲉϩ ⲙⲡⲣⲉϥⲣⲛⲟⲃⲉ ⲧⲱϩⲥ

ⲉϫⲉⲛ ⲧⲁⲁⲫⲉ

ⲟϩⲟϩ ⲟⲛ ⲡⲁϩⲗⲟⲥ

ϫⲱ ⲙⲙⲟⲥ ϫⲉ

ⲉϣⲱⲡⲉ ⲟⲩⲟⲛ ⲟϧⲟⲛ ⲙⲙⲁⲩ ⲉⲩϯ ⲣⲁⲛ

ⲉⲣⲟϥ ϫⲉ ⲡⲟⲣⲛⲟⲥ

ⲙⲡⲉⲣⲟϣⲱⲙ ⲛⲉⲙⲁϥ

ϫⲉ ⲛⲓⲡⲟⲣⲛⲟⲥ ⲛⲉⲙ ⲛⲓⲛⲱⲓⲕ

ⲫϯ ⲛⲁϯ ϩⲁⲡ ⲉⲣⲱⲟⲩ

A

وإنه لا زلت برت
كلوت الله
اهتى مصرها ورد ال جبيته
اعلنا تقدر تخلص
له نسبه من الشيطان
لانه مسكين وباثس

قديس

وانه غليبه له
في تلك الليله ورجعت الى كان
في انه الى التبس
لا اومان الى رجحان
فاظهر انه رجحان

الاجربة الحادثة والعشرين لابا التبس
انا ينبنا وبن علاماه معا احمن اس
سهر الها هذا الخبر الاخر تنجبر رجدو والله

S

|61b
ⲁϣⲱ ⲟⲛ ⲍⲉ ⲙ̄ⲡⲟⲣⲛⲟⲥ ⲛⲁⲕⲗⲏⲣⲟⲛⲟⲙⲉⲓ ⲁⲛ
ⲛ̄ⲧⲙ̄ⲛⲧⲉⲣⲟ ⲛ̄ⲙ̄ⲡⲏⲩⲉ
ⲃⲱⲕ ϭⲉ ⲧⲉⲛⲟⲩ ⲧⲁⲁ ⲛⲁϥ
ⲁⲣⲏⲩ ⲧⲛ̄ⲛⲁⲉⲩ ⲛ̄ⲙ̄ϭⲟⲙ ⲉⲧⲟⲩⲍⲉ
ⲧⲉⲩⲯⲩⲭⲏ ⲛ̄ⲧⲟⲟⲧϥ̄ ⲙ̄ⲡⲇⲓⲁⲃⲟⲩⲗⲟⲥ
ⲍⲉ ⲟⲩⲋⲉⲃⲓⲏⲛ ϩⲱⲟⲩ ⲡⲉ

ⲁⲓⲃⲱⲕ ϭⲉ

ⲁⲓⲧⲁⲁⲩ ⲛⲁϥ
ⲛ̄ⲣⲟⲩⲍⲉ ⲙ̄ⲡⲍϩⲟⲩⲃ ⲉⲧⲛ̄ⲙⲁⲩ ⲁⲓⲕⲧⲟ ⲉⲡⲁⲙⲁ
ⲕⲁⲧⲁ ⲙ̄ⲡⲁⲣⲁⲅⲅⲉⲗⲓⲁ ⲙ̄ⲡⲁϩⲉⲓⲱⲧ ⲉⲧⲟⲩⲁⲁⲃ
ⲁⲧⲉⲧⲛ̄ⲉⲓⲙⲉ ϭⲉ ⲍⲉ ⲟⲩⲡⲛⲁⲧⲟⲫⲟⲣⲟⲥ ⲁ̄ϣ
ⲛ̄ⲇⲓⲕⲁⲓⲟⲥ ⲡⲉ ⲡⲉⲛⲉⲓⲱⲧ ⲛ̄ⲇⲓⲕⲁⲓⲟⲥ
ⲁⲡⲁ ⲡⲉⲥⲩⲛⲑⲓⲟⲥ ⲉϥϫⲉ ⲙ̄ⲙⲟⲛ

ⲥⲱⲧⲙ̄ ⲉⲡⲥⲓⲛⲅⲙⲁ ⲛ̄ⲧⲉⲛ̄ⲣⲙ̄ϣⲏⲣⲉ

B

ⲙⲁⲩⲉ ⲛⲁⲕ ⲟⲩⲛ ⲙ̄ⲙⲏ ⲧⲟⲩⲋ ⲛⲁϥ
ⲁⲣⲏⲟⲥ ⲡⲁⲛⲧⲱⲥ ⲧⲉⲛⲛⲁⲩ ⲛⲟⲋⲉⲙ
ⲛ̄ⲧⲉϥⲯⲩⲭⲏ ⲛ̄ⲧⲟⲟⲧϥ̄ ⲙ̄ⲡⲓϫⲁϫⲓ
ⲍⲉ ⲟⲩⲧⲁⲗⲁⲓⲡⲱⲣⲟⲥ ϩⲱϥ ⲡⲉ
ⲉⲧⲁⲓⲥⲱⲧⲉⲙ ⲉⲛⲁⲓ

ⲁⲓϥⲉ ⲛⲏⲓ ⲛ̄ϫⲱⲗⲉⲙ
ⲁⲓⲉⲓ ⲛ̄ⲛⲓⲁⲗⲱⲙ
ⲁⲓⲧⲏⲓⲧⲟⲩ ⲙ̄ⲡⲓⲣⲱⲙⲓ ⲙ̄ⲙⲁⲛⲉⲥⲱⲟⲩ

ⲕⲁⲧⲁ ⲡⲥⲁϫⲓ ⲙ̄ⲡⲁⲓⲱⲧ ⲉⲑⲟⲩⲁⲃ

A

الامجريه الثانيه والعشرون لابا القبس

كان زات يوم

حضر اليه انسان

من نحرر قطو

وصحبته ولده يسير معه

S

ⲁⲥϣⲱⲡⲉ ⲇⲉ ⲟⲛ ⲛ̅ⲟⲩⲉ2008

ⲁϥⲣⲱⲙⲉ ⲉⲓ ϣⲁⲣⲟϥ

ⲉⲃⲟⲗ ϩⲙ̅ ⲡⲧⲟⲩ ⲛ̅ⲕⲃⲧ̅

ⲉⲣⲉⲡⲉϥϣⲏⲣⲉ ⲙⲟⲟϣⲉ ⲛ̅ⲙⲙⲁϥ

B

ⲁⲥϣϯ ⲇⲉ ⲛⲟⲩⲉ2008

ⲁϥⲓ ϣⲁⲣⲟϥ ⲛϫⲉ ⲟⲩⲣⲱⲙⲓ

ϫⲉⲛ ⲡⲧⲟⲩ ⲕⲉϥⲧ

ⲉⲣⲉⲡⲉϥϣⲏⲣⲓ ⲙⲟϣⲓ ⲛⲉⲙⲁϥ

Zum letzten Teil des 20. Wunders:

Es stellt sich heraus, daß den drei Rezensionen - direkt
oder indirekt - als Vorlage ein einziger Urtext gedient
haben muß, denn es gibt kein Element im Text B, das sich
nicht auch in S und A befindet und nicht umgekehrt. Dagegen weisen die Texte S und A auf eine geringfügige
Entwicklung hin. Die beiden Texte sind einander sehr
ähnlich. Paulus wird in beiden Texten als ⲡⲗⲁⲥ ⲙ̄ⲡⲉⲥⲧ̄
ⲛⲟⲩϧⲉ = لسان العطر bezeichnet; der Brief an die Korinther:
1. Kor. 5, 9 und 11 wird ausdrücklich genannt; ⲛ̄ⲣⲟⲩϩⲉ ⲙ̄ⲡⲉⲍⲟⲟⲩ
ⲉⲧⲙ̄ⲙⲁⲩ ⲁⲓⲕⲧⲟⲓ ⲉⲡⲁⲙⲁ = فى تلك الليلة ورجعت الى مكان
Alle diese Aussagen befinden sich nicht im Text B. Nur
im Text S ist die Rede von "Esau": Heb. 12,16. Nach dem
Satzteil: فاعلموا الان انه روحانى steht unmittelbar die
Numerierung des nächsten Wunders "21": "الاعجوبة الحادية
والعشرون..." Der Text S geht aber etwas weiter: ⲁⲧⲉⲧⲛ̄ⲉⲓⲙⲉ
ⲅⲉ ϫⲉ ⲟⲩⲡ̄ⲛⲁⲧⲟⲫⲟⲣⲟⲥ ⲁⲩⲱ ⲛ̄ⲇⲓⲕⲁⲓⲟⲥ ⲡⲉ ⲡⲉⲛⲉⲓⲱⲧ ⲛ̄ⲇⲓⲕⲁⲓⲟⲥ ⲁⲡⲁ ⲡⲉⲥⲩⲛⲑⲓⲟⲥ ⲉⲩϫⲉ ⲙ̄ⲙⲟⲛ. Man könnte annehmen, daß ⲉⲩϫⲉ ⲙ̄ⲙⲟⲛ "wenn
nicht" vom Übersetzer aus dem Koptischen ins Arabische
oder von demjenigen, der den Text A in Wunder mit Numerierung unterteilt hat, weggelassen wurde, zumal der
Satzteil " ⲥⲱⲧⲙ̄ ⲉⲡⲉⲇⲓⲏⲅⲏⲙⲁ " - mit seinen entsprechenden
arabischen Parallelen " اسمعوا ايضا هذا الخبر " mit dem das
21. Wunder im Text A beginnt - unmittelbar auf " ⲉⲩϫⲉ
ⲙ̄ⲙⲟⲛ " folgt. "Wenn nicht" kommt aber noch in einem
ähnlichen Zusammenhang vor (S 24b), u.zw. vor einem
Bibelzitat, das sich auch im Text A (109b-110a) befindet.
Gleichzeitig gibt es keine Parallele im Arabischen für
ⲉⲩϫⲉ ⲙ̄ⲙⲟⲛ. Während nach diesem Bibelzitat das 4. Wunder
im Text A endet, geht der Text S weiter. Ein Zitat aus
2. Kor. 5, 2 und 1 schließt sich an[83]. In beiden genannten Fällen gibt es keine Parallele für ⲉⲩϫⲉ ⲙ̄ⲙⲟⲛ
im Text A, obwohl die beiden Texte bei diesen Parallelstellen völlig übereinstimmen. Angesichts dieses Sach-

verhalts müssen wir annehmen, daß ⲉⲩⲭⲉ ⲙⲙⲟⲛ im Text S
ein Zusatz ist. Sehr wahrscheinlich fehlte es auch in der
Vorlage des Textes S, in "XS", die auch als Vorlage des
Textes A gilt. Wir haben gesehen, daß sich die meisten
eigentümlichen Lesungen des Textes S an Stellen an-
schließen, die Parallelen im Text A haben. In vielen
Fällen bestehen diese Angaben aus Bibelzitaten oder
Aussagen, die auf Bibelstellen zurückgehen, und aus Lobreden auf Pesyntheus, die oft mit einer Ermahnung oder
Wendung an die Zuhörer verbunden sind und nach einer bestimmten Methode oder in einer bestimmten gewandten Rede
erzählt werden[84]. Die Art der Entwicklung des Textes S
kann durch den Vergleich zwischen ihm und dem Text A
festgestellt werden, d.h. die verlorene Rezension XS ist
uns im Text A bewahrt.

Zum Anfang des 21. Wunders:

Am Anfang keines anderen Wunders steht ⲁⲓⲏⲅⲏⲙⲁ (διήγημα)
= " خبر " statt ϣⲡⲏⲣⲉ . Das gilt auch für alle Wunder
des Textes A, die auch im Text S überliefert sind. Am
Anfang der Wunder des Textes A kommt dieses خبر nur
noch zweimal vor in Wunder 36 (A 180a), dessen Anfang
im Koptischen nicht erhalten ist, und in Wunder 56 (213b),
das sich nur im Text A befindet. Im Text B kommt dieser
Begriff nicht vor.

Zum Anfang des 22. Wunders in den Texten B, S und A:

Alle drei Texte beginnen mit denselben Worten. Wir müssen
annehmen, daß diese drei Wunder 20, 21 und 22 in derselben Reihenfolge (d.h. nacheinander) in der verlorenen
Rezension XS gestanden haben. Im Text B, einem Auszug
aus dem Urtext X, ist nicht die Rede von diesem 21.
Wunder.

In S und A fehlt eine Angabe, in welchem Lebensabschnitt
des Pesyntheus das 21. Wunder spielte. Inhaltlich könnte
es sowohl während der Zeit, als er Mönch war, als auch
als er Bischof war, geschehen sein. Wenn man aber bedenkt,
daß Pesyntheus in der Gruppe der Wunder 20 - 27 (in den
Texten S und A folgen sie aufeinander) und in den Wundern
20, 22, 23, 24 und 27 des Textes B als Bischof[85] erwähnt
wird, muß man annehmen, daß auch das 21. Wunder zu
diesem Lebensabschnitt des Pesyntheus gehört.

Das 38. Wunder wird nur in A und P bzw. C erwähnt. Es ist
sehr wahrscheinlich, daß es aus dem 21. Wunder geflossen
ist. Die zwei bösen Hyänen des 21. Wunders, die beim
Hören des Namen Pesyntheus' die Flucht ergriffen, werden
hier als Diener des Heiligen dargestellt. Zum Anfang des
Wunders " قال لى ايضا ابى القديس ... " (A 186b) läßt sich
keine Parallele zum koptischen Text aufzeigen. Nach der
Unterteilung der Wunder nach den Lebensabschnitten
Pesyntheus' im Text P soll dieses Wunder in seiner
Mönchszeit geschehen sein. Nur in den Texten P (22v)
bzw. C (146b) wird Johannes namentlich als Erzähler genannt. Der Satzteil " وحوش كثير خبيثة وسباع ضارية " (A 187a)
erinnert stark an den Satzteil des 21. Wunders " تلك
السباع الخبيثة الضارية" (A 146b).

Das 25. Wunder ist in 2 Hss. (S und A) überliefert.
Zunächst müssen wieder einige Stellen der Übersetzung
von Budge und O'Leary berichtigt werden. Auf drei
Stellen sei hingewiesen:

S 69b: " ... ⲁⲣⲁⲁϥ ⲛ̄ⲁⲕⲟⲓⲛⲱⲛⲓⲧⲟⲥ ⲛ̄ⲙ̄ⲩⲥⲧⲏⲣⲓⲟⲛ ⲉⲧⲟⲩⲁⲁⲃ "
heißt nicht " ..., who (d.h. der Klerus) had made him
an assistant in the administration of the Holy Mysteries",
sondern "Sie haben ihn von der Teilnahme an den Sakramenten ausgeschlossen"[86].
Erstaunlicherweise hat O'Leary die Übersetzung Budges
wortwörtlich übernommen. A 152a: " ... ومنعوه من شركة الاسرار
المقدسة " " ... who had made him an assistant in the administration of the holy mysteries". Es ist aber zu übersetzen: " ... und sie haben ihn von der Teilnahme an den
Sakramenten ausgeschlossen". Ein anderer Fall befindet
sich im 22. Wunder (S 64b): " ... ⲁⲩⲱ ⲛⲁⲙⲉ ⲙⲉⲓⲁⲛⲉϫⲉ ⲉⲕⲁⲁϥ
ⲉⲕⲱⲁⲧⲉ ϣⲁⲛⲧⲉϥϫⲓⲧⲥ̄ ", was Budge richtig übersetzte:
" ...; and, in truth, I shall be unable to permit him
to partake of the Mysteries until he hath taken her to
wife". Im Text A (148a) wird dies sehr ähnlich wiedergegeben: " وبالحقيقة انى لا ادعه يتقرب حتى يتزوج بها " was O'Leary
falsch mit "I am unwilling for him to draw near until
he marry her" übersetzte. يتقرب (قرب V) bedeutet
in diesem Zusammenhang nicht "draw near" sondern "die
Kommunion empfangen". Das gilt auch für einen Satzteil
des 19. Wunders (A141b): " ولما كمل القداس وتقرب جميع الشعب بهيبة
عظيمة ... " "And when he had finished mass and all the
peope drew near (für تقرب) with great awe ...".

Der Satzteil (S 69a) " ϫⲉ ⲛ̄ⲛⲉⲛⲧⲁⲩⲉ ⲡϣⲁϫⲉ ⲉⲡϩⲟⲩⲟ ... "
"Damit wir der Worte nicht zuviel machen: ..."[87], den
Budge nicht übersetzte, hat eine Parallele im Text A
(152a) " ... لئلا يطول القول بالاكثر " "damit die Rede nicht
noch länger dauert". Auch O'Leary hat den Passus nicht
übersetzt.

A 155b: " ياملاك اله القوات ..." "in the kingdom of
Almighty God". Die koptische Parallele (S 74a) ist: " ...
ⲱ̄ ⲡⲁⲅⲅⲉⲗⲟⲥ ⲙ̄ⲡⲭ̄ⲥ̄ ⲛ̄ⲛ̄ϭⲟⲙ" , was Budge richtig übersetzte
mit "O thou angel of the Lord of Might!", und was wörtlich dem Text A entspricht.

Die Untersuchung der Texte des 25. Wunders (S 69a-74b =
A 151b-155b) zeigt, daß sie in fast allen Einzelheiten
miteinander übereinstimmen. Auf folgendes sei hingewiesen:

Der Satz (S 70b) "ⲛⲉⲧⲁⲣⲭⲏ ⲅⲁⲣ ⲧⲉ ⲛ̄ⲧⲁⲡⲁⲉⲓⲱⲧ ⲣ̄ⲉⲡⲓⲥⲕⲟⲡⲟⲥ
ⲁⲩⲛ̄ⲧϥ̄ ⲇⲉ ⲉϩⲣⲁⲓ ⲉⲡⲧⲟⲟⲩ ϣⲁ ⲡⲁⲉⲓⲱⲧ" = A 153a:
"وكان ذلك فى مبتدأ استفتيته فاحضروه الى انى وصوفه الجبل فى ذلك الزمان"
zeigt, daß das Wunder im Urtext gestanden haben muß.
Solche Angaben können nur von einem Zeigenossen des
Bischofs erwähnt werden[88]. Crum wies darauf hin, daß
Johannes dem Bischof wahrscheinlich nur nach seinem
"Zurückzug" (retirement) nach Djeme folgte[89]. Da Johannes zweimal (S 70b = A 153a, S 71a = A 153a) in
erster Person erzählt, muß er dem Bischof spätestens
nicht lange nach seiner Ordination gefolgt sein[90]. Vom
25. Wunder ist im Text B nicht die Rede. Das zeigt u.a.,
daß der Text B ein Auszug ist[91].
Von einigen Parallelen her läßt sich aufzeigen, daß S
entwickelter als A ist, z.B.:

Nur im Text S (71a) steht: " ⲉⲧⲃⲉ ⲟⲩ ⲙ̄ⲡⲉⲣⲱⲓ ⲧⲱⲙ ⲛ̄ⲧⲁⲙⲟⲃ
ⲙ̄ⲡⲁⲧⲉⲓⲧⲁⲩⲟ ϣⲁϫⲉ ... ⲃⲟⲏϑⲉⲓ ⲉⲣⲟⲓ " (vgl. A 153b).
Nur im Text S (73a) wird aus 4. Mos. 5,12 ff. zitiert
(vgl. A 154b).
Der Text A wird mit einer Lobrede auf Pesyntheus abgeschlossen, die sich auch im Text S befindet:
A 155b: " وعظيما حو تذكارك وسيرتك ... ولا يجد لها منتهى بالجملة " = S 74a:
" ⲁⲗⲏϑⲟⲥ ⲟⲩⲛⲟϭ ⲉⲙⲁⲧⲉ ⲡⲉ ⲡⲉⲕⲃⲓⲟⲥ ...ⲙ̄ⲛ ϭⲟⲙ ⲛ̄ⲗⲁⲁⲩ ⲉϭⲙ̄
ⲡⲉⲩϫⲱⲕ". Der Text S geht aber weiter (74a-b)"ⲁⲗⲗⲁ ⲙ̄ⲡⲣ̄ⲧⲣⲉ

ⲦⲈⳟⲟ̄ⲭⲎ Ⲙ̄ⲡⲘⲁⲕⲁⲣⲓⲟⲥ ⲈⲦⲘ̄ⲙⲁⳝ ⲟ̄ⲛ̄ ⲁⲣⲓⲕⲈ ⲉⲣⲟⲓ ⸳⸳⸳ ⲁⲛⲓ̄ ⲟⳝⲉⲟⲟⳝ
Ⲙ̄ⲡⲈⳟⲣⲁ̄ⲛ ⲈⲦⲟ̄ⳝⲁⲁⲃ⁰ . In beiden Texten S und A folgt das
27. Wunder dem 25. Wunder, das in ihnen mit derselben
Anrede anfängt.

Die beiden Texte S und A müssen auf einen einzigen Text
zurückgehen. Der Text S weist auf eine Entwicklung hin.

Zur Stellung des 25. Wunders:

Dieses Wunder steht in S und A zwischen dem 24. Wunder
und dem 27. Wunder. Es gibt kein Wunder mit der Nummer
26. Im Text B fehlt das 25. Wunder und das 27. Wunder
folgt auf das 24. Wunder.

A

وهو لمحمد ١٥١٦ نمرت هذا الرجل من عند

الله

وقد بسط انا يستادين

شاناته تحقنا اصن

الاخرى والخاصه والمشرن لربا يستادين

شاناته كون مها وتعلمها من العمر الشر امين

كان ذات يوم

دخلت العبرة قلب

رجل من اجل زوجته

S

ϭϫⲁ ⲁⲡⲣⲱⲙⲉ ⲃⲱⲕ ⲉⲃⲟⲗ ϩⲓⲧⲟⲟⲧϥ

ⲉϥϯ ⲉⲟⲟⲩ ⲙⲡⲛⲟⲩⲧⲉ

ⲉϥⲉⲩⲭⲁⲣⲓⲥⲧⲉⲓ ⲛ̄ⲧⲟⲟⲧϥ̄ ⲙ̄ⲡⲁⲉⲓⲱⲧ ⲙ̄ⲙⲁⲕⲁⲣⲓⲟⲥ

W. 25

ⲁⲥϣⲱⲡⲉ ⲇⲉ ⲟⲛ ⲛ̄ⲟⲩϩⲟⲟⲩ

ⲁϫⲡⲛⲁ ⲛ̄ⲕⲱϩ ϣⲩϭⲉ ⲉϫⲙ̄ ⲡ2ⲏⲧ

ⲛ̄ⲟⲩⲣⲱⲙⲉ ⲁϥⲕⲱϩ ⲉⲧϥ̄ⲥϩⲓⲙⲉ

346

...ⲥⲱⲧⲙ̄ ⲇⲉ ⲟⲛ ⲉⲧⲕⲉⲛⲟϭ ⲛ̄ϣⲡⲏⲣⲉ

ⲛ̄ⲧⲉⲛ̄ⲧ ⲉⲟⲟⲩ ⲙⲡⲭ̅ⲥ̅

ⲁⲥϣⲱⲡⲉ ⲇⲉ ⲟⲛ ⲁϥⲣⲱⲙⲉ ⲉⲓ

ϣⲁⲣⲟϥ ⲁϥⲡⲓⲥⲧⲉⲩⲧϥ̄ ⲉϥϫⲱ ⲙ̄ⲙⲟⲥ ϫⲉ

ⲁⲣⲓ ⲧⲁⲅⲁⲡⲏ ⲛ̄ϩⲃⲟⲏⲑⲉⲓ ⲉⲣⲟⲓ ⲡⲁϫⲥ̅ ⲛ̄ⲉⲓⲱⲧ

B

W. 24

392

...ⲁⲡⲣⲱⲙⲓ ϣⲉ ⲛⲁϥ ⲉⲃⲟⲗ ϩⲓⲧⲟⲟⲧϥ

ϩⲉⲛ ⲟⲩⲝⲉⲓⲣⲏⲛⲏ

ⲉϥϯ ⲱⲟⲩ ⲙⲫϯ

W. 27

ⲁⲥϣⲱⲡⲓ ⲇⲉ ⲟⲛ ⲛⲟⲩⲉϩⲟⲟⲩ ⲁⲟⲩⲣⲱⲙⲓ ⲓ

ϣⲁⲣⲟϥ ⲉϥϯϩⲟ ⲉⲣⲟϥ ⲉϥϫⲱ ⲙⲙⲟⲥ ϫⲉ

ⲁⲣⲓ ⲧⲁⲅⲁⲡⲏ ⲛⲧⲉⲕⲉⲣⲃⲟⲏⲑⲉⲓⲛ ⲉⲣⲟⲓ

Auf Grund dieser synoptischen Aufstellung läßt es sich
feststellen, daß die drei Wunder 24, 25 und 27 nacheinander im Urtext gestanden haben müssen. Ferner kann es
sich keineswegs um zwei Quellen handeln.

Das 12. Wunder:

P	A	B

P (Arabic):

وكان فما يثور وإذا حوتتج التي صاحب
الكتاب الذي هو يثور وإذا حوتتج التي صاحب
الذي هو يثور نيافته حل عنه ورثت ثلاثه

وكان فما يثور هو بثل عنه

وإذا جاء ربهب تقصمر الى شدة
يبتشر اخارة

نثا رجبه ة ثامر
وهو يثور بثنثية

نثا ثامر
وهو يثور بثنثية

قلت ذلك الاخ بثلع هنا الى داخل عند الحارة
وكان ذلك الاخ بثلع هذا الى داخل عند الحارة
يبتشر كيف يكون علمه

يبتشر كيف تكون على علمه

وإذا جاء ربهب تقصمر الى شدة
يبتشر اخارة

A (Arabic):

كان هذا القديس ذات يوم وهو يثلو
فى الاثنى عشر فى المزامار
اعى ايثا القديس ابا يبستابوس

انثق حضور احد الجوخة قد كان انا خار
سبثل

نثا بنام هذا القديس بثروة
وهو بثنثت الى
حمس داخ من اب ثلايثة ثار
نثا سجمد الى

قلت ذلك الاخ بثلع هذا الى داخل مارته
وكان ذلك الاخ بثلع هذا الى داخل مارته
يبتشر كيف تكون على علمه

وكان فما بثلو هو بثل عنه
وكان حوتتج

B (Coptic):

ⲁϥϣⲱⲡⲓ ⲇⲉ ⲟⲛ ⲛⲉⲍⲟⲟⲩ ⲉϥⲉⲣⲙⲉⲗⲉⲧⲁⲛ
ⲇⲉⲛ ⲡⲓⲓⲃ ⲛⲕⲟⲃϫⲓ ⲙⲡⲣⲟⲫⲏⲧⲏⲥ

ⲁϥϣⲱⲡⲓ ⲇⲉ ⲛⲟⲩϫⲟⲧ ⲉⲁⲟϫⲟⲛ ⲟ̅ⲛⲓ
ⲉⲃⲟⲗ ⲉⲙⲙⲁⲩ

ⲇⲉⲛ ⲡⲁϫⲓⲛⲑⲣⲉϥϭⲓ ⲁⲣⲭⲏ ⲉⲡⲓϣⲱⲣⲡ ⲇⲉⲙ
ⲛⲓⲕⲟⲃϫⲓ ⲙⲡⲣⲟⲫⲏⲧⲏⲥ ⲉⲧⲉ ⲱϭⲛⲉ ⲡⲉ

ⲟⲃⲟⲟ ⲇⲉⲛ ⲡⲁϫⲓⲛⲑⲣⲉϥⲥⲱⲧⲉⲙ ⲉⲣⲟϥ
ⲉϥⲉⲣⲙⲉⲗⲉⲧⲁⲛ ⲇⲉⲛ ⲟⲩϭⲉⲙⲛⲓ

ⲁϥϩⲉⲙⲥⲓ ⲥⲁⲃⲟⲗ ⲙⲡⲉⲩⲙⲁ ⲛϣⲱⲡⲓ ⲛⲟⲩⲕⲟⲃϫⲓ
ⲉⲩⲭⲁ ⲙⲁⲩⲕ ⲉⲣⲟϥ

ⲟⲃⲟⲟ ⲁⲡⲓⲥⲟⲛ ⲭⲟⲃⲩⲧ ⲉⲁⲟⲭⲛ ⲇⲉⲛ ⲡⲓⲟⲃⲱⲓⲛⲓ
ⲛⲧⲉ ⲧⲓⲣⲟ ⲛⲧⲉ ⲡⲉⲩⲙⲁ ⲛϣⲱⲡⲉ
ⲁⲩⲉⲣⲑⲉⲱⲣⲉⲓⲛ ⲙⲙⲟϥ ϫⲉ ⲉϥⲉⲣⲙⲉⲃ | 350 ⲛⲑⲁⲩ

ⲛⲁϥⲉⲣⲙⲉⲗⲉⲧⲁⲛ ⲡⲉ ⲉⲣⲉⲡⲓⲡⲣⲟⲫⲏⲧⲏⲥ
ⲱϭⲛⲉ ⲟⲍⲓ ⲉⲣⲁⲧϥ ⲉⲣⲟϥ

P

وهو يتلوا

تقدم التي وتبلع ومعد الى العلو

وهو يتلو كتاب الشمس

ثم تلا فيما بعد نبوة حزقيال وبرزل

وعاموس وميخا والميرون

وبريان وناحوم وحنفوف

وصفونيا وحجا

وزكريا وملاخيا

كان يشاهد

كي في

|كان الاج الراهب قائم كتب الكلمة

A

وبا آمل نبوة نبوته

نبله التي على راسه وحال صاعد الى العلو

وهي تتلوا كتاب

|شعاع الشمس
12.86 اهله

ضرب يد فيما بعد بنبوة نبوة تعزل التي

وعاموس وميخا وابيرون

وبريان وناحوم وحنفوف

وصفونيا وحجا

وزكريا وملاخيا

فشاهد الاج الراهب قائم يشير في

وكانت يتلوا نبوته

حضر ذلك التي اليه وقنت

الى حين ذلك يكمل التدبير نبوته

عند ذلك يقطر التي راسه

ويصعد الى العلو

بهذه

ان شيخ التدبير بنا نبوة نبوته

وكذا التدبير كمل

ويصعد الى العلو

B

ⲟ̄ⲃ̄ⲅ̄ ϧⲉⲛ ⲡϫⲓⲛⲑⲣⲉϥϣⲟⲕϥ ⲉⲃⲟⲗ

ⲁϥⲉⲣⲁⲡⲧⲁⲍⲉⲥⲑⲁⲓ ⲙⲙⲟϥ ⲁϥϧⲱⲗ ⲉⲡϣⲱ

ⲓ ⲉⲧⲫⲉ ⲡⲭ̄ⲥ̄

ⲉϥⲉⲣⲟⲩⲱⲓⲛⲓ ⲉⲍⲟⲧⲉ ⲫⲣⲏ

ⲟⲩⲟϩ ⲡⲁⲓⲣⲏϯ ⲟⲛ ⲁ̄ⲩⲍⲓ ⲁⲣⲭⲏ ⲁⲙⲱⲉ ⲉⲓⲧⲁ

ⲙⲓⲭⲉⲁⲥ ⲛⲉⲙ ⲓⲱⲏⲗ ⲛⲉⲙ ⲁⲃⲇⲓⲟⲩ

ⲛⲉⲙ ⲓⲱⲛⲁⲥ ⲛⲉⲙ ⲁⲃⲃⲁⲕⲟⲩⲙ ⲛⲉⲙ ⲛⲁⲟⲩⲙ

ⲛⲉⲙ ⲥⲟⲫⲟⲛⲓⲁⲥ ⲛⲉⲙ ⲁⲅⲅⲉⲁⲥ

ⲛⲉⲙ ⲍⲁⲭⲁⲣⲓⲁⲥ ⲛⲉⲙ ⲙⲁⲗⲁⲭⲓⲁⲥ

ⲁⲡⲓⲥⲟⲛ ⲛⲁϩ ⲉⲡⲓⲓ̄ⲃ̄ ⲙⲡⲣⲟⲫⲏⲧⲏⲥ

ⲕⲁⲧⲁ ⲟⲃⲁⲓ ⲉϥⲁⲩⲉⲣⲙⲉⲗⲉⲧⲁⲛ ⲛϧⲏⲧϥ

ⲩⲁⲩⲡ ⲛⲧⲉϥⲟⲩⲟⲍⲓ ⲉⲣⲁⲧϥ ⲉⲣⲟϥ

ⲩⲁⲧⲉϥϣⲟⲕϥ ⲉⲃⲟⲗ

ⲛⲧⲉϥⲉⲣⲁⲡⲧⲁⲍⲉⲥⲑⲁⲓ ⲙⲙⲟϥ

ⲛⲧⲉϥⲉⲣⲁⲛⲁⲭⲱⲣⲉⲓⲛ ⲛⲁϥ

P

علیه ولا خلوة یرون بعینه

ارتضاها وتحمدها من الناس فاین لک یا بخیل
الاعمال وحدا انه اشد مجازاته فی هذا الامر یبخل
فایه لایبالی لسوی الحمد منهم وانتظار المسح
وتقول انه کل انسان تصنع خیرا تجازا ثنا علی دراله
نان حزبه یبشر بادکار لیبنیة ثنا خیال هذا الامر
اطلع علیه فی عبارته
الذی یعلم سرنه اعد اذا ظرت نا الانسان
دا بادبه الح

وحسن سیرتنه
علی بادبه الح

الذی تسجدنه التدیسین
لحرل عنزو وطوع

P

لایی الایمن رنب سوی الاسم
سوی رنب سوی الاسم الکامل
عنا هذا هو الرنب الکامل
علی الرنب المسیح

ولما شاهد الخ ذلک عنی بدق

فی صدرع وبنزل الرجل فی

A

فلا شاهد زلد الخ یا بغرب
علی صدرع وبنزل الرجل
لایی الا لیس رنب لاشمر
هذا هو الرنب هذا الکامل
علی قانون الرهبنة وعلی الرنب المسیح

الذی تسجده التدیسین
لحرل ترقی ظوع وضعر تلنه

128 b || علی ان رنب

ولا بادبه الخ النبة یرمش
وحسن سیرتنه وتربیته

A

B

ETAPTICON ⲅⲉ ⲛⲁⲓ ⲉⲛⲁⲓ ⲇⲩⲕⲱⲗⲏⲅ ⲉϫⲟⲩⲁⲛ
ⲇⲉⲛ ⲡⲉⲩϩⲏⲧ ⲟⲩⲟϩ ⲡⲉϫⲱⲃⲁϩ ⲅⲉ ⲟⲩⲟⲓ ⲛⲏⲓ
ⲇⲉ ⲡⲓⲣⲁⲛ ⲙⲙⲁϣⲁⲧⲩ ⲅⲉ ⲙⲟⲛⲁⲭⲟⲥ ⲡⲉ
ⲧⲉⲣⲫⲟⲣⲉⲓⲛ ⲙⲙⲟϥ
ⲓⲥ ⲫⲁⲓ ⲡⲉ ⲡⲓⲙⲟⲛⲁⲭⲟⲥ ⲛⲧⲉⲗⲉⲓⲟⲥ

ⲈⲢⲈⲚⲎ ⲈⲐⲞⲨⲀⲂ ⲞⲒ ⲚⲨⲪⲎⲢϤ ⲈⲢⲞϤ
ⲈϤ̄ⲂⲈ ⲡⲉⲩϣⲩⲣϥ ⲛⲉⲙ ⲡⲓⲧⲟⲩⲃⲟ ⲛⲧⲉ ⲡⲉⲩϩⲏⲧ

| 351
ⲡⲓⲕⲟⲛ ⲅⲉ ⲙⲡⲉⲩⲙⲟⲩⲧ | ⲉϯⲟⲩⲛ ϩⲟⲟⲩⲥ
ⲉϥⲥⲱ ⲙⲙⲟⲥ ⲅⲉ ⲇⲩⲩⲁⲛⲉⲙⲓ ⲅⲉ ⲇⲓⲛⲁϣ
ⲉⲣⲟϥ ⲙⲡⲁⲓⲣⲏϯ

ⲡⲉⲩϩⲏⲧ ⲛⲁϣⲱⲡⲓ ⲇⲉⲛ ⲟⲩⲛⲓϣϯ ⲛⲉⲙⲕⲁϩ
ϤⲚⲀϪⲞⲤ ⲅⲉ ϩⲟⲩⲟⲛ ⲁⲕⲛⲁϣ ⲉⲣⲟⲓ
ⲙⲡⲁⲓⲣⲏϯ
ⲀⲒⲦⲞⲤⲒ ⲘⲠⲀϪⲀϪⲒ ⲐⲎⲢⲨ

P   A   B

ⲈⲦⲀⲨⲒ ⲆⲈ Ⲓ ⲈⲠⲎⲤ

ⲀⲨⲦⲀⲞⲂⲞ ⲚϨⲰⲂ ⲚⲒⲂⲈⲚ ⲈⲚⲒⲀⲚϨⲞⲨ

ⲠⲈϪⲈ ⲚⲒⲤⲚⲎⲞⲨ ⲚⲀϤ ϪⲈ

ⲪⲀⲒ ⲦⲈ ⲦⲔⲞϪⲒ ϦⲈⲚ ⲠⲈⲨⲠⲞⲖⲒⲦⲈⲒⲀ ⲦⲎⲢⲞⲨ

ⲈⲦⲈϤⲒⲢⲒ ⲘⲘⲰⲞⲨ

ⲈⲚⲈⲈⲦⲀⲔⲈⲢϪⲈⲢⲦⲞⲘⲈⲚⲈⲒⲚ ⲠⲈ

ⲨⲀⲦⲈϤⲞϨⲒ ⲈⲢⲀⲦϤ ⲈⲠⲒⲨⲖⲎⲖ

ⲬⲚⲀⲚⲀϨ ⲈⲌⲀⲚⲚⲒⲨ̄ ⲘϬⲈⲰⲢⲒⲀ

ⲀⲒϪⲞⲤ ⲞⲚ ⲈϮⲂⲎⲦϤ ⲚϨⲞⲨ ⲠⲈⲚⲒⲰⲦ ⲈⲐⲞⲨⲀⲂ

ⲀⲂⲂⲀ ⲠⲒⲤⲈⲚⲦⲒⲞⲤ ϪⲈ

ⲘⲠⲒⲚⲀⲨ ⲈⲦⲈⲠⲚⲀϤⲈⲢϪ ⲚⲈⲨⲀⲒⲀ ⲈⲂⲞⲖ ⲈⲠⲒⲨⲖⲎⲖ

ⲨⲀⲨϢⲰⲠⲒ ⲚϪⲈ ⲚⲈⲨϮ ⲚⲦⲎⲂ ⲈⲨⲘⲞϨ

ⲘⲪⲢⲎⲦ Ⲛ̄ ⲚⲖⲀⲘⲠⲀⲤ ⲚⲬⲢⲰⲘ

ⲚⲒⲘ ⲠⲈⲐⲚⲀⲨϢⲰⲠⲒ ⲈⲨⲦⲈⲚⲐⲰⲚⲦ ⲈⲢⲞϤ

ϦⲈⲚ ⲚⲒⲠⲞⲖⲒⲦⲈⲒⲀ ⲈⲦϬⲞⲖⲔ

ⲚⲀⲒ ⲈⲦⲀⲨⲘⲀⲒⲦⲞⲨ ϦⲈⲚ ⲞⲨⲘⲈⲦϢⲰⲠⲒ

Das 12. Wunder ist in 5 Hss. (B, A, P, C und K) überliefert.

Die folgenden Beispiele sollen das Verhältnis zwischen
den Texten aufzeigen:

B: ⲁⲥϣⲱⲡⲓ ⲇⲉ ⲟⲛ ⲛⲟⲩⲉϩⲟⲟⲩ ⲉⲩⲉⲣⲙⲉⲗⲉⲧⲁⲛ ϧⲉⲛ ⲡⲓⲓⲃ̄ ⲛ̄ⲕⲟⲩϫⲓ
ⲙ̄ⲡⲣⲟⲫⲏⲧⲏⲥ...

A: كان هذا القديس ذات يوم وهو يتلو فى الاثنى عشر بنى الصغار ...

P: وفيما كان ذات يوم قايم يتلوا في كتاب حوشع النبي ...

B: ⲁⲥϣⲱⲡⲓ ⲇⲉ ⲛⲟⲩⲥⲟⲡ ⲉⲇⲟⲩⲥⲟⲛ ⲥⲓⲛⲓ ⲉⲃⲟⲗ ⲉϫⲱϥ

A: اتفق حضور احد الاخوة قد كان اتى عابر سبيل

P: واذا باخ راهب قد حضر الي عنده يفتقد اخباره

B: ⲁⲡⲓⲥⲟⲛ ⲛⲁⲩ ⲉⲡⲓⲓⲃ̄ ⲙ̄ⲡⲣⲟⲫⲏⲧⲏⲥ ⲕⲁⲧⲁ ⲟⲩⲁⲓ ⲉⲩⲁⲩⲉⲣⲙⲉⲗⲉⲧⲁⲛ
ⲛ̄ϧⲏⲧϥ ϣⲁϥⲓ ⲛ̄ⲧⲉϥⲟϩⲓ ⲉⲣⲁⲧϥ ⲉⲣⲟϥ ϣⲁⲧⲉϥϫⲟⲕϥ ⲉⲃⲟⲗ ⲛ̄ⲧⲉϥⲉⲣⲁⲥ-
ⲡⲁⲍⲉⲥⲑⲁⲓ ⲙ̄ⲙⲟϥ ⲛ̄ⲧⲉϥⲉⲣⲁⲛⲁⲭⲱⲣⲉⲓⲛ ⲛⲁϥ

A: فشاهد الاخ الاثنى عشر بنى وكل بنى يتلوا نبوته حضر ذلك النبى اليه
ويقف الى حين يكمل القديس نبوته عند ذلك يقبل النبى راسه ويصعد
الى العلو

P: فكان ن يشاهد كل بنى ان فرغ القديس من تلاوة نبوته يقبله ويصعد الي العلو
وهكذا الي حيث كمل الاثنى عشر بني

B: ⲉⲧⲁⲡⲓⲥⲟⲛ ⲇⲉ ⲓ ⲉⲡⲏⲥ

A: ولما صعد الاخ

P: فرجع الاخ الراهب الي قلايته

In einem Fall steht P dem Text B näher:

B: ϫⲉ ⲙ̄ⲡⲓⲛⲁⲩ ⲉⲧⲉϥⲛⲁϥⲉⲣϣ ⲛⲉϥϫⲓϫ ⲉⲃⲟⲗ ⲉⲡⲓϣⲗⲏⲗ

A: انه في كل صلاة

P: انه في كل وقت يبسط يديه للصلاة

Die Texte P und A gehen nicht auf zwei verschiedene
Übersetzungen aus dem Koptischen zurück. Sie stimmen

miteinander überein, an vielen Stellen wörtlich. Der Text
A kann in fast allen Einzelheiten als eine wortgetreue
Übersetzung aus dem Text B bezeichnet werden. Gegenüber
B und A weist P an wenigen Stellen nur unbedeutende
Varianten auf. Am Ende dieses Wunders taucht eine Lobrede
auf Pesyntheus auf. Lobreden kommen im Text B nur selten
vor. In beiden Texten P und A steht dieselbe Lobrede.
Der Vergleich der drei Texte B, A und P zeigt, daß P auf
eine Vorlage des Textes A zurückgegangen sein muß und
nicht umgekehrt. Darüber hinaus kann festgestellt werden,
daß alle drei Texte B, A und P mit Sicherheit auf eine
einzige Vorlage zurückgehen.

Das 32. Wunder:

A

B

P

ⲁⲥϣⲱⲡⲓ ⲇⲉ ⲟⲛ ⲛⲟⲩⲉ2ⲟⲟⲩ ⲉⲧⲓ ⲛ̄ϫⲉ ⲡⲁϣⲁⲓⲧ
ⲛⲉⲙ ϩⲓ ϣⲉⲛ ⲡⲓⲧⲱⲟⲩ ⲛⲉϩⲙ

ⲡⲉϫⲉ ⲡⲁϣⲁⲓⲧ ⲛⲏⲓ ϫⲉ ⲓⲱⲁⲛⲛⲏⲥ ⲡⲣⲁⲩⲏⲡⲓ

اسمعوا يا اخوتى واحباى كى اخبركم بسر من
لا زال قد رايتم حجبن للاستنباط وظهر
اكثر لك لم استنبط وهذا جميع عجائبه كلى
الكلام الذى لله تعالى اخبركم التذر البسيط

انه كان ذات يوم ابينا
متفى فى جبل شاملة

لا رجل سر القدس

قال لى يا بركا

وكان اول سر من الاربعين يوم القدسة

قد قال ابينا الذى ينشى خبة العمل لرب بزلمى الرسول يقول
فى زمان مثار استجنت لك رذ وزمان الزمان المقبل

وها هو ذا الزمن الاربعين المقبل
يطمر مدار نسك ويعمل ما يسرحبه كلامه
والذ يا ابينا فينشى لكل انسان لم عقل ان

اعتبك فها هو ذا الزمن الاربعين
فى زمان مثار استجنت لك رذ وزمان الزمان المقبل
الذى ينشى خبة العمل لرب وبزلمى الرسول يقول
قد قال ابينا ذاود ان فى هذا الزمان

وها هو الكلام

اعلى هذا فاذا هو الزمن الاربعين المقبل
فى زمن مثار استجبك وفى يوم الخلاص

ومرة الاربعين يوم القدسة

فان الله قد اعلم هذه الايام

بزن الله اعلم هذه الايام السبعة

P

وصلنا في ذلك السرداب مقدار ثلاثة أميال

ولا نعلم اين هو حتى ان ينصب

ودخلنا في الجبل و كان مختفي تحت الارض

وكان الاربعين يوم القديسة التي هي المرور

والرجل قرار هذا الجسد الضعيف

وجلا عندي ويبة نحم القدسة الذي هي المرور

بالايسرين من التورث

كل سنت تتقدم

لثرن تتقدم

لربيك كان انزاوي

قصر الازن

نصل نخط القلاوس تمرسنا

A

ونحن نمشي في الظلام و في تلك المحجر

حسب ما جرت الشيخ

وكان مشينا في ذلك السرداب مقدار ثلاثة اميال

ودخلنا في الجبل الى كان مختفي تحت الارض

ولا نعلم اين هو حتى ان ينصب

قال هذا الشيخ الذي انا في مقدار

نا زو المغاير جزيلة الامر في جميع اعمالي

لاجل خبر الجسد

والرجل

بالايسرين من التورث

كل يوم سبت

حتى تبقى تتقدم

حتى ربك جئت تكون في مثله والقرار مرجم نفسي

اتفام من شيوسنا واتهى

B

TWNK OUWBK NCWI

NTATAMOK ETMMA ETNMEPHCUXAZEIN MMOY

XEKAC EKNAXIMI MPTAYINI

KATA CABBATON

NTEKINI NHI NTKOBXI NTOPPH

402
NEM NTIKOBXI MMWOB EBPICOY

EBBE PTATAO EPATY MPTAICWMA

AYTWNY Ae PTAIWT AYMOYI 2ITEH MMOI

EYEPMEAETAN DEN NIGPAPH EBOBAB NNIYI

NTE ΦΤ

ETANMOYI AE EBOAN NOBT MMIAAION

KATA PIPHT ETAITEN4WNOB MMOC

P

A

B

والاربعة المبيتة في الارض
فتقدم ايها قليل ويستقي
الى باب لبير ودخل موضع تبر جدا
ولا دخلنا الى ذلك الموضع
وجدنا انه
سنة عيد منحرتة من حجر
تحت محترق كبيرة
غير او اثنين وخمسين ذراعا

ويحلون المحجار التي تستترك
وهم عرضها التي وخمصدن ذراع
غير في الطول والعرض والطو والسمال
من الارموات طروحة
غير في رمل كثير حلوق من الارت طروحة
وقيل رمل كثير من الارت طروحة

وإذا ... 21د
في المرتن

ولا احترون اربك الحرون من زنب الحمان

وكم من الربايبة هان
ولا ذهول ن ان الطلبة الصبري
ريت هناك جب عيش

يكون مقدار انتها الى السفر اربعة ازن ذرع

ANEPAPANTAN EOBMWIT EYOI MPICMOT
NOBPO EYOYHN EMAYHY
ETAN2WL DE EBOXN EPIMA ETEMMAY
ANXEMY EYOI MPICMOT
NOBWNI EYBETYWT EPE OBON Z NCTBXOC
TWOYN EBPH DATPETPA
EYOI NNB MMA2I NOBOOBEN EYOI
NTETPAIWNON EPEPEYEICI ON OI MPAICMOT
EPEBANMHY NKWC NTE 2ANCWMA XH
NBHTY
408
... W OBHP NOHPION DINAB EPWOB
DEN PIMWIT

W OBHP ESCICIA NTIMWPICTHC
ETABBITT DE EPIXAK ETCABOX
DINAB EOBNIYT MMA EYYHK
409
ETECHT N2OBO EYHT MMA2I

P	A	B

P

وهو حلول من كل النبات السريعة

وحظهم من اله سّت

رودد؟

واجسادهم كها شوك على شوك المقارب

وحظهم من ابنه وزرة عاير الخنازير الخاسر

من اواخر كون ذلك لرلر

كل باب تفت ذلك

وهم يمرون بلك الاجسان

ورايت حمات الاقي دقاقة مختلفة الرجرة

واذا بازهم تمر كبستان الثيرة

ورايت حمات دورة كبيرة

وتشخص طاثل

ويحلا الستان الحادة

والماشير الحادة

A

وهو حلول من كل النبات السريعة

وحظهم من اله ست

رود؟

واجسادهم كها شوك على شوك المقارب

وحظهم من ابنه وزرة عاير الخنازير الخاسر

خارجة من ابنه الابواب

نفت ذلك كل باب

وهم يمرون على تلك الابواب

ورايت حمات الاقي دقاقة مختلفة الرجرة

كل واحد ماير وحطها كرمه العرساء

واذا بازهم تمور كبستان الثيرة

ورايت حمات دورة كبيرة

تشملهم طاير جدا

ويكون فوقا باية ذلك وعزفوا خمسين ذلك

بستان النثار الحاد

ولها الستان 1326

B

ⲉϥⲙⲉⲍ ⲛϭⲁⲧϥⲓ

ⲟϭⲟⲛ ⲟϭⲟⲛ ⲛϩⲏⲧⲟⲃ ⲉⲣⲉ ⲟϭⲟⲛ Ⲍ̄

ⲛⲁϥⲉ ⲉⲓⲱϯ

ⲉⲣⲉⲧⲟⲩϭⲱⲙⲁ ⲧⲏⲣϥ ⲙϧⲣⲏϯ ⲛϩⲁⲛϭⲏⲗ

ⲛⲉⲟⲩⲟⲛ ⲍⲁⲛⲕⲉⲛⲓⲱϯ ⲙⲏⲉⲛⲧ ϧⲉⲛ ϯⲙⲁ

ⲉⲧⲉⲙⲙⲁⲭ

ⲉϩⲟⲓ ⲛⲛⲓⲱϯ ⲉⲙⲁϣⲱ ⲉⲟⲩϧⲟⲧ ⲡⲉ ⲉⲛⲁϥ ⲉⲣⲱⲟⲩ

ⲉⲣⲉⲍⲁⲛⲩⲟⲗ ϧⲉⲛ ⲣⲱϥ

ⲙⲧⲥⲙⲟⲧ ⲛ2ⲁⲛⲩⲙⲟⲃ ⲙⲃⲉⲛⲓⲡⲓ

B	A	P

B

ΑΚ6ΙΤΤ ΑΣΟΑΤ ΑΔΡωΦ ΜΠΑΨΕΝΤ ΕΤΕΜΜΑΟ

ΦΑΙ ΕΤΕ ΜΠΑΨΝΚΟΤ ΕΝΕΖ

ΕΨΟΤωΜ ΝΟΟΙ ΝΝΑΧ ΝΙΒΕΝ

ΕΡΕΝΙΟΘΗΡΙΟΝ ΤΗΡΟΥ ΦΟΟΗΤ ΕΡΟΥ

ΑΨΨΑΝΜΑΖ ΡωΥ

ΥΧΡΕΝΙΟΘΗΡΙΟΝ ΤΗΡΟΥ ΕΤΚωΤ ΕΡΟΙ ΜΑΖ

ΡωΟΒ ΝΕΜΑΥ

ΠΕΧΕ ΠΑΙωΤ ΝΑΥ ΧΕ ΙΟΧΕΝ ΕΤΑΚΜΟΒ

ΥΑ ΦΟΟΒ

ΜΠΤΟΒΤ ΣΛΙ ΝΕΜΤΟΝ ΝΑΚ

ΙΕ ΝΟΕΧΑΚ ΝΟΒΚΟΧΣΙ ΝΟΘΕΨΕ ΝΤ ΖΙΟΙ ΝΑΚ

ΠΕΧΕ ΠΙΚωΟ ΧΕ ΑΖΗ ΠΑΙωΤ

410 ΙΟ ΖΗΠΠΕ ΔΙΧΠΑΨ ΕΡΟΚ

A

فاعترف ولحرف قدام الرحمن الوالي

الذي يا رل لا يتلمس على الدوام .

لكن يا رل فينا على الدوام

واقرأة جميع الرحمن محبلة بـ

اذا ما هو ملا فيه

حبشك ثلث جميع الرحمن

اقراحهم معه

...

فليس وح ثم ذرمي العقرب بعد شيء البناء

قدام وح اسنان ذلك لذن وح العقرب

يبرى ثبايه ف يرم واحد او يرمين

وان وح هذا لا يتشفى

ولا يهدى ثبايه ولا يثنى الى الادب

فاجاب اي وقال اله من يرم ست

وان الادن

لم يعمرك راحة

ولا يثقرك من ذلك العذاب ساعة واحدة

قال البيت نحر حتا يا ابو ان هو ذا قد اخبرتك

174 وان يا اي هو ان هو ذا قد اخبرتك

P

فاعترف ولحرف قدام الرحمن الوالي

الذي يا رل في الحقلة على الدوام

واقرأة جميع الرحمن محبلة بـ

فعكلا حتت تلك الرحمن

اقراحهم معه

...

وزوجته دائم

لا يهدى ثبايه ولا يثنى الى الادب

اجابه القدس من يرم ست

لم يعمرك راحة قط

قال اله البيت نحر حتا يا ابو

174 وان يا اي هو ان هو ذا قد اخبرتك

B	A	P

B

NNH ETE NAIϢOT NÀHTOB
W ΠΑΡÒC NIWT ϢΧHΛ EXΩI
ΩΝΑ NCEϮ NOϪKOϪϪI NEMTON NHI

OϨOϨ NCEϢTEMϬITT ETIMA ETEMMAϢ NXEϢϢΩΠ
ΠEXE ΠΑIΩT NAY XE
OϥΩNAϨAϨΗΥ NNAHT ΠE ΠOϬ
ϥNAIPI MTINIAI NEMAK
KOTK XE NKOT ϢA ΠEϨΩΟϨ
NϮANAϬTAϬIϬ NKOINON NTE OϨON NIBEN
NTOϨTϢΟϢONΟϨ THPOϨ XINATΩNK ϨΩK
NEMΩΟϨ

ϤϮ ΠE ϢMΕϤΡE NNAIϬIXHXI W NACNHOϨ
XE AINAY EΠIKΩC ϨEN NABAΛ
EAϥNKΩT ϨEN ΠEΥMA MϤΡΗϮ NϢΟΡΠ ON
†
|ANOK XE ETAINAY ENAI AIEΡϢϤΗΡI
EMAYϢΩΠ OϨΟϨ AIT ΩΟϨ MϤϮ
AIMOϨϮ ϪΑΧΩΛ KATA NIKANΩN XE

A

بما قلسبته من المتاعب الذي لا يوصف
فمن اجل الله على على
كى يوجدون راحة
اذن تعبت جدا

والاخلاص بلا يصفون ايضا الى ذلك المتاعب
اجابه اى قال
ان الرب روّف رحيم منحنن
يعطيك عادة رحمة لمتألّم رحمته
فاصعد الزن ناكنت الى يوم
التيامة الزى †
العامة
الى جهة تقوم الاحوات وتقوم انت
بجملتهم

والله حر الشامد على فوق
واني شاهدت ذلك الميت بعيني
قد انصرح فى مكانه كاكان اوّلا
انا الا انا لا رايت هذة الاحبورية
قايل
صرت السيد كتابون الاخرة الرهبان
وتاديت قداسى كتابون الاخرة الشيخ

P

بما قلستته من المتاعب الذي لا يوصف
فمن اجل الله يا ابي معى على
كى يوجدون راحة
اذن قد تعبت

لتلد يتحصلى اى دفعة اخرى موقع ذلك المتاب
اجابه ايتا ايتا مستون قايل
ان الرب روّف رحوم متحنن
فاصعد الزن ناكنت الى يوم
قيامة الاحوات الذى تصر كل احد

والله حر الشامد على فوق يا اخوة
واني رايت ذلك الميت بعيني
قد انصرح فى مكانه كاكان اوّلا
وازا انا الا لا رايت هذة الاحبورية
صرت السيد كتابون الاخرة الرهبان قايل
وتاديت كتابون الاخرة الشيخ

P

بارك علي دخلت

قلت يدي اي وقدمه

فقال لي يا يوحنا

من اي وقت وصلت الي هاهنا

هل سمعت احد يتكلم

فقلت له يا اباه لا

ما لا تتمني باحي

لذلك تاتي لا رايه ولا تظهره لاحد

بستاؤس ... وليد الارّين امين
[= ١٧٤٢م–١٧٤٦م

A

بارك علي وخرجت

وقلت يدي ى سيدي وايد

فقال لي يا يوحنا

من اي وقت جئت انت الي هاهنا

هل سمعت احد يتكلم

قلت له لا يا اباه قال لي

ليت لذيب

كا لذيب حاري الدعا كذيب قدام الشيخ

حين قال له ان بعدك لم يذهب الكان احر
لكن ان كنت قد رأيت شي او سمعت كلام قائله

وان انت اخبرت به احد في زمان حياتي

اعتذلك من شركة السر اي الحياة ١٧٤٤م
الاخرى

ولقد تحفظت بهذا

واثبت هذا السر وط ظهوره لاحد الي هذا
اليوم

انا اقل اقل تلميذ الشيخ الذي الي الي انا

B

ⲥⲙⲟⲩ ⲉⲣⲟⲓ ⲟⲩⲟϩ ⲁⲙⲱⲉ ⲉⲃⲟⲗⲛ

ⲁⲓⲟⲩⲱϣⲧ ⲛⲛⲉϥϭⲓϫ ⲛⲉⲙ ⲛⲉϥϭⲁⲗⲁⲩϫ

ⲡⲉϫⲁϥ ⲛⲏⲓ ϫⲉ ⲓⲱⲁⲛⲛⲏⲥ

ⲁⲕⲓ ⲉⲡⲁⲓⲙⲁ ⲓⲥ ⲟⲩⲏⲣ ⲛⲟⲩⲛⲟⲩ

ⲙⲏ ⲁⲕⲛⲁⲩ ⲉⲉⲗⲓ

ⲓⲉ ⲁⲕⲥⲱⲧⲉⲙ ⲉⲉⲗⲓ ⲉⲩⲥⲁϫⲓ ⲛⲉⲙⲏⲓ

ⲡⲉϫⲏ ϫⲉ ⲙⲫⲏ ⲡⲁⲓⲱⲧ ⲡⲉϫⲁϥ ⲛⲏⲓ ϫⲉ

ⲁⲕϫⲉ ⲙⲉⲑⲛⲟⲩϫ

ⲙⲫⲣⲏϯ ⲛⲅⲓⲉⲍⲓ ⲉⲧⲁⲩϫⲉ ⲙⲉⲑⲛⲟⲩϫ ⲉⲡⲓⲡⲣ-

ⲟⲫⲏⲧⲏⲥ ϫⲉ ⲙⲡⲉⲧⲉⲕⲃⲱⲕ ϣⲉ ⲉⲉⲗⲓ ⲙⲙⲁ

ⲡⲗⲏⲛ ⲓϫⲉ ⲁⲕⲛⲁⲩ ⲓⲉ ⲁⲕⲥⲱⲧⲉⲙ

ⲁⲕⲩⲁⲛϫⲱⲟⲩ ⲉⲉⲗⲓ ⲛⲣⲱⲙⲓ ⲃⲉⲛ ⲡⲁⲱⲛϧ

ⲕⲏ ⲥⲁⲃⲟⲗ

ⲁⲛⲟⲕ ⲇⲉ ⲁⲓⲁⲙⲟⲛⲓ ⲙⲡⲓⲥⲁϫⲓ

ⲙⲡⲓϥ ⲉⲣⲧⲟⲗⲙⲁⲛ ⲉϫⲟⲩ ⲩⲁ ⲉϧⲟⲩⲛ ⲉⲡⲁⲓ-

ⲉⲍⲟⲟⲃ

Das 32. Wunder ist in 5 Hss. (B, A, P, C und K) überliefert.
Der Text A enthält viele Aussagen, die im Text B fehlen,
z.B. die Anrede an die Zuhörer am Anfang des Wunders
(A 167b). Eine David zugeschriebene Aussage (A 167b)
geht vielleicht auf Ps. 69,13 zurück, sowie ein Bibelzitat aus 2. Kor. 6,2 (A 167b-168a).

A 167b: " لاجل سرالفرس وكان اول يوم من الاربعين يوم المقدسـة "

A 168a: " ... الى مكان مختفى تحت الارض وانا لا اعلم اين هو مزمع ان يذهب "

A 172a: " وعنهر انيابه بارزه ... كاسنان اللبوة :"

Bei dieser Sachlage muß man natürlich annehmen, daß viele
Einzelheiten im Text A Zusätze sind. Das schließt nicht
aus, daß manche dieser Angaben auf einen anderen koptischen Text zurückgehen können.

Die Neigung zur Steigerung bis zur Übertreibung kann auch
zur falschen Übersetzung aus dem Koptischen ins Arabische
führen.

B 409: " ... ⲚⲌⲞⲨⲞ ⲈⲨϨⲦ ⲘⲘⲀⲌⲒ " "mehr als 200 Ellen"[92].
Im Text A (172a) steht: " اربعة الاف ذراع ". Es könnte
sein, daß der Übersetzer Ⲙ als 40 bzw. etwa wie ϢⲈⲘ ⲘⲀⲌⲒ
als 4000 verstanden hat, obwohl diese Wortstellung im
Koptischen nicht vorkommen kann.

Hinzu kommt, daß sich eine Lobrede auf Pesyntheus bzw.
eine Anrede an die Zuhörer an das Wunder in Text A anschließt (A 174a-174b). Pesyntheus wird mit Elisa in
einem passenden Zusammenhang[93] verglichen, was oft im
Text S vorkommt. Der Abschnitt (A 174a):

"كحال انسان يعبر لجة عظيمة وهو لا يستطيع البتة ان يقترب منها لاجل كثرة
الامواج المتوالية بعضها على بعض كذلك انا هو الضعيف الذى ليس لى شئ من
المعرفة"[94]

erinnert an einen Abschnitt, der in der Vita Schenutes
belegt ist: " ⲒⲤ ⲞⲨⲘⲎϢ ⲄⲀⲢ ⲚⲈⲌⲞⲞⲨ ... ⲈϨ︦ⲂⲈ ϪⲈ

ϯΕΜΙ ΝΝΗΒΙ ΑΝ"[95] = [96] " ‏وصوذا الى عدة ايام ... وعقلى ضعيف‏

Der Abschnitt (A 174a-b): ‏كنني لما شاهدت مجمعكم المبارك ... وابى‏
‏الابدين امين‏ " weist Text auf, der nach der endgültigen
Kompilation der Vorlage des Textes A hinzugefügt sein
könnte[97].

Einige Angaben werden in den Texten B und A verschieden
ausgedrückt, z.B.:

B 402: "ΑϥΤΩΝϥ ΔΕ ΝΧΕ ΠΑΙΩΤ ΑϥΜΟϢΙ ϨΙΤϨΗ ΜΜΟΙ ΕϥΕΡΜΕΛΕΤΑΝ
ϪΕΝ ΝΙΓΡΑΦΗ ΕΘΟϒΑΒ ΝΝΙϤΙ ΝΤΕ Φϯ"

A 168a: ‏فتلم هذا الشجاع الذى هذا مقداره ذو الفضائل جزيلة الكامل فى جميع‏
‏اعماله ...‏".

B 402: "ΑΝΕΡΑΠΑΝΤΑΝ ΕΟϒΜΩΙΤ ΕϥΟΙ ΜΠϹΜΟΤ ΝΟϒΡΟ ΕϥΟϨΝ
ΕΜΑϢΩ"

A 168b: ‏ فتقدمر الى قليلا وسقفى الى باب كبير وموضع نير جدا‏"

B 409: "ΝΕΟϒΟΝ ϨΑΝΚΕΝΙϤϯ ΜϥΕΝΤ ϪΕΝ ΠΙΜΑ ΕΤΕΜΜΑϒ ΕϤΟΙ
ΝΝΙϤϯ ΕΜΑϢΩ ΕΟϨϨΟϯ ΠΕ ΕΝΑϨ ΕΡΩΟϒ"

A 172a: "‏ورايت هناك دودة كبيرة شخصمها هائل جدا‏ "

Text in B und A, der in P fehlt:

B 401: " ΑϤϢΩΠΙ ΔΕ ΟΝ ΝΟϒΕϨΟΟϒ... ΠΙΤΩΟϒ ΝϬΗΜΙ "

A 167b:" ‏كان ذات يوم ... جبل شامة‏"

B 402: " ΚΑΤΑ ΠΙΡΗϯ ΕΤΑΙΤΕΝΘΩΝΟϒ ΜΜΟϹ"

A 168a:" ‏حسب ما حررت بالتشبيه‏ "

B 409: "ΦΑΙ ΕΤΕ ΜΠΑϒΝΚΟΤ ΕΝΕϨ" A 172b: " ‏الذى لا ينام ابدا‏ "

B 409:"ΙϹ ΝϹΕΧΑΚ ΝΟϒΚΟϒΧΙ ΝΟϒϢΕ ΝΤ ϪΙϹΙ ΝΑΚ"

A 172b: " ‏ولا يطلقوك من ذلك العذاب ساعة واحدة‏ "

B 410: "ⲭⲛⲁⲧⲱⲛⲕ ⲍⲱⲕ ⲛⲉⲙⲱⲟⲩ"   A 173b: " وتقوم انت يجعلتهم"

B 411: "ⲙϥⲣⲏϯ ⲛϯⲉⲍⲓ... ⲉⲍⲭⲓ ⲙⲙⲁ"

A 173b: " كلا كذب جازى ... الى مكان اخر"

B 411: "ⲁⲕⲩⲁⲛⲭⲱⲟⲩ ⲉⲍⲭⲓ ⲛⲣⲱⲙⲓ... ⲉⲡⲁⲓⲉⲍⲟⲟⲩ"

A 173b-174a: " وان انت اخبرت به احد ... الى هذا اليوم"

Dieser Tatbestand zeigt, daß der Text P auf eine Vorlage
des Textes A zurückgeht und nicht umgekehrt.

Die Angaben des 32. Wunders des Textes K stehen auf der
Seite 45 . Die Reihenfolge der Wunder des Textes P ist:
17, 32, 38 und 39. Die Reihenfolge der Wunder des Textes
K ist: 17, 32 und 39. Das 38. Wunder steht nicht im Text
K[98] . Außerdem fängt das Wunder in beiden Texten mit den
Worten an:

P 18v: "ولما حضرة الاربعين يوم المقدسة"   K 133r: "فلما كان في الاربعين المقدسة"

Dies gilt nur für die Texte P und K.

Es stellt sich die Frage, ob das Wunder des Textes A
auf einen saidischen oder auf einen bohairischen Text
zurückgeht. Es gibt nicht genügend Anhaltspunkte, um
diese Frage schlüssig zu beantworten. Jedoch sei auf
folgendes hingewiesen:

1. Im allgemeinen finden wir Aussagen in den in B, S und
   A stehenden Wundern, die nur in S und A vorkommen, wobei A in den Einzelheiten dem Text S nähersteht. Wenn
   es sich bei A bezüglich einiger Fälle um eine Kompilation aus Texten wie B und S handelt, geht man von
   einem Text wie S aus. Im Text A werden Angaben aus
   einem Text wie B hinzugefügt, die nicht in einem
   saidischen Text vorhanden sind[99]. Bei den drei in S
   und A und nicht in B stehenden Wundern 4, 21 und 25

kommen im Text S kleine Textpassagen vor, die auf
eine weitere Entwicklung des Textes S hinweisen[100].

2. Das 32. Wunder muß im Urtext gestanden haben und kann
nicht ein Zusatz des bohairischen Textes B sein.
"Djeme" gilt - auch im Text B - als Ort des Wunders,
und Johannes erzählt in erster Person in B und A.
Hinzu kommt, daß die Beschreibung des Ortes bzw. des
Grabes auf Theben-West hinweist.

3. Das in B und nicht in S überlieferte Wunder (30),
ist noch teilweise in einem saidischen Text (W) erhalten.

4. Zum Satz:

B 406-407: "ⲡⲉⲭⲁϥ ⲭⲉ ⲁⲛⲟⲕ ⲟⲩⲉⲃⲟⲗ ϧⲉⲛ ϯⲡⲟⲗⲓⲥ ⲉⲣⲙⲁⲛⲧ"

A 170b: "فقال له انا من مدينة تعرف بكرمان"

P 20v: "فقال له الميت انا من مدينة تسمي بكرمان"

C 138a-b: "فقال له الميت انا من مدينت تعرف بكرمان"

Bei بكرمان möchte man eher an eine Verstümmelung
von بارمنت denken, als daß بكرمان auf das koptische
ⲃⲁⲕⲓ ⲉⲣⲙⲟⲛⲧ zurückgeht. Diese bohairische Form könnte
darauf hinweisen, daß die Stelle aus einem bohairischen Text übernommen wäre, zumal ⲃⲁⲕⲓ bisher nicht
im Saidischen belegt ist[101]. Dieselbe Orthographie
بكرمان der drei Texte A, P und C zeigt deutlich,
daß sie auf eine einzige arabische Übersetzung aus
dem Koptischen zurückgehen.

5. Der erste Teil der Lobrede auf Peṣyntheus, die sich
an das Wunder des Textes A (174a) anschließt, erinnert an Lobreden dieser Art, die so nur in den
Texten S und A vorkommen. Auffallend ist die Erwähnung von Basilius und Gregorius, die nur noch im

Text S erwähnt werden, u.zw. in der Lobrede des 17.
Wunders (S 56b). Das 32. Wunder folgt dem 17. Wunder
im Text B.

Die angeführten Punkte können nicht zu einem schlüssigen
Ergebnis führen. Es läßt sich aber feststellen, daß ein
einziger Urtext diesen Texten vorgelegen haben muß. Der
Text P ist ein Auszug aus einer Vorlage des Textes A.
Der Text K ist von einer Vorlage des Textes P (XP) abhängig. Dieses Wunder kann nicht ein Zusatz eines
bohairischen Textes sein. Es muß aus einem saidischen
Text ins Bohairische übersetzt worden sein. Daher neige
ich zu der Annahme, daß Text A auf einen verlorenen
saidischen Text zurückgeht.

Das 35. Wunder:

B

A

اسمعوا ايضا هذه الاعجوبة التى كانت

حسب ما ثبتنا وسمعوها اهل بلادنا

وخطرت ببالى كى اخبركم بها انا الحقير

يوحنا

ⲁⲟⲩⲣⲱⲙⲓ ⲓ ϣⲁⲣⲟϥ ⲛⲟⲩⲉϩⲟⲟⲩ

وهو ان انسان حضر الى ابينا القديس

العظيم ابينا انبا بيستاوس

ϧⲉⲛ ⲡⲓⲁⲃⲟⲧ ⲙⲉⲥⲱⲣⲏ

فى شهر مسرى

ⲁϥϭⲓ ⲥⲙⲟⲩ ϧⲉⲛ ⲛⲉϥϫⲓϫ ⲉⲑⲟⲩⲁⲃ

وتبارك من يديه

ⲁϥϩⲉⲙⲥⲓ ⲉϧⲣⲏⲓ ⲛⲟⲩⲛⲓϣϯ ⲛⲛⲁⲩ

وجلس عنده وقتا طويلا

ⲙⲡⲉϥⲥⲁϫⲓ ⲟⲩⲇⲉ ⲙⲡⲉⲡⲁⲓⲱⲧ ⲥⲁϫⲓ ϩⲱϥ

وهو صامت لم يتكلم ولا اى ايضا ما كلمه

ⲉⲧⲁⲡⲣⲱⲙⲓ ⲛⲁⲩ | 412 ⲉⲣⲟϥ ϫⲉ ⲙⲡⲉϥⲥⲁϫⲓ

ولما راى ايضا الرجل ان اى لم يتكلم

ⲡⲉϫⲁϥ ϫⲉ ⲟⲩⲟⲛ ⲟⲩⲛⲓϣϯ ⲛⲍⲏⲃⲓ ϣⲏⲣ

قال له يا اى ان فى هذه الدنيا

ⲉⲃⲟⲗ ϧⲉⲛ ⲡⲓⲕⲟⲥⲙⲟⲥ ⲧⲏⲣϥ ⲙⲫⲟⲟⲩ

نمر شديد | وحزن مستمر ١٧٩ب

ⲡⲉϫⲉ ⲡⲁⲓⲱⲧ ϫⲉ ⲉⲑⲃⲉ ⲟⲩ ⲛϩⲱⲃ

قال له اى لاى شئ

ⲡⲉϫⲉ ⲡⲓⲣⲱⲙⲓ ϫⲉ ⲉⲑⲃⲉ ⲡⲓⲙⲱⲟⲩ ⲛⲧⲉ ⲫⲓⲁⲣⲟ

قال له الرجل لاجل نيل البحر

ⲉⲧⲉ ⲙⲡⲉϥⲙⲁϩ

الذى لم يزيد

ⲉⲟⲗⲱⲥ

ولم يطلع فى هذه السنة

ⲟⲩⲟϩ ⲁⲣⲉϣⲧⲉⲙⲡⲓⲙⲱⲟⲩ ⲓ ⲛⲁⲛ

واذا لم يدركنا الله بعونه ومراحمه ويطلع النيل

فى هذه السنه

ⲧⲉⲛⲛⲁⲙⲟⲩ ⲛⲉⲙ ⲛⲉⲛⲧⲉⲃⲛⲱⲟⲩⲓ

فنحن نموت واولادنا وبهائنا

ⲁϥⲉⲣⲟⲩⲱ ⲛϫⲉ ⲙⲱⲩⲥⲏⲥ ⲙⲃⲉⲣⲓ ϫⲉ

فاجاب النبى الظاهر موسى الجديد وقال له

ⲙⲏ ⲛⲑⲟⲕ ϩⲱⲕ ⲕⲉⲣⲭⲣⲉⲓⲁ ⲙⲡⲓⲙⲱⲟⲩ

هل انت من الذين يحتاجون الى الماء

ⲉⲟⲩⲟⲛ ⲟⲩⲙⲏϣ ⲛⲥⲟⲩⲟ ϣⲟⲡ ⲛⲁⲕ

وعندك غلال كثير

B	A

A (Arabic, right column):

والكفاية من الحبوب

فانكر ذلك الرجل

وقال الرب هو العالم

انه اذا لم يات بيت النيل

فانا اول من يموت

قبل جميع الناس

اجابه القديس الحلو من كل نعمة وافزاز وتمييز
على الحقيقة

وقال انى عهدت برجل شيخ قديس فى
الجبل يسمى قلته

كانت صلاته هذه فى كل حين يقول

يا رب تكون مشيئتك

ونحن اذا ما صنعنا ارادة [الله]
180 a
النيل لطلع النيل واذا لم | يطلع

ليس يدعنا الله نعوز شيئا

اما ذلك الرجل فكان كلامه بصلف عظيم

قال له ابى

تعيش حتى تاكل

الذى فى بيتك فى هذه السنة

فقال له ذلك الرجل

بقى من عمرى خمسين سنة

وخرج من عندنا

B (Coptic, left column):

ⲡⲓⲣⲱⲙⲓ ⲇⲉ ⲉⲧⲁϥⲉⲣⲁⲓⲥⲑⲁⲛⲉⲓⲥⲑⲁⲓ ⲉⲡⲓⲥⲁϫⲓ

ⲡⲉϫⲁϥ ⲇⲉ ϧⲟⲛϫ ⲛϫⲉ ⲡⲟ̅ⲥ̅

ϫⲉ ⲁⲣⲉϣⲧⲉⲙ ⲡⲓⲙⲱⲟⲩ ⲉⲓ

ⲁⲛⲟⲕ ⲡⲉ ⲡⲓϣⲟⲣⲡ ⲉⲑⲛⲁⲙⲟⲩ

ⲡⲁⲣⲁ ⲣⲱⲙⲓ ⲛⲓⲃⲉⲛ

ⲁϥⲉⲣⲟⲩⲱ ⲛϫⲉ ⲡⲓⲇⲓⲁⲕⲣⲓⲧⲓⲕⲟⲥ

ϫⲉ ⲁⲓϫⲓⲙⲓ ⲛⲟⲩⲛⲓϣϯ ⲛⲁⲅⲓⲟⲥ ϧⲉⲛ

ⲡⲁⲓⲧⲱⲟⲩ ϫⲉ ⲁⲡⲁ ⲕⲟⲗⲟϭⲑⲟⲥ

ⲉⲡⲉϥϣⲗⲏⲗ ⲡⲉ ⲫⲁⲓ ⲛⲛⲁⲩ ⲛⲓⲃⲉⲛ ϫⲉ

ⲡⲉⲕⲟⲩⲱϣ ⲫϯ ⲙⲁⲣⲉϥϣⲱⲡⲓ

ⲁⲛⲟⲛ ϩⲱⲛ ⲁⲛϣⲁⲛⲓⲣⲓ ⲙⲫⲟⲩⲱϣ ⲙⲫϯ

ⲕⲁⲛ ⲁϥϣⲧⲉⲙⲓⲛⲓ ⲙⲡⲓⲙⲱⲟⲩ
413
ⲓⲉ ⲟⲩϣⲁⲛϩⲑⲏϥ | ⲡⲉ

ϥⲛⲁϫⲁⲛ ⲁⲛ ⲛϣⲁⲧ ⲛϩⲗⲓ ⲛⲁⲅⲁⲑⲟⲛ

ⲡⲓⲣⲱⲙⲓ ⲇⲉ ⲁϥⲥⲁϫⲓ ϧⲉⲛ ⲟⲩⲛⲓϣϯ ⲙⲙⲉⲧϭⲁⲥⲓϩⲏⲧ

ⲡⲁⲗⲓⲛ ⲡⲉϫⲉ ⲡⲁⲓⲱⲧ ⲛⲁϥ ϫⲉ

ⲭⲁⲥ ⲛⲧⲉⲕⲱⲛϧ ⲛⲧⲉⲕⲟⲩⲱⲙ

ⲛⲏⲏ ⲉⲧϧⲉⲛ ⲡⲉⲕⲏⲓ ϩⲱ ⲛⲑⲣⲟⲙⲡⲓ

ⲡⲉϫⲉ ⲡⲓⲣⲱⲙⲓ ϫⲉ

ⲁⲓϣⲁⲛⲱⲛϧ ⲛⲕⲉⲛ̅ ⲛⲣⲟⲙⲡⲓ ⲛⲁϩⲓ ⲫⲁⲓ ⲡⲉ ⲡⲁϩⲓ

ⲡⲁⲓⲣⲏϯ ⲁϥϩⲱⲗ ⲉⲃⲟⲗ ϩⲓⲧⲟⲧⲉⲛ

B	A
ⲃⲉⲛ ⲟⲩⲛⲓϣϯ ⲙⲙⲉⲧⲅⲁϭⲓⲥⲏⲧ	وعند ذلك استوليت عليه العظمة والعجب
	والله يشهد على يا اخوت
ⲟⲩⲟⳉ ⲃⲉⲛ ⲡⲉⲩⲙⲁⲍⲉ̄ ⲛⲁⲃⲟⲧ ⲁⲩⲙⲟⳉ	انه لم يقم سوى ستة اشهر حتى توفى
	حسب ما اشار به المغبوط على الحقيقة
	الرب يرحمنا بصلواته ويغفر لنا خطايانا
	امين

Das 35. Wunder ist in 2 Hss. (B und A) überliefert.
Beide Texte stimmen miteinander überein. Der Großteil
der Aussagen des Textes A kann als eine wortgetreue
Übersetzung aus einem Text wie B bezeichnet werden. Es
gibt jedoch Textteile, die im Text A etwas anders ausgedrückt sind, z.B.:

B 412-413: " ... ⲕⲁⲛ ⲁϥϥⲧⲉⲙⲓⲛⲓ ⲙⲡⲓⲙⲱⲟⲩ ⲓⲉ ⲟⲩⲩⲁⲛⲍⲑⲏϥ ⲡⲉ
ϥⲛⲁⲭⲁⲛ ⲁⲛ ⲛϥⲁⲧ ⲛⲍⲗⲓ ⲛⲁⲅⲁⲑⲟⲛ"

A 179b-180a: " ... ‏لطلع النيل واذا لم يطلع ليس يدعنا الله نعوز شيئا‎ "

B 413: " ⲁⲓϥⲁⲛⲱⲛⲩ ⲛⲕⲉⲛ ⲛⲣⲟⲙⲡⲓ ⲛⲁⲍⲓ ϥⲁⲓ ⲡⲉ ⲡⲁⲁⲍⲓ "

A 180a: " ‏بقى من عمرى خمسين سنة‎ "

Bei der Parallele " ⲡⲓⲣⲱⲙⲓ ⲇⲉ ⲉⲧⲁϥⲉⲣⲁⲓⲥⲑⲁⲛⲉⲓⲥⲑⲁⲓ ⲉⲡⲓⲥⲁⲭⲓ
ⲡⲉϫⲁϥ ⲭⲉ " (B 412) = " ‏فانكر ذلك الرجل وقال‎ " (A 179b) ist
der Text A korrekturbedürftig: ‏فاذكر‎ statt ‏فانكر . فكر‎ (IV)
"nachdenken, sich überlegen" kann ⲁⲓⲥⲑⲁⲛⲉⲓⲥⲑⲁⲓ (vgl.
αἰσθάνομαι) entsprechen.

Außerdem gibt es Textstellen, die sich nur im Text A
befinden, z.B.:

179b: ‏على الحقيقة ؛ والكفاية من الحبوب ؛ واولادنا ؛ فى هذه السنة‎

180a: ‏حسب ما اشار به المنبوط على الحقيقة ؛ والله يشهد على يا اخوتى‎

Hinzu kommt, daß nur der Text A (179a) eine Anrede enthält[102]. Das Obengenannte muß nicht zu dem Schluß führen,
daß der Text A nicht auf einen Text wie B zurückgehen
kann, wahrscheinlicher ist, daß er auf einen verlorenen
saidischen Text zurückgeht, da die genannten Kriterien
nur in den Texten S und A bei anderen, in den drei
Texten stehenden Wundern erscheinen. In jedem Fall muß
dieses Wunder in einem verlorenen saidischen Text ge-

standen haben, woran ein Satz kein Zweifel bestehen
läßt:

B 412: " ⲁⲓⲭⲓⲙⲓ ⲛⲟⲩⲛⲓⲩϯ ⲛⲁⲅⲓⲟⲥ ϫⲉⲛ ⲡⲁⲓⲧⲱⲟⲩ ⲭⲉ ⲁⲡⲁ
ⲕⲟⲗⲟⲩⲑⲟⲥ ..."

A 179b: " ... ＂اﻧﻰ ﻋﻬﺪت ﺑﺮﺟﻞ ﺷﻴﺦ ﻗﺪﻳﺲ ﻓﻰ اﻟﺠﺒﻞ ﻳﺴﻤﻰ ﻗﻠﺘﻪ

Kolluthus wird ausdrücklich als Zeitgenosse Pesyntheus'
im Al-asās im Text S (39a) bezeichnet[103].

Das 48. Wunder:

B

ⲁϥϫⲟⲥ ⲟⲛ ⲉⲑⲃⲏⲧϥ ⲛϭⲟϥ ⲡⲓⲙⲁⲕⲁⲣⲓⲟⲥ
ⲁⲃⲃⲁ ⲡⲓⲥⲉⲛⲧⲓⲟⲥ

ϫⲉ ⲁⲩⲥⲁϫⲓ ⲛⲉⲙ ⲛⲓⲥⲛⲏⲟⲩ ⲉϥϫⲱ ⲙⲙⲟⲥ ϫⲉ
ⲓⲥϫⲏⲡⲡⲉ ⲧⲉⲛⲓⲣⲓ ⲛⲛⲉⲛϣⲉⲙϣⲓ ⲕⲁⲧⲁ ⲧⲉⲛϫⲟⲙ
ⲧⲉⲛⲩⲩⲗⲏⲗ ⲧⲉⲛⲉⲣⲛⲏⲥⲧⲉⲃⲉⲓⲛ

ϩⲁⲣⲁ ⲫ̄ϯ ⲑⲏⲧ ⲛⲉⲙⲁⲛ ⲧⲛⲟⲃ ϣⲁⲛ ⲙⲙⲟⲛ
ⲡⲗⲏⲛ ⲧⲛⲁⲭⲁ ⲧⲟⲧ ⲉⲃⲟⲗ ⲁⲛ ϣⲓⲧⲱⲃϩ
ⲛⲧⲉϥⲙⲉⲧⲁⲧⲁⲑⲟⲥ ϣⲁⲧⲁⲉⲙⲓ

ⲙⲱⲙ ⲛⲁϥⲙ ⲥⲃⲱⲧⲛⲧⲱⲧⲉⲙ ⲩϭⲱϣⲧⲉⲙ ϫⲉ

ⲁⲩⲧⲁⲩⲛϥ ⲇⲉ ⲁϥⲙⲟⲩⲓ ⲉϫⲟϭⲛ ϧⲉⲛ ⲡⲧⲱⲟⲩ
ⲉⲫⲟⲝⲉⲓ ⲙⲡⲉϥⲙⲁ | ⲁⲓⲩ ⲛϣⲱⲡⲓ
ⲁϥⲟϩⲓ ⲉⲣⲁⲧϥ ϧⲉⲛ ⲑⲙⲏϯ
ⲙⲡⲓⲕⲁϣⲙⲁ ⲛⲉⲙ ⲡⲓⲁϫⲩ

A

قال عن ابينا القديس
ابا بيسنتاوس

انه تحدث مع الاخوة ذات يوم قائل
هو ذا نحن نصنع عبادتنا وخدمتنا بقدر قوتنا
ونصلي ونصوم

اقرا ان الله راضى علينا ابن
١٩٧ | السؤال والتضرع
اي لا اقر من السؤال والتضرع
الى علمٰ جرى ذلك وتحنه حتى اعلم
ان كان هو ارضى علينا ومستجيب ا عبادتنا

شبه قام من مسكنه وسار
فى الجبل قليل
ووقف يصلي وسط
ان الجبل
الصر وايضا واليل

P

وانه اقتر ذات بقدر قليل
حمّ وذا نحن عبادتنا وخدمتنا بقدر قوتنا

نصلى الرب راضي عنا بعلايا وتعزل ذلك ما
وارذن قائي لا اقر من السؤال والتضرع
الى علمٰ جرى ذى حتى اعلم
ان كان هو يستجيب عبادتنا

ويقول عبادتنا فى مسكانه ومشى
فى الجبل
قروت فى وسط
الصر وسط يده للصلاة

قال كل احد ان كان تكون جده والعبادة
الصر وسط يده للصلاة الذي نعرف

	P	A	B

P

العلية التي الا الحضر اعلها تزميك وهي
شرولة لدلك فتطيب قلب بدلك الحضر
العرمستحى ان يقول لدلك ولا يخرج
شئ نحو محبدك سيما ان يطلب بئة
شيا يكون نظهر لمدك ائة يعرن يا
ائك راعى بحله

وح يزال واقف في الصمسوف البين ناز
وبلذ

من امل

وقال

لو ناوتت تنسي جسدي
فلست افثر

في هذا الكان في وسط هذه الاردى
الى حيث نظهر يا ائة
ولا ايئ من هاها

واعلم منو ان الله يستنجيب الا ورحما

A

وح يزال على ذلك الان نالت له ربنة عشر يزم
بالبايلو

وصر ناش لا ثئر
وبلذ مسرمان وح يطغو الله الئة

ولو ناوتت تنسي جسدي
لست افثر

في هذا الكان وسط هذه الاردى
حتى نظهر يا ائة
ولا ايئ من هاها

واعلم منو ان الله يستنجيب الا ورحما

B

ⲁϥⲉⲣ ⲓ̅ ⲛⲉϩⲟⲟⲩ
ⲛⲉⲙ ⲓ̅ ⲛⲉϫⲱⲣϩ

ⲙⲡⲉϥⲭⲁ ⲛⲛⲉϥϫⲓϫ ⲉⲡⲉⲥⲏⲧ
ⲉⲁϥϫⲟⲥ ϫⲉ
ⲁⲣⲉϣⲁⲛⲧⲁⲛⲓϥⲓ ⲓ ⲉⲡϣⲱⲓ
ⲛ̅ⲧⲛⲁϫⲁ ⲧⲟⲧ ⲉⲃⲟⲗ ⲁⲛ
ⲉⲓⲧⲱⲃϩ ⲛ̅ⲧⲉϥⲙⲉⲧⲁⲅⲁⲑⲟⲥ
ϣⲁⲧⲉⲟⲩⲱⲛϩ ⲛⲏⲓ ⲉⲃⲟⲗ
ⲙ̅ⲡⲁⲓⲙⲁ ϧⲉⲛ ⲑ̅ⲙⲏⲧ ⲙ̅ⲧⲁⲓⲧⲱⲟⲩ
ϫⲉ ⲁⲩϭⲱⲧⲉⲙ ⲉⲣⲟⲓ ⲓⲉ ϫⲉ ϥ̅ⲛⲁⲓⲣⲓ ⲙ̅ⲡⲓⲛⲁⲓ
ⲛⲉⲙⲁⲛ

P

و طا يزال منتصب علي
حيث كل له اربعة عشر يوما
و كان ذلك في شهر بؤنة
و بيما هو يمشي
وجيج احتياله لما الي الرب
واذا هو رفع حتف عشاه
و سمح صوتا يقول له
يستشوري مستشوري قد استجاب الله
ملك ذلك و سمعت تضرعك
و صرت كرت الك ما قد فلت

من الرب

وقد تظهر الله علامة وهي عين ما
في المكان الذي انت تأمر فيه
وتكون اية ظاهرة وعلامة ادية
لجميع اجيال العالم
الي كل الاجيال الذي للعالم
وتكون شئا
لكمن يتناول من ماها
ياباء

A

الير الرابع عشر
وهو واقنا علي قدميه يمشي
في شهر بؤنة

1984 فابر يتفرج الي الرب
وجيج احتياله علي الي الرب
حتف عشاه سلمة يستشرق
هكذا ايستادوس قد مسح الرب
ايستادوس واستجاب حولاك دفل ابؤلاك تضرعك
و صرت كرت الك ما قد سلت

من الرب و تبنت
وقد تظهر الله عين ما
في هذا المكان الذي انت تأمر فيه
وتكون اية ظاهرة وعلامة ادية لجميع
اجيال العالم

لكل من يتناول ماؤها
باباء

B

ⲚϢⲞⲢⲠ ⲆⲈ ⲘⲠⲒⲘⲀϨϨⲒ ⲚⲈϨⲞⲞⲨ
ⲈⲦⲒ ⲈϤϦⲞⲒ ⲈⲢⲀⲦϤ ⲈϤⲨⲎⲗ

ⲈⲢⲈⲠⲈϤⲪⲘⲞⲤⲨ ⲦⲎⲢϤ ϦⲈⲚ ⲠϬⲒⲤⲒ
ϦⲈⲚ ⲞⲨϬⲈⲠⲀⲢⲒⲚⲀ

ⲆⲞⲆⲤⲘⲎ ⲨϢⲦⲒ ⲨⲆⲢⲞⲨ ⲈϬⲬⲨ ⲘⲘⲞⲤ ϪⲈ
ⲠⲒⲤⲈⲚⲦⲒⲞⲤ ⲠⲒⲤⲈⲚⲦⲒⲞⲤ ⲀϤⲤⲰⲦⲈⲘ
ⲈⲠⲈⲔⲨⲎⲗ

ⲞϨⲞⲨ ϤⲎ ⲈⲦⲀⲔⲈⲢⲀⲒⲦⲈⲒⲚ
ⲨⲦⲀⲨⲰϢⲦⲒ ⲚⲀⲔ

ⲒⲤ ⲞϨⲦⲎⲄⲎ ⲘⲘⲰⲞϨ ⲤⲈⲚⲀⲚⲈϨⲤⲒ ⲘⲘⲞⲤ
ⲘⲠⲒⲘⲀ ⲈⲦⲈⲔⲞϨⲒ ⲈⲢⲀⲦⲔ ⲚϦⲎⲦϤ
ⲚⲦⲈϤϢⲰⲠⲒ ⲚⲞⲨⲘⲎⲒⲚⲒ
ⲚⲚⲒⲄⲈⲚⲈⲀ ⲦⲎⲢⲞϨ ⲈⲞⲚϨⲞϨ ⲘⲈⲚⲈⲚⲤⲰⲔ
ⲞϨⲞϨ ⲚⲦⲈϤϢⲰⲠⲒ ⲚⲞϨⲦⲀⲂⲞ

ⲚⲞⲨⲞⲚ ⲚⲒⲂⲈⲚ ⲈⲐⲚⲀϬⲒ ⲈⲂⲞⲗ ⲚϦⲎⲦϤ
ϦⲈⲚ ⲞϨⲚⲀϨϮ

B   A   P

B

415
ⲉⲧⲓ ⲇⲉ ⲉϧⲟⲥⲓ ⲉϧⲣⲁϥ ⲉϧⲩⲩⲗⲏⲗ
ⲁⲡⲓⲙⲁ ⲫⲱⲕ
ⲥⲁⲡⲉⲥⲏⲧ ⲛⲛⲉϥϭⲁⲗⲁⲩⲝ
ⲁϥⲧⲁⲟⲩⲉ ⲙⲙⲟⲩ ⲉⲡϣⲱⲓ
ϣⲁⲧⲉⲛⲉϥϭⲁⲗⲁⲩⲝ ⲝⲱⲡⲧ ⲙⲙⲱⲟⲩ

ⲁⲡⲧⲁⲝⲓ ⲟⲝⲛ ⲙⲡⲓⲡⲣⲟⲫⲏⲧⲏⲥ ⲉⲑⲟⲩⲁⲃ
ⲇⲁⲛⲓⲏⲗ ⲉⲃⲟⲗ ⲉⲝⲱⲭ ⲝⲉ
ⲡϭ̄ⲥ ⲇⲉⲛⲧ ⲉⲟⲃⲟⲛ ⲛⲓⲃⲉⲛ ⲉⲧⲧⲱⲃⲍ ⲙⲙⲟⲩ

0802 ⲩⲛⲁⲓⲣⲓ ⲙⲫⲟⲧⲟⲩⲱϣ
ⲛⲏⲏ ⲉⲧⲉⲣⲝⲟⲧ ⲝⲉ ⲧⲉⲩⲝⲏ
ⲩⲛⲁⲥⲱⲧⲉⲙ ⲉⲡⲟⲩⲧⲟⲩⲱⲃⲍ ⲩⲛⲁⲛⲁϩⲙⲟⲩ

A

وبينا هو ناثر يمشي

نحتت قدمية الارض

وقاض منفا الله

الى ان انتهى الى ركبتيه

وهو واقف فى هذا الطلاق لا غير

ان الرب قريب من جميع الذين يدعونه
يطلب مستهم

وهو يسمع صرخة
اعانة وخانقية
واستجاب لهم وبخلاهم

من جميع
شداثدهم وضرائهم

[هذا الذى يتساطل الحزن ... السكان فى ذلك الجبل
= 1986 - 1991 ب

P

ويقول ملائكته

وبينا هو انتهى من سماع هذه الكلام
وزل الارض التى هو قائم عليها وقد شنشت
نحتت قدمية

وقاض منفا حلا كثير

وهو واقف الى حيث انتهى الماء الى ركبتيه

و، الارض تشتمل على هذه القديس

ها قالة داود التى

ان الرب قريب من جميع الذين يدعونه
بقرب مبارك

وهو يسمع صرخة
انتباه وخانقية

واستجيب لهم تمنية، دعاء وبتأميهم

Das 48. Wunder ist in 5 Hss. (B, A, P, C und K) überliefert.
Die Texte B und A stimmen miteinander überein. In nicht
wenigen Fällen handelt es sich um eine wörtliche Ent-
sprechung. Die nur im Text A bzw. im Text P stehenden
Aussagen stellen meistens eine Aufeinanderfolge von
gleichbedeutenden Angaben einiger Stellen des Textes B
dar, ohne die Bedeutung zu ändern, z.B.:

B 413: ϢⲀⲦⲀⲉⲙⲓ Ⲇⲉ ϤⲤⲰⲦⲉⲙ ⲉⲡⲉⲚⲦⲰⲂϩ ϢⲀⲚ ⲘⲘⲞⲚ

A 197b: حتى اعلم ان كان هو راضى علينا ومستجيب لنا صلواتنا ومتقبل قرابيتنا وعباداتنا

B 414: ⲘⲠⲉϤⲬⲰ ⲚⲚⲉϤⳆⲓⳆ ⲉⲠⲉⲤⲏⲦ

A 197b: وهو قائم بلا فتور ويداه مبسولتان ولم يضعها اليه البتة

B 414 : ⲀⲞⲨⲤⲙⲏ ϢⲰⲡⲓ ϢⲀⲢⲞϤ ⲈⲤⲬⲰ ⲘⲘⲞⲤ Ⲇⲉ ⲠⲓⲤⲉⲚⲦⲓⲞⲤ ⲠⲓⲤⲉⲚⲦⲓⲞⲤ
ⲀⲨⲤⲰⲦⲉⲙ ⲉⲠⲉⲔϢⲗⲏⲗ

A 198a: هكذا يا بيسنتاوس قد سمع الرب طلبتك واستجاب صلواتك وقبل ابتهالك وتضرعك

Die folgenden Stellen zeigen besonders klar das Verhältnis zwischen den Texten A und P auf:

B 413: ⲀⲨⳆⲞⲤ ⲞⲚ ⲈⲐⲂⲏⲦϤ ⲚⲐⲞϤ ⲠⲓⲘⲀⲔⲀⲢⲓⲞⲤ ⲀⲂⲂⲀ ⲠⲓⲤⲉⲚⲦⲓⲞⲤ Ⳇⲉ ⲀϤⲤⲀⳆⲓ
ⲚⲉⲘ ⲚⲓⲤⲚⲏⲞⲨ ⲈϤⲬⲰ ⲘⲘⲞⲤ Ⳇⲉ

A 197a: قيل عن ابينا القديس انبا بيسنتاوس انه تحدث مع الاخوة ذات يوم قائلا

P 25v: وانه افكر ذات يوم قائلا

B 414: ⲀϤⲈⲢ ⲓⲆ ⲚⲈϩⲞⲞⲨ ⲚⲉⲘ ⲓⲆ ⲚⲈⳆⲰⲢϩ ⲘⲠⲉϤⲬⲰ ⲚⲚⲉϤⳆⲓⳆ ⲉⲠⲉⲤⲏⲦ

A 197b: ولم يزال على ذلك الى ان تكاملت له اربعة عشر يوم بلياليها وهو قائم
بلا فتور ويداه مبسولتان ولم يضعها اليه البتة

P 26r: ولم يزال واقف في الحر مبسوط اليدين نهارا وليلا متواصل

B 414: ⲛϣⲟⲣⲡ ⲇⲉ ⲙⲡⲓⲙⲁϩⲧ̄ⲍ̄ ⲛⲉϩⲟⲟⲩ ⲉⲧⲓ ⲉϥⲟϩⲓ ⲉⲣⲁⲧϥ ⲉϥϣⲗⲏⲗ...

A 197b: ولما كان اليوم الرابع عشر وهو واقنا على قدميه يصلى ...

P 26r: ولم يزال منتصب علي قدميه الي حيث كمل له اربعة عشر يوما...

Hinzu kommt, daß der Text P einen Abschnitt (25v-26r)
enthält, der in B und A nicht vorkommt. Es handelt sich
um ein Gebet des Pesyntheus.

Diese angeführten Beispiele zeigen, daß der Text P auf
einen Text wie A zurückgeht und nicht umgekehrt, zumal
der Text A dem Text B nähersteht und die beiden Texte
gleichzeitig nicht auf zwei verschiedene Übersetzungen
aus dem Koptischen zurückgehen können; an vielen Stellen
stimmen sie wörtlich überein.

Nur im Text A (198b-199b) schließt sich eine Lobrede auf
Pesyntheus an das Wunder an, deren Inhalt und Stil an
andere Teile von Lobreden des Textes S erinnern[104].

Ob das Wunder des Textes A auf einen bohairischen Text
wie B oder auf einen verlorenen saidischen Text zurückgeht, läßt sich nicht feststellen, da es nicht genug
Anhaltspunkte dafür gibt. Jedoch sei auf folgendes hingewiesen:

1. Die beschriebenen Einzelheiten der Audition und der
   nachfolgenden Aussage könnten an die Aussagen des 14.
   bzw. des 15. und des 53. Wunders des Textes B erinnern,
   wo Visionen und Auditionen bezeugt sind. Solche Einzelheiten enthält der Text B mit Vorliebe[105].

2. Im Text P wird das 48. Wunder in das Mönchsleben des
   Pesyntheus verlegt. Im Text B steht es unmittelbar
   vor dem 53. Wunder, das von seinem Sterben handelt.
   Nach Amélineau soll das Wunder nach dem Ende der
   persischen Eroberung Ägyptens bzw. am Ende seines

Lebens geschehen sein[106]. Im Text A stehen vier Wunder
zwischen dem 48. und dem 53. Wunder. Zwei von ihnen
(51 u. 52) gehen mit Sicherheit auf das 7. Wunder zurück. Stilistisch - und zum größten Teil auch inhaltlich - sind die Angaben des 50. Wunders eine Lobrede
auf Pesyntheus. Einige Angaben können auf ihre Richtigkeit überprüft werden[107]. Obwohl die Einzelheiten des
49. Wunders sich von denen des 48. Wunders unterscheiden, dienen beide Wunder demselben Zweck; Pesyntheus wird belohnt: Im 48. Wunder zeigt Gott ihm ein
Zeichen, daß sein Gebet erhört wird ... Nach dem 49.
Wunder verdient es Pesyntheus, eine wunderbare Vision
zu sehen. In beiden Wundern hörte er eine Stimme, die
Pesyntheus, Pesyntheus ruft[108].

3. Daß die Lobrede auf Pesyntheus mit ihren zuverlässigen
chronologischen Angaben an dieser Stelle des Textes A
steht, ist nicht ohne Bedeutung. Es kann darauf hinweisen, daß sie im letzten Teil eines verlorenen saidischen Textes gestanden hat. Dabei muß bedacht werden,
daß einige Angaben dieser Lobrede im Laufe der Überlieferung hinzugefügt sein könnten (A 199a-b), wozu
ein zusätzliches Wunder zählt, das ebenfalls vom Wasser
handelt. Es besteht noch eine andere Möglichkeit, daß
nämlich dieses nur im Text A überlieferte Wunder im
Urtext kurz erwähnt wurde und der Text sich in B weiter
entwickelt hat. Einen ähnlichen Fall bietet ein Teil
einer Lobrede, der sich an das 7. Wunder des Textes S
anschließt. Apa Kolluthus wird in einem Zusammenhang
erwähnt (S 38b-39a), der stark an einen Teil des 10.
Wunders des Textes B (344) erinnert[109]. Im 9. Wunder
des Textes B (338), das im Text S fehlt, wird Kolluthus
im selben Zusammenhang erwähnt. Der Text B fügt neben
Kolluthus Angaben über Evagrius (337) und über einen
Bruder (339) - der im " ⲡⲓⲡⲁⲣⲁⲇⲉⲓⲥⲟⲥ ⲛⲧⲉ ⲙⲓⲏⲧ " erwähnt

wird - hinzu. Apa Kolluthus ist ein Zeitgenosse
Pesyntheus' aus dem Gebiet von al-Asās[110]. Evagrius
spielte eine große Rolle im Mönchtum der Scetis[111].

Aus den drei genannten Gründen möchte ich schließen,
daß das 48. Wunder im Urtext X gestanden hat, aber nicht
in einer Entwicklungsphase wie sie der Text B zeigt. Es
dürfte noch im verlorenen saidischen Text XS gestanden
haben. Der Text A dürfte aus Angaben aus einem Text wie
B und aus dem verlorenen saidischen Text XS zusammengestellt worden sein. Die chronologischen Angaben über
Pesyntheus in A müssen aber auf einen verlorenen saidischen Text zurückgehen. Der Text P stellt einen Auszug
aus einem Text wie A dar.

4. Die Bedeutung der Hs. der Nationalbibliothek zu Wien
   für das Verhältnis zwischen den Texten

Die drei Pergamentblätter (Text W) enthalten in sahidischem
Dialekt einen Teil des 30. und einen Teil des 36. Wunders.
Da das 30. Wunder bisher koptisch nur in B erhalten war,
das 36. Wunder bisher in keinem anderen koptischen Text
und A alle in B und S beschriebenen Wunder umfaßt, sind
die Angaben dieser drei Pergamentblätter nicht unbedeutend.
Anfang und Ende des 30. Wunders sind zwar nicht in W
erhalten [B 369-370 = A 161a-162a; B 372-374 = A 163b-
164a (+ A 164a-166a)], aber er bietet einen großen Teil
des 36. Wunders. In ihm fehlt nur die Vorgeschichte des
Ehebruches, sowie der letzte Teil, der das Ende bzw.
die Folgen erzählt, was aber in Text A erhalten geblieben
ist (A 180a-181b; 184a-185a). Die Synopse umfaßt den
Text W und seine Parallelen in B und A. Die in W fehlenden
Aussagen werden im Kommentar behandelt. Auf einige fehler-
hafte Stellen der Übersetzung O'Leary's, die von Till[112]
nicht berichtigt wurden, wird eingegangen.

Das 30. Wunder:

A

... لأنكار الى القداس في انتهوا لما ١٦٢ر

يستحق بيع دلك القداس سر

الى بحر ...

على المرابين الروحية والسرائر الخطية

قسمى على خلقه لا يعرض للبشر

في اوقات حلوله ويرى يميته

ولوقت صار اكثر مصر

رب يستطيع ان يقرب البنة خلال راسه

الى خلف وكف هانا يثبق

غدودت الا القس السايوس

فاق وقام القداس

وكان القداس

ولما ابتدا ان احى

سارون الاخرة ان احى

على الارز القسيس

W

177 ρ λ
τος 6ι επεςητ

εχͫ πωεικ μν ππογτηριον
λπεζζητ ζωβς ζως ρωμε
λζνεζ φλεγμα εβολ
ντεινος λζͫ μπο
μπζωεζ κιμ ζολος λζρεκͭ τεζλπε
επλζοζ
λιμοζτε ε[π]επρεςβͦτερος [ελις]ςλιος

λζχεκ [...]3ζ εβολ
λν [...]τε
ντεπεν[λεκͫ]μζςτη[ριον εβο]λ
λνες[νηζ λ]ζͭ μμοι [ετρλωζ]λελ
εχͫ [πςον]

B

370
... ετλγωωλελ δε ωλτεζι εχεν πιμλ
εγλγεριτικλλειςθλι μπιπνλ εθογλβ
εθρεζι επεςητ
εχεν πιωικ νεμ πιλφοτ
λπεγζητ λ6 ζωνζ ζως ρωμι
λζ6ιτ νοζβλζ εβολ
δεν τοζνοζ δε λζωωπι νεβο
μπεζ6ν ζεμχομ νςλχι επιτηρζ οζοζ
ςλτοτζ λζμοζ
λιοζλζζλζνι δε νκεπρεςβͦτερος
επεζρλν πε ελιςςεος

λζχεκ τλνλφορλ εβολ
λν6ι εβολ δεν νιμζςτηριον εθογλβ
δεν πχινθρενχω ντςζνλζις εβολ
λνιςννοζ εζλιτεμ μμοι εθρζωλελ
εχωζ

B	W	A

B

еөре пеүгнт семни ероч

анок де аιψлнλ ехωϥ еιжω ммос же

пос фт̄ пιпантократωр

ϥιωт мпеноб їнс пхс̄

нθок етсωоүn πтаσ̄с

же тρφсιс нтметрωми оүреϥслат те

екетасθο нтмет2нт мπаιсоn ероϥ

нтеүтамоn еθн етаүϣωπι ммоϥ

жекас аноn 2ωоn нтенарег ероn

мπсети ннен2ооб

ети де ειт2о ετοσ̄

доүсмн ϣωπι ϣарои есхω ммос же

2ιτм нектωβ2 ιсгннте тнλоϣωn

нρωϥ

нтеүтамок еθн етаүϣωπι ммоϥ

ϣεнϥ оυn 2εn οιχωλεμ

же ιс теϥαποфасιс аσι εβολ 2ιτεn πσ̄с

W

нтεπεϥ2нт σмннтϥ

[аιψλ]нλ же ει2[ιω]ммос же

[пхоε]ιс πн[о]хтε [пπαнтω]кра[тωр]

[пειω]т м[пεnхоειс їнс] πε[хσ̄с]

[Ντок м]етсо[οүn πахоεις]

же [тεϥσις нт]мnтρωμε оүреϥσ̄ε̄ те

ктσ̄ мπа2нт мπειсоn ероϥ

n[ϥ]тамоn επαнтаϥϣωπε ммоϥ

жεκас аноn 2ωоn εnε2αρεг εроn

2м псεεπε Ννε2ооβ мπεnωn2

аϥсмн та2оι же

2ιτм πεκτωβ2 εισгннте αιоϣωn

nтεϥтатρσ̄

ετρεϥтамок επεnταϥϣωπε ммоϥ

σεπн оυn αнаϥ

же ιс теϥαποфасιс εï εβολ 2ιтм πхоεις

162 b

177 R° b

A

أنت عالم

بحجر وتنقص الطبيعة وزالها

أيها يطلبا إذا كان امامه وعلها

تحترز نحن أيضا لنرسا

حياتنا

عند ذلك

حتى الى موت من السما يصر نزل ط

روعلاتك حمو نا قد فتحت

فيه

أيها يطلبك ما قد جرى الد

وما قد بانه وما امامه

فاسرع انت في مسؤاك ال

ربن القضية قد خرجت عليه من الرب

A

وهو ان العزيز قد اقترح نسخه
يأخذون نسخته
فاجتهد الابن في صرف ذلك بسرعة
الذين حضروا ا بسببه
ولا تحقق للرذالة
قلا سمعت انا هذا على المنفعة
وقع على حزن وربط
والتشفي حزن قلب غلهم
اشفية البحر والرجل تدفنه ١٦٣أ
الا كان الراعي الصنعة
وعند ذلك بات بينها بكاء قلبي
الا
مالذ عملت اليوم
وما هو الامر الذي اقترحته
حتى اعابك
اعترف بخطيتك
فان الوالي رحيم عادل

W

ⲁⲓϣ ⲉⲓⲥ ⲛⲁⲅⲅⲉⲗⲟⲥ ⲁⲩϫⲱⲛ ⲉϩⲟⲩⲛ
ⲉϥⲓ ⲛⲧⲉϥⲯⲩⲭⲏ
ⲥ.ⲧⲟⲩⲗⲁⲍⲉ ⲟⲩⲛ ⲛϯⲁⲛⲟⲩϥ |178,vᵒa|
ⲙ̄ⲡⲣ̄ⲕⲁ ⲛⲁⲅⲅⲉⲗⲟⲥ ⲉϣⲕⲁⲧⲉ|ⲭⲉ

ⲛⲁⲙⲉ ⲛ̄ⲧⲉⲣⲉⲓⲥⲱⲧⲙ̄ ⲛⲁⲓ
ⲁϩⲍⲟⲧⲉ ϫⲓⲧ
ⲁⲩⲛⲟϭ ⲛⲙⲕⲁϩ ⲛ̄ϩⲏⲧ ϣⲱⲡⲉ ⲛⲁⲓ ⲉⲙⲁⲧⲉ
ⲁⲓⲣ̄ⲑⲉ ⲛⲟⲩⲣⲱⲙⲉ ⲉϥ2ⲛ̄ ⲧⲙⲏⲧⲉ
ⲛ̄ⲑⲁⲗⲁⲥⲥⲁ ⲉⲣⲉⲛ2ⲟⲉⲓⲙ ϥ̄ⲓ ⲙ̄ⲙⲟϥ
ⲉⲡⲉⲓⲥⲁ ⲙⲛ̄ ⲡⲁⲓ
ⲧⲁⲩⲏⲣⲉ ⲡⲉⲡⲣⲉⲥⲃⲩⲧⲉⲣⲟⲥ
ⲛ̄ⲧⲁⲕ̄ⲣ̄ ⲟⲩ ⲙⲡⲟⲟⲩ
ⲟⲩ ⲡⲉ ⲡ2ⲱⲃ ⲛ̄ⲧⲁⲕⲁⲁϥ
ⲁⲡⲉⲓⲛⲟϭ ⲛ2ⲱⲃ ϣⲱⲡⲉ ⲙ̄ⲙⲟⲕ
ⲟⲩⲱⲛ2 ⲡⲉⲕⲛⲟⲃⲉ ⲉⲃⲟⲗ
ⲟⲩⲛⲁ2ⲧ ⲡⲉ ⲡϫⲟⲉⲓⲥ

B

ⲟⲩⲟϩ ⲓⲥ ⲛⲁⲅⲅⲉⲗⲟⲥ ⲁⲩϣⲱⲛⲧ ⲉϫⲟϥⲛ
ⲉⲩⲗⲓ ⲛⲧⲉϥⲯⲩⲭⲏ

ϧⲉⲛ ⲟⲩⲙⲉⲑⲙⲏ ϧⲉⲛ ⲡⲓⲙⲁⲛϯⲣⲱⲥⲧⲉⲙ |372| ⲉⲛⲁⲓ
ⲁϯⲥⲟⲧ ϭⲓⲧⲧ
ⲁⲟⲩⲛⲓϣϯ ⲛⲉⲙⲕⲁϩ ⲛϩⲏⲧ ϣⲱⲡⲓ ⲛⲏⲓ
ⲁⲓⲉⲣ ⲙⲫⲣⲏϯ ⲛⲟⲩⲣⲱⲙⲓ ⲉϥϧⲉⲛ ⲑⲙⲏⲧ
ⲛⲫⲁⲗⲁⲥⲥⲁ ⲉⲣⲉⲛϩⲱⲓⲙⲓ ϭⲓ ⲙⲙⲟⲓ
ⲉⲧⲁⲓⲥⲁ ⲛⲉⲙ ⲫⲁⲓ
ⲗⲟⲓⲡⲟⲛ ⲁⲓⲉⲣϩⲏⲧⲥ ⲛⲥⲁϫⲓ ⲛⲉⲙⲁϥ ⲉⲓϫⲱ ⲙⲙⲟⲥ ⲁⲓⲭⲁⲭⲉⲓ ϧⲉⲛ ⲛⲓⲩⲁⲭⲉ ⲛⲙⲙⲁϥ ϫⲉ
ϫⲉ ⲡⲁⲩⲏⲣⲓ ⲡⲓⲡⲣⲉⲥⲃⲩⲧⲉⲣⲟⲥ
ⲟⲩ ⲡⲉ ⲉⲧⲁⲕⲁⲓϥ ⲙⲫⲟⲟⲩ

ⲁⲡⲁⲓⲛⲓϣϯ ⲛϩⲱⲃ ϣⲱⲡⲓ ⲙⲙⲟⲕ
ⲟⲩⲱⲛϩ ⲟⲩⲛ ⲙⲡⲉⲕⲛⲟⲃⲓ ⲉⲃⲟⲗ
ⲟⲩⲛⲁϩⲧ ⲡⲉ ⲡϭⲥ

A

وبجانب ذلك السن
من الحزن قائلا يا سيدى الاب
صلى على ابنى رحمة الوالد
وحتى الحزن الذى على قلبى
يسكن الذى وقت نفسى

انى لا اعرف شيئا من الشر
فقلت له سوى هذا فقط
لعلى ان كان انسان
فوجدت سهوا على قلى
على اى شيئ وقت

...

نفد ذلك نصب عقلى ورص لسانى عن الكلام
وبالت راسى الى خلف
واطر امور اعرف احدا من الناس البتة
163 b
فلا ان علمت انت عنى
استترت حواسى وردون السبيل ان تنظر
معك

W

ⲁϥⲟⲩⲱϣϥ̅ ⲛ̅ϭⲓ ⲡⲉⲡⲣⲉⲥⲃⲩⲧⲉⲣⲟⲥ
ⲉⲣⲉⲡⲉϥⲥⲱⲙⲁ ⲧⲏⲣϥ̅ ⲕⲓⲛⲓⲥⲑⲁⲓ   17,8,V°b
ⲉⲃⲟⲗ ⲛ̅ⲑⲟⲩⲟ ⲧⲉϫⲁϥ ϫⲉ ⲱ ⲡⲁⲇⲟ̅ⲉⲓⲥ ⲛⲉⲓⲱⲧ
ⲩⲗⲏⲗ ⲉϫⲱⲓ ⲛⲧⲉⲟⲩⲛⲁ ⲧⲁϩⲟⲓ
ϫⲉ ⲫⲟⲧⲉ ⲛ̅ⲧⲁⲓⲉⲓ ⲉϩⲣⲁⲓ ⲉⲣⲟⲥ

ⲧⲥⲟⲟⲩⲛ ⲁⲛ ⲛ̅ⲗⲁⲁⲩ ⲙ̅ⲡⲉⲑⲟⲟⲩ
ⲛ̅ⲧⲁⲓⲁⲁϥ ⲙ̅ⲡⲟⲟⲩ ⲛ̅ⲥⲁ ⲡⲁⲓ ⲙⲙⲁⲧⲉ
ⲁⲡⲁⲩϩⲏⲧ ϩⲱ̅ⲃ̅ⲥ̅ ⲛ̅ⲟⲩⲕⲟⲃⲓ ϩⲱⲥ ⲣⲱⲙⲉ
ⲁⲥϥⲟ̅ⲩⲗⲉⲅⲙⲁ ⲉⲓ ⲉⲣⲱ[..] ⲁⲓⲛⲟϫϥ ⲉⲃⲟⲗ
ⲛ̅ⲧ̅ⲥⲟⲟⲩⲛ ⲁⲛ ϫⲉ ⲛ̅[ⲩϫⲱ?] ϩ ⲉⲟⲃ
ⲁ ⲃ̅ⲕ̅ⲟⲃⲓ ⲙ̅ⲙⲉϩ ϫⲟ̅ⲩ̅ϩ ⲉⲧⲁⲙⲁϥ[ϫ]ⲉ

[ⲧⲁ?]ⲛ̅ⲟ̅ⲥ ⲃ̅ⲣ̅[ⲃ̅ⲣ̅?] ⲁⲓϫⲓ ⲣⲱ [ⲙ̅ⲡⲧⲁ]ⲩⲗⲁⲭⲉ
ⲁ [ⲓ]ⲡⲉⲕ̅ⲧ ⲡⲁϩⲟ ⲛ̅ⲥ[ⲱ]
[ⲁⲩⲱ] ⲙ̅ⲗⲟ ⲉⲓⲥ[ⲟ]ⲟⲛ ⲣⲱ[ⲙ]ⲉ [ⲉ]ⲡⲧ̅ⲧ̅[ⲏⲣ̅ϥ]
ⲛ̅ⲧ̅[ⲉⲣⲉⲕⲩⲗⲏⲗ] ϩⲁⲣ̅[ⲟⲓ]

B

ⲁϥⲉⲣϣⲱ ⲛ̅ϫⲉ ⲡ̅ⲡⲣⲉⲥⲃⲩⲧⲉⲣⲟⲥ
ⲉⲣⲉⲡⲉϥⲥⲱⲙⲁ ⲉⲑⲉⲣⲧⲉⲣ
ⲉⲃⲟⲗ ϩⲉⲛ ⲧϩⲟⲧ ϫⲉ ⲱ ⲡⲁϭⲥ ⲛⲓⲱⲧ
ⲙⲁⲧϩⲟ ⲉⲡϭ̅ⲥ̅ ⲉϫⲱⲓ ϩⲓⲛⲁ ⲛⲧⲁϫⲓⲙⲓ ⲛⲟⲩⲛⲁⲓ
ϫⲉ ⲧϩⲟⲧ ⲉⲧⲁⲓⲓ ⲉϩⲣⲏⲓ ⲉⲣⲟⲥ
ϩⲉⲛ ⲡⲁⲓϩⲟⲟϩ ⲛⲧⲉ ϥⲟⲟϩ
ϫⲉ ⲛⲧⲥⲱⲟⲩⲛ ⲛ̅ϩⲗⲓ ⲁⲛ
ⲉⲩⲓⲁⲩ ⲉⲃⲏⲗ ⲉϩⲣⲁⲓ ⲙⲙⲁⲩϩⲁⲧϥ
ϫⲉ ⲁⲡⲁϩⲏⲧ ϥⲱⲛϩ ϩⲱⲥ ⲣⲱⲙⲓ
ⲁⲟⲃ̅ⲣ̅ⲗⲉⲓⲙⲁ ⲓ ⲉⲣⲟⲓ ⲁⲓⲥⲁⲧϥ ⲉⲃⲟⲗ
ⲧⲥⲱⲟⲩⲛ ⲁⲛ ϫⲉ ⲉⲧⲁϥⲉⲓ ⲉϫⲉⲛ ⲟⲃ
ⲁⲟϥ̅ⲕⲟⲃ̅ϫⲓ ⲙⲙⲉϩ ϩⲟⲩ ⲉⲡⲁⲙⲁⲩϩ

ⲁⲓⲡⲉⲕ ⲡⲁϩⲟ ⲉϥⲁⲟⲃ

ⲉⲧⲁⲕⲩⲗⲏⲗ ϫⲉ ⲉϫⲱⲓ

ⲁⲓ̈ⲧ ⲙ̅ⲡⲓⲣⲏⲧ ⲛⲏⲓ ⲉⲑⲣⲓⲥⲁϫⲓ ⲉ̅ⲧⲁ̅ϩⲉⲃⲓⲥ
ⲥⲉⲙⲛⲓ ⲉⲣⲟⲓ

Zunächst müssen wieder einzelne Passagen der Übersetzung
O'Leary's verbessert werden.

A 161a: " ‏والقديس قائم‏ ..." übersetzte O'Leary mit
"And the saint stood up". Der Text ist zu verbessern in:
" ‏والقداس قائم‏ " "... Während die Messe im Gang war"
= B 369 "... ⲉⲣⲉⲛⲓⲙⲩⲥⲧⲏⲣⲓⲟⲛ ⲉⲧⲟⲩⲁⲃ ⲫⲟⲣⲩ ⲉⲃⲟⲗ ". Das
spiegelt sich auch im Synaxar wieder: [113] " ‏وفى وسط القداس‏..."

A 163b: "... ‏وعوضا من فهمك لما يخرج من فمك وتقويم سيرتك‏ "
O'Leary übersetzte: "..., and thy reason is responsible
when there is a going forth from thy mouth. Dispose thy
life as is fitting ..."; "... ‏عوضا مما‏ " in der
Bedeutung "statt daß" ist wahrscheinlich O'Leary unbekannt[114]. Daher hat er den ganzen Abschnitt falsch übersetzt, obwohl das Arabische dem Koptischen entspricht:
" ⲉⲫⲙⲁ ⲛⲉⲣⲛⲟⲉⲓⲛ ⲛⲏ ⲉⲑⲛⲏⲟⲩ ⲉⲃⲟⲗ ϫⲉⲛ ⲣⲱⲕ ⲛⲧⲉⲕⲉⲣⲇⲓⲟⲣⲑⲱⲛⲉⲓⲛ
ⲙⲡⲉⲕⲃⲓⲟⲥ..." (B 373)

Der Vergleich der Versionen miteinander hat zu folgenden
Ergebnissen geführt. Es gibt einige Stellen, an denen
A dem Text W näher steht:

B 370: ⲙⲡⲉϥϣ ϫⲉⲙϫⲟⲙ ⲛⲥⲁϫⲓ ⲉⲡⲧⲏⲣϥ ⲟⲩⲟϩ ⲥⲁⲧⲟⲧϥ ⲁϥⲙⲟⲩ

W 177R°a: ⲙ̄ⲡϥ̄ⲉϣ ⲕⲓⲙ ϩⲟⲗⲟⲥ ⲁϥⲉⲣⲕⲧ̄ ⲧⲉϥⲁⲡⲉ ⲉⲡⲁϩⲟⲩ

A 162a: ‏ولم يستطيع ان يتحرك البتة فامال راسه الى خلف ومكث صامتا‏
‏لا ينطق‏

B 370: ⲁⲓⲟⲩⲁϩⲥⲁϩⲛⲓ ⲇⲉ ⲛⲕⲉⲡⲣⲉⲥⲃⲩⲧⲉⲣⲟⲥ ⲉⲡⲉⲩⲣⲁⲛ ⲡⲉ ⲉⲗⲓⲥⲥⲉⲟⲥ

W 177R°a: ⲁⲓⲙⲟⲩⲧⲉ ⲉ[ⲡ]ⲉⲡⲣⲉⲥⲃⲩⲧⲉⲣⲟⲥ [ⲉⲗⲓⲥ]ⲥⲁⲓⲟⲥ

A 162a: ‏فدعوت انا القس اليساوس‏

B 371: ⲍⲉⲛ ⲡⲭⲓⲛⲑⲣⲉⲛⲭⲱ ⲛ̄ⲧⲥⲩⲛⲁⲝⲓⲥ ⲉⲃⲟⲗ

W 177R°a: ⲛⲧⲉⲣⲉⲛ [ⲁ̄ⲉⲕ ⲡ̄]ⲙⲩⲥⲧⲏ[ⲣⲓⲟⲛ ⲉⲃⲟ]ⲗ

A 162a: ولما كملنا القداس

B 372: ⲙⲁⲧⲍⲟ ⲉⲡⲟ̄ⲥ̄ ⲉⲭⲱⲓ ⲍⲓⲛⲁ ⲛⲧⲁⲭⲓⲙⲓ ⲛⲟⲩⲛⲁⲓ

W 178V°b: ϣⲗⲏⲗ ⲉⲭⲱⲓ ⲛⲧⲉⲟⲩⲛⲁ ⲧⲁⲍⲟⲓ̈

A 163a: صلى على لتدركنى رحمه الهنا

Einige Worte und Sätze kommen nur in den Texten W und
A vor:

W 177R°b-178V°a: ⲥⲡⲟⲩⲇⲁⲍⲉ ⲟⲩⲛ ⲛ̄ϥⲭⲛⲟⲩⲩ ⲙ̄ⲡⲣ̄ⲕⲁ ⲛⲁⲅⲅⲉⲗⲟⲥ ⲉⲩⲕⲁⲧⲉⲭⲉ

A 162 b: فاجتهد الان فى سؤالك له بسرعة ولا تعيق الملائكة

W 178V°a: ⲟⲩ ⲡⲉ ⲡⲍⲱⲃ ⲛ̄ⲧⲁⲕⲁⲁϥ

A 163a: وما هو الاثر الذى ارتكبته

W 178V°b: [ⲡⲁ?]ⲛ̄ⲟⲩⲥ ⲃⲣ[ⲃⲣ?] ⲁⲩⲭⲓ ⲣⲱ [ⲙ̄ⲡⲁ]ϣⲁⲭⲉ

A 163a: فعند ذلك ذهب عقلى وخرس لسانى عن الكلام

W 178V°b: [ⲁⲩⲱ]ⲁⲓⲝⲟ ⲉⲓⲥ [ⲟⲩⲛ ⲣⲱ]ⲙⲉ [ⲉ̄] ⲡ̄ⲧ [ⲏⲣ̄ϥ]

A 136a: ولم اعود اعرف احدا من الناس البتة

W 178V°a: "ⲧⲏⲣ̄ϥ " = 163a: " كله " im Satz: "ⲁⲩⲟⲩⲱϣⲩ̄ ⲛ̄ϭⲓ ⲡⲉⲡⲣⲉⲥⲃⲩⲧⲉⲣⲟⲥ ⲉⲣⲉⲡⲉϥⲥⲱⲙⲁ ⲧⲏⲣ̄ϥ ⲕⲓⲛⲓⲥϥⲁⲓ̈ " "فاجاب ذلك القس وجسده كله مقشعر"

W 178V°b: "ⲙ̄ⲡⲉⲑⲟⲟⲩ " = A 163a: " من الشر " im Satz:
"ϯⲥⲟⲟⲩⲛ ⲁⲛ ⲛ̄ⲗⲁⲁⲩ ⲙ̄ⲡⲉⲑⲟⲟⲩ " "انت ما اعرف شيئ من الشر"

Die Angaben des ersten Teiles des Wunders, der nur in
den Texten B und A (B 369-370 = A 161a-162a) erhalten ist,
stimmen, abgesehen von geringfügigen Abweichungen, miteinander überein, z.B.:

B 369: ⲥⲁⲧⲟⲧϥ ⲁϥϥⲟⲣⲟⲩⲙⲟⲩⲧ ⲛⲁϥ ⲉⲃⲟⲩⲛ ⲩⲁⲣⲟϥ ⲉⲡⲓⲙⲁ ⲉⲛⲁϥⲉⲣⲏⲥⲭⲁⲍⲉⲓⲛ ⲛϩⲏⲧϥ

A 161a-b: [115]
فامر ان يدعوه اليه ذلك التسيس الى داخل حانوت الهيكل

Nur im Text A steht eine Anrede an die Zuhörer (161a).

Der Text B wird mit dem Hinweis auf eine Schenute zuge-
schriebene Homilie abgeschlossen (B 373-374)[116]. Eine
Parallele dazu befindet sich im Text A (164a). Nur im
Text A steht: [117]" ولا يلبس احد من الكهنة حذاء في رجليه داخل المذبح "

Nur Text B enthält die Aussage: " ⲟⲩⲟϩ ⲟⲛ ⲭⲉ ⲛⲛⲉϩⲗⲓ ⲛⲣⲱⲙⲓ
ⲭⲁⲧⲟⲧⲟⲩ ⲉⲃⲟⲗ ⲛⲥⲉϩⲉⲙⲥⲓ ϧⲉⲛ ⲧⲉⲕⲕⲗⲏⲥⲓⲁ"[118]
Der Text A geht weiter (164a-166a). Dieser Abschnitt
weist zwar auf einen späteren Zusatz hin. Seine letzten
Zeilen erinnern aber an den Schluß einer Lobrede auf
Pesyntheus, die sich in S (45b-46a) an das 16. Wunder
anschließt, dort aber im Text A fehlt.

S 45b-46a: "ⲁⲩⲱ ⲡⲕⲉⲕⲟⲩⲓ ⲛⲧⲁⲛⲉⲩⲡⲟⲣⲉⲓ ⲙⲙⲟϥ ⲉⲕⲁⲧⲁⲃⲁⲗⲉ ⲙⲙⲟϥ
ⲉⲡⲕⲁⲍⲱⲫⲩⲗⲁⲕⲓⲟⲛ ⲧⲉⲕⲭⲁⲣⲓⲥ ⲧⲛⲧⲁⲥⲥⲃⲧⲱⲧϥ ⲛⲁⲛ"

A 165b:
"ولقد اريد القى نزرا يسيرا الى الخزانة المحفوظة من القوات والعجائب
التى صنعها هذا القديس"

S 46 a: "ⲧⲛⲥⲟⲟⲩⲛ ⲅⲁⲣ ⲭⲉ ⲛⲧⲅⲭⲣⲓⲁ ⲁⲛ ⲙⲡⲉⲛⲗⲁⲥ ⲉⲧⲃⲟⲭⲃ ⲉⲧⲣⲛⲭⲱ
ⲉⲣⲟⲕ ⲛⲍⲉⲛⲕⲟⲩⲓ ⲛϣⲁϫⲉ ⲛⲉⲅⲕⲱⲙⲓⲟⲛ ⲉⲃⲟⲗ ⲭⲉ ⲉⲣⲉⲡⲉⲕⲡⲟⲗⲩⲧⲉⲩⲙⲁ
ϩⲛ ⲙⲡⲏⲩⲉ" ; 46a: "ⲕⲁⲧⲁ ⲡϣⲁϫⲉ ⲙⲡⲗⲁⲥ... ⲡⲙⲁ ⲉⲧⲛϭⲱϣⲧ ⲉⲃⲟⲗ
ⲍⲏⲧϥ"[119]

A 166a:
"مع انى اعلم يا احباى انه ليس مجد كلامنا الحقير لكن مجده
وكرامته وحسن عبادته فى السموات عند الرب الذى احبه"

An vielen Parallelstellen der Texte S und A wird in A
nur auf die Bibelstellen hingewiesen, während diese in
S zitiert werden. Es fällt auf, daß zwischen dem 30. und
16. Wunder des Textes B nur ein Wunder steht.

Die Angaben der drei Texte B, W und A stimmen miteinander
überein. Mit Sicherheit gehen sie auf einen einzigen Urtext zurück. Hätte man keinen Text wie W, so würde man
folgern, daß A auf einen Text wie B zurückgehen könnte.
Die Untersuchung zeigt aber, daß A dem Text W näher
steht. Das läßt sich nur durch kleine Passagen feststellen,
in denen der Text A dem Text W näher steht, und wenige
Textstellen, die nur in A und W vorkommen. Das verstärkt
die Annahme, daß einige Wunder des Textes A, die in B und
A aber nicht im Text S erhalten sind - wie das 32.
Wunder -, auf eine verlorene saidische Version zurückgehen
können. Das muß nicht im Widerspruch zum Ergebnis stehen,
daß man auch Angaben eines bohairischen Textes bzw. einer
Übersetzung aus dem Bohairischen ins Arabische bei der
Kompilation des Textes A benutzt hat, sondern bekräftigt
vielmehr die Schlußfolgerung, daß ein Text wie B bei
dieser Kompilation nur als sekundär betrachtet wird:
Das Kernstück des Textes A basiert auf einem saidischen
Text[120]. Darüber hinaus zeigt der Vergleich der drei
Texte miteinander deutlich, daß W auf keine bedeutende
Entwicklung hinweist, was bei einigen in B, S und A
stehenden Wundern nicht der Fall ist, wobei S am weitesten
entwickelt ist. Dieser Tatbestand läßt darauf schließen,
daß der Text W dem Urtext - im Vergleich zum Text S -
näher steht und er eine Entwicklungsstufe zwischen B und S
darstellt. Daher muß er auf einen verlorenen Text wie XS
zurückgehen, der - wie der Vergleich zwischen den Texten
B, S und A gezeigt hat - vorauszusetzen ist.

Das 36. Wunder:

W	A

W column (Coptic):

| 199,ⲅ°ⲁ
ⲧⲁⲕⲣ̄ ⲟⲩ ⲛ̄ⲧⲉⲥⲍⲓⲙⲉ ⲙ̄ⲡⲣⲱⲙⲉ

ϣⲁⲛⲧⲉⲡⲛⲟⲩⲧⲉ ϭⲱⲛⲧ̄ ⲉⲣⲟⲕ

ⲛ̄ϥ̄ⲧⲣⲉ ⲡⲕⲁϩ ⲟⲩⲱⲛ ⲛ̄ⲣⲱϥ ⲛ̄ϥ̄ⲟⲙⲕ̄ (sic)

ⲛ̄ⲑⲉ ⲛ̄ⲧⲁⲑⲁⲛ ⲙⲛ̄ ⲁⲃⲓⲣⲱⲛ

ⲙⲛ̄ ⲧⲉⲩⲥⲩⲛⲁⲅⲱⲅⲏ ⲧⲏⲣⲥ̄

ⲟⲩ ⲙⲟⲛⲟⲛ ϫⲉ ⲛ̄ⲧⲟⲕ

ⲁⲗⲗⲁ ⲟⲩⲟⲛ ⲛⲓⲙ ⲛ̄ⲧⲉⲕⲙⲓⲛⲉ

ⲉⲩⲛⲁⲛ̄ⲕⲟⲧⲕ̄ ⲙⲛ̄ ⲟⲩⲥⲍⲓⲙⲉ ⲉϩⲛ̄ⲧⲥ̄ ϩⲁⲓ

ⲛⲉⲁⲛⲉⲩⲃⲁⲗ ⲅⲁⲣ ⲙⲟⲩϩ

ⲛ̄ⲑⲉ ⲛ̄ⲟⲩⲕⲱϩⲧ̄ ⲉϩⲟⲩⲛ ⲉⲣⲟϥ

ⲛ̄ⲧⲉⲣⲉϥⲛⲁⲩ ⲇⲉ ⲉⲣⲟϥ ⲁϥⲉⲓⲙⲉ

ϫⲉ ⲁⲕϫⲉⲕ ⲧⲁⲛⲟⲙⲓⲁ ⲉⲃⲟⲗ

ⲙⲛ̄ ⲧⲉⲥⲍⲓⲙⲉ ⲛ̄ⲁⲧϣⲁⲩ ⲉⲧⲙ̄ⲙⲁⲩ

ⲛⲉⲁⲡⲉⲩϩⲟ ⲅⲁⲣ ⲟⲩⲟⲧⲟⲩⲉⲧ

ⲁⲩⲣ̄ⲑⲉ ⲛ̄ⲟⲩⲡⲗ̄ⲝⲓⲟⲛ ϩⲓⲧⲛ̄ ⲑⲟⲧⲉ

ⲛ̄ⲧⲁⲩⲛⲁⲩ ϩⲙ̄ ⲡϩⲟ ⲙ̄ⲡⲡⲉⲧⲟⲩⲁⲁⲃ
199,ⲅ°ⲃ
ⲁⲩⲱ ⲧⲙⲉ̄ ⲧⲉ ⲧⲁⲓ

ⲁⲧⲉⲩⲙⲏ̄ ⲉⲓ ⲉⲡⲉⲥⲏⲧ ϩⲓ ⲛⲉϥⲟⲩⲉⲣⲏⲧⲉ

ⲁⲩⲟⲩⲱϣ ⲇⲉ ⲛ̄ϭⲓ ⲡⲁⲓⲱⲧ ⲉⲛⲟⲩϫⲩ ⲉⲃⲟⲗ

ⲙ̄ⲡⲃⲟⲗ ⲙ̄ⲡⲣⲟ ⲛ̄ⲟⲩⲉϣ ⲛ̄ϫⲛⲟⲩϥ ϩⲟⲗⲱⲥ

ⲁⲗⲗⲁ ⲛ̄ⲧⲁⲩⲣ̄ ⲡⲁⲓ ⲉⲩⲁⲙⲁϩⲧⲉ ⲉϫⲙ̄

ⲡⲉⲩϩⲏⲧ

ϣⲁⲛⲧⲉⲡⲡⲟⲣⲛⲟⲥ ⲉⲧⲙ̄ⲙⲁⲩ ϫⲱ̄ |

A column (Arabic):

١٨١b ...ماذا فعلت بامراة الرجل

لئلا يحل عليك الغضب

ويجعل الله الارض تفتح فاها وتبتلعك

كمثل داتان وابيرور

وسائر جماعتها

وما تكون انت وحدك

ولكن كل من يكون على مثل حالك

ويشبهك

وكانت عينيه قد احمرت

عليه كمثل النار المتوقدة

١٨٢a فلما رآه وعلم

انه قد آمل الاثر

مع تلك الامرأة الخاية الغير صالحة

لان وجهه كان قد اصفر

وصار كلون الزعفران من الهيبة

التى راها فى وجه القديس

والصحيح

انه بال فى رجليه

فاجاب ابينا وقال اخرجوه

خارج الباب من غيران نسالوه عن حاله ابدا

ثم اعترف ذلك الشرير

W

A

ⲙ̄ⲡⲉⲛⲧⲁϥⲁⲁϥ ⲛ̄ⲧⲉⲥϩⲓⲙⲉ ⲛⲁⲧϩⲁⲩ ⲉⲧⲙ̄-

ⲙⲁⲩ ⲁⲩⲱ ⲧⲉⲥⲡⲁⲣⲑ̄ ⲙ̄ⲡⲟⲣⲛⲏ

ⲉⲣⲉⲡⲉⲥϩⲁⲓ ⲁϩⲉⲣⲁⲧϥ̄ ⲉϥⲥⲱⲧⲙ̄

ⲡⲉϫⲉ ⲡⲗⲉⲓⲱⲧ ⲛⲁϥ ϫⲉ

ⲭⲱⲣⲓⲥ ϫⲓϭⲟⲗ ⲱ ⲡⲁϩⲑⲁⲧⲏⲥ

ⲛ̄ⲁⲕⲁⲑⲁⲣⲧⲟⲥ ⲁϫⲓ̄

ⲛⲉⲛⲧⲁⲕⲁⲁⲩ ⲛⲙ̄ⲙⲁⲥ ⲛ̄ⲥⲁϥ ⲙ̄ⲙⲁⲧⲉ

ⲙ̄ⲡⲁⲧⲥ̄ⲉⲓ ⲉϩⲟⲩⲛ ϩⲁϩⲧⲏⲓ̈

200, Vᵒ a

ⲙⲏⲡⲟⲧⲉ | ⲛ̄ⲧⲁϫⲟⲟⲥ ⲛ̄ⲧⲉⲟⲩⲕⲱϩⲧ̄ ⲉⲓ

ⲉⲃⲟⲗ ϩⲛ̄ ⲧⲡⲉ ⲛ̄ⲥⲁⲛϩⲁⲗⲓⲥⲕⲉ ⲙ̄ⲙⲟⲕ

ⲡⲣⲱⲙⲉ ⲇⲉ ⲡⲉϫⲁϥ ϫⲉ ⲉⲓⲛⲁϫⲟⲟⲥ ϫⲉ ⲟⲩ

ⲡⲁϫⲟⲉⲓⲥ ⲛⲉⲛⲧⲁⲓ̈ⲁⲁⲩ ⲧⲏⲣⲟⲩ

ⲁⲕⲟⲩⲱ̄ ⲉⲕⲉⲓⲙⲉ ⲉⲣⲟⲟⲩ

ⲧⲉⲕⲣⲓⲥⲓⲥ ⲧⲱⲕ ⲧⲉ

ⲉⲉⲓⲣⲉ ⲛⲁⲓ̈ ⲕⲁⲧⲁ ⲛ̄ⲛⲟⲃⲉ ⲛ̄ⲧⲁⲓⲁⲁⲩ

ⲡⲉϫⲉ ⲡⲁⲓⲱⲧ ⲛⲁⲩ ϫⲉ ⲧⲁⲭⲉ ⲧⲙⲉ̄

ⲟⲩⲉⲛϩ̄ ⲡⲉⲕⲛⲟⲃⲉ ⲉⲃⲟⲗ

ⲟⲩⲛⲁⲏⲧ ⲡⲉ ⲡⲭⲟⲉⲓⲥ

ⲛⲁⲛⲟⲩⲥ ⲅⲁⲣ ⲛ̄ⲧ̄ⲧⲁϩⲉ ⲡⲛⲟⲃⲉ

ⲛ̄ⲧⲁⲕⲁⲁⲩ ϩⲓⲑⲏ̄ ⲙ̄ⲙⲟⲛ ⲧⲉⲛⲟⲩ

ϩⲙ̄ ⲡⲓ̈ⲕⲟⲥⲙⲟⲥ ⲛ̄ⲧⲛ̄ⲛⲉϫ ⲧⲉⲡⲉⲓⲑⲩⲙⲉⲓⲁ

ⲛ̄ⲧⲁⲩϩⲟⲣⲓⲍⲉ ⲙ̄ⲙⲟⲥ ⲉϫⲛ̄ ⲡⲣⲱⲙⲉ

ⲉⲧⲛⲁⲛ̄ⲕⲟⲧⲕ̄ ⲙⲛ̄ ⲟⲩⲥϩⲓⲙ (sic)

ⲉⲩⲛ̄ⲧⲥ̄ ϩⲁⲓ̈ ⲙ̄ⲙⲁⲩ

بجميع ما فعله بتلك الامراة

العاهرة المهلعة

فقال له

ايها المنافق المارق النجس قول

لنا الحق من غير ان تكذب

ما فعلت بها بالامس فقط

من قبل مجيئها الى عندنا

لئلا اقول فتنزل نار

من السما وتاكلك سريعا

اما ذلك الرجل فقال وماذا اقول

يا سيدى الاب كل ما فعلته

وقد سبقت واعلمتك به

ولك الحكم وبيدك السلطان

ان تفعل بى قصاص خطاياى الذى ارتكبتها

قال له اى قول الحق

1826

| واعترف بذنبك

الذى صنعته قدامنا الان

فى هذا العالم كى نقطع عليك القانون

الذى حكموا به على الرجل

الذى يضاجع امراة

متزوجة

W	**A**

2ⲛ ⲛ̄ⲍⲟⲣⲟⲥ ⲁⲧⲟϭ | ⲛ̄ⲥⲁⲛⲍⲟⲇⲟⲥ ⲉⲭⲱⲕ

ⲛ̄ⲍⲟⲃⲟ̄ ⲉⲣⲟⲥ ⲉⲧⲣⲉⲕⲍⲱⲡ

ⲙ̄ⲡⲉⲕⲛⲟⲃⲉ ⲙⲡⲉⲓ̈ⲙⲁ

ⲛ̄ⲧⲉⲧⲁⲛⲁⲅⲕⲏ̄ ⲧⲁⲍⲟⲕ ⲛ̄ⲥⲉⲁⲛⲁⲅⲕⲁⲍⲉ

ⲙ̄ⲙⲟⲕ ⲍⲓⲧⲛ̄ ⲛ̄ⲇⲩⲛⲁⲙⲓⲥ ⲙ̄ⲡⲕⲁⲕⲉ

لمقتضى ما حكمت به القوانين المقدسة

افضل من ان تخفى

خطيتك ها هنا

وتنظرها يوم الحكم المرهوب العظيم حين

تخانقك سلاطين الظلمه وترافقك

زبانية الجحيم

ⲛ̄ⲧⲁⲭⲉ ⲧⲙⲉ̄

ⲁⲩⲟⲩⲱϣϥ̄ ⲛ̄ϭⲓ ⲡⲣⲱⲙⲉ ⲭⲉ

فاجاب ذلك الرجل وقال

انا اقول لك يا ابتاه

ⲍⲱⲥ ⲉⲓⲁⲍⲉⲣⲁⲧ ⲙ̄ⲡⲙ̄ⲧⲟ̄ ⲉⲃⲟⲗ ⲙ̄ⲡⲭⲟⲉⲓⲥ

ⲧⲙⲉ ⲧⲉ ⲧⲁⲓ̈

ⲁⲡⲇⲓⲁⲃⲟⲗⲟⲥ ⲛⲉⲭ ⲡⲙⲉⲉⲩⲉ ⲉⲍⲟⲩⲛ ⲉⲣⲟⲓ̈

كانى واقف قدام الله وملائكته

واعترف ذلك الرجل بالحق الصحيح

ان الشيطان عدو كل خير خامر قلبى بفكر

شرير

ⲭⲉ ⲉⲓⲛⲁϣⲱⲡⲉ ⲙⲛ̄ ⲧⲉⲥϩⲓⲙⲉ

ⲍⲁⲡⲗⲱⲥ ⲁⲓⲛⲉⲭ ⲡϣⲁϫⲉ ⲉⲣⲟⲥ ⲉⲧⲃⲉ ⲡⲉⲓ̈ⲍⲱⲃ

ⲡⲉϫⲁⲥ ⲭⲉ

ⲁⲡⲁⲍⲁⲓ ⲭⲛⲟϭⲓ ⲭⲉ ⲉⲓⲛⲁⲧⲁⲣⲕⲟ ⲙ̄ⲡⲁⲛⲁⲩ

ⲉⲭⲛ̄ ⲧⲟⲩⲥⲁⲣⲝ̄

وهى هذه المراة ان اكون معها بالزنا

فراسلتها فى هذا الامر وتحدثت معها ايضا

فقالت لى

زوجى قد حلفنى

انى ما اخزنه ولا انجس فراشه ولا

انجس جسدى مع رجل غريب

ⲧⲉⲛⲟⲩ ϭⲉ ⲛ̄ϯⲛⲁϣ ⲣ̄ ⲡⲉⲓ̈ⲍⲱⲃ ⲁⲛ

ⲙⲏⲡⲟⲧⲉ ⲛⲧⲁⲱⲣⲕ̄ ⲛ̄ⲧⲉⲡⲁⲛⲁⲩ ϭⲟ | ⲡ̄ⲅ̄

ⲛ̄ⲧⲉⲣⲉⲥϫⲉ ⲛⲁⲓ ⲁⲓⲃⲱⲕ ⲛⲁⲓ

والان فما استطيع افعل هذا الفعل

لئلا يلحقنى بعد اليمين الذى حلفته صعوبة شديدة

ولما قالت لى هذا انصرفت من عندها

وانا شاكر لله تعالى

ⲉⲓⲣⲁϣⲉ ⲭⲉ ⲁⲡⲛⲟⲩⲧⲉ ⲛ̄ⲁⲍⲙⲉⲧ

وفرحان ومسرور القلب ان قد نجانى الله

W	A

W (Coptic):

ⲉⲡⲉⲓⲛⲟⲃⲉ ⲡⲁⲓ

ⲙⲛⲛⲥⲁ ϣⲟⲙⲛⲧ ⲇⲉ ⲛ̄ϩⲟⲟⲩ ⲇⲓⲁⲡⲁⲛⲧⲁ

ⲉⲣⲟⲥ ϩⲓ ⲡϩⲓⲣ ⲟⲛ ⲡⲉⲭⲁⲥ ⲛⲁⲓ

ⲁⲓⲙⲉⲉⲩⲉ ⲉⲕⲉⲡⲣⲟⲫⲁⲥⲓⲥ

ⲡⲉⲭⲁⲓ ⲛⲁⲥ ⲭⲉ ⲁⲩ ⲧⲉ ⲡⲉⲭⲁⲥ ⲛⲁⲓ ⲭⲉ

ⲁⲓϩⲉ ⲉⲩϭⲓⲛⲡⲁⲛⲁⲩ

ⲭⲉ ⲛ̄[ⲛⲉⲡⲁⲛⲁⲩ] ϭⲟⲡⲧ

[? ⲧⲛⲁⲱ]ⲣⲕ̄ ⲉⲓⲣⲟⲩⲟⲉⲓⲛ [...] ⲉⲃⲟⲗ ⲙ̄ⲡⲁϩⲁⲓ

ⲭⲉ

ⲩⲁ ⲧⲛⲟϭ ⲛ̄ϭⲟⲙ ⲙ̄ⲡⲉⲑⲩⲥⲓⲁⲥⲧⲏⲣⲓ̅ⲟⲛ

ⲉⲧⲟⲩⲁⲁⲃ ⲙ̄ⲡⲉⲗⲁⲁⲩ ϣⲱⲡⲉ ⲛⲙ̄ⲙⲁⲓ

ⲉⲛⲉϩ ⲛ̄ⲥⲁⲃⲗ̄ⲗⲁⲕ

ⲙⲛ̄ⲛⲥⲱⲥ ⲛ̄ⲧⲁⲡⲁϩⲧ̄ ⲉϫⲙ̄ ⲡⲁϩⲟ̅

ⲉⲓⲕⲁⲥⲕⲉ̄ ⲉϩⲟⲩⲛ ϩⲙ̄ ⲡⲣⲟ̅ ⲙ̄ⲡⲉⲑⲩⲥⲓⲁ-

ⲥⲧⲏⲣⲓⲟⲛ

201,ⲣ°ᵇ

ⲭⲉ ⲉⲓⲉⲙⲏⲧⲉⲓ | ⲛⲓⲙ ⲛ̄ⲣⲱⲙⲉ

ⲁⲓϫⲉⲕ ⲡⲛⲟⲃⲉ ⲟⲩⲛ ⲉⲃⲟⲗ ⲛⲙ̄ⲙⲁⲩ

ⲡⲉϫⲉ ⲡⲁⲉⲓⲱⲧ ⲛⲁⲩ ⲭⲉ

ⲛ̄ⲧⲉⲩϣⲏ ⲭⲉ ϫⲓ ⲙ̄ⲡⲛⲁⲩ ⲙⲙⲉⲉⲣⲉ

ⲡⲉϫⲉ ⲡⲣⲱⲙⲉ ⲛⲁⲩ

ⲁⲓⲣ ⲡⲁⲓ̈ ⲛⲧⲉⲩϣⲏ ⲁⲩⲱ ⲙ̄ⲡⲛⲁⲩ ⲙ̄ⲙⲉⲉⲣⲉ

A (Arabic):

من ارتكاب هذه الخطية

ثم صادفتها ايضا من بعد ثلاثة ايام

وهى عابرة فى الزقاق فقالت لى

قد افتكرت وحضرت عندى حيلة اخرى

وعرفت لمرق يكون لى فيها الخلاص

فقلت لها وما هى هذا فقالت لى

انى وجدت لطريقة احلف بها لزوجى

ولا يصيبنى شىء

اقول له

وحق قوة هذا المذبح العظيم

المقدس انه لم يضاجعنى احد

سواك

ثم اسجد على وجهى

واقول سرا فى قلبى

فلان

قضيت منه غرضى

ثم وقع لنا ما اعترفت به عليك والله اعلم

183ᵇ

قال له ابينا

هل فعلت هذه الخطية بالليل او بالنهار

قال له الرجل

ليل ونهار

ولم اخفى عنك شىء

W	A
ⲁⲩⲱ ⲟⲛ ⲡⲭⲟⲉⲓⲥ ⲡⲉⲧⲥⲟⲟⲩⲛ ϫⲉ ⲁⲓ̈ⲉⲓⲙⲉ	والله انى لو علمت
ⲙ̄ⲡⲟⲟⲩ	اليوم وامس
ϫⲉ ⲟⲩⲛ̄ ⲟⲩⲡⲣⲟⲫⲏⲧⲏⲥ ϩⲙ̄ ⲡⲓ̄ⲏ̄ⲗ	فى اسرائيل الجديد بين موجود وحاضر
ⲡⲉⲛⲧⲁⲓⲁⲁⲩ ⲛ̄ⲥⲁⲩ ⲁⲕⲟⲩⲱ ⲉⲕⲉⲓⲙⲉ ⲉⲣⲟⲩ	والذى فعلته بالامس قد علمت انت
ⲙ̄ⲡⲟⲟⲩ	
ⲙ̄ⲡⲁⲧⲕ̄ϫⲟⲟⲩ ⲛⲥⲱⲓ̈ ϩⲱⲗⲱⲥ	قبل ان ترسل خلنى البتة
ⲡⲉϫⲉ ⲡⲁⲓ̈ⲱⲧ ⲙ̄ⲡⲉⲥϩⲁⲓ̈ ϫⲉ ⲉⲓⲥϩⲏⲏⲧⲉ	فقال اى لبعلها هو ذا
ⲁⲕⲥⲱⲧⲙ̄ ⲉⲛⲉⲥϩⲃⲏⲩⲉ ⲕⲁ ⲣⲱⲕ	انت قد سمعت باذنيل جميع اعمالها الزم الصمت
ϣⲁⲛⲧⲉⲕϥⲓ̈ ⲡⲣⲱⲙⲉ ⲉⲃⲟⲗ	الى ان يخرج الرجل الى عندها
ⲛⲅ̄ⲉⲗⲉⲅⲭⲉ ⲙ̄ⲙⲟⲥ	ويدافعها
ⲁⲡⲁⲓⲱⲧ |202,Vᵒd| ⲧⲱⲟⲩⲛ	وقام اى وخرج
ⲁⲓⲩⲓ̈ ⲧⲉϭⲗⲟⲟϭⲉ	
ⲁⲓⲙⲟⲟϣⲉ ⲉⲃⲟⲗ ⲛⲙ̄ⲙⲁⲩ	وانا امشى معه
ⲉⲡⲙⲁ ⲙⲡⲉⲥⲧⲟⲥ	الى برا الى حيث الصليب
ⲉⲣⲉⲅⲉⲛⲕⲉⲕⲗⲏⲣⲓⲕⲟⲥ ⲛ̄ⲧⲉ ⲧⲡⲟⲗⲓⲥ ⲕⲃ̄ⲧ	وكهنة من اهل قفط كانوا
ⲙⲟⲟϣⲉ ⲛⲙ̄ⲙⲁⲛ	يمشوا معنا
ⲁⲩⲱ ⲡⲉⲛⲧⲁⲩⲛ̄ⲕⲟⲧⲕ̄ ⲙ̄ⲛ ⲧⲉⲥϩⲓⲙⲉ	والرجل الذى ضاجع الامراة
ⲙ̄ⲛ ⲡⲉⲥϩⲁⲓ̈	وبعلها
ⲛ̄ⲧⲉⲣⲉⲛⲃⲱⲕ ⲉⲃⲟⲗ	
	كنا كلنا مجتمعين داخل الدير
ⲡⲉϫⲉ ⲡⲁⲓ̈ⲱⲧ ⲛ̄ⲧⲥϩⲓⲙⲉ ⲉⲓⲛⲁϩⲉⲣⲁⲧⲛ̄	فقال اى للامراة ونحن وقوف
ⲧⲏⲣⲛ̄ ϫⲉ ⲉⲓⲥ ⲁϥⲡⲗⲏⲣⲟⲫⲉⲓ ⲙ̄ⲡⲟⲩϩⲁⲓ̈	باجمعنا هو ذا قد طابت نفس زوجك
ⲉⲧⲃⲏⲏⲧⲉ	عليك
ϫⲉ ⲙ̄ⲡϥ̄ϫⲱϩ ⲉⲣⲟ	لما قاله هذا الرجل انه برى منك ولم يدنو منك ⸀184a⸀

W	A
Τεναϣϥ πληροφορει ⲙⲙⲟϥ ϩⲱⲧⲉ	فهل تستطيعى انت ايضا ترضى قلبه
ϩⲙ ⲡⲛⲉϩ ⲉⲧⲟⲩⲁⲁⲃ	وتشرب الزيت المقدس
ϫⲉ ⲧⲉⲟⲩⲟϫ ⲉⲃⲟⲗ ϩⲙ ⲡⲉⲓⲉⲅⲕⲗⲏⲙⲁ	وتحلفى له انك برية من هذه التهمة
ⲁⲩⲱ ⲙⲛⲛⲥⲱⲥ ⲛⲧⲁⲧ ⲁⲛⲁⲅⲕⲏ ⲉⲣⲟϥ	وانا اكلفه فيما بعد
ⲛϥϩⲟⲧⲡⲉ ⲡⲉϫⲉ ⲧⲉⲥϩⲓⲙⲉ	ان يصطلح معك فقالت له الامراة
202,V°b ϩⲛ︦ ⲧⲉⲥⲛⲟϭ ⲙⲙⲛ︦ⲧⲁⲧϣⲓⲡⲉ	بقلة حشمة
ⲛⲑⲉ ⲛⲉⲓⲉⲥⲁⲃⲉⲗ ⲙⲡⲉⲟⲩⲟⲉⲓϣ ⲉⲧⲉ	كمثل ازبال التى لم تستحى
ⲙⲡ︦ⲥϣⲓⲡⲉ ϩⲏⲧϥ ⲛ︦ϩⲩⲗⲓⲁⲥ ⲡⲉⲡⲣⲟⲫⲏⲧⲏⲥ	من ايلياس النبى فيما سلف من الزمان
ⲉⲁⲥϫⲟⲟⲥ ⲉϩⲟⲩⲛ ⲉϩⲣⲁⲩ ϫⲉ ⲛ︦ⲧⲟⲕ ⲡⲉ ϩⲏⲗⲓⲁⲥ	بل قالت له ان كنت ايليا
ⲁⲛⲟⲕ ⲡⲉ ⲓⲉⲍⲁⲃⲉⲗ ϩⲱ̄	فانا ايضا ازبال
ⲧⲁⲓ ⲧⲉ ⲧⲉ ⲛ︦ⲧⲉⲥϩⲓⲙⲉ ⲙⲡ︦ⲥϣⲓⲡⲉ ϩⲟⲗⲱⲥ ⲁⲗⲗⲁ	
ⲁⲥⲥⲱϣ ⲙⲡⲉⲥϩⲁⲓ ϩⲓⲑⲏ ⲙ︦ⲡⲁⲓⲱⲧ	
ⲡⲉϫⲁⲥ ϫⲉ	
ⲙⲡⲉⲓϫⲟⲟⲥ ⲙⲡⲱⲟⲩ ⲧⲣⲉⲩⲙⲟⲩ	انا ما قلت لهذا الذى يهلكه الله
ⲙⲡⲁⲧⲉⲡⲣⲏ ⲃⲱⲕ ⲉϩⲣⲁⲓ ⲙⲡⲟⲟⲩ	من قبل طلوع الشمس اليوم
ϫⲉ ⲙⲁ ⲛⲓⲙ ⲉⲕⲟⲩⲁϣϥ ⲩⲁⲓⲥⲱ ⲡⲛⲉϩ	انى احلف لك فى اى مكان
ⲉⲧⲟⲩⲁⲁⲃ ⲧⲁⲱⲣⲕ̄ ⲛⲁⲕ	اخترت واشرب الزيت المقدس
ⲡⲉϫⲉ ⲡⲁⲓⲱⲧ ⲛⲁⲥ ϫⲉ	فقال لها اى
ⲉⲓϣⲁⲛϫⲟⲟⲩ ⲧⲉⲛⲟⲩ	اذا ما انا ارسلت
ⲛ̄	واحضرت لك الزيت المقدس

Zunächst müssen wieder einige Berichtigungen der Übersetzungen von O'Leary und Till vorgenommen werden.

W 199R°b: " ⲁϣⲱ ⲧⲙⲉ ⲧⲉ ⲧⲁⲓ ... ⲛⲉϥⲟⲩⲉⲣⲏⲧⲉ "

= A 182a: " والصحيح انه بال فى رجليه ". Das Wort والصميح
entspricht dem koptischen Text "ⲁϣⲱ ⲧⲙⲉ ⲧⲉ ⲧⲁⲓ". O'Leary
und Till übersetzten es als ein zum voranstehenden Satz
gehörendes Wort: "... and righteous one"; "... und wahr-
haftigen sah".

Der Abschnitt W 200V°a-b: " ⲛⲁⲛⲟⲩⲥ ⲅⲁⲣ ⲛⲧⲧⲁⲩⲉ ⲡⲛⲟⲃⲉ ... ⲛⲧⲧⲁⲩⲉ ⲧⲙⲉ " entspricht A 182b: " واعترف بذنبك .... زبانية الجحيم "
Das Arabische stimmt sinngemäß und teilweise wörtlich mit
dem Koptischen überein, wenn man davon ausgeht, daß
" افضل من ان " "ⲛⲁⲛⲟⲩⲥ ... ⲛ̄ⲍⲟⲩⲟ ⲉⲣⲟⲥ (es ist besser ...
als)" entspricht.

"... افضل من ان "übersetzte O'Leary "Let it be so
that ..."

Till kommentierte: "Der Araber las hier offenbar ⲛ̄ⲣⲟⲟⲩ
ⲉⲣⲟⲥ = افضل "[121]. Infolgedessen übersetzte er: "Bleibe
nur dabei ..."

Der oben genannten Verbesserung entsprechend kann der Text-
abschnitt A wiedergegeben werden mit: "... und bekenne
jetzt vor uns in dieser Welt dein Vergehen ..., besser
als wenn du deine Sünde hier verbirgst und sie am Tage
des Gerichts siehst...". Bei der Übersetzung von افضل
dürften O'Leary und Till an ein Verb gedacht haben.

W 200V°b-201R°a: " ⲙⲏⲡⲟⲧⲉ ⲛⲧⲁⲱⲣⲕ̄ ⲛ̄ⲧⲉⲡⲁⲛⲁⲩ ⲅⲟⲡⲧ̄ "
entspricht dem Arabischen: " لئلا يلحقى بعد اليمين الذى حلفتها مصوبة شديدة "

(A 183a) O'Leary übersetzte: "... lest ne (sic! statt he)

discover me after the oath he forced me to swear",
Till "..., damit er mich nicht erwischt nach dem Eid,
den ich unter argen Schwierigkeiten schwöre." Der Satz
ist zu übersetzen mit: "... damit mich nicht eine große
Schwierigkeit (d.h. eine Strafe Gottes) befällt, nachdem
ich den Eid geschworen habe". Subjekt des Satzes ist
"   صعوبة شديرة   " "eine große Schwierigkeit" und
nicht der Ehemann, was auch aus dem allgemeinen Zusammenhang des Textes ersichtlich ist.

W 201,R°a: " ⲛ̄ [ⲛⲉⲡⲁⲛⲁⲩ] ϭⲟⲡⲧ   " entspricht dem
Arabisch " ولا يصيبني شيء" (A 183a). O'Leary übersetzte
"and he (d.h. der Ehemann) will not detect me"; Till:
"..., ohne daß er (d.h. der Gatte) mich bindet". Es ist
aber zu übersetzen: "..., indem mich nichts befällt":
d.h. sinngemäß wie im Koptischen: "..., daß mich [der
Eid nicht] bindet".

W 201,R°a: " ϣⲁ ⲧⲛⲟϭ ⲛ̄ϭⲟⲙ ⲙ̄ⲡⲉⲑⲩⲥⲓⲁⲥⲧⲏⲣⲓⲟⲛ ⲉⲧⲟⲩⲁⲁⲃ " entspricht
dem Arabischen " وحق قوة هذا المذبح العظيم المقدس" (A 183 a);
وحق entspricht ϣⲁ [122]. O'Leary übersetzte aber: "In
truth, before this holy alter". Tills Übersetzung ist
richtig: "..., Wahrhaftig, bei der Macht dieses ehr-
würdigen heiligen Altares!" Nur ist "Wahrhaftig" überflüssig.

In der englischen Übersetzung des Textes A (183a) steht:
", and I shall be justified", wofür ein arabischer Text
fehlt.

W 201,R°b: " ⲁⲩⲱ ⲟⲛ ⲡ̄ϫⲟⲉⲓⲥ ⲡⲉⲧⲥⲟⲟⲩⲛ ϫⲉ ⲁⲓ̈ⲉⲓⲙⲉ ⲙ̄ⲡⲟⲟⲩ ϫⲉ
ⲟⲩⲛ̄ ⲟⲩⲡⲣⲟⲫⲏⲧⲏⲥ ϩⲙ̄ ⲡ̄ⲓ̄ⲏ̄ⲗ̄ "

A 183a: "والله انني لو علمت اليوم وامس فى اسرائيل الجديد بين موجود وحاضر "
O'Leary übersetzte: ", by God, whatever I have done to-day

or yesterday in the new Israel up to the present moment,"
Till hat diese Übersetzung verbessert: ", bei Gott! Hätte
ich doch heute und gestern vom neuen Israel gewußt! (?)"
Die Lesung von بين ist aber noch zu verbessern: " نبي "
"Prophet"; " لو " : " لقد ". Diese Lesung kann durch die
Angaben des nächsten Satzes in beiden Texten bestätigt
werden. Somit lautet der Satz: "Bei Gott! Ich habe heute
und gestern erfahren, daß im neuen Israel ein Prophet
existiert und anwesend ist".

Der Text A (180a) hat am Anfang des Wunders eine Anrede:
" اسمعوا ايضا يا اخوتي واحباى هذا الخبر العظيم "
Die Bezeichnung des Wunderberichtes in der Anrede als
" الخبر " (ⲇⲓⲏⲅⲏⲙⲁ)[123] ist eine der Eigentümlichkeiten
des Textes S, was im Text A übernommen wird[124]. Der Text
A wird mit einer Lobrede auf Pesyntheus abgeschlossen
(185a-b): "بالحقيقة عظيم هو مجدك ... راعيا لشعبه"
Lobreden dieser Art befinden sich auch in verschiedenen
Wundern des Textes S.

Die synoptische Aufstellung zeigt, daß W und A miteinander
übereinstimmen. Bei nicht wenigen Fällen kann der Text A
als eine wortgetreue Übersetzung aus dem Text W bezeichnet
werden. Bei einem Vergleich der Texte der Wunder 36 und
30 ist jedoch festzustellen, daß die Übereinstimmung
zwischen W und A beim 36. Wunder geringfügig von der des
30. Wunders abweicht. Der Inhalt des 36. Wunders ist
historisch überprüfbar.

Die besondere Bedeutung des Textes W besteht in folgendem:

1. Er zeigt, daß die nur im Text A genannten Angaben
   nicht unbedingt Zusätze sein müssen. Vor der Veröffentlichung des Textes W durch Till besaß man
   keinen koptischen Text des 36. Wunders.

2. Die Rezension A kann nicht eine Zusammenstellung von
Rezensionen wie B und S sein. Es muß einen saidischen
Text gegeben haben, der eine Vorlage des hier be-
sprochenen Textes war. Diese Vorlage muß Wunder enthalten haben - wie das 30. Wunder -, die in B und
nicht in S erwähnt werden, sowie Wunder, die weder
in B noch in S geboten werden - wie das 36. Wunder.

3. Die im Text B und nicht im Text S stehenden Wunder
müssen nicht in A auf einen bohairischen Text wie B
zurückgehen, auch wenn sie in B und A im allgemeinen
miteinander übereinstimmen. Beim 30. Wunder steht A
dem Text W näher als dem Text B, wobei die drei Texte
miteinander übereinstimmen.

4. Der Text W bietet einen saidischen Text, der eine
Entwicklungsstufe zwischen dem Text B bzw. dem Urtext
und dem Text S darstellt.

5. Das 30. und das 36. Wunder des Textes W muß im Urtext
gestanden haben. Dies zeigt u.a. die Tatsache, daß die
Texte B und S Auszüge sind.

Hinzukommt, daß der Text W die Zuverlässigkeit des
Textes A über einen Ehebruch aus dem 7. Jh. bestätigt[125].

5. Zur Kompilation des Proömiums des Textes A

Aus dem sehr langen und teilweise traditionellen Proömium
des Textes A sei auf folgendes hingewiesen:

1) A 97a (Titel)

"...اينا انبا بيسنتارس الذى كان سائحا بجبل شامه وجبل الاساس ونال كسب
استحقاته رتبة الاسقفية على مدينة قفط واعمالها "

'... unser Vater Anba Pesyntheus, der ein Anachoret auf
dem Berg von Djeme und auf dem von Al-Asās gewesen war
und verdienterweise die Bischofswürde der Stadt Koptos
und der dazugehörenden Gebiete erhielt'
Während Pesyntheus nur als Bischof im Titel des Textes
B (333) genannt wird, steht darüber hinaus im Titel
des Textes S (20a): ⲡⲁⲛⲁⲭⲱⲣⲓⲧⲏⲥ ⲙ̄ⲡⲧⲟⲟⲩ ⲛ̄ⲧⲥⲉⲛ†

2) 97b-98a "... وهو الاب الكريم انبا تاودورس الراهب الكامل من برية شيهات
بوادى حبيب ... وشاركه فى وصف هذه السيرة الملوة من كل مجد الابوين
العظيمين الذين تلمذاله بجبل الاساس وهما انبا يوساس وانبا يوحنا 126
اللذان لم يفارقاه الى الكمال سعيه الحسن ..."
'... Der verehrungswürdige Vater Theodor, der vollkommene Mönch aus der Scetis im Wādī Habīb ... An der
Beschreibung dieses mit allem Ruhm gefüllten Lebens
beteiligten sich mit ihm (d.h. Theodor) die zwei großen
Väter, nämlich Anba Moses (yūsās) und Anba Johannes,
die seine Schüler im Gebel al-Asās waren und ihn bis
zur Vollendung seines schönen Laufes (d.h. Lebens) nicht
verließen...'
Diese Angaben, wonach Theodor bei der Aufnahme Pesyntheus'
durch Anba Elias anwesend war, werden in den Texten A, P
und K in Einzelheiten beschrieben, wie wir sehen werden.

3) 98a-b " قدوم هذا العيد المملوء من كل الافراح الروحانية.." 'Das Kommen
dieses Festes, das mit allen geistlichen Freuden gefüllt
ist ...' Der Satz: "وهو مملوء من نور البها والمجد السمائى اكثر من
جميع كل الايام السنية"127
'Es (d.h. das Fest) ist voll vom Glanz der Schönheit und
der himmlischen Herrlichkeit, mehr als alle anderen strah-
lenden Tage' entspricht einem Satz des Textes B (334):
127
ⲁⲩⲙⲉⲌ ⲛⲟⲩⲱⲓⲛⲓ Ⲍⲉⲛ ⲟⲩⲙⲉⲧⲌⲟⲩⲟ Ⲍⲉⲛ ⲡⲓⲱⲟⲩ ⲛ̄ⲛⲓⲉ̅ⲟ̅ⲟⲩ ⲛ̄ⲧⲉ †ⲣⲟⲙⲡⲓ ⲧⲏⲣⲥ

Der Textteil:

"وقد نخد سائر البشرية تتهلل وتفرح وبهائر السهل تسرح وتفرح وطائر
السما تتنغم وتسبح في يوم عيد قد شملتهم بركته وادركتهم نعمة صلواته
وشفاعاته "

erinnert an einen Satz des Textes S (20b):

"Ⲛ̄ⲦⲂⲚⲞⲞⲨⲈ ⲦⲎⲢⲞⲨ Ⲙ̄ⲠⲔⲀⲒ ⲘⲚ̄ Ⲛ̄ⲎⲀⲖⲀⲀⲦⲈ Ⲛ̄ⲦⲠⲈ ⲤⲈⲈⲨⲪⲢⲀⲚⲈ
Ⲙ̄ⲘⲞⲨ ⲈⲨⲤⲔⲒⲢⲦⲀ ⲀⲨⲱ ⲈⲨⲦⲈⲖⲎⲖ Ⲍ̄Ⲙ ⲠⲈⲒ̈ⲞⲞⲨ Ⲙ̄ⲠⲨ̈ⲨⲘ̄ⲚⲞⲨⲨⲈ ⲈⲦⲦⲀⲒⲎⲨ
ⲠⲀⲒ Ⲛ̄ⲦⲀⲨⲦⲀⲌⲞⲞⲨ "

4) Der Abschnitt 99b-100b "... باجتماعنا الى بيعته المقدسة ... فنقول طائفة

منهم ... واخرون يقولون ... وتقوم منهم يرتلون قائلين ... واخرون يقولون "

'... mit unserer Versammlung in seiner heiligen Kirche ...
da sagte eine Gruppe von ihnen ... und andere sagen ... und
andere Leute von ihnen psalmodieren, indem sie sagen ...
und andere sagen ...' Im Text S (20b-21a) steht: "ⲀⲨⲱ Ⲍ̄Ⲛ
ⲞⲨⲘⲈ ⲈⲚⲨⲀⲚⲤⲱⲞⲨⲚ̄Ⲍ ⲦⲎⲢⲚ̄ ⲠⲞⲨⲀ ⲠⲞⲨⲀ ⲈⲞⲨⲚ̄ⲦⲀⲨ Ⲙ̄ⲘⲀⲨ Ⲛ̄ⲞⲨⲠⲢⲞⲪⲎⲦⲀ
ⲔⲈⲞⲨⲀ ... ⲔⲈⲞⲨⲀ ... ⲔⲈⲞⲨⲀ ... Ⲍ̄ⲱⲤⲦⲈ Ⲛ̄ⲤⲈⲨⲱⲠⲈ ⲦⲎⲢⲞⲨ Ⲍ̄Ⲛ ⲞⲨⲤⲀⲚⲞ "

Der koptische Text ist offensichtlich in Anlehnung an
1. Kor. 12,1 ff. formuliert, wo aufgeführt wird, welche
Geistesgaben die einzelnen Mitglieder der christlichen
Gemeinde besitzen, eingeleitet durch ⲔⲈⲞⲨⲀ ... ⲔⲈⲞⲨⲀ .
Auch der arabische Text setzt eine Versammlung voraus.
Anders aber als im koptischen Text wrid hier hervorgehoben,
daß die Mitglieder der Versammlung Verschiedenes sagen.
Beim arabischen Text dürfte es sich um eine andere Formulierung des vorgelegenen koptischen Textes handeln, der
aber dieselbe Situation beschreibt, nämlich eine Versamm-
lung der Gemeinde.

5) A 99a "... واما بهجة النور والضيا الذي في جبل الاساس حين شرفه الله بجسد هذا
القديس الطاهر ابينا انبا بيستاورس فانها دائمة المبيع والضيا علينا ليلا ونهار"

'Aber der Glanz der Erleuchtung und des Lichtes, der im
Gebel al-Asās ist, seit Gott ihn (d.h. Gebel al-Asās) mit
dem Leib dieses reinen Heiligen, unseres Vaters Anba Pesyntheus ausgezeichnet hat, breitet sich unaufhörlich aus, und
sein Licht erstrahlt über uns Tag und Nacht'

A 100b-101a "ونحن رضنا الجموع المؤمنين الذين اجتمعوا معنا في هذا البيعة المقدسة
يعيدون لابينا القديس انبا بيستاورس ويسجدون الله في تذكاره العزيز المكرم ولا سيما
اولاد هذه البيعة وتلاميذه وجميع رهبان دير القدس يعيدون له اليوم بيهجة عظيمة ..."

'Und wir und diese gläubige Volksmenge, die mit uns
in dieser heiligen Kirche versammelt ist, feiern das
Gedächnis unseres Vaters, des Heiligen Anba Pesyntheus,
und preisen Gott an der Feier seines lieben und ehren-
werten Gedächnisses; insbesondere feiern die Kinder
dieser Kirche, seine Jünger und alle Mönche seines
heiligen Klosters heute sein Fest mit großer Freude'

A 101b " حتا حمر وعظيها بالحقيقة مجد ديرنا هذا وجزيلة هي كرامته
دون اديرة جميع العالم استحق مثل هذا التشريف "

'Mächtig und gewaltig ist der Ruhm dieses unseren
Klosters und groß seine Ehre; unter allen Klöstern
der Welt verdient es allein solch eine Würde'

Diese Angaben zeigen, daß am Tag der Erinnerung an
Pesyntheus im Gebiet von Al-Asās gefeiert wird, und
zwar in seinem Kloster. Darüber hinaus kann darauf
hingewiesen werden, daß die Vorlage des Textes A im
Gebel al-Asās bzw. in seinen Nachbargebieten zusammengestellt wurde[128].

6) 102b-104a; [104b-105b: unter dem 1. Wunder] :
انا الحقير تادرس الراهب بالاسم من برية شيهات ... الى ان تكاملت له
عشرين سنة

[وأما انا وتحدثت معه ذات يوم ... ولم انارته الى هذه الغاية ولربنا المجد دائما]

'Ich, der Geringste Theodor, der ich nur dem Namen nach
ein Mönch bin, aus der Satis ... bis er 20 Jahre alt
war'
[und eines Tages unterhielt ich mich mit ihm ... und
ich verließ ihn nicht bis zu jener Zeit. Und der Ruhm
gebührt unserem Herrn immerdar]

Dieser Teil des Textes A stimmt sowohl mit der Einführung des Textes P als auch mit der des Textes K
völlig überein, an vielen Stellen sogar fast wörtlich.
Das macht die nun folgende Synopse deutlich, in der
ich einige Passagen des Textes A nach den überein-
stimmenden Texten K und P umgestellt habe:

وذلك انهما كانت بعض الايام بالاختيار ناوروس

ايا بستنيوس وكان شان بالباس اذ اتفق هذا القدس

بستنيوس بريد ان يكون عنده رجل مسيرة الطاهرة 131ا

قال فيما انا ذات يوم عند الاب

وسأله ان يرتب عنده عدة

وان هذا قد طلع الى عبد عمر

القدس ابونام عند ان اولد

مضطفى يدعى اسمه انا الباس

بدير قاى ذلك الجبل يعرف بدير

واها الى جبل شامه فسكن

وتبعت الى نواحى جبل شامه المعبد

شا الرب سبحانه طلوع الى المعبد

K	P	A
130 v اته لراهب على حظارق الى المكين	r 9 اجبرا الىي ايا ناوفيروس هذاالان	102 b انا الحقير تارس الراهب الاسم
من سبرة هذا القدس	من برية شيهات بوادى هبيب	من برية شيهات

	K	P	A

K

وخفت الى البحنة وسالت الرب
ان كان ارادته ان اترك العالم وتصنع ويقام لنير
والمعونة لرعلة وقنت ماشيا

فسالت الاله حل السعدان يطهي

واشتكان عدو الخير الشا
فى نفسي قكرا نجسا

وزاد الشيط فى بعض اوقا لواردجه عنا
يطلاك سبب زلة
باى التقدس رح القدس السانى قنه

فانا الطهر شرار اله

ما هو سبب خروجك من منزل والديك
فنالد قايد عرفى

P

اللهم ان كنت اردت ان اصير راهبا

السجود الهله اخذ الا حلهله وخله يباى
قال بلد الطهر بارب لا تسلمى الى هذا
فانتهت الى الرب بسؤال اكثر وتضرع

فى ببى افكار نجسا
اني لست عند ابوى اكرى انار لا
وانا فى هذه الاكاه حسدن باقض الخبر وقمر
وكنت حربى لنفسى من افكار العدو الخبيث

ما هو سبب خروجك الى الجبل والتماسك الرهبنة الفاخرة
ورجزلك الى الحبل والتماسك الرهبنة الفاخرة
فانتهى الطفول ان بحدثه نايك

قال

فلما راه الشيخ نله بنرا
وقال له يا ابنى حسا نملت فعرفى
وفال له يا ابنى خروجك من منزلك

A

اللهم ان كنت اردت ان اصير راهبا

اللهم ان كنت ارادته انا لون راهب
ودخلت الى البحنة بعد
الى الرب سبحانه قاله
الحسود العدو اللهم ان رب القديسة وصلت
الحسود العدو اخذ اذا حلة بد باى
قالوا اللهم اى رب لا تسلمى الى هذا

1055

بريد حدكى لساخر الناس الوالنين
انى لا طعت الا حدمة الاكرام لم اقض اخبر

فانا اللا الا الطفهت الى الرب سبحانه يسؤال وتضرع

فنالده الشيخ منح علم
الما انا فتحدثت معه زان برمرقنله له
لاى مسبب صرت راهبا

1046

وصورا قد اتيت الى قدسك فاسالك

فلما سمعت هذا القراة في البيعة تعجبت اشدّ
وخرجت بعد تناول السرائر المقدسة
ولم يطر بي احد الجملة

ولادخل القدس فليقبلوا
ومن احب نسبه فليقبلوا

K	P	A
فينبغي بارب وصح بنجي حابيه	وخفيت في ذلك الوقت الى البيعة	فايضا قلي بنصول من الكتب
ومن يعمله طلب نبيا كل لي ملتي	وشفيت في ذلك الوقت الى البيعة	اسمعل لاون لابنته
وارب الاله الذي لم يحب رجا لابيه	فايضا قلي بنصول لابنته من الكتب	باالسريانية التي لا ما عبدها
وقد البوسم حتا ان الذين يحبون	السريانية التي لا ما عبدها	
الله بعظم في كل شي من الاعمال		
المالحة والمرور ان طريق الانسان	من احب نسبه فليقبلوا	فلما قرات وجدت ان طريق الانسان
ولادخل القدس فليقبلوا	وفي الانجيل يقول	فلما قرات وجدت ان طريق الانسان
	من احب نسبه يقول	
	من الاعمال المالحة	
فلما قرات في الدرر وجدت ان طريق الانسان	قد نظر ان الذين يحبون الله بعظم في كل	وفي الانجيل يخلص نسبه فليقبلوا
وفي رسايل بولس الرسول يقول	شي من الاعمال المالحة	من احب ان يخلص نسبه فليقبلوا
فينبغي بارب وهو سير شروته	وفي الانجيل الذين يحبون الله بعظم في كل	وفي الانجيل الذين يحبون الله بعظم في كل
	وسمعت في رسايل الشيخ برلص يقول	
	فينبغي بارب وهو سير بالابيه	

ولم يطر بي احد الجملة
في جملة من ابرك واحرق
وكان ذلك اليوم يوم الاحد القدس
وقد ذلك المعروف

ولا يتلو هذا من القول
في جملة من غير ان اعلم ابرك واحرق
وكان ذلك اليوم يوم اعلم الاحد القدس

في جملة 105 من غير ان اعلم ابرك واحرق
وكان ذلك اليوم يوم اعلم الاحد القدس
وقد ذلك المعروف

K	P	A

طاروق يا ابن القديس ان تقبل على
النياب والرستكم وصلى عليه

ولروت البسط القديس ابا ايليابس

وهو سكون حفظنا الله ومسكنا الح فنبسط
الذي تشاهده الارب بعينك

هذا الكلام الطمي وسترك الما ضلة
وانك تكون عارفة الله

وهذا المبي الطفل ستنشاروس

وقال هذا اسيح يا ابن تاروردوس
قبل ايانه نسبة ستين

131

فلما سبح الشيخ هذه منابه
اسلم الرهبنة القدس

ظاروت فام ايا ايليابس والبسط
 انا الاربت تاوردوس يا ابت الاربت ايا

البابس اسيح الله والبسط الرستكم
من غير بحث ولا فحص فقلت له ا انا

القدس انا حين كنت في بريه
شطوات كنت اطفر الايام الذي جانه

ازا الطاهر استان بريد يكون راهب قد يتشوق
وبحري و اولا قال في ان يطلق

وهانا الارب فاليز الارحما قلت لها الح
غران الارب سبحانه في سيرتي

غرانى فايلر ما ياالارح قلت ايا اخ الحبى
فاحبان قايد الارح كا قلت لها الح الح الجبن

هذا الكلام الطمي من مدة سنة ستين
واعلى كيف تكون عارة الله

وهذا المبي الطفل ستنشاروس
الذي انت الارب تشاهده بعينك

اسلم الرهبنة

حتى البسط القدس ابا ايليابس

م 103
... من غير بحث ولافحص فقلت له ا ابنا
القدس انا ايليابس لاكنت الا في بريت
شطوات كنت اطفر الايام الذي جانه
من قبل ان يتلوع و عندهم
غران ان يطلوع كا قلت ايا الح الجبن
هذا الكلام سبحانه كشف لى نظار
وانك كيف تكون عارة الله من مدة سنة ستين
وهذا المبي الطفل ستنشاروس بعينك
الذي انت الارب تشاهده بعينك

م 8 ابنا
القدس انا ايليابس فقلت له ا ابنا

الذي نحن الآن مجتمعين لتجديد له اليوم

في هذه البيعة المقدسة

من أعمال أرمنت

K

وقد كان أولو الشأن ما بين الله الذين تعلم العلوم الروحانية

انا يستند

في هذه القديس انبا يستند من أهل يتشمس

ان هذا المجيء ابوكير من قرية نسيم بتشمس

من تجوم أرمنت

سوف يدبر الشيخ ويعطانا بنعمة الرب سبحانه على مدينة نفذت ويعمل بوليس الرب وعبادة احكامه ويتبع كلام الحق في أحكامه حسب متشهى قوانين ابانا الرسل الاطهار

وتكون اولو الشأن في جميع أنظار الأرض

وينتفع كثرة في جميع انظار الارض

هذا ما علمي به ذلك الشيخ القديس انبا البلاس الا وحده ما علمي به زلك الشيخ القديس

الحجر أورورس من أجل هذا القديس انبا يستند

P

سوف تكون استنا كنا ويستحق من الرب سبحانه درجة عليه ونزل زفية ويعمل بوليس الرب وعبادة احكامه ويتبع كلام الحق في أحكامه حسب ما امرت به قوانين ابانا الرسل

هذا ما علمي به ذلك الشيخ القديس

ولا البسط الدستور الظاهر تحدث مع ما علاه قاكر

من قول ان طلبسط الدستور القديس الذي لرعية

وكانوا ابوكير قد جعلوه في كتب في مدينة ارمنت

وصاروا به سبعة سنين تتعلم بنشاط كبير

هذا المجيء ابوكير من أهل قرية نسيم بتشمس من تجوم أرمنت

A

هذا يكون استنا كنا ويستحق من 1038 الرب سبحانه درجة عليه ونزل زفية ويعمل بوليس الرب وعبادة احكامه ويتبع كلام الحق في أحكامه حسب ما امرت به قوانين ابانا الرسل

هذا ما علمي به ذلك الشيخ القديس

من قول ان طلبسط الدستور القديس الذي لرعية البسط الدستور الظاهر تحدث مع ما علاه قاكر

هذا المجيء ابوكير من أهل قرية تمرن بتشمس

وصاروا به سبعة سنين تتعلم بنشاط علمهم

وكانت الولاية والقوانين وحفظ الارضا لامرقبله

K

وكان بتلوها في أي وقت بمتح ويحبه

وكان يطلو فيما بصر فترد

وكان يرى الناس لا يقارب

P

١٠v شيخ علم الدين وحفظ التي نشر كتاب في قبله

وكان يطلو فيما بصر فترد

وصار ظاهر على المبرم والبلدة

وكان لا يظهر الا الغريب في أي يوم

البسيط لربيعة الاخوة

وقيله يتجدد دايما لا كثير فتر

بحثت تدبير العلم وأقبلت نبره عنها

اما انا لا سمعت عند الاقوى طاعة من أبنا

وضنه أنت علاء في العالم

وقرآن الحج وأنت يمشي

A

شيخ علم الدين وحفظ في مبدأ التي عشر كتاب

وكان يتجدد بنى فعلا بصر فترد

وكان لديره اعلم فلاول فنطلوا أعيها

وكان ازا اما دخرا له فوابله في أي يوم ١٠٤ه السبت كان أبنا

برسلوا يرى الى وقت

لماله جميعه ويتعهد ايعطى الساكين

وبمكنه ثلاثة ويدعو حفظ طاعا ويملا رحلاه

علي تكرة حفظه من الصلاح الى السباعيا

بكه ويأمر الحنز جعاله مع أبره واذا بنى

من أكل الحنز يمشى الى كان وحده منفرا

ويبسط بها ساحل متجوك متنها الى الله

تعالى يسبحه ويمجده من البنبة الى المباركة

وكلت يتجدد الله داقلا كثير فتر

وكلت يتجدد الله داقلا كثير فتر الاخوة

وكلت خما قبلتها الربيعة الاخوة

وكلت خما قبلتها الربيعة الاخوة ١٠٥b

K

P

A

ميلاته تكون معا امين

سنه الى ان كملت له عشرين سنه

بل فتور منذ وهو ابن اربعه عشر

104ه وأقام على هذا السلط طارئا ...

الى صنه الغايه وربا اعد دائنا [

جدا بامتياز علمر رجلان مع الارقه

اما انا لا ريت فناطاه اعتنقت بعيبته

Die synoptische Aufstellung hat gezeigt, daß die drei
Texte A, P u. K auf einen einzigen arabischen Text
zurückgehen. Wir haben oben gesehen, daß A Angaben der
Texte B und S enthält, die in den Texten P und K fehlen.
Das steht in Übereinstimmung mit einem anderen Ergebnis
der Untersuchung; daß der Text P ein Auszug aus einer
Vorlage des Textes A ist. Während die Wunder des Textes
K sehr kurz beschrieben werden, wird diese Einführung
fast ohne Verkürzung geboten. Da der Text K aus dem
14. Jh. stammt und er gleichzeitig eine Verkürzung eines
arabischen Textes wie P darstellt, ergibt sich, daß die
Vorlage des Textes A schon vor dieser Zeit zusammenge-
gestellt worden sein muß. In beiden Texten, P und K,
schließen sich die Wunder 9, 10 u. 12 der Einführung an.

Auf diese Einführung wird im Synaxarium mit "هذا القديس
ترهب من صغره" 'Bereits in seiner Jugendzeit wurde dieser
Heilige Mönch' hingedeutet und ebenso unmittelbar auf die
Wunder 9, 10 u. 12[129].

6. Die Aussagen des Synaxars über Pesyntheus[130]

Pesyntheus ist bis heute in der koptischen Kirche bekannt
geblieben, weil das Synaxar seiner gedenkt[131]. Da die
Ansichten über Kompilation, Herkunft, Entstehungszeit
und .Autorschaft des arabischen Synaxars der Kopten nicht
einheitlich sind[132], erscheint es mir sinnvoll, einen
Vergleich zwischen dem Synaxar und den Wundern, auf die
im Synaxar nur hingewiesen oder hingedeutet wird und
die in verschiedener Länge in den einzelnen Rezensionen
über Pesyntheus erzählt werden, anzustellen. Diese Untersuchung wird zum einen zeigen, inwiefern das Synaxar
mit den anderen datierten Quellen übereinstimmt oder von
ihnen abweicht. Zum anderen kann sie Aussagen machen über
die Zuverlässigkeit des Synaxars, über die es bisher nur
wenige Untersuchungen gibt[133]. Außerdem ist sie von
großer Wichtigkeit für einen Teil der Redaktionsgeschichte der Rezensionen über Pesyntheus.

Die älteste erhaltene Rezension des arabischen Synaxars
der sechs Monate Thot bis Emschir befindet sich im
Koptischen Museum, Kairo. Sie stammt aus dem Jahre
A.M. 1056 = A.D. 1340[134]. Eine zugehörige Handschrift
der zweiten Hälfte des Jahres wird im selben Catalogue
Simaikas, Serial no 140 = Lit. 41b beschrieben als: "The
Second Part of the Synaxarium (continued)." Nach Graf:
"Dans le même état que le volume précédent, copié par
la même main"[135]. Der Vergleich der Aussagen über Pesyntheus in diesem Band (168v-169v) mit der Ausgabe von
Basset[136] zeigt, daß beide - abgesehen von einigen unbe-
deutenden Varianten - in den meisten Fällen wörtlich
übereinstimmen.
Wie die folgende Tabelle zeigt, in der zu den Aussagen
des Synaxars die Paralleltexte der Versionen K, P, B u. S
aufgeführt werden, enthält das Synaxar 11 Wunder.

Synaxar	K	P	B	S
1. W. 9 =	131v–132r	10v–13v	335–343	
2. W. 10 =	132r	13v	343–344	
3. W. 12 =	132r	13v–14v	349–351	
4. Ende von				
W. 12 =	132v	14v	351	
(oder = (oder = W.8)				
W. 8)[137]	(132v)	(14v–15r)	(360–361)	(39a–39b)
5. W. 11 =	133v	23r–24v	344–349	
6. W. 14 =	134r–134v	26v–27r	361–362	
7. W. 15 =	134v	27r–28v	362–369	39b–43a
(= die Ordination)				
8. W. 30[138]			369–374	
9. W. 53 =	135r–136r	30v–35v	415–421	78a–82b
10.(W. 54) =	136r–136v	35v		
11.(W. 55) =		35v–36r		

Die Reihenfolge der Wunder, auf die im Synaxar hingewiesen
oder hingedeutet wird, ist 9, 10, 12, Ende 12 oder (8),
11, 14, 15, 30, 53, (54) u. (55). Läßt man die Wunder der
Texte P und K weg, auf die im Synaxar nicht hingedeutet
bzw. hingewiesen wird, ergibt sich dieselbe Reihenfolge
der Wunder des Synaxars mit Ausnahme des 30. Wunders, das
in diesen Texten nicht vorkommt. Nach der Aussage
" في هذا اليوم تنيّح الاب بسنده اسقف قفط " 'An diesem Tag entschlief
der Vater Pesyntheus, Bischof von Koptos' steht im Synaxar:
" حذا القديس ترهب من صغره " ' bereits in seiner Jugendzeit
wurde dieser Heilige Mönch'. Dazu gibt es Parallelen nur in
P, K und A[139]. Der Satz des Textes S, in dem ⲉϭⲝⲁⲍⲉ
(ϫⲟⲩⲭⲁⲍⲉⲓⲛ) steht, wird von Crum[140] offensichtlich überinterpretiert. Er besagt nicht, daß Pesyntheus "had early
adopted the anachoritic life". Crum führt für diese Aussage
auch keinen anderen Beleg an. Auch die Bezeichnung von
Pesyntheus als " ⲡⲉⲥⲟⲛⲑⲓⲟⲥ ⲩ̄ⲏⲙ " "little Pesenthius"
könnte nach seiner Meinung im Sinne einer "admiration or

affection" verstanden werden[141]. Im Text A wird "ⲡⲉⲥⲩⲛⲑⲓⲟⲥ ⲩⲏⲙ"
wörtlich in einem Fall[142] mit "الصبى بسـند ك" wiedergegeben.
Jedoch entspricht die Stellung dieser Bezeichnung Pesyntheus'
im Synaxar der der Einführung der Texte P u. K. Nach diesem Satz
wird im Synaxar unmittelbar auf die Wunder 9, 10 u. 12 hingedeutet. Das gilt nur für P und K, wo diese drei Wunder im Anschluß an die Einführung mit dem Abschnitt "wie Pesyntheus zum
Mönchtum kam" erwähnt werden. Auf das 9. Wunder wird im Synaxar
mit den Worten: "وصنع عبادات عظيمة جدا" 'Er verrichtete bedeutende
(Werke der) Andacht' hingedeutet. Im Text P (10v) steht vor
diesem Wunder: "وكان يصنع عبادات كثيرة ونسك وصوم بلا فتور متواتر" 'Beharrlich
und unermüdlich verrichtete er viele (Werke der) Andacht (und
übte) Askese und Fasten'. Im Text K (131v) lesen wir: وكان يصنع
"ضنايات عظيمة" 'Er verrichtete große Askese (Übungen)'. Auf das 10.
Wunder wird im Synaxar mit: "وحفظ كتبا كثيرة ومن جملتها كتاب المزامير والاثنى عشر نبى الصغار"
'Er lernte viele Bücher auswendig; dazu gehören das Buch der
Psalmen und der zwölf kleinen Propheten' hingedeutet. Text P (13v)
formuliert: "وانه كان متابر على حفظ الكتب فحفظ اولا المزمور ثم الاثنى عشر الانبيا الصغار
وبقوة الروح الحالة فيه الحل حفظهم في تمام الاثنى عشريوم فكان يحفظ كل يوم [سفر نبى]"[143]
'Und er war eifrig bemüht, die Bücher auswendig zu lernen; so
lernte er zuerst den Psalter auswendig und dann (das Buch) der
zwölf kleinen Propheten. Durch die Kraft des in ihm wohnenden
Geistes lernte er sie in genau zwölf Tagen auswendig, denn er
lernte [ein Prophetenbuch] pro Tag auswendig'. Im Text K (132r)
steht: "وكان هذا القديس بسنتيوس متابرا على حفظ وصايا الله والعمل بها وحفظ مصحف المزامير
وكتاب الانبيا الصادقين بكمالهم" 'Dieser hl. Pesyntheus war eifrig bemüht, die Gebote Gottes zu bewahren und sich danach zu verhalten.
Er lernte das Psalmenbuch und das Buch der wahren Propheten in
ihrem vollen Umfang auswendig' Auf das 12. Wunder wird im Synaxar
mit den Worten: "وكان اذا قرأ نبوة بنى من الانبياء يحضر ذلك النبى الى عنده الى حين فراغه من قراءته"
'Rezitierte (qara'a) er die Prophezeiung (d.h. den Text)
eines der Propheten, so erschien dieser Prophet bei ihm (und
blieb,) bis er seine Rezitation (d.h. des Textes) beendet hatte'
hingedeutet. Diese Aussage erinnert an den Satz des Textes K
(132r):[144] "وكان اذا تلا نبوة احدهم يحضر عنده الى حين فريغ قراءة سفرلاه"
'Rezitierte (talā) er die Prophezeiung (d.h. den Text) eines
von ihnen, so erschien dieser (d.h. der Prophet) bei ihm (und
blieb,) bis er die Rezitation seines Buches beendet hatte'

In den beiden koptischen Texten S u. B ist Wunder 53 das letzte
Wunder. Es handelt von seinem Sterben. Im Synaxar steht:

"واظهر الرب من جسده ايانا عديدة حتى ان تلميذه اخذ تطعة من كتنه كان يشفي بها على من يقصده بامانة"

'Durch seinen Leib offenbarte der Herr zahlreiche Zeichen (es
geschah) sogar, daß sein Jünger ein Stück von seinem Grabtuch
nahm, durch das er (der Herr) die Krankheiten derer heilte, die
zu ihm (dem Jünger) mit Glauben gingen' Im Text K (136r-136v)
lesen wir :

"واظهر الله من جسده من الايات والاعاجيب ما لا يحصى من ذلك ما انا اشرحه لكم الحتير يوحنا..."

'Durch seinen Leib offenbarte Gott unzählbare
Zeichen und Wunder. Dazu gehört, was ich, der Geringste, Johannes
euch erzählen möchte ...' Darauf folgt das 54. Wunder. Den Satzteil: "واظهر الرب من جسده" ؛ "واظهر الله من جسده"   'Durch seinen
Leib offenbarte der Herr';'Durch seinen Leib offenbarte Gott'
bieten nur der Text K und das Synaxar. Dafür stehen im Text P
zwei Wunder (54, 55), die mit denen des Textes A übereinstimmen.
Nicht in den koptischen Texten wird ausgesagt, daß Pesyntheus
die Gläubigen kurz vor seinem Sterben unterwiesen hat. Auch im
Text P ist die Unterweisung vielleicht an seine Jünger[145] gerichtet. Im Synaxar steht:

"فارسل احضر شعبه ووعظهم وثبتهم على الايمان واوصاهم كثيرا"

'Er ließ seine Gemeinde holen, ermahnte sie, festigte sie im
Glauben und unterwies sie oft' Im Text K (135v) lesen wir:

"وبعد ذلك قام ونزل الى البيعة وجمع الشعب ووعظهم بكلام الله هكذا قايلا..."

'Danach ging er in
die Kirche hinunter, ließ die Gemeinde sich sammeln und ermahnte
sie mit den Worten Gottes, indem er sagte ...'. Der Satz des
Synaxars   "واجرى الله على يديه ايات عظام"   'Und Gott ließ
große Zeichen durch seine Hände geschehen' erinnert stark an
Text K (134v)   "وكان الله يجري على يديه ايات وعجايب كثيرة"   'Gott ließ viele
Zeichen und Wunder durch seine Hände geschehen'.Nach dem Hinweis
auf die Ordination Pesyntheus' zum Bischof von Koptos steht im
Synaxar   "وكان اذا قدس ينظر الرب على الهيكل وملائكته"   'wenn er das hl.
Opfer feierte, erblickte er den Herrn auf dem Altar sowie seine
Engel' Unter den Angaben des Textes K (135r: Pesyntheus als
Bischof), die im Anschluß an die Aussage über die Ordination
Pesyntheus' erwähnt werden, finden wir die Aussage   "وكان اذا
صعد الى المذبح ليقدس القربين يصير كله نارا..."   'Wenn er zum Altar hinaufging, um
das hl. Opfer zu feiern, wurde er ganz zu Feuer' Vor dem Ab-
schnitt über das Sterben Pesyntheus' steht im Synaxar:

"وكان هذا القديس حلوا في كلامه حسن المنطق في وعظه لا يشبع احد من تعليمه"   [146]

'Dieser Heilige war angenehm (wörtl. süß) in seiner Sprache;
bei seiner Ermahnung verfügte er über eine große Beredsamkeit.
Bei seiner Unterweisung wollte niemand, daß er aufhört, (wörtl.
niemand wurde seiner Unterweisung überdrüssig)'. An derselben
Stelle des Textes K (135r), unmittelbar vor dem 53. Wunder,
seinem Sterben, lesen wir: وكان مداوما على تعليم الشعب ووعظهم وتثبيتهم على الايمان المستقيم بسيدنا"
يسوع المسيح وكان باب خلايته مفتوح فى وجه كل احد" Er widmete sich mit Ausdauer der Unterrichtung und der Ermahnung der Gemeinde, sowie ihrer Bestärkung
im wahren Glauben an unseren Herrn Jesus Christus. Die Tür seiner
Zelle war für jeden geöffnet' Die genannten Beispiele zeigen,
daß die Aussagen des arabischen Synaxars der Kopten über Pesyntheus auf einen arabischen Text wie P oder K zurückgegangen
sein müssen.

Zwei im Synaxar erwähnte Wunder (11 und 30) werden verhältnis-
mäßig ausführlich beschrieben. Das 11. Wunder ist in den arabischen Texten K, P und A, sowie im koptischen Text B enthalten.
Das 30. Wunder fehlt in den Texten P und K. Es wird von B, W
(teilweise) und im Text A geboten[147]. Daß das 30. Wunder in den
Texten K und P fehlt, soll uns nicht stören[148], weil die Untersuchung zeigt, daß der Text P einen Auszug aus einer Vorlage
des Textes A - nach der Kompilation des Textes A (XA) aus koptischen Texten - darstellt. Beim Text P handelt es sich um eine
Auswahl aus den im Text A genannten Wundern: Von den Wundern,
die die Tätigkeit des Bischofs behandeln und zu denen das 30.
Wunder gehört, sind nur die Wunder 20 und 23 im Text P vertreten.
Im Text K steht eine kurze Aussage über Pesyntheus als Bischof[149].
Hinzu kommt die Bemerkung im Text P (24v): "وايات كثيرة وعجايب عظيمة كان هذا
القديس يصنعها ولم تكتب فى هذا الكتاب..." 'Viele andere Zeichen und große
Wunder tat dieser Heilige, die nicht in diesem Buch aufgeschrie-
ben sind ...'. Angesichts dieses Tatbestandes muß man folgern,
daß es einen arabischen Text gegeben hat, der auch ein Auszug
aus einer Vorlage des Textes A gewesen ist. Dieser verlorene
Text (XP) war die Vorlage des Textes P und auch des Synaxars
über Pesyntheus. Die Untersuchung des Textes K zeigt, daß er
eine Verkürzung einer Vorlage des Textes P darstellt. Da dieser
Text aus dem 14. Jh. stammt, muß der verlorene Text XP vor
dieser Zeit geschrieben bzw. aus einer Vorlage des Textes A
übernommen worden sein. Ferner muß dieser Text vor der Entstehungszeit des arabischen Synaxars aus der Vorlage des Textes

A übernommen worden sein. Daraus ergibt sich, daß die Vorlage
des Textes A aus Übersetzungen koptischer Texte vor der Entstehungszeit des Synaxars zusammengestellt wurde. Auf Gebel
al-Asās und seine Nachbargebiet als Ort der Kompilation des
Textes A (XA) wird hingewiesen[150].

Evelyn White, der das Wadi al-Natrūn als möglichen Ort für die
Kompilation des arabischen Synaxars ansah, begründete seine
These mit folgenden Argumenten: "But perhaps the outstanding
feature of the Library was the great collection of Acts of the
Martyrs and Lives of Saints and worthies honored by the Coptic
Church. It was probably from this rather than from some similar
series of Hagiographa that the existing Arabic Synaxarium of
the Coptic Church was compiled."[151]
Andererseits leuchtet das Argument Coquins ein, daß das Synaxar
zuerst in Oberägypten zusammengestellt worden ist und das
Synaxar Unterägyptens eine lectio brevior, also eine Verkürzung der lectio longior Oberägyptens, darstelle[152].
Über die Rezension des Synaxars (Bibl. Nat. Paris, Arabe 4869,
4870) schreibt Meinardus "This recension was compiled in the
Monastery of Benhadeb (XIIth-XIVth cent.), and became known
as the Theban recension"[153]. Benhadeb ist ein Nachbargebiet
von Gebel al-Asās. Dieselbe Redaktion des arabischen Synaxars
aus Oberägypten kommentierte Doresse: "... c'est pourquoi on
a voulu y reconnaître le synaxaire thébain. Mais notre rédaction
n'est visiblement pas de Thèbes, et l'on verra d'ailleurs, par
son texte même et par les saints qu'elle met au premier plan,
q'elle provient d'une région bien délimitée des diocèses
de Qeft et de Qous."[154]

So fügen sich Details zu einem geschlossenen Bild. Die
synoptische Aufstellung zeigt, daß der Großteil der Aussagen
des Synaxars über Pesyntheus auf koptischen Quellen basiert.
Die Angaben des Synaxars müssen zwar einerseits vorsichtig
überprüft werden, dürfen aber andererseits nicht unterschätzt
werden.

III. Vergleichende und zusammenfassende Untersuchungen

a) Literarisch

1. Die Verfasserangaben

Während Enkomien - auch in der koptischen Literatur -
nur einen Verfassernamen tragen, werden in den von
uns untersuchten Quellen über Pesyntheus mehrere Autoren genannt. Der saidische Text S wird dem "Priester"
Johannes zugeschrieben (S 20a). Diese Zuschreibung
wird durch viele Stellen bestätigt, an denen Johannes
in 1. Person erzählt[1]. . Der bohairische Text B bietet
nun eine ungewöhnliche Zuschreibung, die in keinem
anderen Text dieser Literaturgattung vorkommt. Er wird
nämlich dem "Bischof" Moses zugeschrieben, "indem
sein (des Pesyntheus) Schüler Johannes mit ihm übereinstimmt" (B 333)[2]. Diese Aussage steht in Widerspruch
zum Text B, denn an keiner Stelle erzählt Moses in
eigener Person, vielmehr begegnen wir auch in diesem Text
Johannes als Erzähler in der 1. Person[3] und der Name
des Moses kommt zwar auch neben seiner Erwähnung bei
der Zuschreibung vor, aber nur innerhalb einer Aussage
des Johannes[4]. Während Amélineau "... ⲉϥⲉⲣⲥⲩⲙⲫⲱⲛⲉⲓⲛ ⲛⲉⲙⲁϥ ⲛϫⲉ
ⲓⲱⲁⲛⲛⲏⲥ ⲡⲉϥⲙⲁⲑⲏⲧⲏⲥ" mit "... en (parfait) accord
avec Jean, disciple de Pisentios"[5] wiedergab, übersetzte Crum "..., indem sein (des Pesenthius) Schüler
Johannes mit ihm übereinstimmt (ⲥⲩⲙⲫⲱⲛⲉⲓⲩ)" und kommentierte: "Das soll wohl heißen, daß Moses von eben
diesem, dem Johannes verfaßten βίος (d.h. dem Text S)
Gebrauch machte"[6]. Diese Aussage kann an sich nur bedeuten: Es gibt keinen Widerspruch zwischen dem, was
Moses gesagt hat und dem, was Johannes erzählt hat.
Amélineau meinte in Unkenntnis der saidischen Rezension, daß Johannes und Moses zusammengearbeitet hätten[7].

Die Vermutung Amélineaus haben Budge[8], W. Kammerer[9] und
Müller[10] offensichtlich für eine Tatsache gehalten.
Van Cauvenbergh setzte ein "original sahidique de
l'oeuvre de Moïse" voraus[11]. Bei der Untersuchung der
verschiedenen Rezensionen haben wir gesehen, daß sie
keineswegs von zwei Personen verfaßt sein können. Der
Text S weist aber auf eine Entwicklung hin, eine Tatsache, die Crum veranlaßte, diesen Text mehreren Autoren "the author-or rather, the authors" zuzuschreiben[12]. Wir wissen nicht, warum die Rezension B - wie
oben beschrieben - Moses zugeschrieben wird. Diese Zuschreibung könnte darauf zurückgehen, daß Moses, im
Gegensatz zu Johannes, ein Bischof und der Nachfolger des
Pesyntheus war, wie es in verschiedenen Rezensionen
vorausgesagt wird[13]. Unser Text gehört zur "koptischen
Originalliteratur". Als Autoren dieser Werke werden
größtenteils Erzbischöfe und Bischöfe genannt, obwohl
die Zahl der anderen Mitglieder des Klerus und der
Mönche selbstverständlich die der Erzbischöfe und Bischöfe bei weitem übertraf[14]: von 41 Autoren sind 15
Erzbischöfe und 13 Bischöfe. Die anderen 13 waren zum
größten Teil berühmte Leute: Antonius, der Begründer
des Eremitentums, Pachomius, der Begründer des koinobi-
tischen Mönchtums und seine Nachfolger Horsiese und Theodor, Schenute, der bedeutendste koptische Schriftsteller und sein Nachfolger Besa, Papnoute, der "Vater
der Scetis" und Nachfolger des Makarius, Isaias, der
Schüler des Makarius, Samuel von Qalamun, der Begründer
des Qalamunklosters bei Faijjum[15]. Aus dem Obengenannten
möchte ich folgern, daß wir die Zuweisung des bohairischen Textes an Moses für sehr fraglich halten müssen.
Es kann sich vielmehr um einen späteren Zusatz handeln,
der nicht singulär ist; denn nach Coquin[16] muß an der
Zuschreibung des "Buches der Weihe des Sanktuars Benjamins" an den "Erzbischof" Agathon gezweifelt werden.

Auch die Zuweisung des Enkomiums über den Bischof Makarius an den "Erzbischof" Dioskur wird in Frage gestellt[17]. Das spricht auch dafür, daß der Priester Johannes und Jünger des Pesyntheus nicht mit Johannes,
dem Bischof von Hermopolis, zu identifizieren ist[18].

Der Text A wird Theodor aus der Scetis als "Hauptverfasser", sowie Moses und Johannes als Mitarbeiter, zugeschrieben (A 97b-98a)[19]. Die Erwähnung Theodors als
Erzähler kommt nur in der Rahmenhandlung am Anfang von
zwei Wundern (37, 45) in derselben Formulierung vor[20],

A 185b: "... قال القديس تاودوروس"

A 192a: "... قال القديس تادرس "

"Der heilige Theodor
sagte ..."

Dagegen beginnt in den Texten B und S kein Wunder mit
dem Namen Johannes' oder Moses'. Beide Wunder (37 u.
45) fehlen übrigens in den koptischen Texten[21]. Moses
erzählt nie in 1. Person im Text A. An der einzigen
Stelle, an der Pesyntheus mit Moses spricht, ist Johannes der Erzähler[22]. Dagegen erzählt Johannes oft in
1. Person[23]. Im Text A (98a) wird Theodor als Leiter
oder Unterweiser مرشد und Lehrer معلم Pesyntheus'
bezeichnet. Moses und Johannes sind nach dem Text die
Jünger Pesyntheus'. Im Text A (102a-b) ist die Rede von
drei Jüngern, von denen aber nur der Name des Theodor
genannt wird. Nach dem Ende des letzten Wunders (56)
erfahren wir, daß alle Wunder von Johannes, Pesyntheus'
Jünger, gesammelt wurden, der hier auch in 1. Person
spricht (A 214a)!

Die Texte P und K werden Theodor aus der Scetis allein
zugeschrieben[24]. Im Text P, der mit dem Text C fast

wörtlich übereinstimmt[25], wird Theodor neben seiner Erwähnung bei der Zuschreibung nur noch einmal genannt
(P 25r) = W. 37:

" ... وكان انبا تاوضورورس حاضر فقال ... "

"... und Anba Theodor war anwesend, da sagte er ..."

Johannes dagegen wird als Erzähler oftmals erwähnt[26],
während Moses nur in einer von Johannes berichteten Aussage genannt wird[27]. Von Theodor ist im Text K außer
seiner Erwähnung bei der Zuschreibung nicht mehr die Rede.
Dagegen spricht Johannes mehrmals in erster Person[28]. Da
dieser Text 1081 AM (= 1364/1365) datiert ist, muß die Zuschreibung an Theodor spätestens in das 14. Jh. zurückgehen. Wir haben bei der Untersuchung der Texte gesehen,
daß der Text P bzw. C auf eine Vorlage des Textes A zurückgegangen sein muß und nicht umgekehrt und der Text K
von einem Text wie P abhängig ist. Im Abschnitt "Zur
Kompilation des Proömiums des Textes A" wurde gezeigt,
daß der Text A Angaben der Einführungen der Texte B und
S enthält, die in den Texten P und K fehlen. Außerdem
stimmen die Parallelen der Texte A, P und K miteinander
überein, wonach die Texte P und K Theodor aus der Scetis
zugeschrieben werden. Im Abschnitt "Die Aussagen des
Synaxars über Pesyntheus" wurde gezeigt, daß die Vorlage
des Textes A vor der Entstehungszeit des Synaxars zusammengestellt wurde. Von Theodor aus der Scetis als Verfasser mit Moses und Johannes im Text A meinte Crum
"er verdankt seine Existenz vielleicht dem sketischen
Theodor von Boh. S. 364"[29]. Ferner schrieb er: "An
attempt, significant of a later age, is made to connect
the monasteries of Thebes with those of Scete by intro-
ducing a monk, Theodore, from the latter monastic center
into this Theban community (d.h. das Phoibammun-Kloster
in Jême) and attributing to him a share in the conse-
cration of Pesenthius and even in the composition of

the biography"[30]. Als Ort der Kompilation des Textes A
gilt das Gebiet von Al-Asās[31]. Nach diesem Text (A 107a-b)
ist die Scetis sein Vorbild, deren Wichtigkeit in vielerlei Hinsicht im Laufe des Mittelalters durch den Bericht
von Evelyn White über die Bibliothek des Makarius-Klosters
schon greifbar wird[32]. Obwohl Crums These logisch klingt,
scheint mir das Auftauchen Theodors als Verfasser vielmehr
im Zusammenhang mit dem Verhältnis zwischen den Texten
zu stehen. Wir haben gesehen, daß man bei der Kompilation
der Vorlage des Textes A von saidischen Texten wie S ausging, wobei Angaben aus einem bohairischen Text wie B
nur dann hinzugefügt wurden, wenn sie nicht in saidischen
Texten vorhanden waren. Zu diesen Angaben zählen die Elemente "Scetis" und "Theodor" sowie Evagrius[33]. Es liegt
nahe, daß man für die Übernahme solcher Angaben in den
Text A eine Rechtfertigung brauchte. Daher wird in der Zuschreibung des Textes ausführlich über Theodor, nicht aber
über Moses und Johannes gesprochen. In den Texten P und K,
die Auszüge aus einem Text wie A sind, begegnen wir Theodor als einzigem Verfasser[34].

Aus diesen Gründen möchte ich annehmen, daß der verlorene
Urtext XS dem Johannes zugeschrieben gewesen ist. Dagegen
muß die Richtigkeit der Zuschreibung des Textes B an Moses
in Frage gestellt werden. Das Auftauchen Theodors muß als
ein Zusatz bei der Kompilation der Vorlage des Textes A
erklärt werden. Als einziger Verfasser der Texte P und K
verdankt er daher seine Erwähnung der ausführlichen
Rahmenerzählung des Textes A. Wir haben also gesehen,
daß sich die Verfasserangaben der verschiedenen Rezensionen und die Untersuchung über das Verhältnis zwischen
den Texten gegenseitig bestätigen.

2. Biographie oder Enkomium

Einleitend seien einige Zitate aus Untersuchungen über
Literaturwerke genannt, die als Biographien oder Enkomien
bezeichnet werden sowie verschiedene Meinungen über die
Vita Antonii des Athanasius. Sie zeigen gleichzeitig die
Schwierigkeiten einer Definition dieser Werke auf.

"In der Form schließt sie (d.h., die nichtchristliche
Biographie in ihren Anfängen im Griechischen) sich an die
Lobrede an ...; wie diese nach einer stereotypen, dem
Ablauf des menschlichen Lebens folgenden Topik aufgebaut
ist ..., so auch die B."[35]. "Die Stoffdisposition (d.h.,
der peripatetischen Biographie) ist im wesentlichen die des
rhetorischen Enkomions" ... "Auch diese historisch-poli-
tische B. hatte belletristischen Charakter; nach Wesen und
Form ist sie rhetorisches Enkomion wie der Euagoras u.
Agesilaos, wird daher auch von der eigentlichen Geschicht-
schreibung streng unterschieden"[36]. "Vom 4. Jh. an aber
fand die christl. Biographie ihren Mittelpunkt in der
Darstellung des Heiligenlebens. Älteste Biographie dieser
Art sind die V. Cypriani des Pontius ... u. des Athanasius
Leben des Antonius. Auch in diesen Biographien ist neben
Beeinflussung durch die urchristl. Literatur u. durch
jüdische Vorbilder (Philo) im formalen Anschluß an die
gleichzeitigen profanen Biographien, je nach dem Bildungs-
grade der Verfasser mehr oder weniger deutlich, erkennbar"[37]. "Die Vita Antonii, bald ins Lateinische übersetzt,
hat im Osten wie im Westen zahlreiche Nachahmungen gefunden, ..."[38] "Und sie (d.h., die Vita Antonii) hat ein
zahlreiches Geschlecht erzeugt, denn man darf ruhig be-
haupten, daß die ganze hagiographische Literatur, soweit
sie aus biographischen Erzeugnissen besteht, in ihrer Entwicklung von der Vita des Athanasius beeinflußt worden
ist. Er hat die rhetorischen Kunstmittel der Legende
dienstbar gemacht, er hat ihrer Form jene merkwürdige

Ausprägung gegeben, die sie als eine Mischung von Lobrede, ἐγκώμιον , und eigentlicher Biographie erscheinen
läßt - Lobrede in Einleitung und Schluß, Biographie in der
streng zeitlichen Anordnung des Stoffes nach plutarchisch-
peripatetischem Schema, er hat endlich auch dem Wunderbericht seine bezeichnende Bedeutung gegeben. Man darf
sagen: Athanasius leitet die antike Biographie hinüber
in das neue Bett der byzantinischen Legendenliteratur, und
zwar ohne jede Absicht, nur rein aus dem Drang heraus, das
Lebensideal, das ihm geleuchtet, das er in seinem Meister
verehrt, anderen darzustellen"[39]. "Es ist seit langem bekannt, daß Athanasius in dieser Vita bestimmten literarischen Vorbildern folgt und mit ihr auch bestimmte Ab-
sichten verwirklichen möchte"[40].

Die Biographie über Antonius, den ersten Eremiten, vom
Erzbischof Athanasius (328-373), der sowohl Koptisch als
auch Griechisch konnte[41], kann als Vorbild nachfolgender
koptischer literarischer Werke dieser Art betrachtet
werden[42]. Athanasius schildert in der Biographie "weniger
den wirklichen Antonius als den aus der Sicht des Erz-
bischofs idealen Mönch und Vorkämpfer für die Rechts-
gläubigkeit"[43]. Es fehlt eine Untersuchung, die das Verhältnis zwischen der griechischen und der koptischen
Rezension des Werkes Athanasius' zeigt.

Die Rezensionen über Pesyntheus werden mit verschiedenen
Termini versehen. Der Text B bezeichnet sich als Enkomium:

B 333 " ϩⲁⲛⲕⲟⲩⲓ ⲉⲃⲟⲗ ϧⲉⲛ ⲛⲓⲉⲅⲕⲱⲙⲓⲟⲛ ...",
was Amélineau[44] mit "Quelques-uns des éloges" und Crum[45]
mit "Etliches aus den Festreden (ἐγκώμια)" wiedergaben.
Eine weitere Bezeichnung enthält der Text nicht. Dagegen
weist der Text S eine Reihe von Termini auf. " ⲡⲃⲓⲟⲥ ⲁⲩⲱ
ⲧⲡⲟⲗⲩ+ⲁ" (S 20a) übersetzte Budge[46] "The life and
administration", was aber mit "das Leben und der Lebenswandel
(oder die asketische Praxis (πολιτεία))" zu übersetzen

ist [47]. Nachdem das Literaturwerk als ʙⲓⲟⲥ definiert wurde,
wird es später mehrfach als Enkomium bezeichnet: ⲉⲛⲕⲱⲙⲓⲟⲛ,
ⲉⲅⲕⲱⲙⲓⲟⲛ (45b), ⲉⲅⲕⲱⲙⲓⲟⲛ (46a)[48], "...ⲛⲉⲓⲕⲟⲩⲓ ⲛ̄ⲅⲁⲝⲉ
ⲛ̄ⲉⲅⲕⲱⲙⲓⲟⲛ ..." (74a)[49] und "... ⲍⲛ̄ ⲧⲁⲣⲭⲏ ⲙ̄ⲡⲉⲓⲉⲅⲕⲱⲙⲓⲟⲛ"
(76b)" am Anfang dieses Enkomiums". Der Text A (157b)
übersetzt diese Stelle fast wörtlich: " في فاتحة هذا الكتاب "
"in der Vorrede dieses Buches"[50]. Im Text S (74a) steht:
" ⲁⲗⲏⲑⲱⲥ ⲟⲩⲛⲟϭ ⲉⲙⲁⲧⲉ ⲡⲉ ⲡⲉⲕⲃⲓⲟⲥ ⲛ̄ⲩⲡⲏⲣⲉ ⲱ̄ ⲡⲁⲅⲅⲉⲗⲟⲥ ⲙ̄ⲡⲁⲉ̄ ⲛ̄ⲅ̄ϭⲟⲙ",
was der Text A (155b) wiedergab mit

" وعظيما هو تذكارك وسيرتك الملوءة من كل كرامة يا ملاك اله القوات "

Der Text S wird auch mit "ⲧⲡⲟⲗⲩⲧⲁ (πολιτεία)" betitelt; ein
Begriff, der mehrmals in diesem Text vorkommt[51]. Er wird
im Text A mit " عبادة " "Devotion/Andacht" wiedergeben[52].
Der Text A (97b) verwendet " سيرة " "Leben oder Lebensbeschreibung, was " ʙⲓⲟⲥ " entspricht. Während der Text P
(9r) eine Mehrzahl von Termini verwendet " سيرت وعبادة وجهاد
ونسك" "Leben, Andacht/Devotion, Kampf und Askese", gebraucht der Text K (130v) nur " سيرة " Leben oder Lebensbeschreibung was " ʙⲓⲟⲥ " entspricht.

Die oben angeführten Beispiele, die sich aus anderen
literarischen Werken vermehren ließen, zeigen deutlich,
daß man zwischen den Begriffen ʙⲓⲟⲥ , ⲉⲅⲕⲱⲙⲓⲟⲛ und
ⲡⲟⲗⲩⲧⲁ keine klare Linie ziehen kann. Das zeigt sich
auch in der Sekundärliteratur. Nach van Cauwenbergh
stellen nämlich die Texte B und S "Vie de Pisentios"[53],
"deux éloges"[54] und "deux biographies"[55] dar; der Text B
enthält eine "Biographie de Pisentios"[56], der Text S ist
auch "panégyrique"[57]. Über die Texte B und S schreibt
Crum: "The "Life" of Pesenthius (as the Sa'idic text is
entitled) is in truth nothing more than an "Encomium"
(as the Bohairic version calls it), a panegyric, the
author - or rather, authors - of which are above all
intent upon displaying their hero's miraculous "virtues",

paying only the rarest and most spasmodic attention to
to the more prosaic facts of his career"[58]. Er hat
mehrere Ausdrücke für das Schrifttum über Pesyntheus
verwendet: z.B. "... the life of (or rather, panegyric
on) bishop Pesenthius ..."[59], "the Life (of rather,
Enkomium)"[60], und "biographical panegyric"[61]; der Text S
ist eine "Sa'idic biography"[62]. Johannes wird als "bio-
grapher" Pesyntheus' bezeichnet[63]; Moses war "one of the
joint authors" der Biographie Pesyntheus'[64].
Die Texte über Pesyntheus kommentierte Till: "Es ist keine
eigentliche Lebensgeschichte erhalten, sondern Lobreden"[65].
Der Text S wird in eine Dissertation miteinbezogen, die von
der koptischen "Predigt" handelt[66]. Beide arabischen Texte
A und C enthalten nach Crum eine "Lebensbeschreibung"[67].
Der Text A ist eine "biography"[68].

Die obigen Ausführungen zeigen, daß man nicht von den genannten Termini ausgehen kann, um festzustellen, ob es
sich dabei um eine Biographie oder ein Enkomium handelt,
die griechische Lehnworte sind. Eine begriffsgeschicht-
liche Untersuchung über die Verwendung dieser Termini
durch die Kopten fehlt bisher und soll hier auch nicht
durchgeführt werden. Dafür soll hier zur Erörterung dieser
Frage der Zweck der Texte, ihr Sitz im Leben, die Reihenfolge der Angaben der Texte und das Verhältnis zwischen
ihnen untersucht werden. Bei der Gedächnisfeier zum Ge-
denken des Bischofs am 13. Epep werden die Texte über
ihn vorgelesen[69]. Im Text B[70] betont der Erzähler: "Wir
werden euch die 'Wunder', die Gott durch Pesyntheus
machte, mitteilen." Nach dem Titel des Textes[71] geschieht
alles zur Ehre des Herrn Jesus Christus. Beim Text S soll
vor allem "die Persönlichkeit Pesyntheus" gezeigt
werden[72]. Er hat seine Devotion "ⲡⲟⲗⲓⲧⲓⲁ" verborgen; .
aber Gott hat sie offenbaren lassen (22a). Das zeigen vor
allem die vielen Lobreden auf Pesyntheus und die Anreden
an die Zuhörer, die im Text B fehlen. So pries " ⲧⲱⲟⲩ
bzw. ⲧ ⲉⲟⲟⲩ " der Mann, dessen Sohn durch Pesyntheus

vom Dämon befreit wurde, Gott (B 392 = S 69a) und be-
dankt sich "ⲉⲩⲭⲁⲣⲓⲥⲧⲉⲓ (ⲉⲩⲭⲁⲣⲓⲥⲧⲉⲓ̈ⲛ)" beim seligen
Pesyntheus (S 69a). Bei einer Anrede (S 66a) werden die
Zuhörer aufgerufen, die ihr Herz zu Gott und (ⲙⲛ̅) dem
Heiligen (ⲡⲡⲉⲧⲟⲩⲁⲁⲃ), das ist Pesyntheus, erhoben haben,
zu kommen. Nach dieser Aussage gilt er als Fürsprecher
bei Gott. Der Text B stammt aus dem Wadi al-Natrūn, einem
Gebiet, das weit vom Kulturland entfernt liegt. Daher
darf man vermuten, daß der Text nur Mönchen vorgelesen
wurde. Im Gegensatz zur Scetis liegt Edfu bzw. Haǧir Edfu,
wo der Text S gefunden wurde, am Niltal. Hier kann man
die Teilnahme von Gemeindechristen an der Gedächnisfeier
Pesyntheus' nicht ausschließen[73]. Hinzu kommt, daß
Pesyntheus zu den Heiligen dieses südlichen Teiles von
Oberägypten zählt. Bisher gibt es noch keine Untersuchungen, inwieweit sich der Ort und das Milieu auf
Einzelheiten von koptischen Literaturwerken dieser Art aus-
gewirkt haben. Ich meine aber, daß die Umstände in unseren
Texten Spuren hinterlassen haben. Wir haben ja bei der
Untersuchung der Texte gesehen, daß sich der Rahmen des
Textes S gegenüber dem Text B entwickelt hat, was sich
in Einzelheiten in den Parallelen, Lobreden auf Pesyntheus,
Anreden an die Zuhörer und Bibelzitaten zeigt. Mit
schmückenden Einzelheiten und Anreden an die Zuhörer zieht
der Erzähler diese an sich. Durch die Lobreden auf
Pesyntheus verehrt man einen Heiligen des südlichen Teiles
von Oberägypten. Als ein Beispiel nenne ich die nach
dem 17. Wunder stehende Lobrede (S 50-57a), wonach man
feststellen kann, mit welch hoher Verehrung Pesyntheus
als Person, Bischof und Heiliger beschrieben wird. Auffallend ist auch der Satz " ⲁⲡⲉⲕⲣⲁⲛ ⲅⲁⲣ ⲡⲱⲍ ⲩⲁ ⲛⲉⲕⲣⲱⲟⲩ ⲛⲧⲟⲓⲕⲟⲩⲙⲉⲛⲏ̈
(50b) "Dein Name reichte bis zu den Grenzen der bewohnten
Erde"[74]. Die Vorlage des Textes A, deren Kernstück auf
saidische Texte zurückgegangen sein muß, wurde im Gebel
al-Asas bzw. in seinen Nachbargebieten zusammengestellt[75].
Wir haben Beweise dafür, daß die Vorlage des Textes A

einem Publikum vorgelesen wurde[76]. Wir haben den Zweck
und Sitz im Leben der Texte kurz behandelt. Amélineau
meinte, die bohairischen Rezensionen aus dem Wadi al-Natrūn
hätten für Historiker Informationen von größter Bedeutung
weggelassen, die nach seiner Meinung in den saidischen
Texten gestanden haben müssen[77]. A. Butler bezeichnete
sowohl den Schreiber des Textes B als auch andere Schreiber
einiger Texte dieser Art als "the writers were set upon
recording matters of Church interest - the more miraculous
the better - and their minds were almost closed to the great
movements of the world about them. It is useless lamenting
that, where they might have told us so much, they furnish
only a few scanty and incidental allusions to contemporary
history"[78]. Eine ähnliche These bezüglich anderer Texte
vertritt Crum[79], gegen die sich L. MacCoull gewandt hat[80].
Die Reihenfolge der Angaben der Texte wurde schon im
Abschnitt "Die Eigenschaften der verschiedenen Rezensionen"
kurz behandelt[81], ebenso auch beim Kommentar zu den Synopsen
einiger Wunder[82].

Im Text B läßt sich eine allgemeine chronologische Reihenfolge der Wunder, nach Lebensabschnitten Pesyntheus' ge-
gliedert, erkennen[83]. Das gilt auch für den Text S mit Ausnahme des 17. und des 1. Wunders[84]. Für das 17. Wunder wurde
schon festgestellt, daß es in der Reihenfolge umgestellt
ist. Der Grund dafür wurde bereits genannt[85], ebenso
wurde die Neigung zur Umstellung der Angaben im Text S
gegenüber dem Text B nachgewiesen[86]. Das 1., von der
Kindheit Pesyntheus' handelnde Wunder folgt auf die
ersten Wunder des Textes S (W. 4, W. 5). Die Reihenfolge
der Wunder 4, 5, 1 steht im Widerspruch zu einer fast all-
gemeingültigen Regel koptischer Literaturwerke dieser Art,
daß nämlich die Kindheit der Heiligen oder einer berühmten
Person oder eines Märtyrers unmittelbar nach der

Einführung, die selbst verschieden ausgeführt sein kann,
beschrieben wird[87]. Im Gegensatz zur Renzension S schließt
in den Rezensionen B und A das 1. Wunder an die Einführung
an. Auf die Kindheit Pesyntheus' bzw. auf seine Herkunft
und Eltern wird in den Einführungen der Texte A, P und K
nur summarisch hingewiesen[88]. Auf folgendes sei dabei
hingewiesen:

1. In der Einführung des Textes B (333-4) lesen wir:

" ⲦⲌⲨⲠⲞⲐⲈⲤⲓⲤ Ⲙⲡⲁⲓⲩⲁⲓ ⲘϤⲟⲟⲨ ⲨⲘⲈⲌ Ⲛⲣⲁⲩⲓ . . . Ⲉⲩⲱⲡ ⲀⲚⲨⲀⲚⲘⲟⲩⲓ ⲈⲦⳘⲏ
ⲚⲔⲟⲨⲭⲓ ". Im Text S (20b) steht: "ⲠⲌⲨⲠⲞⲐⲈⲤⲓⲤ ⲘⲠⲈⲓⲩⲁ ⲘⲈⲌ
ⲚⲠⲣⲁⲩⲉ . . . ⲈⲩⲀⲚⲘⲟⲟⲩⲉ ⲈⲐⲎ ". In der Einführung des Textes A
(98a-b) lesen wir:

"قدومر هذا العيد المملوء من كل الافراح الروحانية... قد شـمـلتهم بركته وادركتهم نعمة صلواته"

Diese drei Aussagen stimmen miteinander überein. Dabei ist
die des Textes S länger als die in B und die des Textes A
ist die längste und enthält fast alles, was die beiden
koptischen Texte bieten. Der Text B fährt fort:

" ⲀⲨⲓⲤ ⲭⲉ ⲦⲚⲟⲨ ⲚⲦⲈⲚⲭⲱ ⲈⲣⲱⲦⲈⲚ ⲚⲚⲓⲩϥⲏⲣⲓ ⲈⲦⲀⲩⲁⲓⲦⲟⲨ Ⲛⲭⲉ ϥ̄ϯ ⲈⲂⲟⲗ

ⲌⲓⲦⲟⲦϥ ⲘⲠⲈⲚⲓⲱⲦ ⲈϤⲟⲨⲀⲂ ⲀⲂⲂⲀ ⲠⲓⲤⲈⲚⲦⲓⲟⲥ ⲓⲥⲭⲉⲚ ⲦⲈⲩⲘⲈⲦⲔⲟⲨⲭⲓ " ·

Daran schließt sich unmittelbar das 1. Wunder an, das
von seiner Kindheit berichtet. In S und A geht die Einführung dagegen ausführlich weiter. Während im Text A
das 1. Wunder - aus der Kindheit - im Anschluß an die Einführung erwähnt wird, stehen im Text S merkwürdigerweise
das 4. und 5. Wunder vor dem 1. Wunder.

2. Der Großteil der Einführung (S 20-22a) vor dem 4.
Wunder - dem 1. erwähnten Wunder des Textes S - handelt
in erster Linie davon, daß Pesyntheus, wie alle Heiligen,
vor dem übermäßigen Lob der Menschen floh und er seine
Andachten " ⲚⲈϤⲠⲟⲗⲨⲦⲀ " zurückgezogen durchführte; Gott
hat sie aber offenbaren lassen. Das paßt gut zum Thema,
zu dem der Erzähler die Zuhörer in seiner Einführung

hinführt. Es liegt nahe, daß das 4. Wunder selbst - nach dem Erzähler - auch demselben Zweck dient, denn vor diesem Wunder steht als Überleitung zum Wunder:

"ⲧⲉⲧⲛ̄ⲟⲩⲱϣ ϭⲉ ⲉⲉⲓⲙⲉ ϫⲉ ⲉϥⲙⲟⲥⲧⲉ ⲙ̄ⲡⲉⲟⲟⲩ ⲉⲧϣⲟⲩⲉⲓⲧ ⲁⲩⲱ ϫⲉ ⲛϥ̄ⲟⲩⲱϣ ⲁⲛ ⲉⲧⲣⲉ ⲗⲁⲁⲩ ⲃⲱⲕ ⲉⲡⲧⲁⲕⲟ ⲏ̄ ⲉⲉⲓⲙⲉ ⲉⲣⲟϥ ϩⲛ̄ ⲛⲉϥ̄ⲡⲟⲗⲩⲧⲁ ⲉⲧϥ̄ⲉⲓⲣⲉ ⲙ̄ⲙⲟⲟⲩ ⲥⲱⲧⲙ̄ ϭⲉ ϩⲛ̄ ⲟⲩϯϩⲧⲏϥ"
(S 22a), was Budge übersetzte mit: "Now if ye wish to know whether he hated the glory (or, adulation) which was vain, and whether he wished not for any to applaud him in any way or not, go into ....[5] and learn concerning him from the acts of his life and the manner in which he used to live. And hearken ye into me with diligent attention"[89]. Der Satz ist aber zu übersetzen: "Wollt ihr also wissen, ob er das vergängliche Lob haßte und ob er nicht wollte, daß jemand ins Verderben geht[90] oder ihn in seiner Lebensweise (ⲡⲟⲗⲩⲧⲁ), die er führte, kennenlernte, so hört aufmerksam zu".

Am Ende des 4. Wunders lesen wir:" ⲛ̄ⲧⲁϥϫⲉ ⲛⲁⲓ ⲇⲉ ⲛ̄ϭⲓ ⲡⲉⲧⲟⲩⲁⲁⲃ ⲉϥⲡⲏⲧ ⲉⲃⲟⲗ ⲙ̄ⲡⲉⲟⲟⲩ ⲉⲧϣⲟⲩⲉⲓⲧ ⲛ̄ⲛ̄ⲣⲱⲙⲉ... ⲁⲧⲉⲧⲛ̄ⲉⲓⲙⲉ ⲱ̄ ⲛⲁⲙⲉⲣⲁⲧⲉ ϫⲉ ⲉⲣⲉⲛⲉⲧⲟⲩⲁⲁⲃ ⲉⲡⲉⲓⲑⲩⲙⲉⲓ ⲉⲡⲉⲟⲟⲩ ⲙ̄ⲡⲛⲟⲩⲧⲉ ⲙⲁⲩⲁⲁϥ ⲉϣϫⲉ ⲙ̄ⲙⲟⲛ ⲥⲱⲧⲙ̄ ⲉⲡⲙⲉⲗⲓⲟⲅⲣⲁⲫⲟⲥ ⲉⲧⲟⲩⲁⲁⲃ ⲇ̄ⲁ̄ⲇ̄ ⲉϥϫⲱ ⲙ̄ⲙⲟⲥ ϫⲉ ..." (S 24b)
Die angeführten beiden Stellen zeigen, daß der Redaktor die Einleitung zum Wunder und den auf das Wunder folgenden Text dem Inhalt des Wunders so gut angepaßt hat, daß man die Nahtstellen nur durch die Einleitungsformel "es geschah eines Tages ..." (22a) bzw. den Kommentar "der Heilige sagte dieses ..." (24b) erkennen kann.

3. Was wir für die Verbindung von Einleitung und Wunder beim 4. Wunder festgestellt haben, scheint auch für das 5. Wunder zu gelten. Das zeigen verschiedene Einzelheiten dieses Wunders: "ⲡⲉϫⲁϥ ⲙ̄ⲡⲥⲟⲛ ϫⲉ ϩⲟⲙⲟⲗⲅⲉⲓ ⲛⲁⲓ ϫⲉ ⲕⲛⲁϩⲁⲣⲉϩ ⲉⲡⲉⲓϣⲁϫⲉ ϩⲛ̄ ⲟⲩⲙⲩⲥⲧⲏⲣⲓⲟⲛ ⲁⲩⲱ ⲛⲅ̄ⲛⲁϭⲗ̄ⲡ ϣⲁϫⲉ ⲉⲃⲟⲗ ⲁⲛ ... ⲁⲗⲗⲁ ϯⲥⲟⲟⲩⲛ ϫⲉ ⲉⲕⲙⲟⲥⲧⲉ ⲙ̄ⲡⲉⲟⲟⲩ ⲉⲧϣⲟⲩⲉⲓⲧ ⲛ̄ⲛ̄ⲣⲱⲙⲉ"
(S 27a-b)[91]; " ϯⲥⲟⲡⲥ̄ⲡ̄ ⲙ̄ⲙⲟⲕ ⲡⲁⲥⲟⲛ ⲙ̄ⲙⲁⲓⲛⲟⲩⲧⲉ ⲙ̄ⲡⲣ̄ⲟⲩⲉⲛϩ̄ ⲡⲙⲩⲥⲧⲏⲣⲓⲟⲛ

ⲉⲃⲟⲗ ⲉⲗⲁⲁⲩ ⲛ̄ⲣⲱⲙⲓ ⲩⲁ ⲡⲉϩ̅ⲟⲟⲩ ⲁⲡⲁϭⲙ̄ ⲡⲩⲓⲛⲉ ϫⲉ ⲛ̄ⲛⲉⲕⲗⲩⲡⲏ ⲙⲙⲟⲓ" (28a-b).

Hinzu kommt, daß der Erzähler im 5. Wunder zeigen will,
daß Pesyntheus während seiner Krankheit den Besuch bzw.
die Hilfe des Propheten Elijah verdiente. Den im Text A
genannten Besuch Paulus' bei Epiphanius (W. 45) kommentierte Crum folgendermaßen: "This anecdote has the
appearance of a literary echo of that fame which the holy
man had achieved during life and which was clearly con-
siderable; for only to eminent saints do the apostles
thus vouchsafe visits"[92]. Diese Absicht, daß am Anfang
die Bedeutung Pesyntheus' gezeigt werden soll, lassen auch
andere Aussagen der auf das 5. Wunder folgenden Anrede
erkennen: z.B. "... ⲉⲧⲃⲉ ⲡⲉⲛϫⲟⲉⲓⲥ ⲛⲉⲓⲱⲧ ⲛ̄ⲉⲡⲓⲥⲕⲟⲡⲟⲥ ⲁⲡⲁ ⲡⲉⲥⲩⲛⲑⲓⲟⲥ
ⲡⲉⲛⲧⲁ ⲡⲛⲟⲩⲧⲉ ⲟϩⲟⲛϩ̄ ⲉⲃⲟⲗ ϩⲛ̄ ⲛⲉⲛⲕⲁⲓⲣⲟⲥ ⲉⲩⲟ ⲛ̄ⲛⲁⲩⲧⲉ ⲉⲡⲉⲛⲧⲟⲩ ⲙ̄ⲙⲁⲧⲉ
ⲁⲛ ⲁⲗⲗⲁ ⲉⲧⲉⲭⲱⲣⲁ ⲧⲏⲣ̄ ⲛ̄ⲛⲉⲭⲣⲓⲥⲧⲁⲛⲟⲥ ⲛ̄ⲟⲣⲑⲟⲇⲟϳⲟⲥ " (29a)[93].
Aus den obigen Ausführungen ergibt sich m.E., daß die
Stellung des 4. und 5. Wunders vor dem 1. Wunder im Text S,
der selbst einen Auszug darstellt, sekundär ist. Beide
Wunder sind dabei eng mit der Einführung verbunden worden.
Da die Wunder des Textes B - der auch einen Auszug darstellt - in eine allgemeine chronologische Reihenfolge
untergliedert werden können, ist mit hoher Wahrscheinlichkeit anzunehmen, daß die verlorene koptische Rezension X
ebenso in chronologischer Reihenfolge geschrieben worden
ist, also eine Biographie war. Dieses Ergebnis ist von
Bedeutung für unsere Untersuchung; vielleicht auch für
andere Untersuchungen, die sich mit derselben Gattung
der koptischen Literatur befassen. Zum einen kann dies
darauf hinweisen, daß Angaben über einen koptischen
Bischof, der von Ende des 6. bis zur Mitte des 7. Jhs.
tätig war, ursprünglich in einer allgemeinen chronologischen Reihenfolge geschrieben waren: die beiden Auszüge,
die auf diese verlorene Rezension zurückgehen, haben
diese Reihenfolge größtenteils bewahrt[94]. Zum anderen -

und wichtiger für unsere Untersuchung - bestätigt dies
unsere Ergebnisse über das Verhältnis zwischen den Texten:
Die Umstellung der Wunder im Text S zählt mit zu den Beweisen seiner Entwicklung gegenüber dem Text B, der dem
Urtext näher gestanden haben muß. Hinzu kommt, daß die
oben geäußerte Meinung über die Auswirkung von Ort und
Milieu auf die Ausgestaltung koptischer Literaturwerke
dieser Art gefestigt wird. Mit anderen Worten: beide sind
neben anderen wichtige Ursachen für die Entwicklung des
Textes S. Die Wunder des Textes A, von denen koptische
Texte erhalten sind, können auch in einer allgemeinen
chronologischen Reihenfolge nach Lebensabschnitten Pesyn-
theus' untergliedert werden[95]. Beim Text P wird diese
Unterteilung durch zwei Aussagen betont[96], obwohl der
Redaktor dieses Textes Wunder, die erst zur persischen
Epoche gehören, bereits in die Periode des Mönchslebens
Pesyntheus' verlegt hat. Dies unter anderen zeigt, daß
die Vorlage des Textes A älter als die des Textes P ist.
Darüber hinaus kann die ausdrückliche Unterteilung des
Textes P auf Traditionen zurückgeführt werden, die nicht
unbedingt aus den Texten über Pesyntheus stammen, sondern
vielleicht aus der allgemeinen Erfahrung des Redaktors mit
Texten dieser Art. Jedoch sei auf eine Stelle des Textes S
(74a) hingewiesen, wo in der Lobrede auf Pesyntheus drei
Lebensabschnitte unterschieden werden: "ⲦⲔ̅ ⲘⲚ̅Ⲧ ⲔⲟⲨⲓ " "deine
Jugendzeit", "ⲦⲉⲔⲘⲚ̅Ⲧ ⲘⲟⲚⲟⲭⲟⲥ " "dein Leben als Mönch" und
" ⲘⲚ̅ⲚⲤⲀ ⲦⲉⲔⲢⲉⲠⲓⲤⲔⲟⲠⲟⲥ ". "nachdem du ein Bischof wurdest"[97].
Wie oben gesagt, soll im Text S vor allem die große Be-
deutung Pesyntheus' gezeigt werden. So begegnen wir oft
Sätze wie: "...Ⲛ̅Ⲧⲁⲥⲱⲡⲉ ⲉⲃⲟⲗ ⲌⲓⲦⲟⲟⲦⲩ̅ ⲉⲧ ⲉⲩⲟ ⲘⲘⲟⲚⲟⲭⲟⲥ ⲉⲩⲉⲥⲭⲁⲍⲉ
Ⲍ̅Ⲛ Ⲧⲩ̅ⲣⲓ Ⲙ̅ⲡⲁⲦⲩⲢⲉⲠⲓⲤⲔⲟⲠⲟⲥ"(24b-25a) " ..., das (d.h., das Wunder)
durch ihn geschah, als er noch Mönch war und sich in seine
Zelle zurückzog, bevor er Bischof wurde"[98].

Diese Beobachtungen legen den Gedanken nahe, daß es sich
bei (X) um eine Art "Biographie" gehandelt hat, der der
Text B am nächsten steht, obwohl dieser als Enkomium
bezeichnet wird. Dieser wurde in ein Enkomium umgestaltet,
wobei u.a. die chronologische Reihenfolge der Angaben ver-
ändert wurde und viele Anreden an die Zuhörer, Lobreden
auf den Held Pesyntheus, Bibelzitate und andere Einzelheiten hinzugefügt wurden. Andererseits muß diese vermutete "Biographie" aus Erzählungen in Form von "Wundern"
bzw. Topoi bestanden haben und auch einige Angaben über
den Lebenslauf Pesyntheus' enthalten haben. Das Enkomium
wurde anläßlich der Gedächnisfeier Pesyntheus' den Zu-
hörern in Klöstern bzw. Kirchen vorgelesen. Im Laufe
der Zeit hat das Enkomium sich weiter entwickelt. Der
Text S, der als Bios bezeichnet wird, stellt die Klimax
der Entwicklung dieser Lobrede oder Festrede dar. Solche
Biographien, wie ich sie für Pesyntheus annehme, liegen
für eine Reihe von Zeitgenossen vor. Ich nenne nur
Konstantin von Assiut und Pesyntheus von Hermonthis.
Über beide Bischöfe berichtet in diesem Zusammenhang
nur das Synaxar. Jedoch ist in beiden Fällen der Synaxar-
bericht in Form einer Biographie gestaltet[99].

3. Gebel al-Asās und seine Nachbargebiete und das Leben
   Pesyntheus' als literarisches Werk

Im Gegensatz zu anderen Zentren des Mönchtums wie Djeme,
Atripe und Wadi al-Natrūn wissen wir so gut wie nichts
über die Bibliotheken des Gebel al- Asās und seine Nachbargebiete. Die bohairische Rezension über Pesyntheus
stammt aus dem Wadi al-Natrūn, die saidische (S) aus
Edfu. Man muß annehmen, daß der Urtext über Pesyntheus
in seiner Diözese oder in ihrer Nachbarschaft entstand.
Crum wies darauf hin, daß der Gebel al-Asās nicht lange
nach dem Tode Pesyntheus' vielleicht nicht mehr von der
Gemeinschaft bewohnt wurde[100].

Im folgenden sei auf zwei Stellen hingewiesen, in denen
auf dieses Gebiet hingewiesen wird:

1. S 64a: "... ⲚⲈⲞⲨⲣⲙ̄ⲕⲂ̄ⲧ ⲅⲁⲣ ⲡⲉ ⲡⲣⲱⲙⲉ ⲉⲧⲙ̄ⲙⲁⲩ " (= W. 22)
   = A 174b: " وكان ذلك الرجل من اهل ناحية الشـرق "
   Das 22. Wunder steht in B, S und A. Die Texte stimmen
   miteinander überein. Einige Aussagen der Texte S und
   A wie der angeführte Satz zeigen ihre Entwicklung
   gegenüber dem Text B. Der Text A geht nicht auf den
   Text B zurück wie sich aus der synoptischen Aufstellung
   von Teilen des Wunderberichtes erschließen läßt:

A

كان ذات يوم

حضر اليه انسان

من تحرر نقتل

وصحبته ولد يسير معه

وكان غلام قد بلغ الى حد

الزواج

فدخل اليه كلاهما

وسجدوا عند قدميه

فقال القديس لرب الصبي

اني لماذا انت لا تزوج ابنك اسرائيل

وكان ذلك الرجل من اهل احياء الشرق

فاجاب الرجل وقال له

يا ابى الابن صبي

وهو بعد حدث

وهو عاقل مهذب

فقال القديس ايها الابن يستاذن من

S

ⲀϤϢⲰⲡⲈ ⲆⲈ ⲞⲚ Ⲛ̄ⲞⲨϨⲞⲞⲨ

ⲀϤⲢⲰⲘⲈ ⲈⲒ ϢⲀⲢⲞϤ

ⲈⲂⲞⲗ ϨⲘ̄ ⲠⲦⲞⲨ Ⲛ̄ⲔⲂ̄Ⲧ

ⲈⲢⲈⲠⲈϤϢⲎⲢⲈ ⲘⲞⲞϢⲈ ⲚⲘ̄ⲘⲀϤ

ⲈⲀϤⲈⲒ ⲈⲦϨⲐⲆⲗⲓⲕⲓⲁ

ⲈⲦⲢⲈϤϨⲞⲦⲢϤ̄ ⲈϨⲞⲨⲚ ⲈⲦⲄⲀⲘⲞⲤ Ⲛ̄ⲤϨⲘⲚⲞⲚ |64a

ⲀⲒⲂⲰⲔ ⲆⲈ ⲈϨⲞⲨⲚ ⲠⲈⲤⲚⲀϤ ⲘⲚ̄ ⲚⲈϤⲈⲢⲎⲨ

ⲀϤⲡⲀϨⲦⲞϤ ⲘⲚ̄ ⲀϪⲠⲀϨⲦⲞϤ ϨⲀ ⲚϤⲞⲨⲈⲢⲎⲎⲦⲈ

ⲠⲈϪⲈ ⲠⲠⲈⲦⲞⲨⲀⲀⲂ Ⲙ̄ⲠⲢⲰⲘⲈ ϪⲈ

ⲈⲦⲂⲈ ⲞⲨ Ⲙ̄ⲠⲈⲔϪⲒ ⲤϨⲒⲘⲈ Ⲙ̄ⲠⲈⲔϢⲎⲢⲈ

ⲚⲈⲞⲨϨⲢ̄Ⲙ̄ⲔⲂ̄Ⲧ ⲄⲀⲢ ⲠⲈ ⲠⲢⲰⲘⲈ ⲈⲦⲘ̄ⲘⲀⲨ

ⲀϤⲞⲨⲰϢⲂ̄ ⲆⲈ Ⲛ̄ϬⲒ ⲠⲢⲰⲘⲈ ϪⲈ

ⲞⲨϢⲎⲢⲈ ϢⲎⲘ ⲠⲈ ⲠⲀⲈⲒⲰⲦ

Ⲙ̄ⲠⲀⲦⲈϤⲈⲒ ⲈⲦϨⲗⲓⲕⲓⲁ

ⲀⲨⲰ ⲞⲨⲤⲀⲂⲈ ⲠⲈ

ⲀϤⲞⲨⲰϢⲂ̄ Ⲛ̄ϬⲒ ⲠⲠⲈⲦⲞⲨⲀⲀⲂ ϪⲈ

B

ⲀϤϢⲰⲡⲒ ⲆⲈ Ⲛ̄ⲞⲨϨⲞⲞⲨ

ⲀϤⲒ ϢⲀⲢⲞϤ Ⲛ̄ϪⲈ ⲞⲨⲢⲰⲘⲒ

ϨⲈⲚ ⲠϮⲞⲨ ⲔⲈϤⲦ

ⲈⲢⲈⲠⲈϤϢⲎⲢⲒ ⲘⲞϢⲒ ⲚⲈⲘⲀϤ

ⲈⲀϤⲒ Ⲛ̄ϪⲈ ⲠⲈϤϢⲎⲢⲒ ⲈⲦϨⲎⲗⲓⲕⲓⲁ

ⲈϤⲢϨⲞϮ ⲚⲀϤ Ⲛ̄ⲦⲈϤⲤϨⲒⲘⲒ

ⲀϢϢⲈ ⲈϨⲞⲨⲚ Ⲙ̄ⲠⲒ̄Ⲃ̄

ⲀϤϦⲀϪⲦⲞϤ ϨⲀ |387 ⲚⲈⲚϬⲀⲗⲀⲨϪ Ⲙ̄ⲠⲀⲒⲰⲦ ⲈⲐⲞⲨⲀⲂ

ⲀϤⲈⲢⲞⲨⲰ Ⲛ̄ϪⲈ ⲪⲎ ⲈⲐⲞⲨⲀⲂ ⲀⲂⲂⲀ ⲠⲒⲤⲈⲚⲦⲒⲞⲤ ⲠⲈϪⲀϤ Ⲙ̄ⲠⲒⲢⲰⲘⲒ ϪⲈ

ⲈⲐⲂⲈ ⲞⲨ Ⲙ̄ⲠⲈⲔϬⲒ ⲤϨⲒⲘⲒ Ⲙ̄ⲠⲈⲔϢⲎⲢⲒ

ⲀϤⲈⲢⲞⲨⲰ Ⲛ̄ϪⲈ ⲠⲒⲢⲰⲘⲒ ⲠⲈϪⲀϤ Ⲙ̄ⲠⲀⲒⲰⲦ ϪⲈ

ⲞⲨⲔⲞⲨϪⲒ Ⲛ̄ⲀⲗⲞⲨ ⲠⲈ ⲠⲀⲒⲰⲦ

ⲞⲨⲞϨ ⲞⲨⲤⲀⲂⲈ ⲠⲈ

ⲠⲈϪⲀϤ Ⲛ̄ϪⲈ ⲪⲎ ⲈⲐⲞⲨⲀⲂ ϪⲈ

A

المسيح ان ولده زنى
وان ربّيته فانه يقتل الحق
قال له الرجل 148a ان كان قد زنى
فانّ سلامه في يدك
الق تمنع يا شيخ وتحسن عندك
فاطلب التي اللاهم

وقال له 148b فانا
امضى بسلام
الرب الاله يتكّل في كل عمل صالح
فعند ذلك انصرفوا من عنده

وعمل بحسب ما اوصاهما جدا
واستراحت قلوبهما
بمواعظ هذا القديس تكون معنا امين

S

ⲛⲁⲙⲉ ⲁⲡⲉⲕϣⲏⲣⲉ ⲡⲟⲣⲛⲉⲩⲉ
ⲁⲩⲱ ⲉⲕϣⲁⲛⲕⲁⲁϥ ϥⲛⲁⲧⲁⲕⲉ ⲧⲙⲉ

ⲡⲉϫⲉ ⲡⲣⲱⲙⲉ ϫⲉ
ⲉϣⲱⲡⲉ ⲁϥⲡⲟⲣⲛⲉⲩⲉ
ⲉⲓⲥϩⲏⲏⲧⲉ ϯ ⲙⲙⲟⲩ ⲉⲛⲉⲕϭⲓϫ
ⲉⲧⲣⲉⲕⲉⲓⲣⲉ ⲛⲁⲩ ⲕⲁⲧⲁ ⲡⲉⲧⲉⲣⲁⲛⲁⲕ
ⲁⲩⲟⲩⲱϣⲃ̅ ⲛϭⲓ ⲡⲉⲡⲣⲟⲫⲏⲧⲏⲥ ⲉⲧⲟⲩⲁⲁⲃ
ϫⲉ

..ϭⲥⲁ ⲡⲙⲁⲕⲁⲣⲓⲟⲥ ⲇⲉ ⲡⲉϫⲁⲩ ϫⲉ
ⲡϫⲥ̅ ⲉϥⲉϣⲱⲡⲉ ⲛⲙ̅ⲙⲏⲏⲧⲛ̅
ⲙⲟⲟϣⲉ ⲟⲛ ⲟⲩⲉⲓⲣⲏⲛⲏ

ⲁϥⲉⲓ ⲇⲉ ⲉⲃⲟⲗ ϩⲓⲧⲟⲟⲧϥ̅ |65b
ⲁϥⲉⲓⲣⲉ |ⲕⲁⲧⲁ ⲛⲧⲁϥϫⲟⲟⲩⲛ ⲉⲧⲟⲟⲧⲩ
ⲁϣⲱ ⲁⲡⲉϩⲏⲧ ⲙ̅ⲧⲟⲛ ⲉⲙⲁⲧⲉ

B

Ϧⲉⲛ ⲟⲩⲙⲉⲑⲙⲏ ⲁⲡⲉⲕϣⲏⲣⲓ ⲉⲣⲡⲟⲣⲛⲉⲩⲉⲓⲛ

ⲡⲉϫⲉ ⲡⲓⲣⲱⲙⲓ ⲙⲡⲉⲛⲓⲱⲧ ϫⲉ
ⲉϣⲱⲡ ⲁϥⲉⲣⲡⲟⲣⲛⲉⲩⲉⲓⲛ
ϯ ⲙⲙⲟϥ ⲉϧⲣⲏⲓ ⲉⲛⲉⲕϫⲓϫ
ⲉⲑⲣⲉⲕϯⲣⲓ ⲛⲁϥ ⲕⲁⲧⲁ ⲡⲉⲕⲟⲩⲱϣ
ⲁϥⲉⲣⲟⲩⲱ ⲛϫⲉ ⲫⲏ ⲉⲑⲟⲩⲁⲃ ⲡⲉϫⲁϥ
ⲙⲡⲓⲣⲱⲙⲓ ϫⲉ

388 ⲡⲓⲣⲱⲙⲓ ⲇⲉ ⲛⲉⲙ ⲡⲉϥϣⲏⲣⲓ ⲁⲩⲓ ⲉⲃⲟⲗ |389
ϩⲓⲧⲟⲧϥ ⲙⲡⲉⲛⲓⲱⲧ |ⲉⲑⲟⲩⲁⲃ ⲁⲃⲃⲁ
ⲡⲓⲥⲉⲛϯⲟⲥ

ⲉⲁϥⲓⲣⲓ ⲛϩⲱⲃ ⲛⲓⲃⲉⲛ ⲉⲧⲁⲩϩⲟⲛϩⲉⲛ ⲙⲙⲱⲟⲩ
ⲉⲧⲟⲧⲟⲩ
ⲉⲃⲧ ⲱⲟⲃ ⲙⲫϯ

In den in dieser Aufstellung nicht genannten Angaben
ist nur in S und A die Rede vom Ausschluß vom Abendmahl (S 64b = A 148a)[101] sowie vom Priester Eli (S 65a
= A 148b). Während im Text A (148a) nur steht:
" ... على ما في ناموس الرب ", wird im Text S (64b) aus
5 Mose 22, 28 und 29 zitiert, was auf eine weitere
Entwicklung des Textes S hinweist.

2. S 70a: "... ⲚⲈⲞⲨⲢⲘ̄ⲔⲂⲦ̄ ⲄⲀⲣ ⲡⲉ ⲡⲣⲱⲙⲉ ⲉⲧⲙ̄ⲙⲁⲩ" (= W. 25) =
A 152a: " وكان ذلك الرجل من اهل الشرق "
O'Leary hat dies falsch übersetzt: "Now the man was
a native of the town of Qift". Das 25. Wunder steht
nur in S und A[102].

Die Wiedergabe des Koptischen: "Jener Mann war aus Koptos"
an zwei Stellen im Arabischen mit: "Dieser Mann war von
den Leuten des östlichen Gebietes" kann darauf hinweisen,
daß der Übersetzer im westlichen Gebiet von Koptos, d.h.
auf dem westlichen Nilufer lebte[103]. Es ist nicht ausgeschlossen, daß es sich dabei ursprünglich um die Übersetzung der verlorenen koptischen Rezension XS ins Arabische handelt. Als Übersetzungsort kommen der Gebel al-Asās
und seine Nachbargebiete Benhadeb und Gebel Bišwāw in
Frage[104].
Wir haben schon gesehen, daß ein Synaxar gerade in diesem
südlichen Teil von Oberägypten zusammengestellt wurde[105].
Aus diesem Gebiet stammt auch Bischof Athanasius, der im
14. Jahrhundert Mönch im "Dair al-Kūla" war, viele Werke
hinterließ[106] und Bischof von Qus, der zweitwichtigsten
Stadt Ägyptens, war[107]. Die Untersuchung zeigte, daß die
Vorlage des Textes A vor der Entstehungszeit des arabischen
Synaxars im Gebel al-Asās bzw. in seinen Nachbargebieten
zusammengestellt worden war[108]. Die Beschäftigung mit
koptischen und arabischen Texten über Pesyntheus in diesem
Gebiet ist ein weiterer Beweis für die Fortsetzung der
literarischen Aktivität bis ins Mittelalter.

4. Die Redaktionsgeschichte

Die Ansichten mehrerer Wissenschaftler über das Verhältnis
zwischen den Texten wurde bereits z.T. bei der Behandlung
der Verfasserangaben geschildert[109]. Hierzu soll noch
folgendes angeführt werden. Die Ansicht Amélineaus[110], der
den Text S nicht kannte[111], läßt sich folgendermaßen zu-
sammenfassen: Bischof Moses, der Nachfolger Pesyntheus'
verfaßte eine Lobrede auf ihn. Sehr wahrscheinlich wurde
sie kurz nach seinem Tode, vielleicht ein Jahr nach seinem
Tode, vorgelesen. Moses hat den größten Teil der Lobrede
über Pesyntheus von Johannes übernommen. Er war daher, wie
es im Titel des Textes steht, nicht der einzige Autor des
Textes B. Wurde die Lobrede wirklich vorgelesen, so mußte
Moses sie ohne Zweifel allein vorlesen. Er hat sie aber in
Zusammenarbeit mit Johannes geschrieben. Nachdem Moses die
Lobrede gehalten hatte, schrieb er sie nieder. Der
bohairische Text ist nichts anderes als eine Übersetzung
aus einer saidischen Rezension. Es ist wahrscheinlich,
daß diese Übersetzung vor dem Ende des 7. Jh., in einem
der Klöster des Wadi al-Natrūn gemacht wurde. Amélineau
zweifelte nicht an der Treue und Zuverlässigkeit des Übersetzers. Dies gilt nicht für die Schreiber bzw. die
Kopisten. Sie haben die originalen Texte ausgeschmückt,
somit kann man nicht sicher sein, noch das Originalwerk
eines Autors zu besitzen. Jedoch trifft ihr Einfluß mehr
den Stil als den Inhalt. Über den Text B schrieb er wörtlich: "Le texte memphitique n'est pas la traduction intégrale
du texte thébain: ce n'en est qu'un abrégé"[112]. Weiter
schreibt er: "Je peux donc conclure en toute sûreté en
même temps qu'une traduction de l'original thébain"[113].
Seine Ansicht hat er folgendermaßen begründet:

a) Im 13. Wunder, das im Text S fehlt, steht: "...ⲁⲩⲉⲣ-
ⲭⲁⲣⲓⲍⲉⲥⲑⲁⲓ ⲛⲁⲩ ⲙⲡⲓⲧⲁⲗϬⲟ ⲛⲕⲉⲥⲟⲡ ⲁⲡⲓⲧⲕⲁⲥ ⲕⲏⲛ ⲉⲃⲟⲗ ϩⲁⲣⲟⲩ ",
was er mit "... il lui accorda de <u>nouveau</u> la

guérison et la douleur cessa" übersetzte.
Er kommentierte: "Ce passage montre bien que ce document
n'est qu'un résumé, puisque dans cette phrase il est
parlè d'une autre guérison dont l'auteur n'a rien dit"[114].
Hierzu ist folgendes zu bemerken: ⲚⲔⲉⲤⲟⲡ bedeutet 'ein
anderes Mal, wieder, bereits ...' etwa wie im Deutschen
" er ist wieder gesund". Da die drei arabischen Rezensionen
A (129a-b), P (14b) und C (129a) an derselben Stelle auf
keine weitere Genesung hindeuten, bestätigt diese Übersetzung den einfachen Tatbestand, der sowohl von Amélineau
als auch von Cauwenbergh[115] kompliziert dargestellt wurde.

b) Der Text B enthält keine Angaben über den Geburtsort
bzw. die Herkunft Pesyntheus', wie sonst in koptischen
Texten dieser Art. Cauwenbergh verwies dagegen auf den
Text A, wo diese Angaben stehen[116].

c) Das arabische Synaxar deutet auf Wunder (54 und 55)
hin, die nicht im Text B erhalten sind.

d) Die bohairischen Renzensionen, die im Wadi al-Natrūn
übersetzt wurden, sind nach Amélineau verkürzte Ausgaben
saidischer Originale[117]. Diese These Amélineaus haben bereits P. Ladeuze und Cauwenbergh diskutiert bzw. kritisiert[118].

Die spätere Veröffentlichung der Texte S und A und unsere
Untersuchung der Texte über Pesyntheus haben zwar die
Meinung Amélineaus bestätigt, daß der Text B auf einen
saidischen Text zurückgeht und er einen Auszug darstellt.
Seine These über den Text B als "verkürzter Auszug" ist
dagegen nicht mehr haltbar. Trotzdem gebührt ihm Dank
für seine geleistete Arbeit, die im letzten Viertel des
vorigen Jahrhunderts mit einer als gut zu bezeichnenden
Übersetzung einen wichtigen Text vollständig bekannt-
gemacht hat[119]. Hinzu kommt, daß seine literarkritischen

Untersuchungen dieser Literaturgattung in einer relativ
frühen Zeit der Erforschung koptischer Literaturwerke
andere Wissenschaftler dazu angeregt hat, weitere literarkritische Untersuchungen durchzuführen[120].

Einen originalen Gedanken bietet Crum. In seiner Besprechung von Budge's Ausgabe des Textes S[121] schreibt er:
"In der Tat kommen in der boheirischen Fassung mehrere Abschnitte vor, wo der Schüler Johannes in eigener Person
erzählt; und doch gehen beide Fassungen, gerade bei solchen
Parallelstellen, in Einzelheiten zu weit auseinander, als
daß dieser Passus für direkt aus jenen übertragen zu er-
achten wäre. Dazu kommt, daß der boheirische auch Johannes-
Stellen enthält, welche im neuen saidischen Text ganz
fehlen. Ein solcher Tatbestand kann nur auf eine dritte,
wohl auch dem Johannes zugeschriebene, nunmehr aber ver-
lorengegangene Fassung hindeuten, die unseren beiden
Texten als Quelle diente. Diese untergegangene koptische
Biographie ist uns vielleicht in einem Pariser Texte bewahrt, ..." Später (Seite 181) schreibt er: "Dies alles
genügt, glaube ich, um zu zeigen, daß die arabische Lebensbeschreibung in vielen Einzelheiten eine nicht unbedeutende
Ergänzung zu dem Koptischen zu bieten imstande wäre".

Polotsky bezeichnete die Texte B und S als "nicht unwesentlich voneinander abweichende koptische Fassungen"[122].
Die Besprechung Crums kommentierte er: "Crum's knappe,
aber eindringende Mitteilungen über diese Übersetzung
erschöpfen alles Wesentliche, so daß er nicht ohne Recht
sagen konnte (179), den arabischen Text ganz herauszu-
geben, lohne sich vielleicht kaum"[123].

Unsere Untersuchung hat aber gezeigt, daß das Verhältnis
zwischen den koptischen Texten B und S bzw. zwischen ihnen
und dem verlorenen Urtext durch den arabischen Text A
besser erklärt wird.

Die Ausführungen Cauwenberghs über die Beziehungen zwischen
den Texten[124] haben nicht viel Neues gebracht. Seine These
lautet: "Nous préférons, néanmois, admettre l'existence
d'une recension plus longue de la biographie écrite par
Jean[125]. Ihm war die Besprechung Crums bekannt[126], der
diese These schon zum Ausdruck gebracht hatte. Cauwenbergh
ist davon überzeugt, daß das Werk des Johannes nicht die
einzige Quelle für Moses war. Zu den Parallelstellen in
B und S bemerkt er "Moïse s'inspire manifestement de Jean,
qu'il résume la plupart du temps"[127]. Cauwenbergh hat
auch die Frage gestellt, ob Moses oder der Übersetzer ins
Bohairische im 4. Wunder die langen Bibelzitate und die
Lobreden auf Pesyntheus, die im Text S stehen, weggelassen
hat[128]. Er nimmt also die Verkürzung eines längeren Textes
an. Seine Meinung erinnert an die These von Amélineau.
Die wunderbaren Elemente erreichten nach seiner Meinung
ihre Klimax in der bohairischen Rezension der Lobrede,
die von Moses verfaßt wurde[129]. Er meinte: "Seule la
découverte de l'original sahidique de l'oeuvre de Moïse
pourrait résoudre ce problème littéraire"[130].

In seiner Ausgabe des Textes A hat O'Leary im textkritischen Apparat eine Vielzahl von Abweichungen gegenüber
den anderen Texten aufgeführt. Auf Seite 320 schreibt er:
"The Bohairic Text ist nearer to A. but much briefer" ...
"the Sai'dic Text is nearest to A. both in its material and
in the order of its arrangement" ... und "the sai'dic is
interpolated with a great deal of homiletical matter ...".
Obwohl die Veröffentlichung O'Learys viele Fehler aufweist,
wie wir schon an mehreren Stellen gesehen haben, kommen
seine Aussagen über das Verhältnis zwischen den Texten
B, S und A unseren Ergebnissen am nächsten. Obwohl O'Leary
im textkritischen Apparat und in der Übersichtstabelle auf
die verschiedenen Versionen eingeht, sind seine Ausführungen zum Verhältnis der Texte zueinander sehr knapp und
entsprechen nicht der aufgewandten Mühe.

Über die Rezensionen B und S sagte Till: " Diese Versionen
stimmen miteinander nur teilweise überein"[131].

Nach der Untersuchung der Texte über Pesyntheus besteht
m.E. kein Zweifel daran, daß alle Texte auf einen einzigen
verlorenen Text (X) zurückgehen. Beide Texte B und S
stellen einen Auszug aus ihm dar. Der Text B muß dem Urtext
näher gestanden haben und hat sich zugleich etwas entwickelt. Der Text S stellt den Höhepunkt der Entwicklung
dar. Der Text W zeigt, daß Texte wie B und S allein als die
Quellen für den Text A nicht gelten können. Bei der Kompilation der Vorlage des Textes A (XA) ging man von saidischen Texten bzw. arabischen Übersetzungen aus ihnen aus.
Diese Texte müssen sich weniger als der Text S, aber mehr
als der Text B entwickelt haben. Die Angaben, die auf den
bohairischen Text wie B zurückgehen, werden nur dann übernommen, wenn sie sich in keinem saidischen Text oder in
einer arabischen Übersetzung aus ihm befinden. Der Vergleich
der Texte A und P bzw. C und K miteinander und mit dem
Synaxar zeigt, daß ein verlorener verkürzter Auszug (XP)
den Texten P bzw. C, K und dem Synaxar als Vorlage gedient
haben muß. Dieser verlorene Text (XP) geht wieder auf
einen nicht erhaltenen Text (XA) zurück. Daß der Text über
Pesyntheus nicht lange Zeit nach seinem Tode geschrieben
wurde, beweist der Text S[1]. Aus paläographischen Gründen
hat Crum ihn dem letzten Teil des 7. Jh. zugeschrieben[132].
Die neueren Arbeiten zur koptischen Paläographie[133] bestätigen Crums Datierung des Textes S[1]. Wir müssen annehmen, daß der Urtext über Pesyntheus im Gebel al-Asās
oder in seinen Nachbargebieten entstand. Der erhaltene
Teil des Textes S[1] zeigt deutlich, daß dieser Text einige
Eigenschaften enthält, die zeigen, daß er sich bereits
wie S entwickelt hat. Beide Texte stimmen fast wörtlich
miteinander überein[134]. Auch nur in ihnen folgt das 6.
Wunder dem 1. Wunder: Der Text S[1] bietet vor dem 6. Wunder

das Ende einer Lobrede auf Pesyntheus, die nur noch im
Text S vorkommt. Der Text S enthält Angaben, die nur von
einem Zeitgenossen des Bischofs stammen können[135]. Die
synoptische Aufstellung des 6. Wunders zeigt deutlich, daß
die Texte S[1] und S viele Einzelheiten bieten, die im
Text B fehlen. Da die Untersuchung zeigt, daß der Text B
dem verlorenen Urtext am nächsten steht, muß man folgern,
daß sich der Urtext innerhalb weniger Jahrzehnte entwickelt
hat. Dieser Tatbestand weist darauf hin, daß der bohairische Text B aus einem frühen saidischen Text übernommen
wurde - bzw. auf einen Text zurückgeht, der sich nicht
wesentlich entwickelt hat -, und zwar aus dem vermutlich
als Biographie geschriebenen Text, der im Laufe der Zeit
die Form eines Enkomiums erhielt[136]. Das Verfahren der
Umgestaltung des Textes von einer Biographie in ein
Enkomium muß daher bereits wenige Jahrzehnte nach dem Tod
des Pesyntheus begonnen haben. Das schließt nicht aus,
daß beide Texte, die vermutete Biographie und das Enkomium,
parallel laufen. Unterschiede können aus dem Milieu des
Redaktors und der Adressaten und dem Zweck des Literatur-
werkes erklärt werden. Wir haben gesehen, daß bei den in
den Texten B, S und A gebotenen Wundern der Text A dem Text
S nähersteht. Der Text A kann in vielen Fällen als eine
fast wortgetreue Übersetzung aus dem Text S bezeichnet
werden. Daher müssen beide Texte auf einen verlorenen Text
(XS) zurückgehen, der sich schon mehr als der Text B entwickelt hat. Der Text S hat sich aber weiter entwickelt.
Diese Tatsache zeigt, daß ein arabischer Text uns einen
älteren verlorenen koptischen Text bewahrt und darüber
hinaus durch ihn das Verhältnis zwischen den koptischen
Texten besser erklärt wird. Die Vorlage des Textes A (XA)
muß in Gebel al-Asās bzw. in seinen Nachbargebieten zu-
sammengesetzt worden sein, wie wir gesehen haben. Aus
dieser verlorenen Vorlage entstand ein verlorener verkürzter Auszug (XP). Dies geschah vor der Kompilation des
Synaxars[137]. Über eine Rezension des äthiopischen Synaxars,

das auf dem arabischen Synaxar basiert, schreibt Burmester:
"... Excluding, therefore, the last date as being doubtful,
we can assign the compilation of this particular recension
of the Synaxarium to either the last quarter of the twelfth
century or the middle of the thirteenth century ..."[138].
Die Kompilation des arabischen Synaxars kann daher früher
stattgefunden haben. Näheres darüber ist von Coquin zu
erwarten, der eine "étude générale du Synaxaire arabe
des Coptes" ankündigt[139]. Im Zeitraum von 7. Jh. bis
zur Entstehungszeit des arabischen Synaxars der Kopten
entstanden die wesentlichen literarischen Arbeiten über
den Bischof: Die Niederschrift des Urtextes, die Auszüge
aus ihm bzw. ihre Entwicklungen, die Übersetzung aus dem
Koptischen ins Arabische, die Kompilation einer langen
arabischen Rezension aus verschiedenen Texten und die
Tendenz zur Verkürzung dieser Rezension, die dem Synaxar
und dem am kürzesten arabischen Text K gedient haben muß.
Wie wir bereits gesehen haben, wird die Redaktionsgeschichte durch die folgenden Faktoren bestimmt:

1. Die Reihenfolge der Wunder
2. Die Anzahl der Wunder bzw. den Inhalt der Wunder
3. Die Verfasserangaben
4. Die Umgestaltung des Textes:
   a) Die Lobreden auf Pesyntheus
   b) Die Anreden an die Zuhörer
   c) Die Bibelzitate.

Bei diesem Verfahren haben der Zweck, zu dem das literarische Werk geschrieben wurde, und das Milieu bzw. der Ort
einen beträchtlichen Einfluß auf Einzelheiten der koptischen bzw. der arabischen Texte. Bei der Abfassung des
Textes über Pesyntheus muß man Vorbilder gehabt haben.
Wir wissen aus Quellen des 7./8. Jhs., daß Biographien
und Enkomien von Mönchen bzw. von Klerikern gelesen werden:
So enthält z.B. der Katalog der Bibliothek des Elias-

Klosters u.a. Viten und Enkomien[140]. Der Wunsch, eine Biographie des Epiphanius, Bischof von Zypern, zu haben,
war die Veranlassung zum Schreiben eines Briefes an einen
Schreiber[141]. Wir haben beim 7. Wunder gesehen, daß ihm
ein Topos zugrunde liegt, der bereits in den Apophthegmata
Patrum belegt ist[142], und hier auf Pesyntheus übertragen
wurde. Im 32. Wunder lesen wir ein Gespräch Pesyntheus'
mit einer Mumie, was auch schon über den bekannten Pachom-
schüler Horsiese berichtet wird[143]. Beim Meditieren der
kleinen Prophetenbücher (W. 12) erscheinen die Propheten.
Auch in der Vita des Schenute wird vom Erscheinen der
Propheten erzählt, während seine Mönche über die Propheten-
texte meditieren[144]. Das Bild der zehn Finger Pesyntheus',
die beim Beten wie zehn brennende Lampen aussehen (W. 8),
finden wir auch bei vielen anderen Heiligen[145]. Dies alles
bedeutet nicht, daß man einfach einen Text über Pesyntheus
aus Erzählungen anderer Literaturwerke kompiliert hat.
Wir begegnen hier zwar einigen Topoi, die aber nur einen
Teil der Erzählungen ausmachen. Dieser Tatbestand unterscheidet sich also wesentlich vom "Leben des Johannes
Kolobos", über das W. Bousset schreibt: "Es zeigt umgekehrt in geradezu klassischer Weise, wie aus dem Material
der Apophthegmata umgekehrt eine Vita entstehen konnte"[146].
Ob das Urteil Boussets zutreffend ist, kann erst eine
Spezialuntersuchung über Johannes Kolobos klären, die
sich in Arbeit befindet. Daß der Text über Pesyntheus
Erzählungen in Form von Wundern bzw. Topoi enthält, ist
nicht verwunderlich, vielmehr erwartet man sie wie in der
spätantiken und frühchristlichen Literatur[147]. Die Entwicklung der Texte über unseren Bischof entspricht einem
Phänomen und zwar der Steigerung der hagiographischen
Überlieferungen[148].
Die Untersuchung der verschiedenen koptischen und arabischen Rezensionen über Pesyntheus ergab eine Redaktionsgeschichte, die in vielerlei Hinsicht so klar ist wie

bisher bei keinem anderen Text dieser Literaturgattung
der Kopten. Die allgemeine Übereinstimmung zwischen den
Parallelen der Texte und ihre Abweichungen in Einzelheiten ermöglichten uns, die Beziehungen zwischen
ihnen zu bestimmen. Hinzu kommen die verschiedenen
Verfasserangaben. Wegen der Berühmtheit des Bischofs
sind uns verschiedene Rezensionen über ihn überliefert,
die es ermöglichten, eine klare Redaktionsgeschichte
zu erarbeiten. Hinzu kommt, daß einige Texte genau datiert
sind und andere durch paläographische Untersuchungen und
Textvergleiche datiert werden können. Hierbei zeigte es
sich, daß einige Rezensionen verloren gegangen sind.
Unser Stemma der Texte über Pesyntheus (S. 52) ist nicht
so kompliziert wie das der Texte über Pachom. Dies kann
darauf zurückgeführt werden, daß Pesyntheus nicht so berühmt wie Pachom war. Daher dürften die literarischen
Arbeiten über ihn weniger zahlreich als die über Pachom[149]
gewesen sein. Andererseits ist die Klarheit unserer Redaktionsgeschichte sehr wichtig, weil wir durch sie zumindest
die Leitlinien des Verfahrens in den literarischen Werken
über eine wichtige Person deutlich und sicher feststellen
können. Diese Leitlinien können m.E. keineswegs nur für
die Texte über Pesyntheus gelten.

5. Der Pesyntheus zugeschriebene arabische Pastoralbrief

Über den nur im Arabischen überlieferten "Brief an die
Gläubigen", der Pesyntheus zugeschrieben wird[150], haben sich
mehrere Wissenschaftler geäußert[151]. Es ist zwar allgemein
die Meinung vertreten worden, dieser Brief sei ein späteres
Machwerk. Griveau hat den Wunsch nach einem Vergleich des
Briefes mit den Texten über Pesyntheus geäußert. Da diese
Untersuchung bisher nicht durchgeführt worden ist und
nicht im Rahmen dieser Arbeit erforderlich ist, begnügen
wir uns mit dem Hinweis auf die auffälligsten Überein-

stimmungen zwischen dem Brief und den Rezensionen über
Pesyntheus:

"ـ رسالة ... انبا بسنتاوس استف مدينة قفط الى كل الشعب المواضيين بجيع تخوم كرسيه" ¹⁵²

B 378 (= W. 16) "... ⲁⲩⲥ̄ⲁⲓ ⲛ̄ⲟⲩⲉⲡⲓⲥⲧⲟⲗⲏ ϣⲁ ⲛⲓⲗⲁⲟⲥ ⲉⲧⲭⲏ
ϩⲁ ⲡⲉϥⲉⲣϣⲓϣⲓ "

S 43a (= W. 16) "... ⲁⲩⲧ̄ⲛ̄ⲟⲟⲩ ⲛ̄ⲟⲩⲉⲡⲓⲥⲧⲟⲗⲏ ϣⲁ ⲛ̄ⲗⲁⲟⲥ ⲧⲏⲣⲟⲩ ⲙ̄ⲡⲧⲟⲩ
ⲛ̄ⲕⲃ̄ⲧ "

¹⁵³ "... عندما اخبروه عن تلك الامة انها ملكت مصر وذلك قبل ان تملك مدينة قفط "

B 397 (= W. 17) "... ⲛⲉⲑⲁⲓ ⲧⲉ ⲧⲟⲩⲁⲣⲭⲏ ⲉⲧⲁⲩⲓ ⲉⲭⲏⲙⲓ ⲟⲩⲟϩ
ⲛⲉⲙⲡⲁⲧⲟⲩϭⲓ ⲡⲉ ⲛ̄ⲧⲡⲟⲗⲓⲥ ⲕⲉⲩⲧ "

S 46a (= W. 17) "... ⲉⲧⲃⲉ ⲙ̄ⲡⲣⲥⲟⲥ ⲛⲉⲙⲡⲁⲧⲟⲩϫⲓ ⲧⲡⲟⲗⲓⲥ ⲅⲁⲣ ⲕⲃ̄ⲧ
ⲙ̄ⲡⲉⲟⲩⲟⲉⲓϣ ⲉⲧⲙ̄ⲙⲁⲩ ⲁⲗⲗⲁ ⲛⲉⲧⲉⲩⲁⲣⲭⲏ ⲅⲁⲣ ⲧⲉ "

¹⁵⁴ "تلك الامة القاسية القلب التى ليس عندها شئ من الرحمة وليست تترادف على
احد ولا توقر الشيخ لاجل شيبته ولا تشفق على الشاب لاجل شبوبيته "

B 379 (= W. 16) " ⲫⲁⲓ ⲉⲧⲉ ⲛ̄ⲛⲁⲩϣⲓⲡⲓ ⲁⲛ ϩⲁⲧϩⲏ ⲛ̄ⲟⲩϧⲉⲗⲗⲟ "

; B 380 (= W. 16) ".... ⲛⲁⲓ ⲉⲑⲛⲟⲥ ⲛⲁⲑⲛⲁⲓ . "

S 43b (= W. 16) "... ϩⲉⲑⲛⲟⲥ ⲛ̄ⲛⲁⲩϯϩⲣⲁⲩ ⲁⲩⲱ ⲛ̄ⲁⲧϣⲓⲡⲉ ϩⲙ̄ ⲡⲉⲩϩⲟ
ⲛⲁⲓ ⲉⲧⲛⲁϣⲓⲡⲉ ⲁⲛ ϩⲏⲧϥ̄ ⲛ̄ⲟⲩϩⲉⲗⲗⲟ ⲙ̄ⲛ ⲟⲩϩ̄ⲣⲩⲧⲣⲉ "

¹⁵⁵ "... عندما مرض ولزم الفراش وهى مرضه وفاته وانتقاله "

S 78b (=. W. 53) "... ⲛ̄ⲧⲉⲣⲉϥⲉⲓ ⲇⲉ ⲉⲡϩⲁⲏ ⲛ̄ϣⲱⲛⲉ ⲉⲧϥ̄ⲛⲁⲙ̄ⲧⲟⲛ
ⲙ̄ⲙⲟⲩ ⲛ̄ϩⲏⲧϥ̄ "

" كان لا قال انبا بسنتاوس هذا الاسقف هذا ثقل عليه الوجع والحمى ولزم الصمت وغمض
عينيه طويلا وبعد هذا فتح عينيه فقام وجلس على فراشه ونادى الى انبا يوحنا تلميذه فاجبته
قائلا بارك علي يا ابى " ¹⁵⁶

B 418-419 (= W. 53) "... ⲉⲧⲁⲩⲭⲉ ⲛⲁⲓ ⲇⲉ ⲁⲩⲭⲁ ⲣⲱⲩ ;...
ⲁⲩⲱⲗⲉⲙ ⲙⲡⲉⲩⲛⲟⲩⲥ ⲉⲡϭⲓⲥⲓ ⲁⲩⲉⲣ Ḡ ⲛⲉϩⲟⲟⲩ ⲛⲉⲙ Ḡ ⲛⲉⲭⲱⲣϩ
ⲙⲡⲉⲩⲥⲁⲭⲓ ⲛⲉⲙ ϩⲗⲓ ;... ⲁⲩⲙⲟⲩϯ ⲭⲉ ⲓⲱⲁⲛⲛⲏⲥ ⲡⲉⲭⲏⲓ ⲛⲁⲩ ⲭⲉ

ⲥⲙⲟⲩ ⲉⲣⲟⲓ ⲡⲁⲓⲱⲧ ⲉⲑⲟⲩⲁⲃ"

S 80b-81a (= W. 53) "...ⲛⲉⲁⲩⲣ̄ ϣⲟⲙⲛ̄ⲧ ⲅⲁⲣ ⲛ̄ϩⲟⲟⲩ ⲙ̄ⲡ̄ϥⲟⲩⲱⲙ ⲟⲩⲇⲉ ⲙ̄ⲡⲉϥⲥⲱ ⲟⲩⲇⲉ
ⲙ̄ⲡⲉϥϣⲁⲭⲉ ⲛⲙ̄ⲙⲁⲛ ⲟⲩⲇⲉ ⲙ̄ⲡ̄ϥ̄ⲟⲟⲩ̄ϥ ⲉⲡⲉⲓϭⲁ ⲙⲛ̄ ⲡⲁⲓ ⲁⲗⲗⲁ ⲉⲩⲛⲏⲭ ⲡⲉ ⲛ̄ⲑⲉ ⲛ̄ⲛⲉⲧⲙⲟⲟⲩⲧ ϩⲙ̄
ⲡⲙⲁ ⲛ̄ⲧⲛⲟϭ ⲛ̄ⲣⲓ ;...ⲁⲩⲙⲟⲩⲧⲉ ⲭⲉ ⲓ̄ⲥ̄ ⲁⲛⲟⲕ ⲁⲓⲟⲩⲱϣⲃ ⲭⲉ ⲥⲙⲟⲩ ⲉⲣⲟⲓ"

Während an derselben Stelle der Texte B, S und A steht:

B 419 "... ⲟⲩⲟϩ ⲡⲁⲓ Ḡ ⲛⲉϩⲟⲟⲩ ⲉⲧⲁⲓⲁⲓⲧⲟⲩ ⲙⲡⲓⲥⲁⲭⲓ ⲛⲉⲙ ⲣⲱⲙⲓ ⲛⲁⲓⲟϩⲓ ⲉⲣⲁⲧ
ⲡⲉ ⲙⲡⲉⲙⲑⲟ ⲉⲃⲟⲗ ⲙⲡⲭ̄ⲥ̄ ϥ̄ϯ ⲟⲩⲟϩ ⲁⲩⲓⲣⲓ ⲙⲡⲁⲗⲁⲅⲟⲥ ⲓⲥⲭⲉⲛ ⲁϫⲡ Ṯ ⲛⲥⲁⲩ
ⲟⲩⲟϩ ϯⲭⲱ ⲙⲙⲟⲥ ⲭⲉ ⲡⲉⲩⲛⲁⲓ ⲛⲁⲧⲁϩⲟⲓ"

S 81a "... ⲁⲩⲱ ⲡⲉⲓϣⲟⲙⲛ̄ⲧ ⲛ̄ϩⲟⲟⲩ ⲛ̄ⲧⲁⲓⲁⲁⲩ ⲙ̄ⲡⲉⲓϣⲁⲭⲉ ⲛⲙ̄ⲙⲏⲧ̄ⲛ ⲉⲓⲁϩⲉⲣⲁⲧ
ⲙ̄ⲡⲙ̄ⲧⲟ ⲉⲃⲟⲗ ⲙ̄ⲡⲛⲟⲩⲧⲉ ⲁⲩⲱ ⲁⲩⲓ ⲡⲁⲗⲟⲅⲟⲥ ϫⲓⲛ ⲙ̄ⲡⲛⲁⲩ ⲛ̄ϫⲡ̄ ϣ̄ⲓⲧⲉ ⲛ̄ⲥⲁⲩ
ϯⲭⲱ ⲙ̄ⲙⲟⲥ ⲭⲉ ⲡⲛⲟⲩⲧⲉ ⲛⲁⲣ̄ ⲡ̄ϩ̄ⲛⲁ ⲛⲙ̄ⲙⲁⲓ"

A 209b-210a:

"... وهذه الثلاثة ايام التي امتها لم اكنت واقف قدام الله ورفعوا
حسابي من تاسع ساعة بالامس وان اقول ان الرب صنع معي رحمة"

'Während dieser drei Tage, an denen ich mit euch nicht
sprach, stand ich vor Gott. Gestern, um die neunte Stunde,
waren sie fertig mit meiner Rechenschaft. Und ich sage, daß
Gott mir gnädig war' wird in der Parallelstelle des Textes
P (32v-33r) - in einem Zwischensatz - auf die "Prophezeiung" Pesyntheus' hingewiesen:

"... واعلمان هذه الثلاثه ايام اقتهم ملتا وانا مفارقكم ولم اكلمكم فاني
كنت واقف قدام منبرالله وحكمه العدل ورفعوا حسابي من تاسع ساعة بالامس
تحدث بما واني وتنبيه وبنيرته مشروحه في غير هذا الكتاب ثم قال انا اقول ان الرب قد صنع
معي رحمة"

'Wisse, während dieser drei Tage, an den ich darnieder-
lag und von euch getrennt war und nicht mit euch sprach,
stand ich vor dem Richterstuhl Gottes und vor seinem
gerechten Urteil. Gestern, um die neunte Stunde, waren sie
fertig mit meiner Rechenschaft. Und dann berichtete er von
dem, was er gesehen hatte, und prophezeite; seine Prophe-

zeiung ist in einem anderen Buch dargelegt. Ferner sagte
er: 'ich sage, daß der Herr mir gnädig war''
Das 16. Wunder handelt vom Brief Pesyntheus, in dem er
die Gläubigen warnte und sie zurechtwies. Im 17. Wunder,
das in den Texten S und A dem 16. Wunder folgt, ist die
Rede von den Persern. In der Lobrede auf Pesyntheus, die
dem 17. Wunder folgt, wird im Text S (53a-b) über die
"Briefe" Pesyntheus berichtet:

" ⲁⲛⲥⲱⲧⲙ̄ ⲅⲁⲣ ⲉⲛⲉⲕⲙⲩⲥⲧⲏⲣⲓⲟⲛ ⲛ̄ϩⲁϩ ⲛ̄ⲥⲟⲡ ϩⲛ̄ ⲛⲉⲕⲉⲡⲓⲥⲧⲟⲗⲏ
ⲁⲩⲱ ⲁⲛⲛⲁⲩ ⲉⲡⲃⲁⲑⲙⲟⲥ ⲛ̄ⲛⲉⲕⲥϩⲁⲓ ⲉⲧⲟⲩⲁⲁⲃ ϩⲛ̄ ⲛⲉⲕⲉⲡⲓⲥⲧⲟⲗ-
ⲟⲟⲃⲉ ⲙⲛ̄ ⲧⲉⲕⲥⲟⲫⲓⲁ ⲉⲧⲟⲩ "

Es fällt noch auf, daß Pesyntheus kurz vor seinem Tode
seine Jünger Johannes und Moses sowie den Priester Elisaius
unterwiesen hat[157]. Die Angaben der Unterweisung des
Textes P (33r-35r = C 158a-160b) und die des Abschnittes
des obengenannten "Briefes"[158] stimmen überein, die des
Textes K (135v-136r) erinnern an einen Teil dieses
Briefes[159].

Die obengenannten Beispiele genügen um zu erklären, wie
es zu diesem "Pastoralbrief" kam: In der Tat befinden
sich in den Texten B und S Aussagen, die zur Entstehung
bzw. zur nachfolgenden Entwicklung dieses Briefes geführt
haben müssen[160].

b) Geschichtlich

1. Ein Überblick über die Zeit Pesyntheus'

Eine Geschichte Ägyptens während der byzantinischen
Epoche kann bekanntlich nicht geschrieben werden, ohne
auf die koptische Kirche in vielen Beziehungen einzu-
gehen. Zum einen bedeutet diese Tatsache, daß die Lage
der koptischen Kirche - in der Pesyntheus als Bischof
tätig war - von den politischen, wirtschaftlichen,
religiösen, kulturellen und sozialen Verhältnissen
in Ägypten als Provinz des byzantinischen Imperiums
bestimmt war. Zum anderen weist sie auf die wichtige
Rolle dieser Kirche in dieser Zeit hin. Dabei muß man
zwischen Ägypten und der Stadt Alexandrien unterscheiden[161], die die Residenz des koptischen Patriarchen
war, falls er nicht aus ihr verbannt war. Die allgemeine
Lage Ägyptens bzw. der koptischen Kirche in der Periode
zwischen dem Konzil von Chalkedon 451 und dem Tode Pesyntheus' (632) hat den Bischof direkt oder indirekt beeinflußt. Diese Periode ist von mehreren Wissenschaftlern
unter verschiedenen Gesichtspunkten und mit unterschied-
lichen Ergebnissen behandelt worden[162]. Wir möchten nur
einige Punkte hervorheben, die auf Pesyntheus als Bischof
und auch als Bürger einwirken konnten. Die katastrophale
wirtschaftliche Lage Ägyptens in seiner Zeit ist das
Resultat fehlgeschlagener Versuche der Kaiser, die
Fähigkeit der Staatsverwaltung - vor allem zugunsten
des Imerpiums - zu verbessern. Die meisten Bewohner des
Landes sind wegen des Anwachsens des Großgrundbesitzes
praktisch Leibeigene geworden. Das Wort des Kaisers wurde
im südlichen Teil von Oberägypten kaum befolgt. Die
koptische Kirche hatte sich nach Chalkedon von der
Reichskirche getrennt und war eine Nationalkirche geworden. Die Kaiser haben ernstlich versucht, diese
Trennung zu beseitigen. Wenn man bedenkt, daß es das

Bestreben der Kaiser war, das Land auszupressen, ergibt
sich, daß diese Nationalkirche, allein durch ihre Existenz, diesem Bestreben entgegenstand. Das hat aber, ausgenommen von relativ wenigen Fällen, nicht zur allgemeinen
Verfolgung geführt. Für die Bischöfe im Binnenland zur
Zeit Pesyntheus' hat die Lage der koptischen Kirche nach
Chalkedon keine wesentliche Änderung gebracht. Andererseits müssen wir annehmen, daß Pesyntheus von der Lage
in Alexandrien gehört hat, zumindestens durch die Boten
des Patriarchen. Bischöfe wie Pesyntheus und sein Zeitgenosse Abraham, Bischof von Hermonthis, haben ihr Amt
nicht nur ungehindert ausgeübt, sie spielten auch eine
wichtige Rolle in der Gesellschaft, wie wir sehen
werden[163]. Auf zwei Ereignisse sei hier hingewiesen, einmal auf die persische Eroberung Ägyptens (619-629).
Die Nachrichten über die Grausamkeit der Perser bei der
Eroberung haben den Bischof veranlaßt, seine Diözese zu verlassen und nach Djeme zu fliehen[164]. Nicht lange nach dem
Rückzug der Perser wurde im Jahre 631 Kyrus als Patriarch
und gleichzeitig als Präfekt nach Alexandrien gesandt.
Er wollte die koptische Kirche durch Gewalt für Byzanz
gewinnen. Der koptische Patriarch Benjamin floh im selben
Jahre nach Oberägypten. Mit Sicherheit hat Pesyntheus
dieses Ereignis miterlebt, da er erst am 7. Juli 632
starb, wie die Untersuchung gezeigt hat[165]. Wir wissen
nicht, wo genau Benjamin sich versteckt hat. Ein Kloster
in der Nähe von Kus, das nicht weit von Koptos liegt, als
Versteck des Patriarchen hat Müller nicht ausgeschlossen[166]. Nach ihm befand sich Benjamin "anscheinend
tief im Süden"[167] bzw. "Benjamin gelangt tief in das
koptische Oberägypten..."[168]. Als der Patriarch vor Kyrus
floh, war Pesyntheus wohl der bedeutendste Bischof in
diesem südlichen Teil von Oberägypten. Er hatte das
Bischofsamt schon mehr als 30 Jahre bekleidet[169]. Es ist
daher nicht auszuschließen, daß sich die beiden Männer
begegnet sind oder sich zumindest miteinander in Ver-

bindung gesetzt haben. Mit Sicherheit war der Zustand
des Patriarchen bzw. der Kirche dieser Zeit dem alten
Bischof bekannt. Über die letzten Stunden des Lebens
Pesyntheus' schreibt Crum: "Yet the close of his biography, in both versions, does indeed show him at death
deeply despondent, whether as to his nation's or his
church's impending fate, it is not easy to discern"[170].
Will man das aber unbedingt im Hinblick auf die Lage
der Kirche oder der Nation verstehen, so kann es nur
auf die Anfangszeit der Verfolgung der koptischen Kirche
durch Kyrus bzw. durch Byzanz hinweisen. Die Zeit
Pesyntheus' war eine sehr schwierige Zeit.

2. Die Stellung der Bischöfe dieser Zeit

In seinem Beitrag "Das christliche Alexandrien und seine
Beziehungen zum koptischen Ägypten" schreibt Krause:
"Das Übergewicht des koptischen Ägypten über Alexandrien
zeichnete sich bereits in früheren Jahrhunderten ab.
Vorstufen bildeten in Ägypten der zunehmende Einfluß
des Mönchtums auf die Kirche: die Empfehlung des Athanasius, Mönche zu Bischöfen zu ordinieren, wurde befolgt.
Im 6. Jh. stammen fast alle ägyptischen Bischöfe aus dem
Mönchsstand, seit dem 8. Jh. sind die meisten koptischen
Patriarchen ehemalige Mönche der Klöster des Wadi
Natrun"[171]. Diese Aussage charakterisiert die Bischöfe
vor Pesyntheus. Die Aktivitäten der Bischöfe während
der byzantinischen Epoche gingen bekanntlich über ihre
religiösen Funktionen hinaus[172]. Die Rolle der Kirche
in der ägyptischen Gesellschaft während dieser Epoche
schilderte R. Rémondon[173], wo u.a. auf die Wirkung der
Bischöfe hingewiesen wird. Wir sind gut über die Tätigkeit
der Bischöfe um 600 in Oberägypten durch die Korres-
pondenzen zweier Bischöfe, Abraham von Hermonthis und
Pesyntheus von Koptos, unterrichtet[174]. Was den erst-

genannten Bischof betrifft, wurde sie schon untersucht[175]. Die Tätigkeit des Pesyntheus wird im nächsten
Abschnitt kurz behandelt. Müller hat in Anlehnung an die
Dissertation von Krause die Stellung des Bischof Abraham
geschildert[176]. Die Charakteristika seiner Stellung als
Bischof werden im folgenden zusammengefaßt, wobei man
bedenken muß, daß die Persönlichkeit eines Bischofs innerhalb der Richtlinien seines Amtes einen Einfluß haben kann.
Die Beziehungen zwischen dem Patriarchen und dem Bischof
werden durch Briefe, vor allem die Osterfestbriefe, ge-
regelt. In der Verwaltung seiner Diözese hatte Abraham
eine absolute Macht. Er leitete sie aus seiner Residenz,
dem Phoibammon-Kloster, dessen Hegūmenos er war.
Dem Bischof waren die Klöster, die Mönche, die Kirchen
und der Klerus unterstellt. Er ist verantwortlich für
die Ordination, Bestrafung bzw. Aufhebung von Strafen
und den Ausschluß der Kleriker vom Klerus. Er sorgt
dafür, daß alle gottesdienstlichen Zeremonien bzw. die
Liturgie in seiner Diözese korrekt und regelmäßig durchgeführt werden. Er beaufsichtigte auch die Betreuung der
Gläubigen, auch in sozialen Angelegenheiten. Mit den
weltlichen Behörden, besonders mit den Laschanen,
arbeitete er zusammen, um für gerechte Verhältnisse zu
sorgen. Er verfügte dabei im Falle des Ungehorsams über
ein Strafmittel "den Ausschluß vom Abendmahl", das auch
von großer sozialer und rechtlicher Bedeutung war.

Exkurs: Der Name Pesyntheus

Schon im Jahre 1868 hat C. W. Goodwin fünf Schreibungen
des Namens "Pesyntheus" im Koptischen aufgeführt[177].
Crum hat mehrere Formen - bis 31 - festgestellt[178].
Die Ausführungen von J. Quaegebeur[179] zeigen, daß es

keine sichere Etymologie für diesen Namen gibt. Er
ist der Meinung, daß der Name Pesyntheus vielleicht
auf Ägyptisches $(t\textit{}-)\textit{s}n.t-\textit{s}ntj$ zurückgeht, was sehr
wahrscheinlich zu sein scheint[180]. Über den Namen
Pesyntheus schreibt Crum: "In Christian times -
noticeably not earlier - Pesenthius was among the
commonest of Theban names and it is probably to the wide
fame of the venerated bishop of Keft that this popularity
should be traced"[181]. Ein Zeitgenosse des Pachomschülers
Horsiese[182], namens Pesyntheus, ist uns durch einen
unveröffentlichen arabischen Text[183], der sicher auf
einen verlorenen koptischen Text zurückgeht, bekannt.
Er wird im Synaxar als Bruder des Bischofs Johannes
von Hermonthis erwähnt[184], der nach dem genannten arabischen Text vom Patriarchen Theophilus (J. 385-412) geweiht wurde. Wir sind auch darüber unterrichtet, daß
dieser Pesyntheus als Sohn heidnischer Eltern in Hermonthis - das südlich von Theben-West liegt - geboren wurde.
Er ließ sich taufen, baute eine Kirche und gründete ein
Kloster. Nach dem Text soll er eine große Rolle bei der
endgültigen Christianisierung der Stadt Hermonthis ge-
spielt haben. Daher betrifft die Verehrung im Synaxar
vielmehr die Person Pesyntheus und nicht den "Namen"[185].
Wir wissen nicht, ob der Name Pesyntheus im 4. und
5. Jh. in Theben bzw. in seinen Nachbargebieten populär
war, weil uns keine zeitgenössischen griechischen oder
koptischen Texte erhalten geblieben sind. Es ist aber
sehr wahrscheinlich, daß der Name Pesyntheus zur Zeit
des Bischofs Pesyntheus von Koptos und während der nachfolgenden Jahrhunderte wegen seiner Berühmtheit sehr ver-
breitet war. Im 25. Wunder erfahren wir, daß ein Mann
seinen Sohn nach dem Bischof benannt hat[186]. Im Arabischen wird dieser Name ebenfalls verschieden geschrieben[187]. Noch in unserem Jahrhundert ist der Personen-
name Pesyntheus belegt[188].

3. Zum Lebenslauf des Pesyntheus

Der Lebenslauf des Bischofs wurde schon verschiedentlich behandelt[189]. Im folgenden beschränken wir uns
daher nur auf zu verbessernde Angaben oder Tatbestände,
die bisher nicht als Einheit ausreichend dargestellt
worden sind:

a) Zur Chronologie

Mit der Veröffentlichung einiger Stellen des Textes B
durch Zoega wurde bekannt, daß Pesyntheus vom Patriarchen
Damian in Alexandrien zum Bischof von Koptos geweiht
wurde und daß er eine persische Invasion erlebte[190].
Die Ausgabe Amélineaus hat keine neuen Erkenntnisse
gebracht[191]. Eine wichtige Zeitangabe liefert der Text S.
Danach starb Pesyntheus am 13. Epep im "5. Jahre", was
nur eine 5. Indiktion bedeuten kann, wie Crum in seiner
Rezension von Budges Arbeit bemerkt hat [192]. Seine Daten,
u. zw. sowohl Geburts- und Sterbedatum als auch das
Datum seiner Konsekration zum Bischof, werden in der
Literatur sehr unterschiedlich angegeben wie die folgende
Übersicht zeigt:

	Geburtsdatum	Konsekration	Sterbedatum
Budge[193]:	wahrscheinlich um 550		
Crum[194]:	568 oder 569	598 oder 599	631 - 632
Cauwenbergh[195]:	zwischen 564 und 575	nicht vor 594 und nicht nach 605	nicht nach 638
Crum[196]:		601	631
Crum[197]:		wahrscheinlich 598	
O'Leary[198]:	wahrscheinlich 568	wahrscheinlich 598	
O'Leary[199]:		gegen 598	631 - 632
O'Leary[200]:			zwischen 627 und 640
Leclercq[201]:			nach der Araberinvasion
Garitte[202]:	wahrscheinlich 568	wahrscheinlich 598	gegen 632
Garitte[203]:	568		631 - 632
Müller[204]:			kurz nach 629

Was sagen die koptischen und arabischen Texte aus?
Nach den koptischen Texten läßt sich folgendes feststellen:

1) Pesyntheus muß vor 607, dem letzten Jahre des
   Patriarchen Damian[205], geweiht worden sein.

2) Pesyntheus hat vom selben Patriarchen einen Osterfestbrief erhalten (B 380-381; S 57a-b; A 142a-b
   = W 20)

3) Die nächste "5. Indiktion" nach dem Tode des Damian
   ist: 333 A.M. = 29.8.616 - 28.8.617 A.D. Dieses Jahr
   kann nicht mit der persischen Invasion in Übereinstimmung gebracht werden[206]. Daher stellt das Datum
   13. Epep 348 = 7. Juli 632 den "terminus ante quem
   non" für den Tod des Pesyntheus dar[207]. Das heißt,
   daß Pesyntheus - nach den koptischen Quellen -
   mindestens 25 Jahre (607-632) das Bischofsamt bekleidete. Genauere Angaben enthalten die koptischen
   Quellen nicht.

Crum hat schon im Jahre 1914 die Angaben der koptischen
Texte mit denen der arabischen Rezension (A 199a):
"Pesyntheus wurde mit 30 Jahren Bischof und bekleidete
das Amt 33 Jahre"[208] kombiniert und gefolgert, daß
Pesyntheus im Jahre 631-632 gestorben sein muß. Er
sei 568 oder 569 geboren[209]. Die Kombination arabischer
und koptischer Angaben ergibt nun, daß Pesyntheus im
Jahre 569 geboren, im Jahre 599 geweiht worden und am
13. Epep 348 = 7. Juli 632 gestorben sein muß.

Die arabische Aussage (A 199a) - vor allem die 33 Jahre
Amtszeit als Bischof - steht nicht im Widerspruch zu
den koptischen Angaben. Wir haben gesehen, daß Pesyntheus
nach den koptischen Texten mindestens 25 Jahre im Amt
war (d.h. von 607-632). Wir haben aber keinerlei Beweis

dafür, daß er den Arabereinmarsch erlebte oder daß er
bis zum Jahre 363 A.M. (= 29.8.646 - 29.8.647) gelebt
hat[210]. Eine Amtszeit von 33 Jahren stimmt überein
mit der bezeugten Ordination Pesyntheus durch den
Patriarchen Damian, der persischen Epoche und der 5.
Indiktion. Sie stimmt auch mit der Chronologie des
Bischofs Abraham überein[211]. Außerdem werden diese Angaben im Rahmen einer Lobrede auf Pesyntheus erwähnt,
bei der Stil, Methode der Erzählung und ein Teil ihres
Inhalts stark an andere Lobreden des Textes S erinnert[212]. In diesem Zusammenhang sei darauf hingewiesen,
daß sich alle wichtigen Angaben zur Chronologie Pesyntheus' des Textes S auch in Parallelstellen des Textes A
befinden, wobei der Text A als eine wortgetreue Übersetzung des Textes S bezeichnet werden kann. Dieses Verhältnis gilt nicht für die Texte B und A[213].

Auch aus diesem Sachverhalt ergibt sich, daß die Aussage
des Textes A (199a) über die Chronologie Pesyntheus' auf
einen koptischen Text zurückgegangen sein muß.

Die Chronologie Pesyntheus' ist in vieler Hinsicht von
großer Bedeutung. Einige Beispiele genügen, um das zu
zeigen. In Bezug auf die Tätigkeit der Bischöfe und das
kirchliche Leben dieser Zeit sind wir überwiegend auf die
Korrespondenz Pesyntheus' und auf die seines Zeitgenossen
Abraham angewiesen[214].

Für die Identifikation der bedeutenden Persönlichkeit
Epiphanius' stellt Pesyntheus mit seiner Chronologie
den einzigen unbestrittenen Anhaltspunkt dar[215]. Außerdem
ist die Chronologie Pesyntheus' sehr wichtig für die
Datierung der umfangreichen Texte der Gemeinde des
Epiphanius, veröffentlicht in Ep. II[216]. Viele geschichtliche Personen werden in seiner Korrespondenz erwähnt.

So kommt z.B. Horame, der Bischof von Edfu, nur in der
Pesyntheus-Korrespondenz vor[217]. Diese Tatsache ist für
die Geschichte des Bistums Edfu nicht unwichtig.

b) Seine Herkunft, Kindheit und Ausbildung

Das Geburtsdatum Pesyntheus' im Jahre 569 wurde bereits im
letzten Abschnitt behandelt. Von seiner Herkunft ist in
den koptischen Versionen nicht die Rede. Crum hat zuerst
auf Grund des Textes A (103b) den falsch geschriebenen
Dorfnamen شـبرى im Bezirk von Hermonthis als Geburtsort
Pesyntheus' genannt[218]. Cauwenbergh folgte ihm[219]. An einer anderen Stelle des Textes A (196b) steht   شـمـير ,
was koptisch mit ⲡⲥⲁⲙⲏⲣ , ⲡⲩⲁⲙⲉⲣ von Crum wiedergegeben
wird[220]. In seiner Veröffentlichung des Textes A scheint
O'Leary Shama und Psamer - Pshamer (بشـمـير fo.10b)? verwechselt zu haben[221]. Im "Index of proper names (English)":
auf S. 485 führt er "Psamêr, Pshâmer" auf, indem er nur A
(103b) nennt. Im arabischen Index: auf S. 486f. fehlt dieser Ortsname. In seinem Buch "The Saints of Egypt": S.
234ff. macht er keine Angaben zur Herkunft Pesyntheus'.
Im Text K (131v) wird ausgesagt, daß Pesyntheus aus Psamer
bzw. Pshamer im Bezirk von Hermonthis stammte[222]. Das ist
die bisher älteste Überlieferung über die Herkunft des
Bischofs. Wir haben keinen Grund zur Annahme, daß diese
Aussage erst eine späte Hinzufügung der arabischen Handschriften ist. Über den Geburtsort Pesyntheus schreibt
Müller: "Auch bei ihm können wir feststellen, daß er,
wenn nicht doch in seiner Diözese bei Koptos, dann doch
zumindest gleich südlich davon in der Nähe von 'Armant
(Hermopolis sic!) geboren wurde. Das bestätigt erneut die
These von der Heimatgebundenheit des ägyptischen Klerus[223]".

Pesyntheus stammt aus einer relativ wohlhabenden Fami-
lie[224]. Einen Satz des Textes A (103b) hat Crum falsch
interpretiert: " وهو ابن سبعة سنين ..." '... als er sieben
Jahre war'. Der Kontext besagt nicht, daß Pesyntheus im
Alter von sieben Jahren in das berühmte Phoibammon-Kloster
aufgenommen wurde, wie Crum meinte[225]. Die synoptische
Aufstellung dieser Stelle zeigt, daß es einen, im Text A
fehlenden Satz gibt, der unmittelbar vor dieser Aussage
gestanden haben muß und der im Text P erhalten ist[226].
" وكانوا ابواه قد جعلا في مكتب في مدينة ارمنت " 'und seine Eltern
ließen ihn eine Schule in der Stadt Hermonthis besuchen.'
Daß der Satz auf einen koptischen Text zurückgeht, läßt
sich nicht beweisen. In jedem Falle haben wir nicht den
geringsten Hinweis für einen Eintritt Pesyntheus' in das
Phoibammon-Kloster im Alter von sieben Jahren, wie in
der Sekundärliteratur ohne Begründung zu lesen ist[227].
Budge vermutete, daß Pesyntheus eine Schule, vielleicht
eine Mönchs-Schule von Koptos "one of the monastic schools",
besuchte[228]. Müller bezeichnete ihn als "Schüler", der bei
Koptos oder bei Kus lebte[229]. Das nur im Text A erhaltene
3. Wunder spricht von einem Freund und Schulkollegen, der
ein "Philosoph" in der Stadt Hermonthis war (A 106a).
Gehen diese Angaben über Pesyntheus als Schüler auf einen
koptischen Text zurück, so muß er seine Schulzeit in
Hermonthis und nicht in Koptos verbracht haben. Amélineau
hat den Bericht des 32. Wunders überinterpretiert und
folgerte, daß Pesyntheus Demotisch konnte[230]. A. J. Butler
dagegen schließt nicht aus, daß die Rolle, die Pesyntheus
gelesen haben soll, in griechischer Sprache geschrieben
war. Wäre aber die Rolle mit Hieroglyphen beschriftet, so
zählte die Fähigkeit Pesyntheus', sie zu lesen, zu seinen Wundertaten[231]. Budge schreibt: "The roll was probably written in

demotic, and it is quite possible that the bishop could read this easily"[232]. Müller hat den Bericht für eine Tatsache gehalten und stützte sich darüber hinaus auf ihn, um weitere Thesen aus ihm abzuleiten[233].

Die koptischen Texte enthalten Angaben, die Licht auf die Bildung des Bischofs werfen:

1. Aus dem 10. Wunder erfahren wir, daß er die Psalmen, die kleinen Propheten und das Evangelium nach Johannes auswendig gelernt hat[234]. Er meditiert über das Buch Jeremias und Ezechiel [235]. Die vielen Bibelzitate und Anklänge an Bibelstellen[236] zeigen deutlich, wie tief auch die Mönche des Gebel al-Asās in der Bibel verwurzelt sind. Nach der Regel Pachoms mußte jeder Mönch lesen lernen[237]. Wir wissen aber nicht, ob die Regeln Pachoms für die Klöster des Gebietes von Al-Asās zur Zeit Pesyntheus gelten[238].

2. In einigen Lobreden des Textes S auf Pesyntheus wird von der "Wissenschaft", "Weisheit" ... usw. des Bischofs gesprochen[239]. Wenn man diese Schilderung vielleicht auch als eine Übertreibung des Enkomiums zur Verherrlichung Pesyntheus' betrachten muß, liefert sie dennoch zumindestens das ideale Bild eines Bischofs der damaligen Zeit.

3. Die Canones der Kirche waren dem Bischof bekannt. Das 22. Wunder erinnert sehr an den 94. Canon des Athanasius[240]. Im 36. Wunder sagt Pesyntheus einem, der mit einer verheirateten Frau schläft, daß er gemäß der in den Satzungen (ⲛ̅ⲑⲟⲣⲟⲥ [θεος]) der großen Synode (ⲧⲛⲟϭ ⲛ̅ⲥⲩⲛⲍⲟⲇⲟⲥ [σύνοδος]) festgesetzten Strafe bestraft wird[241].

4. Die Korrespondenz des Pesyntheus zeigt, daß er sich auch mit rechtlichen Angelegenheiten beschäftigt

hat[242], was vom Bischof Kenntnisse in diesem Bereich
erfordert.

Das Obengenannte bedeutet nicht, daß die Bildung Pesyntheus' beschränkt ist. Ein Überblick über die Verhältnisse gibt Crum[243]. Er stützt sich dabei auf zeitge-
nössische Materialien, die aus Theben stammen, wo Pesyntheus eine Zeit lang lebte. Während man das von Müller
beschriebene Bild von Pesyntheus[244] als übertrieben
bezeichnen muß, lehnen wir Thesen ab, die nicht ausreichend begründet und verallgemeinert sind, wie die
von C. C. Walters: "Only the Syrian element among the
monastic population seem to have laid any importance
on the ability to study, and consequently upon the
possession of a library, and even they depended almost
entirely upon bequests and gifts of books"[245]. Es ist
ja bekannt, daß die Klöster Ägyptens große Bibliotheken
besaßen, über deren Inhalt uns erhaltene Bibliotheks-
kataloge Auskunft geben[246].

c) Seine Tätigkeit als Bischof

Die Texte B und S weichen bezüglich der Ordination
Pesyntheus' zum Bischof von Koptos voneinander ab[247].
Auffallend ist dabei, daß nur im Text S (40a-42a) von
der Rolle des Klerus bei der Bischofswahl die Rede ist.
Dagegen enthält der Text B einen langen Abschnitt (365-
367), welche Voraussetzungen ein Priester für eine Wahl
zum Bischof erfüllen muß. Alle genannten Voraussetzungen
gehen auf das Alte Testament zurück. Der Text S (42a)
hat darauf in einer Anrede an die Zuhörer hingewiesen
und dabei die Wahl von Pesyntheus mit der Arons und
Christi verglichen. Der Vergleich zwischen den Texten
B und S bekräftigt die schon vertretene These über den
Einfluß von Ort und Milieu auf Einzelheiten in dieser
Literaturgattung. Außerdem besitzen wir im Text S

einen Hinweis auf die Mitwirkung des Klerus bzw. der
Gemeinde bei der Wahl der Bischöfe[248]. Daß alle Texte
unmittelbar nach dem Abschnitt über seine Ordination
über die Liebeswerke und die Hilfe für die Armen durch
Pesyntheus berichten[249], spricht für die besondere
Wichtigkeit dieses Teiles der Tätigkeit des Bischofs[250].
In vielen Lobreden auf Pesyntheus im Text S wird dies
auch herausgestellt[251]. Die Texte erzählen von seinen
vielseitigen Aktivitäten. In einem Brief warnt er die
Laien seiner Diözese und ermahnt sie zur Buße und zur
Bekehrung (W. 16). Er empfängt die Boten des Patriarchen
Damians, die ihm den Osterfestbrief überbringen (W. 20).
Er visitiert die Kirchen seiner Diözese, wobei er auch
die Wünsche der Menschen zu erfüllen versucht: z.B. segnet
er nach einer Visitation eine trächtige Kuh (W. 23).
Er beobachtet das Verhalten der Kleriker während der
Messe (W. 30). Er führt eine Synaxisfeier zum Gedächnis
des Patriarchen Severus von Antiochien durch (W. 27).
Kranke kommen zum Bischof in dem Glauben, geheilt zu
werden (z.B. W. 25 u. 33). Pesyntheus gilt als Helfer
bei der Befreiung von Dämonen (z.B. W. 24).
Der Bischof beschäftigt sich auch mit sozialen Pro-
blemen[252]. Er überzeugt einen Vater, daß sein Sohn ein
Mädchen heiraten müsse, von dem der Sohn ein Kind erwartet. Pesyntheus hatte durch glaubwürdige Leute von
diesem Fall gehört (W. 22). In einem anderen Falle hatte
ein Mann seine Frau fälschlich des Ehebruchs verdächtigt
und sie verstoßen. Durch die Bemühungen des Bischofs
wird diese Ehe gerettet (W. 25). Anders liegt der vom
Bischof behandelte Fall einer Frau, die ihrem Mann un-
treu war. Die Frau wird ausgepeitscht und fortgejagt
(W. 36). In vielen Epochen Ägyptens beuteten kleine
Beamte arme Bauern aus. Im 18. Wunder tadelt Pesyntheus
einen dieser Beamten und bedroht ihn.

Die obigen Beispiele über die Aktivitäten des Bischofs,
die innerhalb der Rahmenerzählungen der Wunder vorkommen, lassen sich durch die Korrespondenz des Bischofs
- sowie durch andere Tatsachen - überprüfen. Wir wissen,
daß die alexandrinischen Patriarchen nach altem Brauch
einen Osterfestbrief nach Ägypten senden[253]. Wenn
Pesyntheus seinerseits an die ihm unterstehenden Gemeinden seiner Diözese schreibt, folgt er einer alten
Tradition, wenn sich auch der Zweck zum Schreiben in
beiden Briefen voneinander unterscheidet. Daß der Bischof
die Gedächnisfeier des Patriarchen Severus von Antiochia
(ca. 465-538) durchführt, spiegelt die große Bedeutung
Severus' für die koptische Kirche wider[254].

Bei der Heranziehung von Texten seiner Korrespondenz muß
Verschiedenes bedacht werden: Einmal ist die Edition
der Korrespondenz durch Revillout bekanntlich fehlerhaft.
Zum anderen weisen die meist an ihn gerichteten Schreiben
viele Textlücken auf, die das Verständnis beeinträchtigen
Hinzu kommt, daß ein Namensvetter Bischof der Nachbar-
diözese Hermonthis war und daher jeder Text daraufhin
überprüft werden muß, an welchen der beiden gleichnamigen Bischöfe er gerichtet war. RE 14-16 betreffen einen einzigen
Fall, wohl eine geplante Ehe. Nachdem ein Eheversprechen
nicht eingelöst wurde, wandte sich der Vater des Bräuti-
gams an den Bischof mit der Bitte, den Fall prüfen zu
lassen. In RE 17 geht es um ein Kind, das sechs Monate
nach der Eheschließung geboren wurde. Der Ehemann erklärt,
er sei nicht der Vater des Kindes. Daraufhin sendet der
Briefschreiber den Ehegatten zu Pesyntheus mit der Bitte,
ihn anzuhören und seine Entscheidung ihm mitzuteilen. RE
18 ist ein Schreiben, in dem dem Bischof ein Verstoß
gegen eine Frau und ihre Tochter mitgeteilt wird. Auf
der Rückseite des Briefes antwortet der Bischof. Der
Kleriker Paulus teilt in RE 18ter dem Bischof mit, daß

der Mann nach Prüfung des Tatbestandes von ihm bis zur
"kleinen Fastenzeit" vom Abendmahl ausgeschlossen wurde.
Ein gewisser Loukianos bittet in RE 20 den Bischof, die
Notare zu senden, um Verträge abzuschließen. RE 34
handelt von einem Diebstahl. In einem Brief an den Bischof
von dem Kleriker Antonius (RE 41) ist die Rede von einer
Frau, die er wohl vom Abendmahl ausgeschlossen hat.

Von einem Prozeß handelt ein Brief, den eine Frau an
den Bischof schreibt[255]. Sie bittet den Bischof um
Übersendung einer Urkunde.

Aus der Zeit der Perserinvasion stammt ein Brief einer
Witwe an den Bischof[256], in dem sich diese an den Bischof
mit der Bitte wendet, den Laschanen von Djeme[257] zu
veranlassen, daß sie in ihrem Hause bleiben kann.

d) Der Bischof während der persischen Epoche

Im Gegensatz zu anderen Wundern, z.B. 1, 11, 23 u. 48
werden die 3 Wunder 31, 17 u. 32 in der Auswahl
Zoegas[258] des Textes B teilweise erwähnt. Diese Wunder
sollen zur Zeit der persischen Eroberung geschehen
sein. Von diesen Wundern fehlt das 32. Wunder im Text
S[259]. In den Texten K, P bzw. C fehlt das 31. Wunder,
dafür steht das 39. Wunder. Im erstgenannten Text ist
nicht die Rede von den "Persern". In den Texten P bzw. C
werden die Perser nicht ausdrücklich erwähnt, sondern
البربر° "die Barbaren" (W. 17: P 17r = C 133b). Im Text
A (201a) steht: "...البربر الذين همرالفرس" "... die Barbaren,
nämlich die Perser[260]. Auf die Perser wird noch im Text
S (W. 53: 80a = A 208b-209a) hingewiesen.

Über diese Epoche (ca. 619-629) wurde viel geschrieben[261].
Wahrscheinlich dauerte es etwa drei Jahre, bis die

Perser ganz Ägypten erobert hatten (d.h. nach Crum
ca. 621-622)[262]. Wir wissen nicht, wann genau Pesyntheus
vor den Persern zur Höhe von Djeme geflohen ist. Im
Text S wird ausdrücklich betont, daß der Bischof sich
dort vor den Persern versteckt hat. Der Text B mildert
diese Aussage. Er spricht nicht mehr von einem Verstecken
des Bischofs, sondern von einem Rückzug:

B 397 (W. 17): "... ⲛⲉⲑⲁⲓ ⲧⲉ ⲧⲟⲭⲁⲣⲭⲏ ⲉⲧⲁⲭⲓ (d.h. die Perser)
ⲉⲭⲏⲙⲓ ⲟⲩⲟⲍ ⲛⲉⲙⲡⲁⲧⲟⲩⲅⲓ ⲡⲉ ⲛ̄ⲧⲡⲟⲗⲓⲥ ⲕⲉⲩⲧ " (= S 46a, A 136b);
S 80a (W. 53): "... ⲝⲉ ⲙ̄ⲡⲛⲁⲭ ⲛ̄ⲧⲁⲡⲁⲉⲓⲱⲧ (d.h. Pesyntheus)
ⲥⲱⲧⲙ̄ ⲉⲧⲃⲉ ⲑ̄ⲡⲣ̄ⲥⲟⲥ ⲙ̄ⲡⲉⲩⲕⲁⲧⲁⲗⲁⲁⲭ ⲛⲁⲩ ⲛ̄ⲉⲛⲕⲁ ⲛ̄ⲛ̄ⲍ̄ⲏⲕⲉ"
(= A 208b-209a)[263]. Im 31. Wunder (S 77a) steht: "ⲁⲥⲱⲡⲉ
ⲝⲉ ⲟⲛ ⲙ̄ⲡⲉⲟⲭⲟⲉⲓⲩ ⲉⲧⲏ̄ⲡⲏⲧ ⲍⲁ ⲡⲍⲟ ⲛ̄ⲙ̄ⲡⲣ̄ⲥⲟⲥ ⲉⲩⲥⲟ̄ⲣⲁⲍ̄ⲧ ⲍⲙ̄ ⲡⲧⲟⲟⲩ ⲛ̄ⲝⲏⲙⲉ "
(= A 166a, B 395). Wie lange Pesyntheus dort geblieben
ist, wissen wir nicht. Crum schreibt: "There is at any
rate no evidence that he ever returned to Keft"[264]. Ihm
schließt sich Till an: "Wahrscheinlich kehrte er nicht
mehr nach Kbt zurück."[265] O'Leary meint: "He retired into
the desert during the Persian invasion of 616 - 627."[266]
Cauwenbergh bemerkt: "Après la tourmente, semble-t-il,
il s'établit à Tsenti... C'est à Tsenti qu'il passa les
dernières années de sa vie.."[267] Butler schließlich
sagt:"... Pisentios ultimately got back to his flock.."[268]
Man hat den Eindruck, daß die Frage gestellt wird, ob Pesyntheus die ganze Zeit der persischen Epoche in West-
Theben verbrachte und ob er nach ihrem Ende "zurückkehrte". Das würde bedeuten, daß Pesyntheus so unver-
antwortlich war, die Gläubigen seiner Diözese während
eines nicht unwesentlichen Teiles seiner Amtszeit zu verlassen. Die Quellen erlauben nicht, konkrete Angaben zu machen.
Folgende Beobachtungen können vielleicht zur Beurteilung
hilfreich sein.

1. Die Grausamkeiten der Perser wurden überwiegend
   während der gewaltsamen Unterwerfung Ägyptens ver-
   übt, was keine Ausnahme in der Geschichte darstellt.
   Danach hat sich die Lage wieder normalisiert[269].

2. Crum weist auf einige Briefe hin, die zeigen, daß
   Pesyntheus als Bischof eine Zeitlang in West-Theben
   war[270], und gleichzeitig in anderen Briefen die Perser
   ausdrücklich erwähnt werden[271]. Crum hat daher vermutet,
   daß, sich Pesyntheus für eine gewisse Zeit während der
   persischen Epoche der Gemeinde des Epiphanius ange-
   schlossen hat[272]. Wir wissen jedoch nicht, wann genau
   und wie lange dies dauerte und ob diese Briefe - an
   Pesyntheus gerichtet - aus einem nicht unterbrochenen
   Zeitraum stammen.

3. Wenn man die arabische Aussage (A 201a): "وتام عشر سنين هارب
   من تدابر البربر الذين هم الفرس" 'Er war zehn Jahre auf der
   Flucht vor den Barbaren, nämlich den Persern' behandeln
   möchte[273], muß man dabei den nachfolgenden Satz heran-
   ziehen: " وكان يقيم ثلث السنة اربعة الشهر مختفي ولا يعلم احد اين
   274 مكانه سوى القس موساس..." 'und er pflegte sich
   ein Drittel des Jahres, vier Monate zu verbergen und
   niemand kannte sein Versteck, außer dem Priester Moses
   ...' Jedoch darf man dieser Aussage nicht allzuviel
   Bedeutung beimessen.

4. Die verschiedenen Texte über Pesyntheus zeigen deutlich, daß er die Gläubigen seiner Diözese in vieler
   Hinsicht gut betreut hat und sehr verantwortlich gehandelt hat, auch gegenüber der Kirche, den Klerikern
   und den Mönchen. Das kann man auch aus seiner Korrespondenz erschließen und es gilt daher wohl auch für
   die Zeit, in der Pesyntheus seine Diözese verlassen
   hat[275]. Daß Pesyntheus in einer schwierigen Zeit geflohen ist, d.h. während des Einmarsches der Perser bzw. in der nachfolgenden unsicheren Zeit, bevor

die Lage sich wieder normalisiert hat, soll ihn nicht
verurteilen[276].

5. Crum schreibt: "The scene of his death is named
ⲡⲙⲁ ⲛⲧⲛⲟϭ ⲛⲣⲓ , 'the place of the great cell' (Budge
124), an obscure expression recalling one applied to
a part of the Macarian monastery in Nitria (PSBA,
XXIX 29 n.)"[277]. Auf Seite 128 schreibt Crum: "The
scene of Pesentius's death was 'the Great Cell,' ⲡⲓ.
Whether this is to be compared with the same name,
given to a part of the monastery of Macarius at Shiêt,
may be doubted. One might imagine it the principal
room in the monastery or ⲉⲡⲓⲥⲕⲟⲡⲉⲓⲟⲩ in which he
appears to have then resided"[278]. Crum hat dabei in
Anm. 8 derselben Seite auf dieselben Stellen hingewiesen, die er bei seinen Angaben über die Residenz
Pesyntheus' erwähnte[279].

6. Die Bistümer Koptos und Hermonthis grenzen anein-
ander[280]. Man kann keine Linie zwischen dem Gebel
al-Asās und der Höhe von Djeme ziehen[281]. Beide Gebiete waren Pesyntheus gut bekannt, spätestens seitdem er ein Mönch wurde.

Angesichts der oben angeführten Angaben scheint es mir
nicht nötig zu sein, Belege für eine "Rückkehr" Pesyntheus'
nennen zu müssen. Vielmehr muß man m.E. Belege nennen,
wenn man das Gegenteil beweisen möchte.

e) Die Residenz des Bischofs

Als Residenz Pesyntheus' werden Koptos und das Kloster
von Tsenti erwähnt[282]. Es besteht kein Zweifel daran,
daß " ⲡⲓⲙⲟⲛⲁⲥⲧⲏⲣⲓⲟⲛ ⲛⲧⲉ ⲧⲥⲉⲛⲧ " der Bischofssitz, das " ⲉⲡⲓⲥⲕⲟⲡⲉⲓⲟⲛ " Pesyntheus' war (B 393-394).

An der Parallelstelle (S 75b) steht: " ⲡⲥⲱⲟⲩⲍ ⲉⲧⲟⲩⲁⲁⲃ
ⲛ̄ⲧⲥⲉⲛⲧⲓ "[283] = " البيعة المقدسة بجبل الاساس " (A 156b). Nachdem
Pesyntheus die Kirchen visitiert hatte, kehrte er zum
" ⲉⲡⲓⲥⲕⲟⲡⲉⲓⲟⲛ " zurück ... (B 389) = S 65b: " ...ⲉⲩⲛⲁ-
ⲕⲧⲟⲩ ⲇⲉ ⲉⲍⲟⲩⲛ ⲉⲑⲉⲛⲉⲉⲧⲉ..." = A 149a: " رجع الى الدير... " .
Das ⲉⲡⲓⲥⲕⲟⲡⲉⲓⲟⲛ des Pesyntheus' kommt nur noch im
Text B (397) vor, wobei Pesyntheus ⲑ̄ ⲙⲡⲑⲱⲩ ⲙⲡⲓⲥⲡⲓⲥⲕⲟⲡⲉⲓⲟⲛ ⲛ̄ⲭⲁⲓ ⲛⲓⲃⲉⲛ
ⲉⲧⲉⲛⲥϩⲏⲧⲩ ⲁⲩⲧⲓⲧⲟⲩ ⲛⲛⲓϩⲏⲕⲓ". Daß an derselben Stelle " ⲛⲉⲑⲁⲓ ⲧⲉ ⲧⲟⲃ-
ⲁⲣⲭⲏ ⲉⲧⲁⲩⲓ (d.h. die Perser) ⲉⲭⲏⲙⲓ ⲟⲩⲟϩ ⲛⲉⲙⲡⲁⲧⲟⲩϭⲓ ⲡⲉ ⲛ̄ⲧⲡⲟⲗⲓⲥ ⲕⲉⲑⲧ "
steht, veranlaßte Crum zu schreiben: " But ib. 397 seems
rather to place the ἐπισκοπεῖον at Keft itself"[284].
Dieser Satz besagt aber nicht, daß der Bischofssitz
Pesyntheus' in Koptos gewesen war. Er weist vielmehr
auf die Lage Ägyptens hin: Die Perser sind damals nach
Ägypten gekommen, sie haben aber die Stadt Koptos - als
Provinzhauptstadt bzw. Verteidigungsbasis des ganzen
Gebietes - noch nicht eingenommen. Einen deutlichen Eindruck gibt in diesem Zusammenhang ein Brief dieser Zeit
bezüglich Nê: "And God knoweth, if they (d.h. vielleicht
die Perser) should seize Nê, the whole district will be in
great danger."[285]

In Wundern seiner Amtszeit wird an einigen Stellen das
Kloster als sein Aufenthaltsort erwähnt:

S 70b: " ⲛⲉⲧⲁⲣⲭⲏ ⲅⲁⲣ ⲧⲉ ⲛ̄ⲧⲁⲡⲁⲉⲓⲱⲧ ⲣ̄ⲉⲡⲓⲥⲕⲟⲡⲟⲥ ⲁⲩⲛ̄ⲧⲩ
(d.h. einen Kranken) ⲇⲉ ⲉⲍⲣⲁⲓ ⲉⲡⲧⲟⲟⲩ ⲩⲁ ⲡⲁⲉⲓⲱⲧ "
S 62b-63a: " ⲁⲛⲟⲕ ⲇⲉ ϩⲱⲱⲧ ⲁⲓⲃⲱⲕ ⲉⲍⲏⲧ (aus Djeme)
ⲉⲡⲧⲟⲟⲩ ⲛ̄ⲧⲥⲛ̄ⲧⲏ ... ⲁⲡⲁⲉⲓⲱⲧ ⲇⲉ ϭⲱϣ̄ⲧ ⲉⲡⲉⲥⲏⲧ ⲉⲭⲱⲓ
ⲉⲃⲟⲗ ϩⲛ̄ ⲭⲟⲉ ⲙ̄ⲡⲡⲩⲣⲅⲟⲥ "

Im 36. Wunder, das teilweise im Koptischen erhalten ist,
wird das Kloster des Kreuzes genannt[286].

Aus keinem koptischen oder arabischen Text über Pesyntheus
läßt sich erschließen, daß Koptos die Residenz des Bischofs
war. Das Kloster von Tsenti - und nicht Koptos - als

Residenz Pesyntheus stellt keine Ausnahme in dieser Zeit
dar, denn beispielsweise war die Residenz Abrahams, des
Bischofs des benachbarten Bistums Hermonthis, das
Phoibammonkloster [287].

IV. Schlußbemerkungen

1. Pesyntheus im Gedächnis der Nachwelt

W. E. Crum hat in seiner 1926 erschienenen Arbeit zusammen-
gestellt, was bis dahin an Belegen über das Nachleben
Pesyntheus' bekannt war[1]. Inzwischen sind aber eine Reihe
neuer Quellen bekannt geworden, die eine weitere Aus-
wertung erfordern. Außerdem gibt es neue Materialien, die
einen "Pesyntheus" ohne eine Herkunftsangabe nennen.
Nur drei wichtige Personen dieses Namens sind uns bekannt:
Ein Heiliger aus Hermonthis aus dem 4. - 5. Jh.[2], ein
Bischof von Hermonthis[3] und unser Pesyntheus, Bischof von
Koptos. Auf einen weiteren Pesyntheus, der aber nur im
äthiopischen Synaxar erwähnt wird, hat Crum hingewiesen[4].
Alle diese Personen sind aber nicht mit dem Bischof von
Koptos vergleichbar, denn er war sehr berühmt und hat sie
weit übertroffen. Daher möchte ich z.B. Klöster, die nach
Pesyntheus benannt wurden und einst im Gebiet des Bistums
Hermonthis lagen, wo unser Bischof nach arabischer Überlieferung geboren worden ist, ebenso wie Gegenstände, z.B.
ein Kreuz oder zwei Lampen mit dem Namen Pesyntheus', als
weitere Beweise für die Bedeutung oder für die Erinnerung
an den Bischof von Koptos betrachten. Im folgenden sollen
die Belege, ihre Datierungen und die Angaben über ihre
Herkunft gestellt werden.
Wie wir bereits gesehen haben, hat man nicht lange nach
seinem Tod eine Biographie des Pesyntheus geschrieben, die
zu einem Enkomium umgestaltet wurde. Im Saidischen sind
drei Texte erhalten (S, S[1] und W), im Bohairischen B,
im Arabischen A, C, P, K und zwei weitere Texte[5]. Das
Schicksal dieser Quellen im Laufe der Jahrhunderte wurde

im 2. und 3. Kapitel dargestellt. Auf die Existenz
mehrerer Versionen, sowohl im Koptischen als auch im
Arabischen, die uns nicht erhalten geblieben sind, wurde
bereits in der Untersuchung hingewiesen[6]. Eine saidische
Pesyntheus-Vita war nach Ausweis eines Bibliothekkatalogs
einmal auch in der Bibliothek des Weißen Klosters im
Mittelalter enthalten[7]. Auch im arabischen Synaxar war
nach O. Meinardus Pesyntheus in allen neun Editionen gedacht worden. In der Edition "F" fehlt er nur deshalb,
weil sie nur die ersten sechs Monate betrifft und der
Monat Epep nicht erhalten ist[8]. Vergleicht man die Angaben über Pesyntheus mit denen anderer Personen, so
stellt man fest, daß diese nur in wesentlich weniger
Editionen genannt werden[9]. In einer Ausgabe des Difnars
wird am 13. Abib nur unser Pesyntheus erwähnt[10].
Pesyntheus, Bischof von Hermonthis, wird dagegen nur im
saidischen Synaxar genannt. Am selben Tag (20 Kihak)
werden noch des Propheten Haggai und Elias, Bischof von
al-Muharraq, gedacht[11]. In einem Difnar ist auch nur die
Rede vom Propheten Haggai[12], obwohl die Erwähnung von
zwei Personen an einem Tag im Difnar nicht selten vorkommt.
Auch dieser Vergleich bestätigt, daß Pesyntheus von Koptos
seine anderen Namensträger weit übertraf. Es sei hier auch
darauf hingewiesen, daß das Synaxar und das Difnar bis
in unsere Zeit in der koptischen Kirche gebraucht werden[13].
Pesyntheus ist ferner durch ihm zugeschriebene Homilien
bekannt[14]. Im Ḥaǧir Naqâda trägt noch ein Kloster den
Namen des Bischofs "Dēr Anbā Bisintā'us"[15]. Mehrere
Klöster, die nach dem Namen Pesyntheus' benannt wurden
und einst in den Gebieten von Gebel al-Asās, Djeme und
Hermonthis lagen, werden von Crum genannt[16]. Das von der
Société d'Archéologie Copte ausgegrabene Phoibammon-Kloster[17]
enthält in dem sogenannten "cave presumed to be that of

Pisentius" eine Inschrift, in der Pesyntheus angerufen
wurde[18]. Auch auf einem Holzkreuz wird Pesyntheus unmittelbar nach den Pachomianern und Schenute angerufen[19].
Auch zwei Lampen wurden mit dem Namen Pesyntheus verziert.
Eine wurde in Faras in Nubien gefunden[20], über diese und
andere Lampen schrieb Griffith damals: "... the different
types of lamps and censers (?) from the superstructures
seem by their associations to be all practically
contemporary, and afford little clue to the changes that
must have taken place during the eight or nine centuries
of Nubian Christianity"[21]. Die andere Lampe dürfte in
Medamud gefunden worden sein[22].
Die Datierungen der Beweisstücke für die Berühmtheit des
Bischofs zeigen deutlich, daß sie vom 7. bis zum 18. Jh.
reichen: die Hs. des Enkomiums über Onnophrius, das dem
Bischof zugeschrieben wird, stammt aus dem 11. Jh.; eine
Homilie stammt aus dem 7. Jh.[23]. Cramer hat das Holzkreuz
dem 7. - 8. Jh. zugewiesen[24]. Nach einer vorläufigen
Untersuchung lassen sich die zwei Lampen mit dem Namen
Pesyntheus in das 9. Jh. datieren. Die Hss. über ihn sind
aus dem 7. bis 18. Jh. überliefert[25]. Die Herkunft einiger
der oben genannten Beweisstücke für die Erinnerung an
Pesyntheus ist bekannt, die eines Teiles von ihnen ist
nicht sicher, die von anderen ist unbekannt. Die Lokali-
sierten verteilen sich vom südlichen Teil Oberägyptens,
wo seine Diözese Koptos liegt, nach Norden über die Gebiete
von Edfu, Hermonthis, Theben, Naqâda, Medamud, Koptos und
Atripe bis nach Kairo und dem Wadi al-Natrūn. Auch im Süden,
im nubischen Faras ist sein Name erhalten.

Nach diesen Belegen ist es nicht verwunderlich, daß
Pesyntheus als Fürsprecher galt[26]. In einer späteren Zeit

wurde ihm eine "Prophezeiung" in der Form eines "Pastoralbriefes" zugeschrieben[27]. In der Einführung der "Patriarchengeschichte" wird "Pesyntheus Bischof von Koptos" im Kontext des "Priestertums Christi" erwähnt[28]. Seiner Bedeutung entsprechend widmete O'Leary in seinem Beitrag "Littérature copte" nur drei Persönlichkeiten einen eigenen Abschnitt: Pachom, Schenute und Pesyntheus[29].

Die Berühmtheit Pesyntheus' wird also durch viele Beweisstücke, die aus vielen Orten Ägyptens stammen und eine Kette von Überlieferungen während einer Periode von mehr als 12 Jahrhunderte darstellen, bezeugt. Die Erinnerung an berühmte Heilige wie Pesyntheus durch die gesamte koptische Kirche und die Verlesung von Enkomien mit ihren Wundertaten in den Gemeinden im Laufe der Jahrhunderte zählt m. E. zu den wichtigsten Faktoren, die zum Überleben dieser Kirche beigetragen haben.

2. Der Nutzen der Arbeit für zukünftige Untersuchungen

In seinem Beitrag "Zum Problem einer koptischen Literaturgeschichte" schreibt Morenz: "Die koptische Literatur ist fast immer nur für nicht-literarische Fragestellungen und geradezu für andere Wissenschaften ausgebeutet, aber kaum je als Literatur mit eigenem Lebenslauf betrachtet worden"[30]. Bei unserer Untersuchung der Texte über Pesyntheus wurden auch literarische Fragen mitbehandelt, was denjenigen dienlich sein wird, die Untersuchungen dieser Art durchführen wollen. Nachdem Krause die Ursachen für die schlechte Erhaltung koptischer Literaturwerke genannt hatte, führte er weiter aus: "Andererseits wurde nach dem 10. Jh. ein Teil der kopt. Lit. ins Arabische und

Äthiopische übersetzt, und ein Teil dieser Übersetzungen ist uns erhalten geblieben, während die kopt. Vorlagen verloren sind"[31]. In einem Abschnitt mit der Überschrift "Koptische Originalliteratur des 4. - 9. Jh." führte er verschiedene Beispiele koptischer Literaturwerke auf, von denen nur arabische Übersetzungen erhalten geblieben sind[32]. Unsere Untersuchung der Texte über Pesyntheus gab Aufschluß über die Glaubwürdigkeit arabischer Texte, deren Kopien nicht nur bis ins 18. Jh. datiert sind, sondern eine, für Amélineau von einer uns unbekannten Quelle gemachte Kopie, wurde erst Ende des 19. Jhs. abgeschrieben. Diese Tatsache zeigt deutlich, daß die nur in arabischen Übersetzungen erhaltenen Texte nicht unterschätzt werden dürfen. Der beste Kenner der christlichen arabischen Literatur, G. Graf, schreibt: "Die Uebersetzungen fremdsprachlicher Geisteswerke sind der weniger bedeutsame Teil einer Literatur ..."[33] und "bei einem Vergleich zwischen der arabischen Literatur der Kopten und derjenigen der anderen christlichen Orientalen heben sich folgende charakteristische Merkmale heraus: Das Schrifttum der Kopten ist umfangreicher, sowohl was die Zahl der Autoren als auch die Zahl der Literaturwerke anbelangt; es ist mannigfacher in der Bearbeitung einzelner Literaturgattungen und Wissensfächer; es ist verhältnismässig selbständiger, namentlich in den nichtdogmatischen Disziplinen. Das zahlenmässige Uebergewicht hat seinen Grund in dem Umstande, dass die alte Landes- und Volkssprache, das Koptische, als Literatursprache verschwand, während das literarische Schaffen bei den Syrern sich in zwei Sprachen, dem alten Syrisch und dem neuen Arabisch bewegte"[34]. Ein nicht unwesentlicher Teil der christlichen arabischen Literatur der Kopten besteht aus bloßen Übersetzungen koptischer bzw. griechischer Literaturwerke,

einen anderen Teil bilden Bearbeitungen koptischer
Werke und Neuschöpfungen. Das zeigt deutliche vor allem
der 1. Band von Grafs "GCAL". Auch bei Grafs Behandlung
der Schriftsteller der Kopten bis zur Mitte des 15. Jh.
werden koptische Quellen nicht selten erwähnt[35]. Außerdem hat die koptische Literatur, direkt oder indirekt,
neben der damaligen allgemeinen arabischen Kultur,
neben deren Literatur die christliche arabische Literatur
der Kopten beeinflußt. Die Charakteristika der goldenen
Zeit der Übersetzungen aus dem Koptischen ins Arabische
im 12. Jh., die schon im 11. Jh. begonnen hat[36], sind
noch nicht im Detail nachgewiesen: Die Texte über
Pesyntheus bieten reiches Material für zukünftige
Untersuchungen auf diesem Gebiet für die Viten bzw. die
Enkomien, die ja einen wichtigen Teil der patristischen
Literatur und der Hagiographie der Kopten bilden, da
besonders das Verhältnis zwischen den Texten über unseren
Bischof nach der Untersuchung in vielerlei Hinsicht sehr
klar ist. Auch für zukünftige Untersuchungen der Literar-
kritik dieser Literaturgattung sind die sicheren Leitlinien der Redaktionsgeschichte der Texte über Pesyntheus
sehr wichtig. Unsere Untersuchung bietet auch einen Beitrag zur Erforschung des Synaxars, das eine wichtige
Quelle der Kopten ist.

Zum Abschluß sei darauf hingewiesen, daß Untersuchungen
dieser Art, die auf koptischen und arabischen Texten
basieren und bekanntlich bisher noch kaum in Angriff ge-
nommen wurden, ein Arbeitsfeld darstellen, das reichen
Erfolg verspricht.

Anmerkungen zur Einleitung

1   Siehe S. 299 ff.

2   AB 33 (1914), 353.

3   Vgl. S. 287 ff.

4   Siehe S. 295, Anm. 149.

Anmerkungen zu Kapitel I: Die Quellen

1   H. G. Evelyn White, The Monasteries of the Wâdi'n-
    Natrûn, Bd. 1, New York (1926), S. XXXII u. Anm. 1.

2   A. Hebbelynck - A. van Lantschoot, Codices Coptici,
    Vaticani, Barberiniani, Borgiani, Rossiani, Bd. 1,
    Vatikanstadt (1937), S. 480.

3   Vgl. P. van Cauwenbergh, Moines d'Égypte, S. 30 u.
    Anm. 2; Hebbelynck - van Lantschoot, a.O., 480;
    E. Amélineau, Un évêque de Keft au VIIe siècle, in:
    MIE 2 (1889), Anm. 1, S. 333; De L. O'Leary, The
    Arabic Life of S. Pisentius, Introduction. Wegen
    dieses Tatbestandes wird - ausnahmsweise - bei der
    Behandlung des Textes B auf die Seiten dieser Ver-
    öffentlichung Amélineaus und nicht auf die Folios
    der Hs. hingewiesen, so ist z.B. der Text B 333 =
    Amélineau, a.O. S. 333. Während Crum dieselbe Auflage
    Amélineaus benutzte: z.B. CD 627^a, 627^b, s.v. ⲩⲟⲃⲥ ;
    Ep. I., 227 u. Anm. 2, zitierten E.A.W. Budge (Coptic
    Apocrypha, Anm. 3, S. 258) und Cauwenbergh (a.O., 30
    u. Anm. 3) nach einem Sonderdruck mit abweichender
    Seitenzahl (Paris 1887).

4   Amélineau, a.O., S. 423; vgl. Hebbelynck - van Lant-
    schoot, a.O. 481.

5   Diese präzisen Angaben nennt E. B. Allen in Coptic
    Studies in Honor of Walter Ewing Crum, Boston (1950),
    S. 33 zu Zoega, Cat., p. 41, Codex XXVII. Cauwenbergh
    (a.O. 31) datiert nur "A.D. 918". Hebbelynck - van
    Lantschoot, a.O. 481 "= an.D. 917-918".

6   Vgl. auch Evelyn White, a.O., Bd. 2, S. 307 u. Anm. 4.

7   Amélineau, a.O. 333.

8   Evelyn White, a.O. Bd. 1, S. XXIV - XXV, bes. Nr. (5)
    u. Anm. 7, S. XXV.

9   Catalogus codicum copticorum manuscriptorum ...,
    41-45.

10   A.O. 261-423.

11   Siehe z.B. Cauwenbergh, a.O. 37; C. Detlef G. Müller,
     ZKG 75 (1964), S. 301 u. Anm. 134.

12   Revue égyptologique 9 (1900), 177-179; 10 (1902),
     165-168.

13   Zur Beschreibung dieser Hs. siehe Budge, a.O., S.
     XXXII ff.

14   van Lantschoot, Recueil des colophons des manuscrits
     chrétiens d'Égypte, Bd. 1, Fasc. 1, Löwen (1929)
     213-216 = Nr. 120; Allen, a.O., 24. Budge hatte
     die Hs. ins Jahr 1006 A.D. datiert (a.O. XXXII),
     Crum folgte ihm (ZDMG 68 (1914), 177). Cauwenbergh
     datierte sie noch später, ins Jahr 1007, vgl. van
     Lantschoot, a.O. Fasc. 2, S. 84, Nr. 120 u. Anm. 1.

15   Vgl. van Lantschoot, a.O., Bd. 1, Fasc. 1, 213-216.

16   Budge, a.O. fol. 20a des Textes S.

17   Siehe T. Orlandi, Le Muséon 89 (1976), 330.

18   A.O. 176-177; vgl. van Lantschoot, a.O. S. 98-100,
     a.O. Fasc. 2, S. 43 u. Anm. 10; Orlandi, a.O. 328.

19   Siehe van Lantschoot, a.O. Fasc. 1, 215.

20   Siehe R. de Rustafjaell, The Light of Egypt ...,
     London (1910), 3-6.

21   Ḥaǧir Edfu stellt eine vergessene Nekropole dar,
     über deren Bedeutung für die Geschichte Edfus vor
     allem in vorptolemäischer Zeit ich mich zweimal
     geäußert habe (CdE 52 (1977), 207 ff.; MDAIK 37
     (1981), 186). Auch für die Koptologie ist dieses
     Gebiet nicht unwichtig. In der Nähe des Klosters
     wurden in Jahre 1941 auch griechische und koptische
     Ostraka gefunden (A. Fakhry, ASAE 46 (1947), 47).
     Das von Rustafjaell abgebildete Kloster (a.O.,
     Taf. 1 u. Seite 5) trägt den Namen Pachoms (siehe
     S. Clarke, Christian Antiquities in the Nile Valley,
     Oxford (1912), 216; S. Timm, Christliche Stätten in
     Ägypten, Wiesbaden (1979), 72 u. Anm. 2; siehe auch
     O. Meinardus, Christian Egypt. Ancient and Modern,
     Kairo (1965), 326). Zum Wort ḥaǧir حاجر siehe R. G.
     Coquin, in: BiOr 34 (1977), 146 u. Anm. 10, 11.

22   A.O.: der Text steht S. 75-127, die Übersetzung
     S. 258-321. In den Anmerkungen seiner Übersetzung
     benutzte Budge die Angaben des Textes B zum Ver-
     gleichen bzw. zum Kommentieren: Siehe z.B. Seite
     258-9. 261-2, 264. Ferner gab er die Texte der drei
     Wunder des Textes B 11, 30, 32 wieder, von denen
     "u.a." im Text S nicht die Rede war: Seite 322-330.
     Er veröffentlichte auch den Text des äthiopischen
     Synaxars über Pesyntheus mit einer Übersetzung:
     Seite 331-334.

23   Crum, a.O., 176-184; P. Peeters, AB 33, Fasc. 1
     (1914), 351-354; G. Sobhy, BIFAO 14 (1918), 57-64.

24   Zur Geschichte dieser Fragmente vgl. A. Shisha -
     Halevy. Orientalia 44 (1975), 149 ff.

25   Ep. I., 203-204 u. Anm. 1 in S. 204 "to the latter
     part of the 7th century"; 230 u. Anm. 10.

26   Datierung und Prosopographie, 168: "VII Jahrhundert?".
     Crum stützte sich auf die Paläographie unseres Textes
     und folgerte, daß das Leben oder das Enkomium "or
     rather, Encomium" nicht lange nach dem Tode Pesyn-
     theus' geschrieben wurde. Dies u.a. hat ihn außerdem
     veranlaßt zu vermuten, daß der Katalog der Bibliothek
     des Elias-Klosters aus der Zeit Pesyntheus' stammt,
     da ein Leben Pesyntheus' im Katalog nicht aufgeführt
     wird (a.O. 203-204). Coquin dagegen schlug das Ende
     des 7. Jh. und den Anfang des 8. Jh. "en raison du
     type d'écriture" für die Datierung vor,(BIFAO 75
     (1975), 220) Das steht natürlich nicht im Widerspruch
     zur Meinung Crums über die Datierung des Textes S
     und über die Entstehungszeit des Textes über Pesyn-
     theus.

27   Vgl. Crum, a.O. 196.

28   Crum, ZDMG 68 (1914), 178 u. Anm. 1; ders. Ep. I.,
     203-204, 230 u. Anm. 10; Till, a.O.; Orlandi, Elementi
     103; ders., Le Muséon 89 (1976), 331; M. Krause,
     Koptische Literatur, in: LdÄ, Bd. 3, Anm. 263 in
     Sp. 725. Im Coptic Dictionary hat Crum seine Angaben
     benutzt: z.B. 197b s.v. ⲘⲞⲞⲨ .

29   z.B. CD 493b, s.v. ⲞⲨⲞⲦⲞⲨⲈⲦ , CD 658b, s.v. ⲈⲰⲂⲤ .

30   MPS 2 (1934). Beschreibung der Hs.: S. XVII; Text:
     S. 31-36; Übersetzung: 37-43.

31   Vgl. H. J. Polotsky, OLZ 38 (1935), Sp. 16.

32   ZDMG 68 (1914), 178-184; Ep. I., z.B. 221 u. Anm. 1,
     225 u. Anm. 6, 10, 226 u. Anm. 1. Auch in CD werden
     Angaben des Textes A verwendet: Z.B. 458b, s.v. ⲦⲰⲈⲘ .

33   A.O., Anm. 2 auf S. 34, S. 37.

34   The Arabic Life of S. Pisentius, 317-487.

35   A.O., Sp. 15-18.

36   So steht z.B. das 2. Wunder nicht im Text B (vgl.
     O'Leary, a.O. 320 = [8]) und die 48. und 49. Wunder
     werden nicht im Text S geboten (vgl. a.O. 318 = [6],
     320 = [8]).

37   Siehe G. Graf, GCAL, Bd. 1, 466.

38   ZDMG 68 (1914), 178-179.

39 A.O., 319-320 = [7-8].

40 A.O. 318 = [6].

41 Siehe Graf, Catalogue de manuscrits arabes chrétiens conservés au Caire, Vatikanstadt (1934), no. 467 (2); M. Simaika, Catalogue II, serial no. 646 = Hist. 26 (2).

42 Simaika, a.O.; vgl. Graf, GCAL, Bd. 1, 466 (18. Jh.).

43 Graf, Catalogue, no 713 (12); Simaika, Catalogue I, serial no 97 = Hist. 470 (12).

44 Siehe Simaika, a.O. Graf schreibt (a.O.) fälschlich "1375", an anderer Stelle (GCAL, Bd. 1, 466) "J. 1365".

45 A.O. 317 = [5] Nr. (D).

46 A.O., in: ZDMG, 179. Siehe auch Polotsky, a.O., Sp. 15 u. Anm. 5; Graf, GCAL, Bd. 1, 466, Bd. 2, 500, zur Seite 466, Zl. 10 des 1. Bandes.

47 Z.B. CD 699[b].

48 A. Khater - O.H.E. Khs-Burmester, Catalogue of the Coptic and Christian Arabic MSS. Preserved in the Cloister of Saint Menas at Cairo, Kairo (1967), serial no 196.

49 Orlandi, a.O. in Le Muséon, 329.

50 Siehe Allen, a.O., S. 23 zu van Lantschoot, Nr. 97.

51 Siehe van Lantschoot, a.O., Fasc. 2, S. 64 zur Nr. 97 u. Anm. 1.

52 Miscellaneous Coptic Texts in the Dialect of Upper Egypt, Part 2, London (1915), 1206-1216.

53 ROC 20 (1915-1917), 38-67.

54 Z.B. Crum, Ep. I., 116 u. Anm. 19; Müller, a.O., 301-302; ders., Oriens Christianus 48 (1964), 210 u. Anm. 141; Orlandi, Elementi, 99-100.

55 Ep. I., 201 u. Anm. 2, 227 u. Anm. 1.

56 ROC 19 (1914), 79-92, 302-323, 445 f.

57 Siehe Till, a.O. 169.

58 Z.B. van Cauwenbergh, a.O., 39, 165-167; Crum, Ep. I., 223-224, 233-234; H. Leclercq, Lettres chrétiennes, in: DACL, Bd. 8, Paris (1929), Sp. 2867-2870; Krause, OLZ 53 (1958), Sp. 9-10; Orlandi, a.O., 99.

Anmerkungen zu Kapitel II: Untersuchung der Texte über
Pesyntheus

1   Zum Zitieren von Text B vgl. S. 5, Anm. 3

2   Zur Bibel im Koptischen siehe Krause, Koptische
     Literatur, in: LdÄ, Bd. 3, Sp. 696 ff., bes. die
     Anmerkungen 30, 31, 32.

3   Die Bibelzitate werden meistens von Pesyntheus im
     Rahmen der Wunder und nicht vom Verfasser bzw. vom
     Erzähler des Enkomiums - wie beim 12. Beispiel -
     gesprochen. Zitate werden oft eingeleitet mit:
     "wie geschrieben steht" oder "wie der Prophet sagte".
     Beim 6. Beispiel steht vor der Bibelstelle: " ⲁⲡⲥⲁϫⲓ
     ⲟⲩⲛ ⲙⲡⲓⲡⲣⲟⲫⲏⲧⲏⲥ ⲉⲑⲟⲩⲁⲃ ⲗⲁⲩⲉⲓⲗ ⲭⲱⲕ ⲉⲃⲟⲗ ⲉⲭⲱϥ   (d.h.
     Pesyntheus) ⲭⲉ "

4   Siehe das Verzeichnis "Passages of Scripture quoted
     or referred to" bei: Budge, Coptic Apocrypha, S.
     LXXIII - LXXVI.

5   Zu Beispielen, mit derselben Länge in beiden Texten
     S und B siehe oben Seite 21, z.B. die Bibelstellen
     des Textes B Nr. 1 = S 76a-b, Nr. 7 = S 47a. Zu einem
     Beispiel, in dem die Bibelstelle im Text S länger ist,
     siehe Text B Nr. 5 = S 77b-78a: während im Text B nur
     auf Ps. 91, 9 und 10 hingewiesen wird, werden dazu im
     Text S die Verse 13, 14 und der erste Teil des 15.
     Verses zitiert. Ein deutliches Beispiel für die "Hin-
     zufügung" der Bibelstellen im Text S zeigt der Ver-
     gleich zwischen S 26a-b und B 354; denn nur im Text S
     wird aus Matth. 13,43 zitiert (26b). Dies gilt auch
     für S 47b und B 399: Nur im Text S wird der erste Teil
     des Ps. 55, 22 und der letzte Teil von Matth. 6,8
     zitiert.

6   ZDMG 68 (1914), 178 u. Anm. 1; Ep. I., 203 u. Anm. 10.

7   Siehe Seite 7.

8   O'Leary, The Arabic Life of S. Pisentius, 319 = [7].

9   Zu dieser Stelle siehe S. 115-117 (A 130b-132a =
     B 362-364; P 27r-28r; C 148b-150a).

10   A.O. 319 f = [7 f.].

11   Vgl. z.B. das arabische Leben von Schenute und von
     Pachom: Amélineau, in: MMAFC, Bd. 4 (1888), S. 289 ff.;
     ders. Monuments pour servir à l'histoire de l'Égypte
     chrétienne au IVe siécle. Histoire de saint Pakhôme
     et de ses communautés ..., in: Annales du Musée Guimet,
     Bd. 17 (1889), S. 337-711.

12   Siehe oben S. 20.

13   Zur Bibel im Arabischen siehe Graf, GCAL, Bd. 1, 85 ff.

14 Siehe oben S. 21.

15 A.O.; 320 = [8].

16 Die Angaben der Wunder 7, 8, 12, 23, 48 des Textes P
stehen vollständig auf den Synopsen; von den Wundern
5, 14, 15, 17, 32 nur Teile.

17 Siehe oben S. 21.

18. Siehe oben S. 20, Anm. 3.

19 Vom Synaxar abgesehen, ist dieser Text die älteste
arabische Überlieferung von Pesyntheus. Er ist in
einem Mischstil von hoch- und umgangsarabischen
Schreibungen abgefaßt. Auf die Sprache des Textes
wird hier, von kurzen Angaben über die Orthographie
abgesehen, nicht eingegangen. Bei der geplanten Veröffentlichung des Textes sollen sprachliche Beobachtungen gemacht werden, wobei wir untersuchen
möchten, inwiefern die von J. Blau beobachteten
Kriterien des sogenannten "Christlichen Arabisch"
auf diesen Text zutreffen (A Grammar of Christian
Arabic, CSCO, subs. 27-29.

Orthographie: Die diakritischen Punkte werden oft
nicht gesetzt. ت wird immer für ث geschrieben:

z.B.   التالوت   für   الثالوث   (130v, Zl. 2),

         يتحدت   für   يتحدث   (132v, Zl. 5),

         اترة   für   اثرة   (133v, Zl. 12).

Statt eines Hamza steht in der Wortmitte ein Alif:

z.B.   قراالة   für   قراءة   (132r, Zl. 15);

oder ein Wāw: z.B. رووف für رؤف bzw. رءون (133v, Zl. 1);

oder die beiden Pünktchen des Yā:

z.B.   قايلا   für   قائلا   (135v, Zl. 2),

         العجايب   für   العجائب   (136v, Zl. 5).

Alif maqṣūra wird manchmal mit Alif geschrieben:

z.B.   اتا   für   اتى   (133v, Zl. 8),

         اعلا   für   اعلى   (134v, Zl. 10).

Abgesehen von den fehlenden diakritischen Punkten
werden bei der Behandlung einzelner Angaben des
Textes keine "Verbesserungen" geschrieben.

20 Zu Diyārīyah siehe Graf, Verzeichnis arabischer
kirchlicher Termini, CSCO, subs. 8, 48 und Anm. 3.
In der Parallele des Textes S (42b) steht:
"ⲚⲈⲦⲞⲨⲚⲀⲦⲞⲨ ⲆⲈ ⲚⲀⲨ Ⲛ̄ⲦⲈⲢⲞⲘⲠⲈ ⲔⲀⲦⲀ Ⲛ̄ⲔⲀⲚⲰⲚ Ⲛ̄ⲚⲀⲠⲞⲤⲦⲞⲖⲞⲤ..."

21 Der Text S wird dem Priester Johannes zugeschrieben;
   der Text B wird dem Bischof Moses zugeschrieben
   "indem sein (des Pesyntheus) Schüler Johannes mit ihm
   übereinstimmt". Siehe Crum, ZDMG 68 (1914), 178;
   die Synopsen über diese Wunder (S. 128 ff., 151 ff.,
   179 ff., 206 ff.); den Abschnitt über die Verfasserangaben (S. 267 ff.).

22 Vgl. die Übersichtstabellen der Wunder des Synaxars,
   S. 262, Anm. 137.

23 Siehe S. 269-271.

24 Die Synopse eines Teiles des 22. Wunders steht im
   Abschnitt "Gebel al-Asās ...".

25 ZDMG 68 (1914), 178 und Anm. 4.

26 Vgl. auch den Abschnitt "Seine Herkunft, Kindheit
   und Ausbildung".

27 Siehe S. 92, Anm. 41.

28 Zu ⲉⲡϥⲃⲏⲃ   siehe ZDMG 68 (1914), 182, zu S. 79, Zl. 30.

29 Siehe S. 138.

30 Siehe S. 45.

31 OLZ 48 (1935), Sp. 16, zu S. 346,9.

32 Siehe J. Černý, Coptic Etymological Dictionary,
   Cambridge (1976), 189: "ⲦⲎⲚⲉ (Crum 418b), 'dam, dyke'
   = 𓈖𓏤𓏤 (Wb. V, 465,1), fem., dnyt, 'dam' > L. Eg.
   𓈖𓀁 (Wb. V, 465,4), masc., dny, Gr.-R. 𓈖𓏤
   (Wb. V, 465,3), masc., dny, 'dam as limit
   of fields' ..."; vgl. Ep. I., 226 u. Anm. 6;
   II., S. 233, Nr. 300 u. Anm. 3.

33 Siehe 2. Mose 16,3, in: A. Ciasca, Sacrorum Bibliorum:
   fragmenta copto-sahidica Musei Borgiani ..., Bd. 1,
   Rom (1885), S. 46.

34 Vgl. z.B. a.O., S. 47 = 2. Mose 16,31.

35 Vgl. 4. Mose 11,13 = Hs. M 566 f. 61r der Pierpont
   Morgan library, Zeile 8-13[b].

36 Vgl. Budge, a.O. S. 399 "Coptic Forms of Greek Words:
   ⲍⲩⲡⲡⲏⲣⲉ (?) 88".

37 Vgl. Crum CD 267a, 642b: An den beiden Stellen hat
   Crum auf 2. Mose 16,13 hingewiesen, wo steht: "ⲣⲟⲩⲍⲉ ⲇⲉ
   ⲁⲥⲩⲱⲡⲉ ⲁⲥⲉⲓ ⲉⲍⲣⲁⲓ ⲛϭⲓ ⲟⲩⲍⲏ ⲙⲡⲏⲣⲉ " (Ciasca, a.O., S. 46).
   Im Bohairischen steht: " ...ⲛⲭⲉ ⲟⲩⲙⲉⲥⲓⲱⲧ ⲙⲡⲏⲣⲓ"
   (P. de Lagarde, Der Pentateuch koptisch., Leipzig,
   Teubner (1867), S. 166).

38 Vgl. 4. Mose 11,31 = Hs. M 566 f. 62r der Pierpont
   Morgan library, Zeile 21-23[b]: "ⲁⲩⲭⲓⲟⲟⲣ ⲉⲛⲟⲩⲍⲩ ⲙⲡⲏⲣⲉ
   ⲉⲃⲟⲗ ⲍⲛ ⲑⲁⲗⲁⲥⲥⲁ".

39 A.O., S. 274 und Anm. 3.

40 A.O., S. 347 und Anm. 1.

41 Budge meinte, der Abschnitt über Moses und die Kinder
Israel (34b-35a) gehe auf 4. Mose 11,4 - 31 zurück
(S. 275, Anm. 1). Die Untersuchung zeigt aber, daß es
sich um eine Kombination verschiedener Bibelverse
bzw. von Teilen von Bibelversen handelt, u.zw. aus:
2. Mose 14, 16, 17 und 4. Mose 11: ⲚⲦⲉⲣⲉⲚⲩⲏⲡⲉ ⲘⲡⲓⲎⲗ ⲦⲱⲟⲩⲚ
ⲉⲝⲙ̄ ⲙⲱⲩⲥⲏⲥ ⲙⲚ̄ ⲁⲁⲣⲱⲚ. Vgl. 2. Mose 16,2 (Ciasca, a.O.,
S. 46); ⲡⲉⲭⲁⲩ Ⲛⲁⲩ ⲝⲉ ⲟⲩ ⲡⲉ ⲡⲁⲓ Ⲛⲧⲁⲕⲁⲁⲩ Ⲛⲁⲛ ⲁⲕⲚ̄ⲧⲚ̄ ⲉ2ⲣⲁⲓ 2ⲙ̄ ⲡⲕⲁ2
Ⲛ̄ⲕⲏⲙⲉ = 2. Mose 14,11 (vgl. R. Kasser, Papyrus
Bodmer XVI. Exode I-XV, 21 en sahidique, Cologny-
Genève (1961), S. 172); ⲉⲚ2ⲙⲟⲟⲥ ⲉ2ⲣⲁⲓ ⲉⲝⲚ̄ Ⲛⲉⲭⲁⲗⲕⲓⲟⲛ Ⲛⲁⲁⲩ
ⲁⲩⲱ ⲉⲚⲟⲩⲉⲙ ⲟⲉⲓⲕ ⲉⲩⲥⲉⲓ = 2. Mose 16,3 (vgl. Ciasca,
a.O., S.46); ⲦⲉⲚⲟⲩ ⲙⲁ ⲚⲁⲚ Ⲛ̄2ⲉⲚⲟⲉⲓⲕ ⲙⲚ̄ 2ⲉⲚⲁⲁⲩ vgl.
4. Mose 11,13 (vgl. Hs. M 566 f. 61r der Pierpont
Morgan library, Zeile 11-12[b]); Der Begriff: ⲦⲤⲨⲚⲁⲅⲱⲅⲏ
ⲦⲎⲣ̄ⲋ [Ⲛ̄Ⲛⲩⲏⲣⲉ ⲘⲡⲓⲎⲗ] (vgl. z.B.: 2. Mose 16, 1 und 9,
in: Ciasca, a.O., S. 46); ⲁⲩⲱ ⲙⲱⲩⲥⲏⲥ ⲁⲩⲭⲓ ⲩⲕⲁⲕ ⲉⲃⲟⲗ ⲉ2ⲣⲁⲓ
ⲉⲡⲭⲋ̄ ⲉⲩⲭⲱ ⲙ̄ⲙⲟⲥ = 2. Mose 17,4 (vgl. A. Erman,
Bruchstücke der oberaegyptischen Übersetzung des
Alten Testamentes, in: Nachrichten von der königl.
Gesellschaft der Wissenschaften und der G. A. Universität zu Göttingen, Jahrgang 1880, Nr. 12, S. 10);
ⲝⲉ ⲡⲭⲋ̄ ⲉⲓⲚⲁ2ⲉ ⲉⲁⲩ ⲦⲱⲚ Ⲙ̄ⲡⲉⲓⲗⲁⲟⲥ ⲉⲧⲣⲉⲩⲟⲩⲱⲙ
= 4. Mose 11,13 (siehe oben, S. 90, Anm. 35); ⲉⲧ ⲕⲉⲕⲟⲩⲓ
ⲡⲉ Ⲛ̄ⲥⲉ2ⲓ ⲉⲣⲟⲓ = 2. Mose 17,4 (vgl. Erman, a.O.);
ⲁⲩⲱ ⲡⲅⲭⲉ ⲡⲭⲋ̄ ⲙ̄ⲙⲱⲩⲥⲏⲥ ⲝⲉ ⲁⲓⲥⲱⲧⲙ̄ ⲉⲡⲉⲕⲣ̄ⲡⲣ̄ⲙ Ⲛ̄Ⲛⲩⲏⲣⲉ
ⲘⲡⲓⲎⲗ = 2. Mose 16, 11-12 (vgl. Erman, a.O., S. 7);
2ⲱⲚ ⲇⲉ ⲉⲧⲟⲟⲧⲟⲩ Ⲛ̄Ⲛⲩⲏⲣⲉ ⲘⲡⲓⲎⲗ ⲉⲕⲝⲱ ⲙ̄ⲙⲟⲥ ⲝⲉ Ⲥⲃ̄ⲧⲉ ⲦⲏⲩⲧⲚ̄ Ⲛ̄ⲣⲁⲥⲧⲉ
Ⲛ̄ⲦⲉⲧⲚ̄ⲟⲩⲉⲙ ⲁⲁⲩ = 4. Mose 11,18 (vgl. Hs. M 566
f. 61v der Pierpont Morgan library, Zeile 9-12);
ⲟⲩⲝⲉ ⲥⲚⲁⲩ ⲁⲛ Ⲛⲉ ... ⲚⲉⲦⲚ̄Ⲛ̄Ꝑⲃⲩⲁ = 4. Mose 11,19-20
(vgl. a.O., Zeile 19-28); ⲁⲩⲱ ⲁⲩⲭⲓⲟⲟⲣ Ⲛ̄ ... ⲉⲝⲙ̄ ⲡⲕⲁ2
(siehe oben, S. 91, Anm. 38). Eine bisher fehlende
Untersuchung kann bestimmen, ob es sich dabei um
"Testimonia" handelt (vgl. K. H. Kuhn, JThS, N.S. 5
(1954), 41 f.; M. Scopello, RHR 191 (1977), 159-171.
Siehe vielleicht auch Ep. I., 200).

42 ... ⲡⲓⲦⲱⲟⲩ ⲉ0ⲟⲩⲁⲃ ⲚⲦⲉ ⲦⲥⲉⲚⲧ Ⲧⲉⲕⲃⲁⲕⲓ (d.h. von Pesyntheus): O'Leary, The Difnar (Antiphonarium) of the
Coptic Church, Bd. 3, London (1930), 30b. Zum Difnar
siehe z.B. H. Quecke, Untersuchungen zum koptischen
Stundengebet, Löwen (1970), 87-89.

43 Siehe Ep. I., 108; CD 346a. Es ist bemerkenswert, daß
die Scala copte 44 das arabische Wort الاساس "al-
Asas" mit dem entsprechenden koptischen Wort ⲦⲤ̄Ⲛⲧⲉ,
sowie mit den griechischen Worten ⲑⲉⲙⲎⲗⲓⲟⲥ, ⲑⲉⲙⲉ0ⲗⲱⲚ
wiedergibt: H. Munier, La scala copte 44 de la Bibliothèque national de Paris, Kairo (1930), S. 109, Nrs.
5-7; vgl. dazu ⲑⲉⲙⲉ́ⲗⲓⲟⲥ = foundation (G.W.H. Lampe,
A Patristic Greek Lexicon, Oxford (1961), S. 623).

44 La géographie de l'Égypte à l'époque copte, Paris
    (1893), 62 ff.

45 Vgl. Till, Datierung und Prosopographie, S. 168-169.

46 Ep. I., 108, Anm. 8.

47 O'Leary, The Arabic Life of S. Pisentius, S. 322, 323,
    324, 335, 345, 359, 393, 405, 453, 472, 477.

48 Siehe den Abschnitt "Die Verfasserangaben".

49 Vgl. z.B. Ep. I., S. 107, Anm. 12.

50 Vgl. Ep. I., 148 u. Anm. 18; M. Châine, Le manuscrit
    de la version copte en dialecte sahidique des
    "Apophthegmata Patrum", Kairo (1960), S. 26, Nr. 115;
    J. Hartley, Studies in the Sahidic Version of the
    Apophthegmata Patrum, Disseration, Brandeis Uni-
    versity (1969), S. 78.

51 Vgl. S. 158, 291 f.

52 Siehe z.B. Ḥ. Munier, La scala copte 44 ..., S. 51,
    Nr. 31, S. 67, Nr. 18-29.

53 Vgl. CD 577[a]

54 Kolluthus wird im 9. Wunder (B 338-9 = A 120b) er-
    wähnt. Im Wunder 35 erfahren wir, daß er ein Zeitge-
    nosse Pesyntheus' war (B 412 = A 179b); siehe auch
    S 40b-41b = A 132b-133a (W. 15).

55 Siehe S. 109.

56 Siehe S. 44.

57 Vgl. Chaîne, Le manuscrit de la version copte en
    dialecte sahidique des "Apophthegmata Patrum", S. 70,
    Nr. 237; Hartley, Studies in the Sahidic Version of
    the Apophthegmata Patrum , S. 151.

58 Zu einem ähnlichen Fall in der Übersetzung Budges
    siehe S. 185 f.

59 Vgl. Ep. I., 138 und Anm. 16.

60 Vgl. Coquin, in: BiOr 34 (1977), 144.

61 Zu den verschiedenen Bedeutungen des   بِشْر III siehe
    R. Dozy, Supplément aux dictionnaires arabes, Bd. 1,
    Leiden (1881), 88.

62 Joh. 15,14.

63 Vgl. S. 317-318.

64 Siehe Ep. I., 168, Anm. 7.

65 Zu einem ähnlichen Fall, wo ein Satz dort aber aus
    dem Text B ausgelassen worden sein muß, vgl. Ep. I.,
    228 und Anm. 8.

66 Ep. I., S. 227 und Anm. 11, S. 229 f.

67 Ep. I., 203 f., 230, Anm. 10.

68 Vgl. S. 31 f., 291 f.

69 Zur Anzahl der Gebete vgl. Ep. I., 167 und Anm. 7.

70 Crum wies darauf hin, daß ein Satz des Textes B
    entfallen wurde (Ep. I., S. 228, Anm. 8). Dies ändert
    nicht viel in bezug auf das Verhältnis zwischen den
    Texten. Zu جنادﻩ "seinen Truppen" statt احباره
    "seinen Rabbinen" - O'Leary: "his wise men" - siehe
    OLZ 38 (1935) Sp. 17 zu S. 376,4.

71 Siehe S. 128, 136 f.

72 Siehe S. 7, Anm. 25, 26; vgl. S. 196.

73 Coptic Apocrypha, S. 261 und Anm. 1.

74 Siehe Crum, ZDMG 68 (1914), 182 zu Seite 77, Zl. 25.

75 Vgl. S. 192 f.

76 Siehe S. 277 ff.

77 Siehe S. 63, 75.

78 Die Übersetzung ⲟⲩϣⲏ mit وقت المسا muß nicht auf
    eine Abweichung hindeuten. Nach den Wörterbüchern
    bedeutet ⲟⲩϣⲏ nur "Nacht" und nie "Abend oder
    Dämmerung" (CD 502a-b; W. Westendorf, Koptisches
    Handwörterbuch, Heidelberg (1965/1977) 281; Kasser,
    Compléments au Dictionnaire copte de Crum, Kairo
    (1964), 78a; siehe auch Cerný, Coptic Etymological
    Dictionary, Cambridge (1976), 221). An einer Paral-
    lelstelle unserer Texte steht am Ende des Wunders
    (S 63 a): ... ⲣⲩⲁⲛⲡⲛⲁⲩ ⲡⲣⲟⲕⲟⲡⲧⲉⲓ ⲙ̄ⲡⲣ̄ⲉⲓ ⲉⲍⲏⲧ ϣⲁⲛⲧⲉⲕⲛⲁⲩ
    ⲛ̄ϣⲱⲣⲡ̄ ϣⲱⲕⲉ = A 147a: "...اذا ما جا عليك وقت العشية لا تتحدر الى
    باكر اول النهار" العشية = Spätabend oder Abend.
    ⲡⲟⲩⲍⲉ wird mit عشية wiedergegeben. (Z.B. siehe Müller,
    Die Homilie über die Hochzeit zu Kana ..., Heidelberg
    (1968), S. 250 f.) ebenso mit مسا (Vgl. Munier,
    La scala copte 44 ..., S. 222, Nr. 24). E. Hornung
    hat darauf hingewiesen, daß wḫȝ (= Kopt. ⲟⲩϣⲏ) noch
    im späten Demotischen mit rhj "Abend" (= Kopt. ⲡⲟⲩⲍⲉ)
    übersetzt wird (ZÄS 86 (1961), 108). In unseren
    Texten wird ⲟⲩϣⲏ mit وقت المسا "Abendstunde,
    Abendzeit" wiedergegeben. Darauf wird auch mit عشية
    "Spätabend oder Abend" hingewiesen (A 147a). Aus dem
    Obengenannten kann man erschließen, daß ⲟⲩϣⲏ
    - mindestens nach dem Übersetzer aus dem Koptischen
    ins Arabische - nicht nur "Nacht", sondern auch
    "Abend" oder "Spätabend" oder "das Einbrechen der
    Dunkelheit" bedeuten kann. Dabei muß bedacht werden,
    daß man zwischen diesen Begriffen keine klare Linie
    ziehen kann. (Zu weiteren Parallelstellen S 24a =
    A 109a; S 59b = A 144b; S 60b-61a = A 145a; S 61b =
    A 145b. Dazu vgl. auch Hornung, a.O., 106 ff.).

79 Vgl. Munier, a.O., S. 240; Nr. 57-58; CD 769b, s.v.
ⲁ(ⲉ)ⲗⲁϩⲏⲥ.

80 Siehe Ep. I., 108 und Anm. 1, 113 und Anm. 11; siehe
auch unten S. 204.

81 CD 638b.

82 Siehe Ep. I., 128 und Anm. 14,15.

83 Siehe S. 178.

84 Vgl. z.B. den Abschnitt 66a-b: " ...ⲣ̄ⲟⲩⲁⲛⲟⲩⲁ
ⲛ̄ϩⲏⲧⲧⲏⲩⲧⲛ̄ ⲧⲟⲗⲙⲁ ⲉ...ⲙⲁⲣⲉⲩⲉⲓ ⲧⲉⲛⲟⲩ ⲉⲝⲙ̄ ⲡⲉⲍⲣⲏⲧⲟⲛ
ⲙ̄ⲡⲉⲩⲁⲅⲅⲉⲗⲓⲟⲛ ...ⲡⲁⲓ ⲡⲉ ⲡⲁϭⲟⲛ ⲁⲩⲱ ⲧⲁⲥⲱⲛⲉ ⲁⲩⲱ ⲧⲁⲙⲁⲁⲩ

85 In den Wundern 20, 23 - 27 wird er ausdrücklich als
Bischof bezeichnet, im W. 22 muß er nach dem Inhalt
Bischof gewesen sein.

86 Vgl. Krause, RdE 24 (1972), 107.

87 Vgl. Crum, Der Papyruscodex saec. VI - VII der
Phillippsbibliothek in Cheltenham. Koptische theolo-
gische Schriften, Straßburg (1915), Text S. 23,
Zl. 27, Übersetzung S. 79.

88 Vgl. S. 171.

89 Ep. I., 228 u. Anm. 14.

90 Und siehe S. 304 ff., S. 314 ff.

91 Siehe S. 197-199.

92 Amélineau übersetzte dies mit: " ... à plus de cent
coudées".

93 Vgl. 2. Kön. 4,33-35.

94 Die Übersetzung O'Leary's dieser Passage ist sehr frei
und teilweise nicht richtig.

95 Leipoldt, Sinuthii vita bohairice, CSCO, script.
copt. 1, S. 7, Zl. 18-22.

96 Amélineau, in: MMAFC, Bd. 4 (1888), S. 296. Vgl. auch
K. H. Kuhn, A Panegyric on Apollo ..., CSCO, script.
copt. 39, Kopt. S. 32, Zl. 12-17; Übersetzung: CSCO,
script. copt. 40, S. 24: 23-27.

97 Dieser Abschnitt enthält Angaben, die in einigen
Satzteilen einem ins 14. Jh. datierten Text ähneln:
J. M. Plumley, The Scrolls of Bishop Timotheos.
Two Documents from Medieval Nubia, London (1975),
Text: Zl. 10-15 in S. 29 f., Übersetzung S. 33.

98 Das 39. Wunder der arabischen Texte A, P und K
ähnelt dem 31. Wunder der koptischen Texte B und S,
das nur noch im Text A steht. Ein Satzteil des 39.

Wunders des Textes K zeigt, daß es sich dabei um
das 39. Wunder und nicht um das 31. Wunder handelt:
K 133v: وطوله ستة اذرع (Vgl. A 187b-188a) = P 22v:
ان طوله يكون ستة اذرع Das 39. Wunder wird im Text K
sehr kurz beschrieben. Die Einzelheiten des Wunders
sind in den Texten A und P gleich und unterscheiden
sich von dem 31. Wunder der Texte B, S und A.

99   Vgl. S. 165-170.

100   Siehe S. 178, 187 f., 192 f., 196 f.

101   Vgl. Wb. I 430,14; W. Spiegelberg, Koptisches Hand-
wörterbuch, Heidelberg (1921), 15; CD 30b, s.v. ʙⲁⲕⲓ;
Westendorf, Koptisches Handwörterbuch, 21; Černý,
Coptic Etymological Dictionary, 21. Zu ʙⲁⲕⲉ im
Saidischen, aber nicht in diesem Zusammenhang, siehe
CD 30b, s.v. ʙⲁⲕⲓ ; G. Roquet, Toponymes et lieux-dits
égyptiens enregistrés dans le dictionaire copte
de W. E. Crum, Kairo (1973), 2.

102   Zum Satz " وسمعوصا اهل بلادنا ..." vgl. vielleicht
" ...ⲉⲁⲛϭⲟⲧⲙⲉϲ (d.h. ein Wunder) ⲛⲧⲟⲟⲧⲟⲩ ⲛ ... ⲁⲩⲣⲱⲙⲉ ⲇⲉ ⲉⲃⲟⲗ ⲥⲙ ⲡⲉⲛⲧⲟⲩ ⳉⲁⳉⲉ ⲛⲙⲙⲁⲛ ..." (S 39a)
="سمعناها من ... أن رجلامن بلادنا حدثا" (A 117b).

103   Vgl. auch S. 106 f., 126; Ep. I., 112 und Anm. 4.

104   Zur Erwähnung von Elia vgl. S 54a. Zur Erwähnung von
Abel vgl. S 50a. Zu dem Abschnitt:
من ذا الذى يستطيع ان يحصى عجائبك ... من قبل ان يرتفع الى رتبة الاستفية
vgl. z.B. S 74a, 56b-57a, 63b. Zu dem Satz:
انى ولو صرت كلى لسان فلا يمكنى ان اصغها لكم بالتمار والكمال
vgl. S.45b. Hierzu enthält diese Lobrede Zeitangaben,
auf die sich Crum für seine Chronologie von Pesyntheus Lebenslauf stützt. Die Untersuchung dieser
Zeitangaben zeigt, daß sie auf einen koptischen Text
zurückgehen (siehe S. 306 f.).

105   Vgl. S. 114 ff., 126; B 415 f., Seite 168f.

106   MIE 2 (1889), 308 f.

107   Z.B. zur Erwähnung des Klosters des Kreuzes vgl.
S. 249, Anm. 125. Zur Erwähnung der Perser vgl.
S. 314 ff.

108   Die Erwähnung des Märtyrers Viktor, Sohn des
Romanus, im 49. Wunder kann vielleicht darauf
zurückgeführt werden, daß ein nach Viktor be-
nanntes Kloster im Gebiet von Qamula liegt,
wenn es auch nicht den Zusatz "des Sohnes Romanus"
trägt. (Vgl. Ep. I., 112, 113; G. Bauer, Athanasius
von Qūṣ. Qilādat at-taḥrīr fī'ilm at-tafsīr, Eine
koptische Grammatik in arabischer Sprache aus dem
13./14. Jahrhundert, Freiburg (1972), S. 10 und

Anm. 17; R. G. Coquin, in: BiOr 34 (1977), 146.
Dies stimmt mit der Schlußfolgerung überein, daß
der Text A im Gebiet von al-Asās bzw. seiner Nachbarschaft zusammengestellt wurde (s. S. 250 ff.,
283 ff.).

109 Vgl. S. 106 f.

110 Vgl. S. 222, Anm. 103.

111 Vgl. H. Bacht, Zur Typologie des koptischen Mönchtums: Pachomius und Evagrius, in: Christentum am
Nil, herausgegeben von K. Wessel, Recklinghausen
(1964), S. 142 ff.; A. u. C. Guillaumont, Evagrius
Ponticus, in: RAC, Bd. 6, Sp. 1088 ff.

112 MPS 2 (1934), S. 37-43.

113 R. Basset, Le synaxaire arabe jacobite (rédaction
copte), II [= PO 17] (1923), 650 [1192].

114 Vgl. S. 88.

115 Zu حانوت siehe CD 113a, s.v. ⲕⲛⲍⲉ .

116 Vgl. W. Riedel - W. E. Crum, The Canons of Athanasius ..., London (1904), S. 144 und Anm. 2;
Ep. I., 201 und Anm. 9.

117 Vgl. Riedel - Crum, a.O. 144 u. Anm. 1.

118 Vgl. z.B. a.O. Nr. 32, Arabisch S. 25, Übersetzung
S. 32.

119 Phil. 3,20.

120 Siehe S. 164-170.

121 A.O. 41 und Anm. 1.

122 Siehe z.B. Ep. I., S. 168 u. Anm. 7.

123 Vgl. Munier, a.O., S. 177, Nr. 59.

124 Siehe S. 193.

125 Es sei darauf verwiesen, daß Crum sich auf die Angaben des 36. Wunders und des 50. Wunders des
Textes A in bezug auf "Deir eṣ Ṣalîb" stützt und zu
Recht schreibt:" ... That of the Cross, Deir eṣ
Ṣalîb, is twice mentioned in the Arabic Life of
Pesenthius, who at one time appears to have dwelt
there. An ancient monastery of this name is to be
seen today, upon the desert edge, west of Naḳâdah;
its position, in the midst of the diocese of Keft,
suggests identity with its 7th century namesake".
(Ep. I., S. 114; siehe auch S. 115, 128: Anm. 15,
230 f.). Daß ein koptischer Text des 36. Wunders
gefunden wurde, bestätigt die Meinung Crums über
dieses Kloster. Dies kann vielleicht darauf hinweisen, daß für das 50. Wunder - teilweise - ein
koptischer Text vorgelegen hat.

126 Vgl. Polotsky, OLZ 38 (1935), Sp. 16, zu 323,8 und siehe den Abschnitt über die Verfasserangaben, S. 267 ff.

127 Man bemerkt natürlich den Unterschied zwischen ‏الايام السنية‏ und " ‏ايام السـنة‏ = ⲚⲓⲈϨⲞⲞⲨ ⲚⲦⲈ ⲦⲢⲞⲘⲡⲓ".

128 Siehe auch den Abschnitt "Gebel al-Asās ...", S. 283 ff.

129 Siehe auch den Abschnitt "Die Aussagen des Synaxars über Pesyntheus", S. 261 ff.

130 Basset, Le synaxaire arabe jacobite (rédaction copte) II [= PO 17] (1923), 649-651 [1191-1193]; Meinardus, BSAC 17 (1963-1964), 149 bzw. 114.

131 Siehe S. 321 und Anm. 13.

132 Burmester, JThS 39 (1938), 249-253; Graf, Orientalia 9 (1940), 240-243; J. Doresse, JA 236 (1948), 247-251; Coquin, Livre de la consécration du sanctuaire de Benjamin, Kairo (1975), 33; Ders. AB 96 (1978), 351-365; siehe auch J.-Cl. Garcin, Un centre musulman de la Haute-Égypte médiévale: Qūṣ, Kairo (1976), 30 f.

133 Vgl. z.B.   Coquin, Livre de la consécration ..., 27 ff.

134 Simaika, Catalogue I, Serial no. 139 = Lit. 41a; Coquin, AB 96 (1978), 352 und Anm. 4.

135 Catalogue de manuscrits arabes chrétiens conservés au Caire, Vatikanstadt (1934), Nr. 58; Coquin, a.O.

136 Zu dieser Ausgabe siehe Coquin, a.O., 353 f.

137 In den Texten B, P und A wird auf das 8. Wunder im Anschluß an das 12. Wunder hingewiesen: B 351 = P 14r-14v = A 128b.

138 Ein Teil des 30. Wunders steht auch im Text W.

139 Siehe S. 253 ff., 260.

140 Ep. I., 225-226, bes. 226, Anm. 2.

141 A.O. 225 u. Anm. 7.

142 S 39a-b "zweimal" = A 118a: ‏بسـندة الصغير؛ الصبى بسـنده‏ = P 14v: ‏بسـنده الصغير‏

143 Die Ergänzung ‏سـفر بي‏ beruht auf Text C (127b). Der Text des Wunders stimmt in beiden Texten wörtlich überein und die ergänzte Stelle ist das Ende des Wunders. In B und A läuft die Erzählung weiter (B 343-344 = A 123b-124a).

144 Vgl. die Parallelstellen des 12. Wunders, S. 201.

145   Siehe S. 39, 298 und Anm. 157.

146   Siehe Ep. I., 227, Anm. 2.

147   Bemerkenswert ist, daß das 11. Wunder von zwei Frauen handelt. Im Synaxar wird aber nur eine Frau erwähnt. Beim 30. Wunder handelt es sich um zwei Priester. Im Synaxar aber wird nur ein Priester erwähnt, wie bereits Till bemerkte, der die saidische Rezension des 30. Wunders veröffentlicht und mit der verkürzten Aussage des Wunders im äthiopischen Synaxar verglichen hat (MPS 2 (1934), 39). Till hat aber nicht das arabische Synaxar mit verglichen, auf dem das äthiopische Synaxar basiert (Burmester, a.O., 250 und Anm. 2). Im Koptischen Museum Kairo befindet sich übrigens ein Synaxar (A.M. 1450 = A.D. 1734), das aus dem Äthiopischen ins Arabische übersetzt wurde (Simaika, Catalogue I, Serial no 222 = Lit 155c). Der Vergleich der Aussage über Pesyntheus auf 88v-89v, mit der des äthiopischen Synaxars, die Budge übersetzt hat, zeigt, daß sie im allgemeinen übereinstimmen. Außerdem enthält sowohl das äthiopische Synaxar als auch das aus dem Äthiopischen ins Arabische übersetzte Synaxar am Ende der Passage über Pesyntheus eine Lobpreisung auf ihn, die im arabischen Synaxar fehlt. "Salutation of Besendyôs, who saw the prophet ...". Im äthiopischen Synaxar steht ein in der Rückübersetzung fehlender Satz, der nur das äthiopische Volk betrifft: "May his prayer and blessing be with our king John!" (Budge, a.O. 334). Abgesehen davon stimmen das äthiopische und das arabische Synaxar (Edition Bassets) inhaltlich, in der Reihenfolge und in der Länge überein.

148   Vgl. S. 57 f.

149   Siehe S. 47.

150   Siehe S. 250 ff., 283 ff.

151   The Monasteries of the Wâdi'n-Natrûn, Bd. 1, S. XXXI.

152   Livre de la consècration ..., 27-33; ders., AB 96 (1978), 363-365.

153   A.O. 114, vgl. Coquin, Livre de la consècration ..., 27, 28 und Anm. 1; ders.,AB 96 (1978), 355.

154   A.O., S. 249; siehe auch S. 261; Garcin, a.O.

Anmerkungen zu Kapitel III: Vergleichende und zusammenfassende Untersuchungen

1   Zum Beispiel S 46a (= W. 17), siehe S. 129; 63a
      (= W. 21) S. 182; 67a (= W. 24) S. 152.

2   Vgl. auch Crum, in: ZDMG 68 (1914), 178.

3   Zum Beispiel B 390 (= W. 24), siehe S. 152; 397
      (= W. 17) S. 128; 401, 411 (= W. 32) S. 206, 212;
      415 (= W. 53) S. 167: Ein Wunder von ihnen (32)
      fehlt im Text S.

4   B 415, 417 (= W. 53). van Cauwenbergh (Moines
      d'Égypte, 34 u. Anm. 4; vgl. auch S. 31) meinte,
      daß Moses zumindestens an einer Stelle in der 1.
      Person Plural erzählt. Diese Stelle (B 360) lautet:
      " ⲁⲥⲱⲡⲓ ϧⲉⲛ ⲟⲩⲁⲓ ⲛⲛⲓⲉⲝⲱⲣ ⲁⲛⲛⲁ ... ⲁⲛⲛⲁ ⲉⲣⲟⲩ ⲉⲯⲩⲗⲏⲗ..."
      (siehe S. 110 f.). Dies besagt aber nicht, daß Moses
      der Erzähler ist. Außerdem zeigt " ⲁⲛⲥⲁ ⲭⲓ ⲛⲉⲙⲛⲉⲛⲉⲣⲏⲟⲩ
      ⲛⲝⲱ ⲙⲙⲟⲥ ⲭⲉ" deutlich, daß sich die Erzählung hier
      auf mehrere Personen bezieht. Ferner ist die Er-
      zählung auch in den Parallelen der Texte S, A und P
      in der 1. Person Plural abgefaßt.

5   Amélineau, in: MIE 2 (1889), 333.

6   A.O.

7   MIE 2 (1889), 267.

8   Budge, Coptic Apocrypha, S. XLI und Anm. 1, 258
      und Anm. 3.

9   A Coptic Bibliography, Ann Arbor, Michigan (1950),
      S. 79, Nr. 1388.

10   ZKG 75 (1964), 297 f.

11   A.O. 36, siehe auch S. 35. Vgl. auch Graf, GCAL,
      Bd. 1, 465 und Anm. 4.

12   Ep. I., 210.

13   B 417, S 78b, A 207b, P 31v, C 156r (= W. 53). Vgl.
      Ep. I., 130 und Anm. 8, 135 und Anm. 16, 228 und
      Anm. 11, 12.

14   Es sei darauf hingewiesen, daß sich die Ausbildung
      der Erzbischöfe und der Bischöfe im allgmeinen kaum
      von der der Mönche unterscheidet, weil bekanntlich
      viele von ihnen Mönche gewesen sind.

15   Krause, in: LdÄ, Bd. 3, Sp. 710-716.

16   Livre de la consécration du sanctuaire de Benjamin,
      Kairo (1975), 46-49; siehe auch H. Brakmann, Le
      Muséon 93 (1980), 306 und Anm. 41.

17 D. W. Johnson, A Panegyric on Macarius Bishop of Tkôw, attributed to Dioscorus of Alexandria, in: CSCO, script. copt. 42, S. 5*-12*, bes. 8*-11*.

18 Vgl. Orlandi, Elementi, 103; Krause, a.O., Sp. 714 und Anm. 263.

19 Vgl. Polotsky, OLZ 38 (1935), Sp. 16.

20 Vgl. Crum, ZDMG, a.O., 179.

21 Im 45. Wunder wird Epiphanius, eine geschichtliche Persönlichkeit, genannt: vgl. Ep. I., 221; C. Walters, Monastic Archaeology in Egypt, Warminster, Wilts. (1974), 240 und Anm. 34.

22 Siehe oben S. 268, Anm. 13.

23 Z.B. A 136b (= W. 17), S. 129; 147a (= W. 21), S. 182; 180b (= W. 36); 196a (= W. 47); 212b (= W. 55).

24 P 9r, K 130v, siehe S. 253.

25 Siehe S. 37 ff.

26 Z.B. 17r (= W. 17), siehe S. 129; 18v (= W. 32), S. 206; 35v (= W. 54).

27 Siehe oben S. 268, Anm. 13.

28 K 133v (= W. 32), siehe S. 45; 133v (= W. 39); 135r (= W. 53); 136r-136v (= W. 54), S. 48.

29 A.O., in: ZDMG, Anm. 2, S. 179. Vgl. van Cauwenbergh, a.O., Anm. 3, S. 37 f. Zu dieser Stelle siehe S. 117. Siehe auch B 362-363, S. 116 und vgl. dazu Ep. I., 199 und Anm. 4; Evelyn White, The Monasteries of Wâdi'n-Natrûn, Bd. 1, S. XXIII und Anm. 2.

30 Ep. I., 225 f.

31 Siehe S. 250 ff., 283 ff.

32 A.O., Bd. 1, S. XXIV ff.

33 B 337, vgl. S. 229 f.

34 Siehe S. 253.

35 H. Gerstinger, Biographie, in: RAC, Bd. 2, Sp. 386.

36 A.O., Sp. 387-388.

37 A.O., Sp. 390.

38 B. Lohse, Hagiographie, in: Lexikon der Alten Welt, Zürich, Stuttgart (1965), Sp. 1184 f.

39 H. Mertel, Des Heiligen Athanasius Leben des Heiligen Antonius, in: Bibliothek der Kirchenväter, Bd. 31, München (1917), 681 [5] .

40 W. Schneemelcher, Erwägungen zu dem Ursprung des
    Mönchtums in Ägypten, in: Christentum am Nil, her-
    ausgegeben von K. Wessel, Recklinghausen (1964), 137.

41 Krause, Das Christliche Alexandrien und seine Be-
    ziehungen zum koptischen Ägypten, in: Alexandrien
    Kulturbegegnungen dreier Jahrtausende im Schmelz-
    tiegel einer mediterranen Großstadt, (Aegyptiaca
    Treverensia: Trierer Studien zum Griechisch-
    Römischen Ägypten, Bd. 1, Mainz am Rhein, 1981),
    55 und Anm. 44.

42 Zur Datierung dieser Vita, siehe: L. Barnard,
    Vigiliae Christianae 27 (1974), 169-175; B. Brennan,
    a.O., 30 (1976), 52-54.

43 Krause, Koptische Literatur, in: LdÄ, Bd. 3, Sp. 711
    und Anm. 178, siehe auch ders., Das Christliche
    Alexandrien ..., 55 und Anm. 72.

44 A.O.

45 A.O., in: ZDMG, 178.

46 A.O.

47 Vgl. G. W. H. Lampe, A Patristic Greek Lexicon,
    Oxford (1961), 1113-1114.

48 Zu diesem Abschnitt - nach dem 16. Wunder - gibt
    es keine Parallele in den Texten B und A.

49 Dieser Satzteil kommt nur in einer Anrede des Textes
    S vor, die einer in den Texten S und A (S 74a =
    A 155b) stehenden Lobrede auf Pesyntheus folgt. Die
    Lobrede folgt dem 25. Wunder, das im Text B fehlt.

50 Dies steht in einer Anrede, die in den Texten S und
    A dem 27. Wunder folgt, das auch im Text B geboten
    wird.

51 22a; 63a (= A 147a) und 77a (= A 157b).

52 Vgl. z.B. Ep. I., 167 und Anm. 11; Müller, Die
    Homilie über die Hochzeit zu Kana ..., Heidelberg
    (1968), 198, Z. 7-8 = 199, Z. 8-9.

53 A.O., 31.

54 A.O., 32.

55 A.O., 35.

56 A.O., 30.

57 A.O., 32.

58 Ep. I., 210.

59 A.O., 100.

60 A.O., 203.

61   A.O., 230.

62   A.O., 228.

63   A.O., 227, 229.

64   A.O., 228.

65   Datierung und Prosopographie, 168. Unter "Lobrede"
     versteht Till auch "Festpredigt": Koptische Litera-
     tur, in: Koptische Kunst. Christentum am Nil, Essen
     (1963), 110.

66   C. D. G. Müller, Die alte koptische Predigt,
     Dissertation der Ruprecht-Karl-Universität zu
     Heidelberg (1954), 246-7, 322 f.; siehe auch ders.,
     Le Muséon 67 (1954), 252 f.

67   A.O., in: ZDMG, 178.

68   Ep. I., 226 und Anm. 1, 230 und Anm. 12; vgl. da-
     gegen G. Wiet, "Ḳibṭ", in: Enzyklopädie des Islams,
     Bd. 2, Leiden-Leipzig (1927), 1077a.

69   B 333-4; S 20a-b; A 97a-102a, bes. 98b-99a, 100b-
     101a und siehe Abschnitt "Zur Kompilation des
     Proömiums des Textes A".

70   334.

71   B 333.

72   Vgl. van Cauwenbergh, a.O., 34 und Anm. 5.

73   Der Text S wurde im Jahre 1005 geschrieben; sicher
     wurde er von einem früheren Text abgeschrieben:
     siehe S. 291 ff. Zur Lebensdauer der koptischen
     Sprache nach der arabischen Invasion auch als Volks-
     und Landessprache vor allem im südlichen Teil Ober-
     ägyptens siehe: Wiet, a.O. 1075a ff.; J. Simon,
     L'aire et la durée des dialectes coptes, in: Actes
     du quatrième Congrès international de linguistes,
     Copenhagen (1938), 182-186; Graf, GCAL, Bd. 1,
     73 ff.; Allen, Available coptic texts involving
     dates, in: Coptic Studies in Honor of W. E. Crum,
     Boston (1950), 11-33; F. R. Farag, Le Muséon 86
     (1973), 38 f. In diesem Zusammenhang sei auf zwei
     arabische Verträge aus der 2. Hälfte des 10. Jahr-
     hunderts aus dem Gebiet von Al-Fajjūm hingewiesen,
     wo sich das Arabische mehr als im südlichen Ober-
     ägypten verbreitet hat: Siehe Simon, a.O., 184-6;
     Graf, a.O. 73. Diese zwei Verträge und andere zeigen
     deutlich, daß das Arabische sogar in Angelegen-
     heiten des Alltagslebens von Kopten dieser Zeit in
     Fajjūm nicht ohne weiteres verstanden wurde: Siehe
     G. Frantz-Murphy, JNES 40 (1981), 205, 209, 212,
     216, 218, 223.

74 Vgl. Crum, ROC 20 (1915-1917), 39 und Anm. 4.

75 Siehe S. 250 ff., 283 ff.

76 Z.B. A 100b; A 174a-b: siehe S. 214, Anm. 97.

77 MIE 2 (1889), 275.

78 The Arab Conquest of Egypt ..., Oxford (1902), S. X.

79 Ep. I., 99.

80 Papyrologica Bruxellensia 17 (1979), 123.

81 Siehe S. 19 f., 28 f., 31 f., 33 f., 40 f., 49;
   siehe auch S. 56 f.

82 Siehe S. 81, 108, 137, 139 ff., 150, 166, 170,
   188 ff., 193 f., 197-199, 215.

83 Siehe S. 19 f.

84 Siehe S. 28 f.

85 Siehe S. 137.

86 Siehe S. 170 (c).

87 Vgl. z.B. G. Garitte, S. Antonii vitae, versio
   sahidica, CSCO, script. copt. 13, Seite 3: Im
   Synaxar: Basset, Le synaxaire arabe jacobite I
   [= PO 11] 661 [=627]; Amélineau, Monuments pour
   servir à l'histoire de l'Égypte chrétienne au IVe
   siècle. Histoire de saint Pakhôme et de ses
   communautés ..., in: Annals du Musée Guimet, Bd. 17
   (1889); S. 2 ff. = L. Th. Lefort, S. Pachomii vita,
   bohairice scripta, CSCO, script. copt. 7, S. 1 ff.:
   Im Synaxar: Basset, a.O. II [= PO 16] 381 [= 1023];
   Amélineau, in: MMAFC, Bd. 4 (1888), S. 3 ff. =
   J. Leipoldt, Sinuthii vita bohairice, CSCO, script.
   copt. 1, S. 8 ff.: Im Synaxar: Basset, a.O. II
   [= PO 17] 628 [= 1170] ; Amélineau, Vie de Samuel de
   Qalamoun, in: MMAFC, Bd. 4 (1895), S. 771-773: Im
   Synaxar: Basset, a.O. I [= PO 3] 405 [= 329] ; vgl.
   auch T. Baumeister, Martyr invictus, Münster (1972),
   S. 92. Stichproben der Aussagen im Synaxar zeigen,
   daß im allgemeinen nur bei relativ wenigen Personen
   über ihre Kindheit berichtet wird und etwas häufiger
   über ihre Herkunft oder Heimat bzw. ihre Eltern.
   Falls das Synaxar solche Angaben enthält, stehen
   diese am Anfang.

88 Siehe S. 257 f.

89 Budge, a.O., S. 260: Budges Anmerkung 5 lautet:
   "Reading uncertain here".

90 Für ⲃⲱⲕ ⲉⲡⲧⲁⲕⲟ siehe z.B. Off. 17,8.

91 Die Berichtigung ⲍⲟⲙⲟⲗⲟⲅⲉⲓ ⲛⲁⲓ ⲭⲉ von ⲍⲟⲙⲟⲓⲱⲥ ⲉⲓⲛⲁⲝⲉ beruht auf meiner Textkollation mit Hilfe eines Mikrofilms: vgl. auch Crum, in: a.O., ZDMG, 182, zu Seite 81,15.

92 Ep. I., 221 und Anm. 2.

93 Vgl. Ep. I., 277 und Anm. 6.

94 Für die Datierung der Rezensionen B und S siehe S. 5 f.

95 Siehe S. 33 f.

96 Siehe S. 41.

97 Vgl. A 155b.

98 Siehe·S 63. Zu weiteren Beispielen, siehe z.B. S. 82, 97. Das gilt auch für Wunder des Textes S, die im Text B fehlen: z.B. das W. 25 (70b), wo ausdrücklich gesagt wird, daß es am Anfang seiner Amtszeit als Bischof, als er noch im Gebirge (d.h. im Kloster) war. Solche Sätze kommen relativ selten im Text B vor: " ... ⲍⲉⲛ ⲧⲁⲣⲭⲏ ⲙⲉⲛ ⲉⲧⲁⲩⲉⲣⲙⲟⲛⲁⲭⲟⲥ " (B 335).

99 Zu Pesyntheus siehe Basset, Le synaxaire arabe jacobite I [= PO 3] 490-491 [= 414-415] ; Ep. I., 136-137; G. Gabra, Pesyntheus, Bischof von Hermonthis (im Druck), in: MDAIK. Zu Konstantin siehe Coquin, SOC Collectanea 16 (1981), 151 ff.

100 Ep. I., 111 und Anm. 8.

101 Siehe auch S. 195.

102 Über das Verhältnis zwischen den Texten dieses Wunders siehe S. 195-197.

103 Vgl. S. 251. " اصل المشـرق " (A 158a = W. 28) "die Leute des Ostens" scheint eine Verlesung von " اصل الشرق " "die Leute des östlichen Gebiets" zu sein. Dies hat wahrscheinlich mit " ⲁⲛⲁⲧⲟⲗⲏⲥ " (S 38b) nichts zu tun, das in einer Lobrede auf Pesyntheus vorkommt und zu dem es keine Parallele im Text A gibt. Das 29. Wunder handelt auch vom "anderen" Priester, der als من اهل قرية من قرى القرب bezeichnet wird. Nach dem Text A handeln die Wunder 28 u. 29 von Priestern, die zur Diözese Pesyntheus' gehören (vgl. Crum, ZDMG 68 (1914), 183, zu Seite 90; Ep. I., 120).

104 Zum Gebel al-Asās siehe Ep. I., 108. Die von Crum im Jahre 1914 genannten Angaben über al-Asās (ZDMG 68 (1914), 180 und Anm. 5) gelten nicht für al-Asās zur Zeit Pesyntheus (Ep. I., 108). In seiner 1937

erschienenen Arbeit bezeichnete O'Leary fälschlich
al-Asās als: " ... Mt. el Asas, i. e., Tsenti near
the Der el-Bahri not far from the modern village
of Gurnah" (The Saints of Egypt, London, 235; vgl.
auch Müller, ZKG 75 (1964), 298 und Anm. 129.
Zum Benhadeb siehe Ep. I., 108, 117, a.O. II, S.
224, Nr. 269, Anm. 2. Zum Gebel Bišwāw siehe
Ep. II., S. 171, Nr. 78 und Anm. 1, S. 185, Nr. 132
und Anm. 1; Coquin, in: BiOr 34 (1977), 145 f.
Zu diesen Gebieten siehe auch Doresse, JA 236
(1948), 247-270; Meinardus, Bulletin de la Société
de Géographie d'Égypte 35 (1962), 196 ff; ders.,
Christian Egypt. Ancient and Modern, Kairo (1965),
308 ff.

105   Siehe S. 266.

106   Siehe Coquin, a.O.; Adel Y. Sidarus, in: BiOr 34
      (1977), 22 ff.

107   A.O. 25 und Anm. 19.

108   Siehe S. 250 ff., 265.

109   Siehe S. 267 ff.

110   MIE 2 (1889), 265 ff.

111   O'Leary schreibt (a.O. 317) der Text A sei aus
      einer unbekannten Quelle für Amélineau kopiert
      worden. Sicher stand diese Kopie Amélineau erst
      nach der Veröffentlichung des Textes B zur Ver-
      fügung.

112   A.O., 270.

113   A.O., 273.

114   A.O., 352 und Anm. 4; auch S. 270 f.

115   A.O., 37.

116   A.O., siehe auch oben S. 257 und unten S. 308.

117   A.O., 217-277.

118   Cauwenbergh, a.O. 37 und Anm. 2.

119   Es sei darauf verwiesen, daß seine Übersetzung des
      Textes B viel besser als die des Textes S von Budge
      ist, obwohl Budge den Text ein Vierteljahrhundert
      nach der Übersetzung Amélineaus veröffentlichte.

120   Siehe z.B. J. Vergote, OLP 8 (1977), 175 ff.

121   ZDMG 68 (1914), 178 ff.

122   OLZ 38 (1935), Sp. 15.

123   A.O.

124   A.O., 29 ff.

125   A.O., 34 und Anm. 2.

126   A.O., Anm. 3 auf Seite 37-38.

127   A.O., 34.

128   A.O., 35.

129   A.O., 38.

130   A.O., 36.

131   MPS 2 (1934), S. XVII.

132   Siehe S. 7, Anm. 25, 26.

133   V. Stegemann, Koptische Paläographie ..., Heidel-
       berg (1936); M. Cramer, Koptische Paläographie,
       Wiesbaden (1964): Vgl. dazu Krause, in: BiOr 23
       (1966), 286-293 und R. Haardt, in: WZKM 61 (1967),
       162 f.; Krause, in: Miscellanea in Honorem Josephi
       Vergote = OLP 6/7 (1975-76), 329 ff.

134   Siehe S. 31 f., 82 ff., 95, 179-181, 187.

135   Siehe S. 158, 171, 196.

136   Siehe den Abschnitt "Biographie oder Enkomium",
       S. 272 ff.

137   Siehe den Abschnitt "die Aussagen des Synaxars
       über Pesyntheus", bes. S. 265.

138   JThS 39 (1938), 250.

139   SOC Collectanea 16 (1981), S. 153; siehe auch
       Garcin, Un centre musulman de la Haute-Égypte
       médiévale: Qūṣ, Kairo (1976), 30 f.

140   Siehe Coquin, BIFAO 75 (1975), 207 ff.

141   P. V. Jernstedt, Koptische Texte des Staatlichen
       Museums für bildende Künste "A.S. Puschkin", Moskau-
       Leningrad (1959), Nr. 56 auf S. 124 ff. Nach dem
       Synaxar bat Hadra seinen Meister um die Vita
       Antonii, um von ihr zu lernen und zu profitieren.
       Der Mönch Hadra wurde von Patriarchen Theopilus
       zum Bischof von Aswan geweiht: Basset, a.O., I
       [= PO 3] , 432 ff., [356 ff.] .

142   Siehe S. 108.

143   Bacht, Das Vermächtnis des Ursprungs, Würzburg
       (1972), 28.

144   A.O., 259 und Anm. 83, 84.

145   Siehe J. Muyser, BSAC 9 (1943), S. 228 und Anm. 2.

146   Apophthegmata: Studien zur Geschichte des ältesten
      Mönchtums, Tübingen (1923), 89; siehe auch Th.
      Hopfner, Über die koptisch-sa'idischen Apophtheg-
      mata Patrum Aegyptiorum ..., Wien (1918), 34.

147   Vgl. L. Bieler, ΘΕΙΟΣ ΑΝΗΡ   : Das Bild des
      "Göttlichen Menschen" in Spätantike und Christen-
      tum, Neudruck der Ausgaben Wien 1935-1936, Darm-
      stadt (1976).

148   Bacht, a.O., 215 und Anm. 13.

149   Zur Vita Pachoms siehe Vergote, a.O.: das Stemma
      befindet sich auf S. 185; J. Timbie, Dualism and
      the Concept of Orthodoxy in the Thought of the
      Monks of Upper Egypt (Dissertation, University of
      Pennsylvania (1979)), 23 ff. Die Ausführungen
      von J. E. Goehring zeigen deutlich die Ursachen
      für das bisher noch nicht befriedigend erklärte
      Stemma der Viten Pachoms auf: Le Muséon 95 (1982),
      241 ff. Erforderlich ist auch eine neue Unter-
      suchung der Texte über Schenute, siehe Leipoldt,
      Ein Kloster lindert Kriegsnot. Schenutes Bericht
      über die Tätigkeit des weißen Klosters bei Sohag
      während eines Einfalls der Kuschiten, in: ... und
      fragten nach Jesus, Festschrift für Ernst Barnikol
      zum 70. Geburtstag, Berlin (1964), 53; Timbie,
      a.O., 42-44.

150   Zu den Hss. siehe Graf, GCAL, Bd. 1, 280; Bd. 2,
      490, zu S. 280, Zl. 12, 500, zu S. 466, Zl. 10;
      Simaika, Catalogue II, Serial no 646 = Hist. 26 (5),
      Serial no 617 = Hist. 32 (13); Khater-Burmester,
      Catalogue of the Coptic and Christian Arabic MSS.
      Preserved in the Cloister of Saint Menas at Cairo,
      Kairo (1967), S. 61: Serial no. 196 = Theol. 29,
      ff. 152r-171r: in der "Table of Concordance",
      S XV - XVIII wird die Hs. nicht erwähnt.

151   Crum, ZDMG 68 (1914), 179-180; Cauwenbergh, a.O.,
      160 f.; R. Griveau, ROC 19 (1914), 441-443; Ep. I.,
      228; O'Leary, Littérature copte, in: DACL, BD. 9,
      Paris (1930), Sp. 1616 f.; ders., The Saints of
      Egypt, 236; Graf, GCAL, Bd. 1, 197, 279 f., 282,
      287, 465. Diese Beiträge enthalten weiterführende
      Literatur.

152   Périer, ROC 19 (1914), 80, Übersetzung: S. 87.

153   A.O., Übersetzung: S. 88.

154   A.O., 303, Übersetzung: S. 446.

155   A.O., 80, Übersetzung: S. 88.

156   A.O., 302, Übersetzung: S. 345.

157 B 417 f., S 78b-79a, A 207a-b.

158 Périer, a.O., S. 84, Zl. 11-87, Zl. 18.

159 A.O., S. 84, Zl. 11-86, Zl. 13.

160 Es ist bemerkenswert, daß im Synaxar auf eine Weis-
sagung oder Prophezeiung Pesyntheus' - im Gegensatz zu der von Samuel von Qalamun (Siehe Graf,
GCAL, Bd. 1, 280 und Anm. 1) - nicht hingewiesen
wird.

161 E. R. Hardy, Church History 15 (1946), 91; H. von
Campenhausen, Die Christen in Alt-Alexandria, in:
Koptische Kunst. Christentum am Nil, Essen (1963),
48-53; Krause, Das christliche Alexandrien und
seine Beziehungen zum koptischen Ägypten, in:
Alexandrien, Kulturbegegnungen dreier Jahrtausende
im Schmelztiegel einer mediterranen Großstadt, in:
Aegyptiaca Treverensia: Trierer Studien zum
Griechisch-Römischen Ägypten, 53 ff.

162 H. Munier, in: H. Munier - G. Wiet, Précis de
l'Histoire d'Égypte, Bd. 2, L'Égypte byzantine et
musulmane, Kairo (1932), 47 ff.; H. I. Bell, Egypt
from Alexander the Great to the Arab Conquest:
A Study in the Diffusion and Decay of Hellenism,
Oxford (1948), 115 ff.; Hardy, Christian Egypt:
Church and People. Christianity and Nationalism
in the Patriarchate of Alexandria, New York (1952),
111-186; B. Spuler, Die koptische Kirche, in: HdO,
1. Abteilung, Bd. 8, Abschnitt 2 (1961), 279-285;
C.D.G. Müller, ZKG 75 (1964), 271-281; ders.,
Kyrios 10 (1970), 202-210; A. S. Atiya, A History
of Eastern Christianity, London (1968), 69-78;
H. Volkmann, Ägypten unter römischer Herrschaft,
in: HdO, 1. Abteilung, Bd. 2, 4. Abschnitt, Lieferung 1 A (1971), 54-64; A. Effenberger, Koptische
Kunst. Ägypten in spätantiker, byzantinischer und
frühislamischer Zeit, Leipzig (1974), 83-86. Siehe
auch Müller, Le Muséon 69 (1956), 314-317; ders.,
Geschichte der orientalischen Nationalkirchen, in:
Die Kirche in ihrer Geschichte ..., Bd. 1, Lieferung D 2, Göttingen (1981), 327-330.

163 Siehe S. 301 f., S. 311 ff.

164 Siehe S. 314-317.

165 Siehe S. 306.

166 Le Muséon 69 (1956), 327 und Anm. 44; siehe auch
Cauwenbergh, a.O., 167 und Anm. 2.

167 A.O., 330.

168 ZDMG, Supplementa I, (1969), 406.

169 Zu seiner Berühmtheit siehe S. 320 ff. Für Bischöfe der Zeit Benjamins siehe die von Müller erarbeitete Liste, die jedoch nach dem Verfasser keinen Anspruch auf Vollständigkeit erhebt: Die Homilie über die Hochzeit zu Kana ..., Heidelberg (1968), 37.

170 Ep. I., 228.

171 A.O., in: Aegyptiaca Treverensia .., S. 58.

172 Siehe z.b. A. Steinwenter, Audientia episcopalis, in: RAC, Bd. 1, Sp. 915-917 mit Literatur. G. R. Monks, Speculum. A Journal of Mediaeval Studies 28 (1953), 349.

173 CdE 47 (1972), 254 ff.

174 Krause, OLZ 53 (1958), Sp. 9 f.

175 Siehe Krause, Die Disziplin Koptologie, in: The Future of Coptic Studies, hg. von R. McL. Wilson, Leiden, 1978, 11 ff. (mit Lit.).

176 ZKG 75 (1964), 283-292.

177 ZÄS 6 (1868), 66.

178 PSBA 30 (1908), 260 und Anm. 20; Ep. I., 225 und Anm. 5. Siehe auch Ch. Bachatly, Le monastère de Phoebammon dans la Thébaïde, Tome II: Graffiti, inscriptions et ostraca par R. Rémondon, Y. 'Abd al-Masîh, W. C. Till, O.H.E. Khs-Burmester, Kairo (1965), 98.

179 CdE 46 (1971), 171 f.

180 Herrn Prof. E. Lüddeckens bin ich für den Hinweis vom 11.3.82 auf den Artikel von Quaegebeur, dessen Etymologie nach seiner Ansicht die wahrscheinlichste ist, zu Dank verpflichtet.

181 Ep. I., 225; siehe auch Till, Datierung und Prosopographie, 160-170.

182 Die biographischen Angaben, Quellen und Literatur über Horsiese finden sich in Bacht, Das Vermächtnis des Ursprungs, Würzburg (1972).

183 Graf, Catalogue de manuscrits chrétiens conservés au Caire, Vatikanstadt (1934), no 138 (V); Simaika, Catalogue I, no 101 = Hist. 275 (4); GCAL, Bd. 1, 538 und Anm. 8; G. Gabra, Zu einem arabischen Bericht über Pesyntheus, einem Heiligen aus Hermonthis im 4.-5. Jh. (im Druck), in: BSAC.

184 Ep. I., 229 und Anm. 12.

185 Vgl. a.O., 225 und Anm. 8.

186 S 73b; A 155a. Siehe auch W. 3: A 107a.

187 Crum, PSBA 30 (1908), 260 und Anm. 20; Ep. I., 225
    und Anm. 6; GCAL, Bd. 1, 465 und Anm. 1; Périer,
    ROC 19 (1914), 80 und Anm. 1.

188 G. Sobhy, Ancient Egypt (1925), Part. II, 44.

189 Ausführlich bei Amélineau, a.O., 77 ff.; Budge, a.O.,
    S. XLI ff.; Cauwenbergh, a.O., 159 ff.; Ep. I.,
    225 ff.; Müller, ZKG 75 (1964), 297 ff.

190 Catalogus codicum copticorum manuscriptorum ...:
    Text S. 42, die Übersetzung S. 44.

191 A.O., S. 264. Nach Amélineau soll Pesyntheus jedoch
    die Araberinvasion nicht erlebt haben; a.O., S.
    264-265.

192 ZDMG 68 (1914), 179.

193 A.O., S. XLI. Budge schreibt (a.O., S. 258, Anm. 1)
        "He (d.h. Pesyntheus)'flourished during
    the second half of the sixth century and the first
    half of the seventh".

194 A.O. Das Konsekrationsjahr ist erschlossen aus der
    Angabe Crums "er sei mit 30 Jahren Bischof ge-
    worden". Diese, von Crum vorgeschlagene Chronologie
    wird von den meisten Wissenschaftlern übernommen.
    Ich nenne nur W.C. Till, Datierung und Prosopo-
    graphie, 168; C. Walters, Monastic Archaeology in
    Egypt, Warminster (1974), S. 240; Coquin, SOC
    Collectanea 16 (1981), S. 161 und Anm. 1.

195 A.O., 160. Die von Crum gemachten Angaben kom-
    mentierte Cauwenbergh: "Cette chronologie peut
    être considérée comme approximativement exacte".
    Cauwenbergh versuchte, einen "terminus post quem"
    und einen "terminus ante quem" für das Geburts-
    und Sterbedatum zu geben. Graf erwähnte die Angaben
    von Crum und von Cauwenbergh (GCAL, Bd. 1, 465).

196 Ep. I., 98.

197 A.O., 220,227.

198 The Arabic Life of S. Pisentius, 319 = [7].

199 Littérature copte, in: DCAL, Bd. 9, (1930), Sp.
    1616.

200 Nach O'Leary (The saints of Egypt, London (1937),
    235) zwischen dem Ende der persischen Invasion 627
    und der Araberinvasion von 640: "The date of his
    death is not stated but it lay between the end of
    the Persian invasion in 627 and the Arab invasion
    640".

201 Nach Leclercq, " ... Il fut témoin de l'invasion
    persane sous Héraclius et l'invasion arabe":
    Lettres chrétiennes, in: DACL, Bd. 8, (1929), Sp.
    2867.

202 Constantin, évêque d'Assiout, in: Coptic Studies
in Honor of Walter Ewing Crum, Boston (1950), 303.

203 Lexikon für Theologie u. Kirche, Bd. 8, 2. Auflage,
Freiburg (1963), Sp. 313-314.

204 In ZKG 75, S. 297, Anm. 123 hat Müller die Angaben
von Crum in ZDMG 68 (1914), 179 ohne Kommentar
zitiert. Auf S. 302 schreibt er dagegen: "Das Jahr
ist unbekannt. Es dürfte aber kurz nach dem Abzug
der Perser liegen". Da Müller in verschiedenen
Artikeln, z.B. in "Aufbau und Entwicklung der
koptischen Kirche nach Chalkedon", in: Kyrios 10
(1970), S. 205 die Perserzeit von 619-629 ansetzt,
ist seine Angabe als "kurz nach 629" zu interpretieren.

205 Nach A. Jülicher, Die Liste der alexandrinischen
Patriarchen im 6. und 7. Jahrhundert, in: Fs.
K. Müller, Tübingen (1922), 7 ff., bes. 23.

206 Siehe den Abschnitt "Der Bischof während der
persischen Epoche". S. 314 ff.

207 Die nächste 5. Indiktion ist: 363 A.M. = 29.8.646 -
29.8.647: d.h. 6 Jahre nach dem Arabereinmarsch in
Ägypten.

208 Zu den Angaben des Textes A - unter dem 48. Wunder -
siehe den Kommentar über dieses Wunder, S. 228 ff.,
bes. 230.

209 A.O., in: ZDMG; Ep. I., 228.

210 Ep. I., 228.

211 Siehe Ep. I., 111, mit Anm. 1, 2, 3, 127; Krause,
MDAIK 25 (1969), 58-59; siehe auch ders., MDAIK 37
(1981), 265 u. Anm. 44.

212 Siehe den Kommentar über das 48. Wunder, S. 228-
230.

213 Die Erwähnung des Patriarchen Damian im Zusammenhang mit der Ordination Pesyntheus: S 28b (nach
dem 5. Wunder) = 114a (Wunder 5); S 57a-b = A 142b
(Wunder 20). B 368: Es gibt keine Parallele dazu
in den Texten S und A. Bei diesen Texten (S und A)
enthält die Aussage über die Ordination selbst
nicht den Namen Damian: S 42a = A 133a-b. Für die
Texte über die Perser siehe S. 314 ff. Die 5. Indiktion wird zweimal im Text S erwähnt, im Text A
nur einmal, S 78b = A 206b (Wunder 53); S 82a =
(Wunder 53). Es sei noch erwähnt, daß die anderen
arabischen Rezensionen K, P und C keine Angaben
zur Chronologie Pesyntheus' enthalten.

214 Siehe Krause, OLZ 53 (1958), Sp. 9-10.

215 Siehe Walters, a.O., 240.

216 Ep. I., 98.

217 RE 22. Siehe auch Till, a.O., 96.

218 ZDMG 68 (1914), 180 und Anm. 1.

219 A.O., 161.

220 Ep. I., 121 und Anm. 2, 225 und Anm. 10.

221 The Arabic Life of S. Pisentius, 319.

222 Siehe S. 257.

223 ZKG 75 (1964), 298.

224 Budge, Coptic Apocrypha, S. XLI, 261 und Anm. 2
und siehe oben S. 177 und Anm. 74; vgl. Cauwenbergh, a.O. 161. Crum verweist auf das 1. Wunder
(Ep. I., 225), wo Pesyntheus als Knabe die Schafe
seines Vaters hütete. Er war nicht allein, sondern
mit einem Kind (B 334) oder etlichen Kindern
(S 32b; A 104a-b). Die Texte besagen an sich nicht,
daß die Schafe der Eltern Pesyntheus' mehrere
Schäfer brauchten, was nach der Interpretation
Crums auf ihr Vermögen hindeuten könnte.

225 A.O., in: ZDMG, 180.

226 Siehe S. 257.

227 Cauwenbergh, a.O. 161; Graf, GCAL, Bd. 1, 465;
Müller, ZKG 75 (1964), 298; vgl. O'Leary, The
Saints of Egypt, 235.

228 A.O., S. XLII.

229 Die alte koptische Predigt ..., 247; vgl. Anonym,
Armant "Deutsch-arabische Kulturzeitschrift" 3
(1969), 201.

230 A.O. 277 f., 307.

231 The Arab Conquest of Egypt and the Last Thirty
Years of the Roman Dominion, Oxford (1902), 86
und Anm. 2; siehe auch Doresse, JA 236 (1948),
259 f.

232 A.O., S. XLVIII.

233 A.O., in ZKG, 298, 300: In seinem Artikel Ägypten
IV, in: Theologische Realenzyklopädie, Bd. 1,
Berlin-New York (1977), 531 hat er seine früheren
weitreichenden Thesen stark gemildert, denn er
schreibt nur noch: " ...; an Pisentius von Keft
(Koptos), den geistesmächtigen Hirten, dem auch
die altägyptische Bildung noch nicht vollständig
fremd gewesen zu sein scheint". Zum Demotischen
siehe E. Lüddeckens, in: LdÄ, Bd. 1, Sp. 1052 ff.;

ders., in: Die Sprachen im römischen Reich der
Kaiserzeit: Kolloquium vom 8. bis 10. April 1974,
herausgegeben von G. Neumann und J. Untermann,
Köln (1980), 262 f. und Anm. 102 auf S. 263.

234   Siehe auch das 21. Wunder (S 63a); Vgl. auch Crum,
Coptic Ostraca ..., Nr. 29 ff.

235   S 23b-24a. Zu den Begriffen "Meditation und Rezitation" siehe Ep. I., 166 f.; K. H. Kuhn, JThS
NS 5 (1954), 187 und Anm. 3; Bacht, ThPh 41. Jahrgang (1966), 563 und Anm. 41.

236   Siehe S. 20 f., 31.

237   Bacht, a.O., 561 ff.

238   Vgl. Krause, Mönchtum in Ägypten, in: Koptische
Kunst. Christentum am Nil, Essen (1963), 80 f.

239   Z.B. 37a ff., 50b ff.; vgl. Cauwenbergh, a.O.,
S. 34 und Anm. 5.

240   Riedel - Crum, The Canons of Athanasius ...,
London (1904), Arabisch: 51 f.; Übersetzung
60 f.; siehe auch S. 113, 139.

241   Siehe S. 241 f.; vgl. Müller, a.O. in ZKG, 285 und
Anm. 50.

242   Vgl. Cauwenbergh, a.O. 39; Krause, OLZ 53 (1958),
Sp. 9 f.; Müller, a.O., 299.

243   Ep. I., Kap. VI-VIII.

244   A.O., 297 ff.

245   Monastic Archaeology in Egypt, Warminster (1974),
222.

246   Z.B. siehe S. 293 f. und Anm. 140; vgl. auch S. 294
und Anm. 141.

247   Siehe S. 114-126.

248   Vgl. Müller, a.O., Anm. 47 auf S. 284 f.; A.H.M.
Jones, The Later Roman Empire. 284-602 ..., Bd. 2,
Oxford (1962), S. 875, 915 ff. ; J. Straub, Regeneratio
Imperii: Aufsätze über Roms Kaisertum und Reich
im Spiegel der heidnischen und christlichen Publi-
zistik, Darmstadt (1972), 374. Nach dem Synaxar-
bericht über Pesyntheus von Hermonthis spielte das
Volk eine entscheidende Rolle bei der Bischofswahl:
Siehe S. 282, Anm. 99. Nach den Texten B, S, A, P
und C dürfte Pesyntheus von Koptos Moses als
seinen Nachfolger bestimmt haben: Siehe S. 268,
Anm. 13.

249   Siehe S. 124 f.; im Text K siehe S. 47; vgl. Ep.
I., 227 und Anm. 5.

250   Vgl. Müller, a.O., 299 und Anm. 132.

251   Z.B. 50a-b.

252   Siehe Crum, ZDMG 68 (1914), 179 und Anm. 3.

253   Siehe B. Altaner - A. Stuiber, Patrologie, 8. Auf-
       lage, Freiburg-Basel-Wien (1978), 277.

254   Siehe O'Leary, The Saints of Egypt, London (1937),
       249 f.; ders. Aegyptus 32 (1952), 425 ff.; A. S.
       Atiya, A History of Eastern Christianity, London
       (1968), 179; F. Heiler, Die Ostkirchen (Neubear-
       beitung von "Urkirche und Ostkirche"), München-
       Basel (1971), 331 und Anm. 4.

255   H. Sottas, Une nouvelle pièce de la correspondance
       de saint Pésunthios, in: Fs. Champollion, Paris
       (1922), 494 ff.

256   J. Drescher, BSAC 10 (1944), 91 ff.

257   Die Nennung von Djeme spricht eher für die Zuge-
       hörigkeit zu Bischof Pesyntheus von Hermonthis,
       in dessen Sprengel Djeme lag.

258   Catalogus codicum copticorum manuscriptorum ...,
       41-44.

259   Zur Reihenfolge dieser Wunder, besonders des 17.
       Wunders des Textes S, siehe S. 137, 164, 215,
       216 f.

260   Vgl. Butler, The Arab Conquest of Egypt .., 91
       und Anm. 2; Ep. I., 103.

261   Butler, a.O., 69-92, 498-507; Ep. I., 99-103;
       Hardy, Journal of the Society of Oriental Re-
       search 13 (1929), 185-189; Munier, in: Munier -
       Wiet, Précis de l'Histoire d'Égypte, Bd. 2, Kairo
       (1932), 66-68; Hardy, Christian Egypt:Church and
       people ..., New York (1952), 181-183. Müller,
       Le Muséon 69 (1956), 314-317; Volkmann, a.O., in:
       HdO, 1. Abteilung, Bd. 2, 4. Abschnitt, Lieferung
       1 A (1971), 63 f. Diese Beiträge enthalten weiter-
       führende Literatur.

262   Ep. I., 227 und Anm. 9; A. Schiller, JARCE 7 (1968),
       117, Anm. 44.

263   Vgl. Ep. I., 101 und Anm. 9.

264   A.O., 227 und Anm. 12.

265   Datierung und Prosopographie, 168.

266   O'Leary, The Arabic Life of S. Pisentius, 319 [7].

267   A.O., 163.

268   A.O., 87.

269 A.O., 89-92; Hardy, a.O., in Journal of the
Society of Oriental Research, 187; Munier, a.O.,
67; Effenberger, Koptische Kunst..,85 f.; A. Badawy,
Coptic Art and Archaeology: The Art of the
Christian Egyptians from the Late Antique to the
Middle Ages, Cambridge (Mass.) (1978), 7.

270 Ep. I., 223 und Anm. 11, 13.

271 A.O., 99 und Anm. 1, 2, 3.

272 A.O., 227.

273 Vgl. a.O., 227 und Anm. 12; Drescher, BSAC 10
(1944), 95 und Anm. 4.

274 Vgl. Crum, ZDMG 68 (1914), 180.

275 Vgl. Ep. I., 209.

276 Etwa drei Jahrhunderte vor der Zeit Pesyntheus'
war die Flucht für die Kleriker sogar eine Pflicht
(Krause, Christenverfolgung in Ägypten, in:
Koptische Kunst. Christentum am Nil, Essen (1963),
63). Der Patriarch Benjamin lebte 13 Jahre im Exil
(Coquin, Livre de la consécration du sanctuaire
de Benjamin, Kairo (1975), 58 f.).

277 Ep. I., 228, Anm. 2.

278 A.O., 128.

279 A.O., 277 , Anm. 8.

280 A.O., 105.

281 A.O., 108.

282 Crum, Coptic Ostraca ..., London (1902), S. XVI;
Ep. I., 227 und Anm. 8, 231; van Cauwenbergh, a.O.,
164 f.; Till, a.O., 168; Müller, a.O., in: ZKG, 300.

283 Vgl. Ep. I., 230 u. Anm. 14.

284 A.O., 227, Am. 8.

285 Ep. II., S. 207, Nr. 200 und Anm. 3, 4.

286 Siehe S. 249, Anm. 125.

287 Siehe Müller, a.O., 284; siehe auch Ep. I., 133
und Anm. 12.

Anmerkungen zu Kapitel IV: Schlußbemerkungen

1 Ep. I., 230-231.

2 G. Gabra, BSAC 25 (1983), 53-60.

3 G. Gabra, Pesyntheus, Bischof von Hermonthis, (im Druck, in: MDAIK).

4 Ep. I., 231.

5 Siehe S. 9.

6 Siehe S. 52-58.

7 Crum, JThs 5 (1904), 553, Nr. B 22 auf S. 565 f.

8 BSAC 17 (1963-1964), 111 ff.; bes. 114, 149; und siehe oben S. 261 ff.

9 Vgl. z.B. Meinardus, a.O., 149: 13 Abîb, wo Pesyntheus von Koptos und drei andere stehen.

10 O'Leary, The Difnar (Antiphonarium) of the Coptic Church, Part 3, London (1930), 30b.

11 Meinardus, a.O., 127.

12 O'Leary, The Difnar (Antiphonarium) of the Coptic Church (First Four Months) ..., London (1926), 91.

13 Burmester, The Egyptian of Coptic Church ..., Kairo (1967), 44, 58-59, 108, 110; M. Cramer, Koptische Hymnologie in deutscher Übersetzung ..., Wiesbaden (1969), 1-2; siehe auch H. Quecke, Untersuchungen zum koptischen Stundengebet, Löwen (1970), 87-89.

14 Siehe S. 10.

15 Ep. I., 230 und Anm. 15; Timm, Christliche Stätten in Ägypten, Wiesbaden (1979), 90 und Anm. 1.

16 Ep. I., 230-231.

17 Siehe Krause, MDAIK 37 (1981), 262 und Anm. 2 und 5.

18 Ch. Bachatly, Le monastère de Phoebammon dans le Thébaïde, Tome II: Graffiti, inscriptions et ostraca par R. Rémondon, A. 'Abd al-Masîḥ, W. C. Till, O.H.E. Khs-Burmester, Kairo (1965), 88, Nr. 176.

19 Cramer, Koptische Inschriften im Kaiser-Friedrich-Museum zu Berlin ..., Kairo (1949), 39-41.

20 F. Ll. Griffith, AAA 14 (1927), 75, Taf. LVIII, 5, LXI, 2.

21 A.O., 81.

22 M. F. Bisson de la Roque, Rapport sur les Fouilles de Médamoud (1931 et 1932), FIFAO 9 (1933), 83, Inv. 6314. Diese Lampe wurde früher im Kairener Museum aufbewahrt (JE 58 923): Bisson de la Roque, a.O. Jetzt befindet sie sich im Koptischen Museum, Inv. Nr. 7651.

23 Siehe S. 10 und Anm. 55.

24 A.O., 41.

25 Siehe S. 5 ff.

26 Ep. I., 169 und Anm. 5, 6. Dagegen wird das Fehlen
    seines Namens unter den genannten Märtyrern und
    Heiligen in Esneh von S. Sauneron (Les ermitages
    chrétiens du désert d'Esna, FIFAO 29, 4 (1972),
    S. 8, § 248) als Kriterium für die Datierung be-
    nutzt.

27 Siehe S. 10, 295 ff.

28 C. F. Seybold, Severus ben el-Muqaffa', Historia
    Patriarcharum Alexandrinorum, CSCO, script. arab. 8,
    S. 15; vgl. B. Evetts, History of the Patriarchs
    of the Coptic Church of Alexandria, PO1 (1904-
    1906), 133 [35] und Anm. 1, 2 des textkritischen
    Apparats.

29 DCAL, Bd. 9 (1930), Sp. 1612-1617; vgl. auch G.
    Wiet, "Ḳibṭ", in: Enzyklopädie des Islâms, Bd. 2,
    Leiden-Leipzig (1927), 1077a.

30 Probleme der koptischen Literatur (hg. von P.
    Nagel) = Wiss. Beiträge der Martin-Luther-Universi-
    tät, Halle-Wittenberg (1968/1), 12.

31 LdÄ, Bd. 3, Sp. 695.

32 A.O., Sp. 714 und Anm. 244, 247, 259, Sp. 715 und
    Anm. 287. Siehe auch Sp. 718 und Anm. 330 unter
    dem Abschnitt "Wissenschaftliche Literatur".

33 GCAL, Bd. 1, 79.

34 A.O., Bd. 2, 294.

35 A.O., Bd. 2, 300 ff.

36 Adel Y. Sidarus, Coptic Lexicography in the
    Middle Ages, The Coptic Arabic Scalae, in: The
    Future of Coptic Studies, hg. von R. McL. Wilson,
    Leiden (1978), 127 und Anm. 7.

Literaturverzeichnis

Anonym: Eine Szene aus dem Moenchsleben des Bischofs
von Tsenti, Pisentios, die von seinem Schüler Johannes beschrieben wurde, Armant "Deutsch-Arabische
Kulturzeitschrift" 3 (1969), 201-204.

'Abd al-Masiḥ, Y.: siehe Simaika - 'Abd al-Masiḥ.

Allen, E. B.: Available Coptic Texts Involving Dates,
in: Coptic Studies in Honor of Walter Ewing Crum,
Boston, 1950, 3-33.

Altaner, B. - A. Stuiber: Patrologie. Leben, Schriften
und Lehre der Kirchenväter, 8. Auflage, Freiburg -
Basel - Wien, 1978.

Amélineau, E.: Monuments pour servir à l'histoire de
l'Egypte chrétienne aux IVe et Ve siècles, MMAFC 4
(1888).

-- Monuments pour servir à l'histoire de l'Egypte
chrétienne au IVe siècle. Histoire de saint Pakhôme
et de ses communautés. Documents coptes et arabe
inédits. Annals du Musée Guimet 17 (1889).

-- Un évêque de Keft au VIIe siècle, MIE 2 (1889),
261-424.

-- La géographie de l'Egypte à l'époque copte, Paris,
1893.

-- Monuments pour servir à l'histoire de l'Egypte
chrétienne au IVe, V^e, VIe et VIIe siècles, MMAFC 4
(1895).

Atiya, A. S.: A History of Eastern Christianity, London,
     1968.

Bachatly, Ch.: Le monastère de Phoebammon dans la
     Thébaïde, Tome II: Graffiti, inscriptions et
     ostraca par R. Rémondon, Y. 'Abd al-Masîh,
     W. C. Till, O. E. H. Khs-Burmester, Kairo, 1965.

Bacht, H.: Zur Typologie des koptischen Mönchtums:
     Pachomius und Evagrius, in: Christentum am Nil,
     hg. von K. Wessel, Recklinghausen, 1964, 142-157.

-- Vom Umgang mit der Bibel im ältesten Mönchtum,
     ThPh 41. Jahrgang (1966), 557-566.

-- Das Vermächtnis des Ursprungs, Würzburg, 1972.

Badawy, A.: Coptic Art and Archaeology: The Art of the
     Christian Egyptians from the Late Antique to the
     Middle Ages, Cambridge (Mass.), 1978.

Barnard, L. W.: The Date of S. Athanasius' Vita Antonii,
     Vigiliae Christianae 27 (1974), 169-175.

Basset, R.: Le synaxaire arabe jacobite (rédaction copte),
     2 Bände = PO 1 (1907), 215-379; 3 (1909), 243-545;
     11 (1915), 505-859; 16 (1922), 185-424; 17 (1923),
     525-782; 20 (1929), 741-790.

Bauer, G.: Athanathius von Qūṣ. Qilādat at-taḥrīr
     fi'ilm at-tafsīr, Eine koptische Grammatik in arabi-
     scher Sprache aus dem 13./14. Jahrhundert, Freiburg,
     1972.

Baumeister, T.: Martyr invictus: Der Martyrer als Sinn-
bild der Erlösung in der Legende und im Kult der
frühen koptischen Kirche. Zur Kontinuität des ägyptischen Denkens, Münster, 1972.

Bell, H. I.: Egypt from Alexander the Great to the Arab
Conquest: A Study in the Diffusion an Decay of
Hellenism, Oxford 1948.

Bieler, L.: ΘΕΙΟΣ ΑΝΗΡ : Das Bild des "Göttlichen Menschen" in Spätantike und Frühchristentum, Neudruck
der Ausgaben Wien 1935-1936, Darmstadt 1976.

Bisson de la Roque, M. F.: Rapport sur les Fouilles de
Médamoud (1931 et 1932), FIFAO 9 (1933).

Blau, J.: A Grammar of Christian Arabic based mainly on
South-Palestinian Texts from the First Millenium,
CSCO, subs. 27-29.

Bousset, W.: Apopthegmata: Studien zur Geschichte des
ältesten Mönchtums, Tübingen 1923.

Brakmann, H.: Zum Pariser Fragment angeblich des koptischen
Patriarchen Agathon: Ein neues Blatt der Vita Benjamins
I, Le Muséon 93 (1980), 299-309.

Brennan, B. R.: Dating Athanasius' Vita Antonii, Vigiliae
Christianae 30 (1976), 52-54.

Budge, E. A. Wallis: Coptic Apocrypha in the Dialect of
Upper Egypt, London 1913.

-- Miscellaneous Coptic Texts in the Dialect of Upper
Egypt, Part 2, The Translations, London 1915.

Burmester, O. H. E.: On the Date and Autorship of the
    Arabic Synaxarium of the Coptic Church, JThS 39
    (1938), 249-253.

-- The Egyptian or Coptic Church. A Detailed Description
    of Her Liturgical Services and the Rites and Ceremonies
    Observed in the Administration of Her Sacraments,
    Kairo 1967.

-- Siehe Khater-Burmester.

Butler, A. J.: The Arab Conquest of Egypt and the Last
    Thirty Years of the Roman Dominion, Oxford 1902.

Campenhausen von, H.: Die Christen in Alt-Alexandria,
    in: Koptische Kunst. Christentum am Nil, Essen 1963,
    48-53.

Cauwenbergh van, P.: Étude sur les moines d'Egypte depuis
    le concile de Chalcédoine (451) jusqu'à l'invasion
    arabe (640), Paris - Löwen, 1914.

Černý, J.: Coptic Etymological Dictionary, Cambridge 1976.

Châine, M.: Le manuscrit de la version copte en dialecte
    sahidique des "Apophtegmata Patrum", BdEC 4 (1960).

Ciasca, A.: Sacrorum Bibliorum: fragmenta copto-sahidica
    Musei Borgiani, Bd. 1, Rom 1885.

Clarke, S: Christian Antiquities in the Nile Vally.
    A Contribution Towards the Study of the Ancient
    Churches. Oxford 1912.

Coquin, R. G.: Le catalogue de la bibliothèque du couvent
de saint Elie "Du Rocher", BIFAO 75 (1975), 207-239.

-- Livre de la consécration du sanctuaire de Benjamin,
BdEC 13 (1975).

-- Besprechung von: J. M. Plumley, The Scrolls of
Bishop Timotheos. Two Documents from Medieval Nubia,
London 1975, in: BiOr 34 (1977), 142-147.

-- Le Synaxaire des Coptes: Un nouveau témoin de la
recension de Haute Égypte, Ab 96 (1978), 351-365.

-- Saint Constantin, évêque d'Asyūt, SOC Collectanae 16
(1981), 151-170.

Cramer, M.: Koptische Inschriften im Kaiser-Friedrich-
Museum zu Berlin. Ihre sachliche, örtliche und zeit-
liche Einordnung in das Gesamtgebiet koptischer Grab-
inschriften, Kairo, 1949.

-- Koptische Paläographie, Wiesbaden, 1964.

-- Koptische Hymnologie in deutscher Übersetzung.
Eine Auswahl aus saidischen und bohairischen Anti-
phonarien vom 9. Jahrhundert bis zur Gegenwart,
Wiesbaden, 1969.

Crum, W. E.: Coptic Ostraca from the Collections of the
Egypt Exploration Fund, the Cairo Museum and Others,
London, 1902.

-- Inscriptions from Shenoute's Monastery, JThS 5
(1904), 552-569.

Crum, W. E.: A Greek Diptych of the Seventh Century, PSBA
    30 (1908), 255-265.

-- Besprechung von: E. A. W. Budge, Coptic Apocrypha
    in the Dialect of Upper Egypt, London 1913, in:
    ZDMG 68 (1914), 176-184.

-- Der Papyruscodex saec. VI - VII der Phillippsbiblio-
    thek in Cheltenham. Koptische theologische Schriften,
    Straßburg, 1915.

-- Discours de Pisenthius sur saint Onnophrius, ROC 20
    (1915 - 1917), 38-67.

-- u. H. G. Evelyn White, The Monastery of Epiphanius at
    Thebes, Bd. 2, New York 1926.

-- A Coptic Dictionary, Oxford, 1939.

-- Siehe Riedel-Crum.

-- Siehe Winlock-Crum.

Doresse, J.: Saints coptes de Haute-Egypte, JA 236
    (1948), 247-270.

Dozy, R.: Supplément aux dictionnaires arabes, 2 Bände,
    Leiden, 1881.

Drescher, J.: A Widow's Petition, BSAC 10 (1944), 91-96.

Effenberger, A.: Koptische Kunst. Ägypten in spätantiker,
    byzantinischer und frühislamischer Zeit, Leipzig,
    1974.

Erman, A.: Bruchstücke der oberaegyptischen Uebersetzung
des alten Testamentes, in: Nachrichten von der königl.
Gesellschaft der Wissenschaften und der G. A. Universität zu Göttingen, Jahrgang 1880, 1-40.

Evelyn White, H. G.: The Monasteries of the Wâdi'n-Natrûn,
Bd. 1, New Coptic Texts from the Monastery of Saint
Macarius, New York, 1926; Bd. 2, The History of the
Monasteries of Nitria and of Scetis, New York, 1932.

-- Siehe Crum - Evelyn White.

Evetts, B.: History of the Patriarchs of the Coptic Church
of Alexandria, PO 1 (1904-1906), 101-214; 381-518.

Fakhry, A.: A Report on the Inspectorate of Upper Egypt,
ASAE 46 (1947), 25-54.

Farag, F. R.: The Technique of Research of a Tenth-Century
Christian Arab Writer: Severus Ibn Al-Muqaffa, Le
Muséon 86 (1973), 37-66.

Farid, A.: Siehe Gabra-Farid.

Frantz-Murphy, G.: A Comparison of the Arabic and Ealier
Egyptian Contract Formularies, Part I: The Arabic
Contracts from Egypt (3d/9th - 5th/11th Centuries),
JNES 40 (1981), 203-225.

Gabra, G.: The Site of Hager Edfu as the New Kingdom
Cemetery of Edfu, CdE 52 (1977), 207-222.

-- A. Farid: Neue Materialien zu königlichen Baudenk-
mälern in Edfu, MDAIK 37 (1981), 181-186.

Gabra, G.: Pesyntheus, Bischof von Hermonthis (im Druck in:
    MDAIK).

-- Zu einem arabischen Bericht über Pesyntheus, einem
    Heiligen aus Hermonthis im 4. - 5. Jh., BSAC 25 (1983),
    53-60.

Garcin, J.-Cl.: Un centre musulman de la Haute-Egypte
    médievale: Qūṣ, Kairo, 1976.

Garitte, G.: S. Antonii vitae, versio sahidica, CSCO,
    script. copt. 13.

-- Constantin, évêque d'Assiout, in: Coptic Studies in
    Honor of Walter Ewing Crum, Boston, 1950, 287-304.

-- Pesunthios, in: Lexikon für Theologie u. Kirche, Bd. 8,
    2. Auflage, Freiburg, (1963) Sp. 313-314.

Gerstinger, H.: Biographie, in: RAC, Bd. 2, SP. 386-391.

Goehring, J. E.: Pachomius' Vision of Heresy: The Deve-
    lopment of a Pachomian Tradition, Le Muséon 95 (1982),
    241-262.

Goodwin, C. W.: Coptic and Graeco-Egyptian Names, ZÄS 6
    (1868), 64-69.

Graf, G.: Catalogue de manuscrits arabes chrétiens
    conservés au Caire, Studi e Testi 63, Vatikanstadt,
    1934.

-- Zur Autorschaft des arabischen Synaxars der Kopten,
    Orientalia 9 (1940), 240-243.

Graf, G: Geschichte der christlichen-arabischen Literatur,
    Bd. 1. Die Übersetzungen, Studi e Testi 118, Vatikan-
    stadt, 1944; Bd. 2. Die Schriftsteller bis zur Mitte
    des 15. Jahrhunderts, Studi e Testi 133, Vatikanstadt,
    1947.

-- Verzeichnis arabischer kirchlicher Termini, CSCO,
    subs. 8.

Griffith, F. Ll.: Oxford Excavations in Nubia, AAA 14
    (1927), 57-116.

Griveau, R.: Notes sur la lettre de Pisuntios, ROC 19
    (1914), 441-443.

Guillaumont, A. u. C.: Evagrius Ponticus, in: RAC, Bd. 6,
    Sp. 1088-1107.

Haardt, R.: Besprechung von: M. Cramer, Koptische
    Paläographie, Wiesbaden, 1964, in: WZKM 61 (1967),
    162-163.

Hardy, E. R.: New Light on the Persian Occupation of Egypt,
    Journal of the Society of Oriental Research 13 (1929),
    185-189.

-- The Patriarchate of Alexandria: A Study in National
    Christianity, Church History 15 (1946), 81-100.

-- Christian Egypt: Church and People. Christianity and
    Nationalism in the Patriarchate of Alexandria, New
    York, 1952.

Hartley, J.: Studies in the Sahidic Version of the
    Apophthegmata Patrum (Dissertation, Brandeis Uni-
    versity), 1969.

Hebbelynck, A. - A. Van Lantschoot, Codices Coptici,
    Vaticani, Barberiniani, Borgiani, Rossiani, Bd. 1,
    Codices Coptici Vaticani, Vatikanstadt, 1937.

Heiler, F.: Die Ostkirchen (Neubearbeitung von "Urkirche
    und Ostkirche"), München - Basel, 1971.

Hopfner, Th.: Über die koptisch-sa'idischen Apophthegmata
    Patrum Aegyptiorum und verwandte griechische, latei-
    nische, koptisch-bohairische und syrische Sammlungen,
    Wien, 1918.

Hornung, E.: Lexikalische Studien I, ZÄS 86 (1961),
    106-114.

Hyvernat, H.: Album de paléographie copte pour servir
    à l'introduction paléographique des Actes des Martyrs
    de l'Egypte, Paris 1888.

Jernstedt, P. W.: Koptische Texte des Staatlichen Museums
    für bildende Künste "A.S. Puschkin", Moskau-Leningrad,
    1959.

Johnson, D. W.: A Panegyric on Macarius Bishop of Tkôw,
    Attributed to Dioscorus of Alexandria, CSCO, script.
    copt. 42.

Jones, A. H. M.: The Later Roman Empire, 284-602. A.
    Social Economic and Administrative Survey, Bd. 2,
    Oxford, 1964.

Jülicher, A.: Die Liste der alexandrinischen Patriarchen
im 6. und 7. Jahrhundert, in: Festgabe von Fachge-
nossen und Freunden Karl Müller zum 70. Geburtstag
dargebracht, Tübingen, 1922, 7-23.

Kammerer, W.: A Coptic Bibliography, Ann Arbor, Michigan,
1950.

Kasser, R.: Papyrus Bodmer XVI, Exode I-XV, 21, en sahidique, Cologny-Genève, 1961.

-- Compléments au Dictionnaire copte de Crum, BdEC 7
(1964).

Khater, A. - O. H. E. KHS-Burmester, Catalogue of the
Coptic and Christian Arabic MSS. Preserved in the
Cloister of Saint Menas at Cairo, Kairo, 1967.

Krause, M.: Zum Recht der koptischen Urkunden, OLZ 53
(1958), Sp. 5-12.

-- Mönchtum in Ägypten, in: Koptische Kunst. Christentum
am Nil, Essen, 1963, 77-84.

-- Die Testamente der Äbte des Phoibammon-Klosters in
Theben, MDAIK 25 (1969), 57-67.

-- Ein Fall friedensrichterlicher Tätigkeit im ersten
Jahrzehnt des 7. Jahrhunderts in Oberägypten, RdE 24
(1972), 101-107.

-- Zur Bedeutung des Handschriftenfundes von Nag Hammadi
für die Koptologie, in: Miscellanea in Honorem Josephi
Vergote, OLP 6/7 (1975-1976), 329-338.

Krause, M.: Die Disziplin Koptologie, in: The Future of Coptic Studies, hg. von R. McL. Wilson, Leiden, 1978, 1-22.

-- Koptische Literatur, in: LdÄ, Bd. 3, Sp. 694-728.

-- Das christliche Alexandrien und seine Beziehungen zum koptischen Ägypten, in: Alexandrien. Kulturbegegnungen dreier Jahrtausende im Schmelztiegel einer mediterranen Großstadt (Aegyptiaca Treverensia: Trierer Studien zum Griechisch-Römischen Ägypten, Bd. 1, Mainz am Rhein, (1981), 53-62.

-- Zwei Phoibammon-Klöster in Theben-West, MDAIK 37 (1981), 261-266.

Kuhn, K. H.: A Fifth-Century Egyptian Abbot, JThS N.S. 5 (1954), 36-48, 174-187; N.S. 6 (1955), 35-48.

-- A Panegyric on Apollo, Archimandrit of the Monastery of Isaac, by Stephen, Bishop of Heracleopolis Magna, CSCO, script. copt. 39, 40.

Lagarde de, P.: Der Pentateuch Koptisch., Leipzig, Teubner, 1867.

Lampe, G. W. H.: Patristic Greek Lexikon, Oxford, 1961.

Lantschoot van, A.: Siehe Hebbelynck-Lantschoot.

-- Recueil des colophons des manuscrits chrétiens d'Egypte, Bd. 1, Les colophons coptes des manuscrits sahidiques, Löwen, 1929.

Leclercq, H.: Lettres chrétiennes, in DACL, Bd. 8,
    Paris, 1929, Sp. 2683-2885.

Lefort, L. Th.: S. Pachomii vita, bohairice scripta,
    CSCO, script. copt. 7.

Leipoldt, J.: Sinuthii vita bohairice, CSCO, script.
    copt. 1.

-- Ein Kloster lindert Kriegsnot. Schenûtes Bericht
    über die Tätigkeit des weißen Klosters bei Sohag
    während eines Einfalls der Kuschiten, in: ... und
    fragten nach Jesus, Festschrift für Ernst Barnikol
    zum 70. Geburtstag, Berlin, 1964, 52-56.

Lohse, B.: Hagiographie, in: Lexikon der Alten Welt,
    Zürich, Stuttgart, 1965, Sp. 1184 f.

Lüddeckens, E.: "Demotisch", in: LdÄ, Bd. 1, Sp. 1052-
    1056.

-- Ägypten, in: Die Sprachen im römischen Reich der
    Kaiserzeit: Kolloquium vom 8. bis 10. April 1974,
    hg. von G. Neumann und J. Untermann, Köln, 1980,
    241-265.

MacCoull, L. S. B.: Coptic Marraige-Contract, Papyrologica
    Bruxellensia 17 (1979), 116-123.

Meinardus, O.: The Coptic Monuments in the Nile Vally
    between Sôhâg and Aswân, Bulletin de la Société de
    Géographie d'Egypte 35 (1962), 177-215.

-- A Comparative Study on the Sources of the Synaxarium of the Coptic Church, BCAC 17 (1963-1964), 111-156.

-- Christian Egypt. Ancient and Modern, Kairo, 1965.

Mertel, H.: Des Heiligen Athanathius Leben des Heiligen Antonius, in: Bibliothek der Kirchenväter, Bd. 31, München, 1917, 679-777 [3-101].

Monks, G. R.: The Church of Alexandria and the City's Economic Life in the Sixth Century, Speculum. A Journal of Mediaeval Studies 28 (1953), 349-362.

Morenz, S.: Zum Problem einer koptischen Literatur-geschichte, in: Probleme der koptischen Literatur (hg. von P. Nagel) = Wiss. Beiträge der Martin-Luther-Universität, Halle-Wittenberg, 1968/1, 11-16.

Müller, C. Detlef G.: Die alte koptische Predigt (Versuch eines Überblicks), (Dissertation der Ruprecht-Karl-Universität zu Heidelberg), 1954.

-- Einige Bemerkungen zur "ars praedicandi" der alten koptischen Kirche, Le Muséon 67 (1954), 231-270.

-- Benjamin I., 38. Patriarch von Alexandrien, Le Muséon 69 (1956), 313-340.

-- Was können wir aus der koptischen Literatur über Theologie und Frömmigkeit der Ägyptischen Kirche lernen?, Oriens Christianus 48 (1964), 191-215.

-- Die koptische Kirche zwischen Chalkedon und dem Arabereinmarsch, ZKG 75 (1964), 271-308.

Müller, C. Detlef G.: Die Homilie über die Hochzeit zu Kana
und weitere Schriften des Patriarchen Benjamin I. von
Alexandrien, Heidelberg, 1968.

-- Der Stand der Erforschungen über Benjamin I., den
38. Patriarchen von Alexandrien, ZDMG, Supplementa I,
(1969), 404-410.

-- Aufbau und Entwicklung der koptischen Kirche nach
Chalkedon (451), Kyrios 10 (1970), 202-210.

-- Ägypten IV, in: Theologische Realenzyklopädie, Bd. 1,
Berlin - New York, 1977, 512-533.

-- Geschichte der orientalischen Nationalkirchen, in:
Die Kirche in ihrer Geschichte ..., Bd. 1, Lieferung
D 2, Göttingen, 1981.

Munier, H.: La scala copte 44 de la Bibliothèque nationale
de Paris, BdEC 2, (1930).

-- in: H. Munier - G. Wiet, Précis de l'Histoire
d'Egypte, Bd. 2, L'Egypte byzantine et musulmane,
Kairo, 1932.

Muyser, J.: Ermite pérégrinant et pèlerin infatigable,
BSAC 9 (1943), 159-236.

O'Leary, De L.: The Difnar (Antiphonarium) of the Coptic
Church. 3 Bände, London, 1926, 1928 und 1930.

-- Littérature copte, in: DACL, Bd. 9, Paris, 1930,
Sp. 1599-1635.

O'Leary, De L.: The Arabic Life of S. Pisentius according to the Text of the Two Manuscripts Paris Bib. Nat. Arabe 4785, and Arabe 4794, PO 22 (1930), 317-487.

-- The Saints of Egypt, London, 1937.

-- Severus of Antioch in Egypt, Aegyptus 32 (1952), 425-436.

Orlandi, T.: Les manuscrits coptes de Dublin, du British Museum et de Vienne, Le Muséon 89 (1976), 323-338.

-- Elementi di lingua e letteratura copta, Mailand, 1970.

Peeters, P.: Besprechung von: E. A. W. Budge, Coptic Apocrypha in the Dialect of Upper Egypt, London, 1913, in: AB 33 (1914), 351-354.

Périer, A.: Lettre de Pisuntios, évêque de Qeft, à ses fidèles, ROC 19 (1919) 79-92, 302-323, 445-446.

Plumley, J.M.: The Scrolls of Bishop Timotheos. Two Documents from Medieval Nubia, London, 1975.

Polotsky, H. S.: Zur arabischen Pesynthius-Vita, OlZ 38 (1935), Sp. 15-18.

Quaegebeur, J.: Le nom propre Tsonesontis, CdE 46 (1971), 158-172.

Quecke, H.: Untersuchungen zum koptischen Stundengebet, Löwen, 1970.

Rémondon, R.: l'église dans la société égyptienne à
   l'époque byzantine, CdE 47 (1972), 254-277.

Revillout, E.: Vie de St. Pésunthius, évêque de Coptos, Revue égyptologique 9 (1900), 177-179; 10
   (1902), 165-168.

-- Textes coptes extraits de la correspondance de
   St. Pésunthius, évêque de Coptos, et de plusieurs
   documents analogues (juridiques ou économiques),
   Revue égyptologique 9 (1900), 133-177; 10 (1902),
   34-47.

Riedel, W. - W. E. Crum: The Canons of Athanasius,
   Patriarch of Alexandria, ca. 293-373, London, 1904.

Roquet, G.: Toponymes et lieux-dits égyptiens
   enregistrés dans le dictionnaire copte de W. E. Crum,
   BdEC 10 (1973).

Rustafjaell, de R.: The Light of Egypt from Recently
   Discovered Predynastic and Early Christian Records,
   London, 1910.

Sauneron, S.: Les ermitages chrétiens du désert d'Esna.
   Essai d'histoire, FIFAO 29,4 (1972).

Schiller, A.: The Budge Papyrus of Columbia University,
   JARCE 7 (1968), 79-118.

Schneemelcher, W.: Erwägungen zu dem Ursprung des Mönchtums in Ägypten, in: Christentum am Nil, hg. von
   K. Wessel, Recklinghausen, 1964, 131-141.

Scopello, M.: Les "Testmonia" dans le traité de
"l'exégèse de l'âme", Nag Hammadi II, 6, RHR 191
(1977), 159-171.

Seybold, C. F.: Severus ben el-Moqaffa', Historia patri-
archarum Alexandrinorum, CSCO, script. arab. 8.

Shisha-Halevy, A.: Two New Shenoute-Texts from the
British Library, Orientalia 44 (1975), 149-185.

Sidarus, A. Y.: Athanasius von Qūṣ und die arabisch-
koptische Sprachwissenschaft des Mittelalters,
BiOr 34 (1977), 22-35.

-- Coptic Lexiography in the Middle Ages. The Coptic
Arabic Scalae, in: The Future of Coptic Studies,
hg. von R. McL. Wilson, Leiden, 1978, 125-142.

Simaika, M. - Y. 'Abd al-Masiḥ, Catalogue of the Coptic
and Arabic Manuscripts in the Coptic Museum, the
Patriarchate, the Principal Churches of Cairo and
Alexandria and the Monasteries of Egypt, Bd. 1,
Catalogue of the MSS. of the Coptic Museum, Kairo,
1939; Bd. 2, fasc. 1, Catalogue of the Manuscripts
in the Library of the Coptic Patriarchate, Kairo,
1942.

Simon, J.: L'aire et la durée des dialectes coptes, in:
Actes du quatrième Congrès international de
l'inguistes, Kopenhagen, 1938, 182-186.

Sobhy, G.: Studies in Coptic Lexicography, BIFAO 14
(1918), 57-64.

Sobhy, G.: Studies in the Coptic Proper Names, Ancient
Egypt (1925), Part II, 41-44.

Scottas, H.: Une nouvelle pièce de la correspondance
de saint Pésunthios, in: Fs. Champollion, Paris 1922,
494-502.

Spiegelberg, W.: Koptisches Handwörterbuch, Heidelberg,
1921.

Spuler, B.: Die koptische Kirche, in: HdO, 1. Abteilung,
Bd. 8, Abschnitt 2 (1961), 269-308.

Stegemann, V.: Koptische Paläographie. 25 Tafeln zur
Veranschaulichung der Schreibstile koptischer
Schriftdenkmäler auf Papyrus, Pergament und Papier
für die Zeit des III - XIV Jahrhunderts, mit einem
Versuch einer Stilgeschichte der koptischen Schrift,
Heidelberg, 1936.

Steinwenter, A.: Audientia episcopalis, in: RAC, Bd. 1,
Sp. 915-917.

Straub, J.: Regeneratio Imperii: Aufsätze über Roms
Kaisertum und Reich im Spiegel der heidnischen und
christlichen Publizistik, Darmstadt, 1972.

Stuiber, A.: Siehe Altaner - Stuiber.

Till, W. C.: Koptische Pergamente theologischen Inhalts,
MPS 2 (1934).

-- Datierung und Prosopographie der koptischen Urkunden
aus Theben, SÖAW 240, 1 (1962).

Till, W. C.: Koptische Literatur, in: Koptische Kunst.
Christentum am Nil, Essen, 1963, 109-112.

Timbie, J.: Dualism and the Concept of Orthodoxy in the
Thought of the Monks of Upper Egypt. (Dissertation,
University of Pennsylvania), 1979.

Timm, S.: Christliche Stätten in Ägypten, Wiesbaden, 1979.

Vergote, J.: La valeur des vies grecques et coptes de
S. Pakhôme, OLP 8 (1977), 175-186.

Volkmann, H.: Ägypten unter römischer Herrschaft, in:
HdO, 1. Abteilung, Bd. 2, 4. Abschnitt, Lieferung
1 A (1971), 21-66.

Walters, C.: Monastic Archaeology in Egypt, Warminster,
Wilts., 1974.

Westendorf, W.: Koptisches Handwörterbuch, Heidelberg,
1965/1977.

Wiet, G.: "Ḳibṭ", in Enzyklopädie des Islāms, Bd. 2,
Leiden-Leipzig, 1927, 1064-1078.

Winlock, H. E. - W. E. Crum: The Monastery of Epiphanius
at Thebes, Bd. 1, New York, 1926.

Zoega, G.: Catalogus codium copticorum manuscriptorum
qui in Museo Borgiano Velitris adservantur, Rom, 1810.

INDEX

Wegen meiner frühzeitig terminierten Rückkehr nach
Ägypten muß ich leider den für den Druck ausführlich
geplanten Index auf das Notwendigste, die Hinweise
auf die Wunder beschränken.